طفلك قبل السادسة: السنوات المصيريّة

الدكتور فيتزهيو دودسون

طفلك قبل السادسة: السنوات المصيريّة

نقله من الإنكليزيّة زياد زيد الأتاسي

HQ 769 .D59125 2014
Dodson, Fitzhugh, 1923-1993,
Tiflik qabl al-sadisah
al-sanuat al-masiriyah

هاشيت أنطوان
حياتيات

جميع الحقوق محفوظة.

© هاشيت أنطوان ش.م.ل.، 2014
سنّ الفيل، حرج تابت، بناية فورِست
ص. ب. 0656-11، رياض الصلح، 2050 1107 بيروت، لبنان
info@hachette-antoine.com
www.hachette-antoine.com
www.facebook.com/HachetteAntoine
twitter.com/NaufalBooks

لا يجوز نسخ أو استعمال أيّ جزء من هذا الكتاب في أيّ شكل من الأشكال أو بأيّ وسيلة من الوسائل – سواء التصويرية أو الإلكترونية أو الميكانيكية، بما في ذلك النسخ الفوتوغرافي والتسجيل على أشرطة أو سواها وحفظ المعلومات أو استرجاعها – من دون الحصول على إذن خطّي مسبق من الناشر.

صورة الغلاف: **Shutterstock**
تصميم الغلاف: **معجون**
إقتباس التصميم: **ماري تريز مرعب**
تحرير ومتابعة نشر: **رنا حايك**
طباعة: **53Dots**

ر.د.م.ك.: **978-9953-26-442-4**

Original Title:
How to Parent

Copyright © 1971 by Fitzhugh Dodson
Hardcover edition first published in New York
by Nash Publishing
This edition is published by arrangement
with Sterling Lord Literistic, New York, USA.
All rights reserved.

R07142 55711

إلى والدتي، المعلّمة، ووالدي، السمسار بالبورصة، اللذين أحبّاني ووضعاني على بداية الطريق في رحلة الحياة.
إلى جدّتي التي وجّهتني بصلواتها نحو الدين.
إلى جدّي الذي علّمني معنى الاستقامة على الطراز القديم.
إلى عمّي نورث الذي كان مثالاً يُحتذى علّمني الشجاعة والجرأة.
إلى عمّتي ماريون التي أرتني ماذا يعني اللطف الحقيقي عند امرأة.
إلى «والدتي الثانية» أدلين بريسكين التي فتحت لي أبواب عالم الثقافة.
إلى من هم بمقام والديَّ:
نورمان أتكينز الذي تعلّمت منه الكثير عن البشر وعن قوَّتي الذاتية الكامنة.
وهوارد غوهين الذي علّمني كيف ألحم وكيف أعمل بيديّ.
إلى كلّ هؤلاء الأهل الرائعين، والنماذج المثالية للآباء والأمهات، أهدي هذا الكتاب عن الأبوّة والأمومة.

فيتزهيو دودسون

«البغل وحده هو الذي يتنكّر لأسرته».

مثل سوري قديم

شكر

أتقدّم بالشكر من جميع هؤلاء الأشخاص:

إن تأليف هذا الكتاب جعلني أدرك أن من المستحيل على أيّ كاتب أن يدّعي أنه «صنع نفسه بنفسه». فكلّ كتاب هو نتاج عمل وتفكير مجموعة من الأشخاص، وأنا أرغب في توجيه الشكر للأشخاص الذين أسهموا في إعدادي هذا الكتاب.

أنا شاكر لآلاف علماء النفس وعلماء السلوك من حول العالم، الذين قادوا دراسات مهمّة حول الأطفال وذويهم، وقاموا بأبحاث عيادية وتجريبية، أتيتُ على ذكرها في هذا الكتاب.

جاء هذا الكتاب نتاج سلسلة من المحاضرات السنوية التي ألقيتها منذ عام 1963 على أهالٍ في حضانة La Primera في تورانس، كاليفورنيا. وقد تعلّمت الكثير من تعليقات هؤلاء الأهالي وأسئلتهم. كذلك تعلّمت الكثير من الأمهات اللواتي حضرن اثنين من صفوفي حول «السنوات الخمس الأولى من الحياة»، التي ألقيتها كجزء من مشروع «مدرسة مع فنجان من القهوة» في la primera.

لطالما استحقّ العلاج بالتحليل النفسي، عن جدارة، الوصف بأنّه «النافذة على الأماكن السرية في الروح»، وأنا شاكر لمن عالجتهم من أطفالٍ وبالغين أتاحوا لي امتياز النظر إلى داخل تلك النافذة. ففي سياق عملنا معًا، علّموني الكثير عن الحالة الإنسانية.

أودّ أن أعبّر عن عرفاني للراحلة دوروثي باروخ، التي أسهمت مؤلفاتها إلى حدٍّ كبير في تغذية تأمّلاتي في علم وفنّ الأمومة والأبوة؛ وللراحل بول تيليش، الذي

تشرّفت بتلقّي العلم على يديه، والذي شكّلت أفكاره، إلى حدٍّ بعيد، منبعًا لمختلف جوانب علم النفس الإنساني الحديث.

أقدّم أيضًا خالص شكري للدكتور سيوارد هيلتنر، الذي كان أول من حفّز اهتمامي بعلم النفس؛ للدكتور كارل روجرز، الذي تعلّمت من كتبه ومحاضراته الكثير عن معنى أن يكون الشخص شخصًا؛ وللدكتور فولني فاو، الذي جسّد مبادئ الدكتور روجرز في حياته الشخصية وفي تعاليمه. أودّ أيضًا أن أوجّه الشكر للدكتور لي ترافيس، أحد أساتذتي اللامعين الآخرين، الذي علّمني الكثير عن علم النفس الديناميكي.

وأودّ أن أعبّر عن تقديري لمن أعتبرهم معلّميَّ في فنّ الكتابة: الراحل هالفورد إي. لوكوك، الذي تعلمت من صفوفه الكثير عن الاستخدام الطريف والفطن للغة الإنكليزية؛ رودولف فليش، الذي شكّلت كتبه بالنسبة لي دروسًا لا تنضب في فنّ الكتابة السهلة؛ ويليام س. تشامبليس، الذي علّمني، إلى جانب أشياء كثيرة أخرى حول الكتابة الواقعية، الفرق بين خطابٍ على شكل «رسالة إلى المحرّر» وبين كتاب؛ برنيس فيتزغيبون، التي يشكّل كتابها *Macy's, Gimbles, & Me* موسوعة في فنّ إيصال الأفكار؛ إريرك بارنو، آل كروز، فرانك باب، وإيفريت باركر، الذين علّموني جميعًا الكثير عن طريقة الكتابة للإذاعة والتلفزيون.

أقدّم الشكر الجزيل لجميع من أسهموا بتحويل المخطوطة الخام إلى ذاك الكتاب الذي بين أيديكم اليوم: إلى إيلاين ماغنيس وميلدريد شولتز، لتنضيدهما السريع والمتقَن، وإلى جان باكمان، لتلبيته متطلبات النسخ والطباعة في مواقيتها.

إلى جميع من قرأوا مخطوطة هذا الكتاب وقدّموا اقتراحات مفيدة: جانيت سويتزر، الحاصلة على درجة الدكتوراه؛ آلان داربون، الحاصل على درجة الدكتوراه وزوجته جيني؛ آل باخ، الحاصل على درجة الدكتوراه وزوجته راماح؛ بوب لاكروس الحاصل على درجة الدكتوراه، وجان لاكروس الحاصل على درجة الدكتوراه؛ ديغبي ديل؛ ماك وكايت فريدلاندر؛ كارول كينون؛ جين هاريس؛ ستانلي ومورين مور؛ توم وغلاديس إيسن؛ دايفيد وجينجر تالك؛ كارل وآن

براون؛ تشارلز وبرناديت راندال؛ ميل وجون ليندسي؛ وجورج وريتا ماك كوي. إلى شيلا ويبر التي ساعدتني في إعداد لائحة كتب الأطفال مع التعليقات في الملاحق.

إلى تشارلز أم. شولتز، الذي لم يبخل على كتابي باسمه وبموهبته، حتى يقرأه مئات الآلاف من الأشخاص الذين ربّما لم يكونوا ليقرأوه لولا ذلك، أتقدّم منه بعرفانٍ من المستحيل، صدقًا، التعبير عنه بكلمات.

إلى بيل كين، الوالد الرائع، والزوج المحبّ، وفنّان الكرتون الممتاز، أقدّم خالص التقدير لتزويدي بصورٍ عبّرت أرقى تعبير، بالكربون، عمّا قلته كتابةً.

إلى زوجتي إليز وأبنائي روبين، راندي وراستي، الذين علّموني جميعًا الكثير عن التربية، والذين لن يكون في وسعي يومًا أن أعبّر لهم بشكل ملائم عن مدى شكري.

وفي النهاية، إلى «الداية» الموهوبة جدًّا في دار «ناش»، محرّرتي سيلفيا كروس، التي تابعت هذا الكتاب من لحظة «الحمل» حتى «الولادة».

أنا شاكر من كل قلبي لجميع هؤلاء الأشخاص الذين لم أكن لأستطيع تأليف هذا الكتاب من دونهم.

فيتزهيو دودسن
مونتي فيستا، خريف 1969

كلمة الناشر

صدر كتاب الدكتور فيتزهيو دودسن «*How to Parent*» في عام 1970، أي منذ 44 عامًا. مدة قد يعتبرها البعض طويلة، وكفيلة بإسقاط القوانين بالتقادم...

لكنّ بعض الكتب، ومنها كتاب دودسن، لا تخضع لقوانين التقادم، لما تقدّمه من معلومات وإرشادات تصلح لكل عصر ما دام هناك أم وأب وطفل.

لا شكّ في أنّ كتاب دودسن لا يزال يُعدّ مرجعًا من الناحية النظرية برغم مرور كل هذه السنوات، إلّا أنّ مرور الزمن قد يكون أثّر على الناحية العملية منه، ولا سيّما أنّ بعض عناوين الكتب المدرجة فيه ربما نفدت، وبعض أسماء الأدوات التعليمية والألعاب الواردة فيه لم تعد تُصنَّع، لذا اقتضى التنبيه.

المحتويات

مقدّمة

لـدى الأبويـن الجديدين الكثير ليتعلّماه من أولئك الذيـن خاضوا فعلًا تجربة ما يدعوه الدكتور فيتزهيو دودسون «فنّ الأبوّة والأمومة».

وعندما يكون من خاض هذه التجربة اختصاصيًا في علم نفس الطفل واستشاريًا نفسيًا في الحضانة التي يملكها شخصيًا، فمن المؤكد أنه سيكون لديه الكثير ليشاركنا إياه.

وكمـا يشـير الدكتـور دودسـون، فـإنّ إنجـاب طفـل لا يعنـي اكتسـاب الحكمـة والفعاليـة مباشـرةً فـي هـذا الفنّ، فلكـي تقوم بعمل جيـد فعلًا في هـذا الإطار، عليك بالضرورة معرفة القليل عن الطريقة التي ينمو بها الأطفال.

تتأتّـى المعرفـة للعديديـن من خـلال التجربة فقـط، وعلى طول الطريـق، تُرتكب الكثير من الأخطاء.

إلّا أنـه يمكننـا تجنّـب العديد من هذه الأخطـاء إذا كان لدينا القليل من المعرفة المسبّقة عن المسار العمومي الذي يتبعه الأطفال في طريقهم إلى الرشد والنضج.

يخبرنا المؤلف بالكثير عن هذا المسـار العمومي، بعبارات واضحة ومتماسـكة، ويشـدّد علـى ضرورة عدم الاكتفـاء بالمعرفة المجرّدة لمراحـل النموّ المتعاقبة، ثم الجلوس في الخلف وانتظار تعاقبها، فالمعرفة مفيدة خصوصًا في كونها تتيح للأم وللأب إدراك الطريقة الأكثر فعالية لتوقّع التصرّفات الخاصة بكلٍّ من هذه المراحل والتعامل معها.

إنّ اختلافـي مـع الدكتور دودسـون في بعض المسـائل الحيوية المحـدَّدة – فأنا مثـلًا أعتقـد أن الرضاعة الطبيعيـة، عندما تكون ممكنة، هي أمر أساسـي، بينما

أرى أنّ تعليم القراءة للأطفال في مرحلة ما قبل المدرسة أمر غير أساسي – لا ينتقص، في رأيي، من القيمة الكليّة لعمله هذا. فاختلافات مثل هذه قد تنشأ تقريبًا بين أيّ عالِمين متخصّصَين في علم نفس الطفل، كما بين أيّ أمّ وأب.

لا يدّعي الدكتور دودسون أنه يأتي بالمعجزات. وبدلًا من ذلك، يدعونا بكرم إلى مشاركته في تجاربه الخاصة كوالد وفي آرائه كعالم نفس. إنّه لا يسألنا أن نتبعه في كل خطوة من خطواته على الدرب. على الوالدين استخدام معلومات كتابٍ كهذا فقط عندما يكون من شأن ذلك مساعدتهما فعلًا. وأنا أعتقد أنّ الكثير في هذا الكتاب يمكن أن يكون مساعدًا.

معظم الآباء والأمّهات يستمتعون بقراءة المعلومات العامة عن سلوك الطفل، لكنّ أكثر ما يبحثون عنه في الواقع هو النصيحة المحدّدة في ما يجب وما لا يجب أن يفعلوه. وهذا الكتاب سخيّ في تقديم هذا النوع من النصيحة، والفصل الخاص بالتأديب مفيد خاصةً في هذا المجال. إنّ نصائحَ كتلك المتعلّقة بالتحكم في البيئة المحيطة، وبالتمييز بين العواقب الطبيعية والاصطناعية، وبتقديم نموذج إيجابي بدلًا من نموذج سلبي، بالإضافة إلى القواعد التسع للتأديب، والوصايا الاثنتي عشرة لما يجب تجنّبه، هي نصائح يجب على كل والدين قراءتها. كذلك يسدي المؤلف معروفًا آخر إلى الوالدين المكافحين بتقديمه دليلًا صغيرًا من ثلاث عشرة نقطة حول تربية الأطفال في آخر الكتاب.

لقد أعجبتني خاصةً معالجة الدكتور دودسون الرصينة والسديدة والعقلانية لموضوع التلفزيون. إنه لا يغفل دور التلفزيون الإيجابي، ولا يلقي عليه باللوم دون مبرِّر. لا ينظر إليه بقلق، ولا يقبل الفكرة الشائعة بأن الاطفال صاروا أكثر عنفًا بسبب رؤيتهم لمشاهد العنف على الشاشة.

وفي الحقيقة، فإن أسلوب دودسون الرصين والسهل، قد يبدو للوهلة الأولى متناقضًا مع حقيقة أنّ ما يقوله يتمتع بأهمية فائقة.

معظم الآباء والأمّهات سيرحّبون بالمساعدة الفعلية التي يقدّمها هذا الكتاب في فن الأبوّة والأمومة، فالأطفال يحتاجون إلى كل الرعاية الجيّدة التي يمكنهم

أن يحصلوا عليها من الوالدين في مراحل التغيّرات الاجتماعية الكبيرة، حيث النموّ عملية ليست سهلة على الإطلاق.

أنا أتّفق بقوة مع المؤلف في قوله: «يمكنك تعلّمُ الكثير من الحقائق العلمية عن الأطفال، ولكن إن لم يكن لديك إحساسٌ بالطفولة فإن عليك إعادة تأسيس هذه الصلة بالطفل الذي بداخلك، الطفل الذي كنتَه في يوم من الأيام. هذا هو دليك الأفضل لتربية أطفالك. بدون الإحساس بالطفولة فإننا – نحن الكبار – سوف نسيء استخدام الحقائق العلمية ونشوِّهها، لأننا نراها كاملةً من خلال نظرتنا إليها ككبار».

أتفق معه أيضًا وأقدّر تركيزه على حقيقة أنّ كل واحد من أطفالك «له تركيبته الوراثية الخاصة التي لم يسبق أن كان لها وجود قبله ولن يكون لها وجود مرة أخرى من بعده... الشيء الأكثر أهمية الذي يمكنك، أنت الأم (أو الأب)، أن تقومي به من أجل طفلك هو أن تتيحي له ممارسة فردانيته وتحقيق إمكانياته النفسية الذاتية الكامنة».

إن المؤلف مصيب عندما يؤكد حقيقة أن المجتمع المعاصر لا يقدّم أيَّ تدريب عملي على كيفيّة الإعداد الجيّد للوالدين، على الرغم من إدراكنا لحقيقة أنّ الوالدة هي المعلم الأكثر أهمية الذي يمكن أن يحظى به الطفل. إنّه محق أيضًا في الاعتراف بأنه ليس هناك عمل أكثر صعوبة في مجتمعنا من أن تكون، لمدة أربع وعشرين ساعة متواصلة، هذا المزيج من الاختصاصي النفسي والمعلّم، الذي ندعوه «الوالدة».

إن الأبوّة والأمومة عملية تعليم مستمرّ لنا جميعًا.

وكل واحد فينا عليه أن يقوم بالمهمّة وحده، ولكنّ الكثيرين سيكونون شاكرين لهذه المساعدة القيّمة المقدَّمة في هذا الكتاب المتميّز عن «مهنة» الآباء والأمّهات.

الدكتورة لويز بايتس إيمس
معهد غيسيل لنمو الطفل

رسالة إلى الأمّهات

عندما تصبحين أمًّا فإنك تنضمّين الى صفوف العاملات في مهنة فريدة، يعملن فيها أربعًا وعشرين ساعة كل يوم: مهنة الأمومة. لذلك سنتوجّه في كل فصول هذا الكتاب إلى الأم خاصةً.

من سوء الحظ أنّه ليس لدينا فعل في اللغة يصف ما تفعلينه يوميًا، خلال كل يوم من أيام حياتك كأم. لذا سوف أصوغ تعبيرًا جديدًا: أن تكوني والدة (أو تكون والدًا)، وسوف أعرِّف هذا التعبير الجديد كما قد يقوم المعجم بذلك: أن تكوني والدة (أو والدًا) – «هو استعمال المعارف العلمية المتراكمة في علم نفس الطفل، مع الرعاية المحبّة العطوفة، في سبيل تنشئة إنسان سعيد وعاقل».

هذا التعبير الجديد لا يصف الفعل البيولوجي البسيط لإنجاب طفل، كما لا يصف تربية الطفل عبر الأسلوب المعتاد في التجربة والخطأ. إنّ تنشئة الطفل هي مسألة معقدة وصعبة، ولكنها من أكثر الأعمال إرضاءً وإسعادًا للنفس في العالم. إن أعظم هديّة يمكن أن تقدِّمها أمّ الى العالم هي طفل جرت تنشئته ليكون إنسانًا سعيدًا وعاقلًا.

إن ممارسة هذا الفعل بالمعنى الذي حدّدناه سابقًا تتضمّن إضافة المعرفة العلميّة إلى الاهتمام الحنون للأم. إنّ علم الأمومة (الأبوّة) يمكن أن يقدّم لك مساعدة كبيرة في تربية طفلك، فبتسلّحها بالمعرفة المتراكمة للعلم حول ما يجري داخل عقل طفلها، تستطيع الأم المحبّة والمهتمة تعلّم كيفيّة تنشئة ذلك الطفل ليكون شخصًا بالغًا سعيدًا وعاقلًا. وهذا ما تفعلينه عندما تمارسين دورك.

لكن هناك مفارقة في كل هذا.

إن مجتمعنا المعاصر لا يقوم في الواقع بتقديم أيّ تدريب في هذا المجال.

نحن لا نمنح ثقتنا لسكرتيرة في مكتب ما ونقول لها «أنت سكرتيرة وعليك التصرّف» إن لم تكن متدرّبة على الطباعة والاختزال. ولكن عندما تصبح امرأة ما أمًّا نجد أنّ المجتمع يخاطبها فجأة قائلًا لها «أنت الآن أم، نحن لم نخبرك الكثير عن دورك الجديد، ولكن، ها أنتِ ذي، عليك التصرّف، قومي بأحسن ما يمكنك القيام به».

إنّ الأمومة هي نوع خاص من «المهن» يجمع بين الاختصاصي النفسي والمعلم.

أنت اختصاصيّة نفسيّة لأنك بحاجة إلى فهم نفسيّة طفلك. يمكنك أن تكوني اختصاصيّة نفسيّة جيّدة، أو متواضعة، أو سيّئة. ولكن سواء أعجبك ذلك أو لم يعجبك فهذا هو وضعك الآن: السيّدة الاختصاصيّة النفسيّة للأطفال.

أنتِ أيضًا المعلم الأكثر أهميّةً في حياة أطفالك. أنتِ معلّمتهم الأولى. الأشياء التي تعلّمينهم إيّاها (وحتى تلك الاشياء التي لا تعين أنكِ تعلّمينهم إياها) سوف تكون دروسًا أكثر أهمية مما سوف يتعلمونه في المدرسة طوال حياتهم.

ولكن إذا كانت حالك كحال أكثر النساء، فمن المرجّح أن تكوني قليلة التدريب، ولديكِ خلفيّة ضعيفة لتكوني مهيّأة للتعامل مع مهمتك كاختصاصية نفسية للأطفال أو معلمة. ربّما درستِ بعض المواد في المدرسة، ولكن، ما لم تكوني محظوظة جدًا، فإنّ من المرجح أنك درستِ القليل مما يمكن أن يساعدك على فهم الرضّع والأطفال الصغار.

الاختصاصيون النفسيون والمعلّمون يعملون عادة لمدة ثماني ساعات يوميًا. لديهم استراحات كافية من العمل كل يوم وخلال عطلة نهاية الأسبوع، وهم يحظون بإجازة سنوية أيضًا. أمّا أنتِ فلا. وهذا ما يجعل عملك أكثر مشقّة. بالإضافة إلى ذلك، إنّ اختصاصيّي علم نفس الطفل والمعلّمين يعملون مع العديد من الأطفال المختلفين، ولذلك تكون مشاعرهم تجاه الأطفال الذين يعملون معهم أكثر انفصالًا منها عند الأم، إذ إنها تتوزّع على عدد من الأطفال.

ولأنّ هؤلاء الاطفال ليسوا أولادهم فإنهم يكونون أقلّ انخراطًا عاطفيًا في عمليّة فهمهم والتلاؤم معهم.

ليس في مجتمعنا عمل أكثر مشقّة من ذلك المزيج الفريد من كونك اختصاصيّة نفسيّة للأطفال ومعلمة. وهو ما نطلق عليه اسم: الوالدة (أو الوالد).

الأبوّة والأمومة هي عملية تعلّم دائم

إنّ الأبوّة والأمومة هي عملية تعلم لنا جميعًا.عندما نتعلم مهارة جديدة – سواء كانت قيادة سيارة، أو العزف على آلة موسيقية، أو تربية طفل – فإننا نتعلّم عن طريق ارتكاب الأخطاء، إلا أن هذه هي الطريقة الأقل فعالية.

افترضي أنك لم تتعلّمي لعب البريدج في حياتك قط وأنك قرّرت أن تتعلّميها. صحيح أنه يظلّ بإمكانك تعلّمها بمجرد الصرّ على أسنانك وممارستها كيفما كان. ولكن ما أبأسها من طريقة للتعلم! كم ستكون تعاستك كبيرة وأنت تكافحين لفهم استراتيجيات اللعبة وتعقيداتها. ستكون طريقة أسهل وأفضل أن يكون إلى جانبك شخص ما يملك المعرفة والتجربة لتعليمك.

أودّ أن أقدّم إليكِ ما تعلّمته خلال أكثر من عشرين سنة من الحياة العملية، ومن خلال تجربتي الخاصة كوالد.

إذا كان لكتاب أن يكون وسيلة اتصال ناجحة ما بين المؤلف والقارئ فإنّه يجب أن يتضمّن بعض عناصر الحوار البنّاء. لذا، حاولت استباق ما قد يكون بجعبتك من أسئلة عمّا سأقوله، وحاولت التخمين أين يمكن لبعض الحقائق العلميّة المحدّدة أن تبدو لك بعيدة المنال عندما تواجهينها للمرة الأولى.

لقد حاولت كتابة هذا الكتاب بطريقة تحاورية وغير رسمية كما لو كنا جالسين نتحاور ونرتشف فنجانين من القهوة، ومثالًا على ذلك، أتحدّث عن تجربتي الخاصّة مع أولادي من حين لآخر. ورغم أن هذا الكتاب مبنيّ على التجارب والأبحاث الاكلينيكية للعديد من علماء السلوك، فإنني لم أوثّق كل البيّنات

العلميّـة التـي تعالـج نقطة معيّنة. وعلـى أيّ حال، فقد ذكرت بعض الدراسـات والأبحـاث من وقت لآخـر، ولكنني أبقيت على عملية التوثيق في حدّها الأدنى. وأنـا أعلـم أنّ معظـم النـاس لا يحبّـذون الكتـاب مشوّشًا بالكثير من الحواشـي العلمية والإحالات إلى التجارب العلمية.

أنـا معنـيّ خاصةً بشـريحتين من الأمّهات اللاتـي قد يقرأن الكتـاب. الأولى هي الأم التي لم يسبق لها أن أنجبت. وهذه ستكون قراءتها للكتاب قد حدثت في أفضل وقت ممكن، فتستطيع تعلم أشياء سوف تكون مفيدة لها متى حان موعد تعاملها مع تربية طفل في الحياة الواقعية.

وبرغـم ذلـك، أنـت لا تسـتطيعين أن تتعلّمـي تربية طفل عن طريـق قراءة كتاب فقط، تمامًا مثلما أنك لا تستطيعين تعلّم قيادة سيارة بقراءة دليل القيادة فقط. يجـب أن تتعلمـي تطبيق ما في الكتـاب على حالات الحياة الواقعيّة الفعليّة في حيـاة طفلـك. وطفلك هذا لن يكون له مثيل فـي العالم. إنّه بالفعل مخلوق فريد من نوعه.

إن هـذا الكتـاب، أو أيّ كتاب آخر في تربيـة الاطفال، قد لا يعدو أن يكون دليلًا جاهزًا وجافًا لتربية طفلك. إن الأم تعرف طفلها بطرق لا يمكن لغيرها أن يعرفها. لذا فإنك إذا ما قرأت شيئًا يسير في اتجاه معاكس تمامًا لمشاعرك كأم في بعض النقاط المحدّدة، فعليك بتجاهل ما يقوله الكتاب والإصغاء إلى مشاعرك.

عندمـا نتعلـم أن نقوم بشـيء ما للمـرّة الأولى، يبرز لدينا جميعًا ميلٌ لأن نشـعر بعدم الثقة بأنفسنا ولأن نرغب في وجود شخص آخر إلى جانبنا يضع لنا قواعد سـريعة وصارمـة لمـا يجب أن نفعلـه. لكننا عندما نكتسـب المزيد مـن الخبرة نصبح أكثر ثقة بأنفسنا. وإذذاك نستطيع التعرّف إلى الحالات التي تحتاج فيها القواعد السريعة والصارمة إلى التطويع بما يناسب الحالات الفرديّة.

وانطلاقًا من تجربتي الخاصة كأب، أستطيع أن أؤكد لك أنك سوف تشعرين بثقة أكبر عند تربيتك لطفلك الثاني أو الثالث مقارنةً بثقتك عند تربية طفلك الأوّل.

أحد أسباب شعورنا بهذه الثقة عند تربيتنا للطفل الثاني أو الثالث هو أنّنا تعلّمنا من تربيتنا للطفل الأوّل. في تربيتنا لطفلنا الأوّل نحقّق بعض المكاسـب ونعاني

بعـض الخسـائر. نرتكب بعض الأخطـاء حينًا ونُوفَّق حينًا آخـر. وعادةً ما نرتكب فـي تربيتنـا للطفل الأوّل كمًّا من الأخطاء يفـوق ما نرتكبه مع الأطفال اللاحقين. عندما تدركين للمرة الأولى أنك قمت بفعل أخرق مع طفلك، فستعلمين عندئذٍ أنك أصبحت عضوًا في نادي مرتكبي الأخطاء الذين نطلق عليهم اسم: الوالدين. فمرحبًا بك في هذا النادي.

هـذا مـا يقودني إلى الشـريحة الثانية من الأمهات اللاتي سـيقرأن الكتاب. إنها الأم التي تربّي طفلًا تحت الخامسة من العمر ولديها أيضًا طفل أو اثنان في عمر أكبـر. عندمـا تقـرأ بعض الفصول فـي هذا الكتـاب فإنها ربما تفكر في نفسـها: «ليتنـي قـرأت هذا الكتاب قبل سـنوات. إننـي أرى الآن كيف أخطـأتُ عندما كانـت جينـي طفلة حديثة المشـي. لقد فعلتُ كذا وكذا وأسـتطيع الآن أن أرى أنهـا لـم تكـن الطريقـة المثلى للتعامـل مع هـذه الحالـة». وعند ذاك قـد تبدأ بالشعور بالذنب وبلوم نفسها.

آمل أن لا تفعلي ذلك. ليس هناك والد أو والدة يستحق اللوم. كلنا نحاول تربية أطفالنـا بأفضـل ما نسـتطيع. وإذا أخذنا في الاعتبار حقيقـة أنّ معظمنا لم يكن لديـه إطلاقًـا أيّ تدريب علـى تربية الأطفال، فإني أعتقد أننـا نقوم بعمل طيّب حقًـا. وبالنظـر إلى النقص في التدريب الفعلي على هذا الأمر، فإنه لأمر مدهش أن ينشـأ أطفالنا بالطريقة التي ينشـأون بها. لذا، آمل أن تكوني رؤوفة بنفسـك، وخاصة تجاه الأخطاء التي تشعرين بأنك ارتكبتها بحق طفلك الأوّل.

أسـتطيع أن أضمـن لـك من واقع التجربة الشـخصية المريرة، أنـك حتى لو كنت تحملين دكتوراه في علم النفس، فسترتكبين الأخطاء في تربية طفلك الأوّل، على أمـل أن ترتكبـي الأقـل من الأخطاء مع طفلك الثاني، وهكـذا على طول الخط. إن تجربتـي الخاصـة تذكّرنـي بقصة عالـم النفس الذي بدأ مع سـت نظريات بدون أطفال وانتهى – بعد زواجه – مع ستة أطفال بدون نظرية واحدة. وبما أنّ لديَّ ثلاثة أطفال فقط فإنك تستطيعين التخمين أنه بقيت لديَّ ثلاث نظريات!

تخبرني الأمّهات أنّ اكتراثهنّ بالأخطاء التي يرتكبنها يتناقص عند إنجاب الطفل الخامـس أو السـادس. وأنـا شـخصيًا أعتقـد أنّ كل أم لديهـا أربعـة أو أكثـر من الأطفـال تسـتحق تلقائيًـا جائـزة القلـب الأرجواني. أمـا إن كان الأطفـال الأربعة

ذكـورًا فانهـا تسـتحق جائزة القلـب الأرجواني بالإضافة إلى ميدالية الشـرف من الكونغرس.

إن مشـاعر الإحسـاس بالذنب لا تخلق مناخًا جيدًا لممارسـة الأمومة (أو الأبوّة). كلنـا يجـب أن يكون لدينا الاقتنـاع بأننا نقوم بأفضل ما يمكننـا لتربية أطفالنا. وحقيقـة أنـك تخصّصيـن جـزءًا من وقتك لقراءة هـذا الكتاب عـن تربية الأطفال تظهر أنك حقًا تهتمّين بطفلك، وإلا ما كنت لتقومي بهذا من أجله.

الأفكار الخاطئة عن علم نفس الطفل

خلال سـنوات عملي، تحدّث إليّ الكثير من الأمهات حول تربية أطفالهن. كان ذلك خلال الجلسات العلاجية أو فترات المناقشات في المحاضرات أو الدروس التي كنت ألقيها، واكتشفت أنّ الكثير منهنّ لديهنّ أفكار خاطئة كبيرة عن علم النفس الحديث.

أعتقد أنّه سـيكون من المفيد أن أعالج بعض هذه الأفكار الخاطئة قبل المضيّ قدمًـا فـي هذا الكتاب. لذا، قبل أن نتحدّث عمّا يعلّمنا علم النفس فعلًا، دعونا نتحدّث قليلًا عمّا لا يؤمن به علم النفس.

لا يؤمن علم النفس الحديث بأن على الوالِدين أن يكونا متساهلين مع أطفالهما، ومـا نعنيـه هنـا بالتسـاهل هو أن نتـرك الطفل يفعل مـا يحلو لـه أن يفعله. ليس هنـاك مـن عالـم نفـس واعٍ ناصر فكـرة مثل هذه قـط. ولكن، وإن بـدا الأمر غير قابل للتصديق، فإنني في الواقع أعرف أمّهات يسمحن لأطفالهن بالخربشة على جدران المنزل بالطباشير الملوّنة لأنهنّ يعتقدن أنّ من المؤذي لنفسيّة الأطفال أن نمنعهـم. إن مـا يحـدث حقيقـة في مثل هذه الحالات هو أنّ الأمّ تخشـى أن تقول «لا» لطفلها وتحاول أن تسـتخدم علم النفس الحديث مسـوّغًا لخوفها من أن تكون حازمة معه.

الفكـرة الثانيـة التي لا يلتزم بها علم النفـس الحديث هي أنه خلال مرور الطفل بمراحل النموّ المختلفة، على الأهل الجلوس مكتوفي الأيدي وترك هذه المراحل تجري في مسارها المحدّد دون أيّ تدخّل. صحيح أن الأطفال عامة يمرّون بهذه المراحـل مـن النمـوّ وخاصـة في مرحلة ما قبل المدرسـة. والأم التـي تتوقع من طفـل فـي الرابعـة أن يتصـرّف كطفل في الثالثـة، أو تعامل طفلًا فـي الرابعة كما لـو كان فـي الثالثـة، هي أم تبحث عن المتاعب. على كل حال، فأن يعرف الأهل أنّ أطفالهم يمرّون بمراحل من النموّ شـيء، وأن يشـعروا بالعجز عن التدخّل في سـير هذه المراحل أو تعديلها بشـكل أو بآخر، هو شـيء آخر مختلف تمامًا. لقد شاهدت أمهات يتسامحن مع سلوكيات شنيعة يقوم بها أطفالهن، ويعلّلن ذلك بالقول: «أظن أنه يمرّ بواحدة من تلك المراحل». وفي هذا الصدد تكتفي الوالدة بهزّ كتفيها عجزًا كما لو أنها تقول «لا يمكن القيام بأيّ شيء حيال هذا الأمر».

الأم ليسـت عاجزة. فالطريقة التي تتعامل بها مع مرحلة معيّنة من مراحل نموّ طفلهـا لهـا تأثير كبير علـى نجاح الطفل في التلاؤم مع هـذه المرحلة. وفي هذا الكتـاب، أخصّص حيّزًا كبيرًا لمعالجة مراحل النموّ المختلفة هذه، لأنني أعتقد أنّ من المهم أن يكون لدى الأبوين ما يكفي من المعرفة عنها.

الكثيـر مـن الأهـل يعتقـدون أنّ علـم النفـس الحديـث يفتي بعدم جـواز ضرب الأطفـال، فبعـض علمـاء النفس والأطبـاء النفسـانيين عبّروا عـن تأييدهم لهذه الفكـرة فـي أبحاثهـم المكتوبة. ولكننـي، كعالم نفس، أعتقد أنّ من المسـتحيل تربية طفل بطريقة فعّالة – وخاصةً العدوانيين والعنيفين من الأطفال الذكور – بدون ممارسة الضرب. وهذا لا يعني أننا نعتبر أيّ نوع من أنواع الضرب مقبولًا ويمكن التساهل معه.

أتذكّـر أنّنـي تحدثـت مع مجموعة مـن الأمهات في ليلة من الليالـي، وبعد عدّة أسـابيع صادفـت واحدة منهن في سـوق تجاري. تقدّمت منـي وقالت «منذ أن قلـت لنـا فـي حديثك ذاك إنه لا بأس بضرب الأطفال، فـإنّ الكثير من أولادنا قد نالـوا نصيبهـم منـه». عندها، تولّد لـديَّ انطباع بأن بعضهم ربّما فسّـروا كلامي على أنّه رخصة بممارسـة الضرب بأيّ طريقة كانت، وأنّها فرصة لتعديل سـلوك الأطفال وتربيتهم بهذه الوسيلة.

في الفصل الخاص عن قواعد التأديب سأشرح ما هو إيجابي في الضرب وما هو سلبي. ولكن على كل حال، يبقى الضرب أمرًا ضروريًا لا يمكن تجنّبه في تربية الأطفال الأصحّاء نفسيًا.

هناك أيضًا فكرة واسعة الانتشار هي أن الوالد (أو الوالدة) الجيّد هو الذي لا يغضب ولا يتكدّر أبدًا. لم ألتقِ في حياتي بهذا النوع من الأهل. وأنا نفسي لست من هذا النوع. كل الأهل يمرّون بحالات انفعالية صعودًا وهبوطًا. هناك أوقات نكون فيها في أحسن أحوالنا حيث نتعامل بيسر مع أصعب أنواع تصرّفات أبنائنا. ولكنّ هناك أوقاتًا أخرى يكون فيها أصغر فعل مزعج من طفلنا كافيًا لجعلنا نزعق في وجهه.

من المهمّ للأهل أن يعبّروا بصدق عن مشاعرهم وانفعالاتهم. وعلم النفس لا يقول بأننا يجب أن نكون هادئين وحليمين طوال الوقت. ولو كان الأمر كذلك لكنا نطلب المستحيل من الأبوين.

غالبًا ما يعتقد الناس أنّ عالم النفس سوف يخبرهم كيف يجب أن تكون مشاعرهم كوالدين، وأنه سيحدّد لهم بطريقة علميّة نوعيّة المواقف التي يجب عليهم اتخاذها في ما يتعلق بتربية أطفالهم. ولسوء الحظ فقد أسهم بعض علماء النفس في إعطاء سبب للناس لكي يعتقدوا بهذا. والحق أنّ الناس لا يستطيعون إلا أن يكونوا ما هم عليه. إن مشاعرنا عفوية وتلقائية، والأفكار تراودنا بدون دعوة منّا. إنّنا لا نملك سيطرة كاملة عليها.

لن أقوم بأيّ محاولة لأحدّد للأهل ما يجب أن يشعروا به. بدلًا من ذلك، سأخبرهم ماذا عليهم أن يفعلوا. إنّ أفعالنا خاضعة لسيطرتنا، ولكنّ مشاعرنا ليست كذلك. سوف أقدّم لكم معلومات تساعدكم في فهم أولادكم فهمًا أفضل، وسوف أقترح عليكم فعل أشياء محدّدة في التعامل مع أطفالكم لمساعدتهم على النموّ ليكونوا سعداء وعقلاء.

قد لا يستطيع بعضكم فعل أشياء مقترحة في هذا الكتاب أو في كتب أخرى عن علم نفس الطفل. وعلى الرغم من جهودكم المخلصة، قد يبقى أولادكم خارجين عن سيطرتكم وتفقدون زمام الأمور. إنّ حالة كهذه تشير الى احتمال أنكم ربما

تحتاجون إلى مساعدة متخصّصة. إنّها تعني أنكم تحتاجون إلى ما هو أكثر من قراءة كتاب في علم النفس أو تربية الأطفال. فمشاعر اليأس التي تنتابكم تظهر أنّ هناك انسدادات عاطفية داخلكم تحتاج إلى اختصاصيّ لمساعدتكم بشأنها. إن كانت هذه هي حالتكم فعليكم استشارة اختصاصي في الصحّة النفسية، عالم نفس ماهر، طبيب نفساني أو عامل اجتماعي.

أما وقد فرغنا من معالجة بعض الأفكار الخاطئة الشائعة عن علم النفس، فلنتحوّل الآن إلى الكلام على ما يحتاج الأهل إلى معرفته عن علم النفس.

أهمية السنوات الخمس الأولى

إن الحقيقة الأساسيّة التي يجب أن نعرفها هي أنّ السنوات الخمس الأولى من حياة الطفل هي السنوات الأكثر أهمية – إنها السنوات التكوينية.

لا يعني ذلك أن بقية سنوات طفولته ليست ذات أهمية أو أنّ كل شيء يخصّه سيتقرَّر قبل بلوغه سنّ السادسة، ولكن لا جدال في أنّ السنوات الخمس الأولى هي الأكثر خطورة وأهمّية.

عندما يبلغ الطفل السادسة من عمره تكون البنية الأساسية لشخصيته قد تشكلت. هذه الشخصيّة الأساسيّة سوف ترافقه لما بقي من حياته، وسوف تحدّد، إلى درجة كبيرة، مدى نجاحه في سنوات المدرسة وما بعدها، في مراحل حياته اللاحقة. إنّ البنية الأساسيّة لشخصيّته سوف تحدِّد بنسبة كبيرة كيف سيكون تفاعله مع الآخرين، ومشاعره حيال الجنس، وأيّ نوع من المراهقة سوف يعيش، وأيّ نوع من الاشخاص سيختار للزواج، ومدى نجاح زواجه.

لا تكمن أهمّية السنوات الخمس الأولى فقط في التطوّر العاطفي لطفلك ولكن أيضًا في تطوّره العقلي والذهني.

وربما تكون أفضل طريقة لجعلك تدركين أهمية هذه السنوات المبكرة في التطوّر العقلي لطفلك هي أن تسألي نفسك هذا السؤال: في أيّ عمر تعتقدين أن طفلك قد أتمّ تطوير خمسين في المئة من ذكائه؟؟ في الحادية والعشرين؟ في السابعة عشرة؟ في الثانية عشرة؟؟

الجواب الصحيح: في الرابعة.

قام الدكتور بنجامين بلوم من جامعة شيكاغو بتلخيص عدد ضخم من الدراسات البحثيّة التي أثبتت الحقيقة المذهلة في أن الطفل يطوّر ما يقارب خمسين في المئة من ذكائه عند سن الرابعة، تضاف إليها ثلاثون في المئة عند سنّ الثامنة، والعشرون في المئة الباقية عند سنّ السابعة عشرة.

وبالمناسبة، أرجو منكِ عدم الخلط بين الذكاء والمعلومات، فمن الواضح أن الطفل لا يكتسب خمسين في المئة من المعلومات التي سيكون قد حصل عليها في كبره، عندما يكون في سنّ الرابعة. إن الذكاء المقصود هو مقدرة الطفل على التعامل مع المعلومات التي يكتسبها ومعالجتها. وهو يحوز خمسين في المئة من مقدرته الكليّة على المعالجة العقلانية للمعلومات عندما يكون في سنّ الرابعة.

إن كنتِ أسأتِ التقدير فلا تخجلي من ذلك. معظم الكبار ينتقصون عادة من قدرة التعلم عند الأطفال ومن ذكائهم قبل سنّ المدرسة. لقد اعتدنا الظن أن كل واحد منا قد وُلد بذكاء فطري محدّد بالوراثة، ولا يمكن بالتالي تغييره. لكنّ الأبحاث الحديثة تظهر أنّ هذا غير صحيح. إنّ نوع التنبيه الفكري الذي سيتلقاه الطفل في السنوات الخمس الأولى من حياته له دور كبير في تحديد مستوى ذكائه عندما سيكون بالغًا.

وبما أن السنوات الخمس الأولى هي الأكثر أهميّة في نموّ الطفل، فقد ركّزت على فترة الطفولة المبكرة في هذا الكتاب. الطفولة المتأخرة والمراهقة تحتاج إلى كتاب مستقل.

في ما بقي من الكتاب، سوف أفترض وجود طفل أتابع مسيرة نموّه من الولادة، وخلال السنوات الأولى البالغة الأهمية.

سيكون أمرًا مزعجًا الإشارة إلى هذا الطفل المفترض بعبارة «هو» أو «هي» في كل مرة نتحدّث عنه. لذا وجدت أنّ من المناسب أن أشير إليه بلفظ «هو» فقط، فإن كان ولدك أنثى تستطيعين أن تستبدلي «هي» بـ«هو» في المواضع المناسبة.

دعونا الآن نتحدّث عن الأمّهات ومشاعرهنّ تجاه المولود الجديد.

1

الأمّهات ومشاعرهنّ

معظم الكتب عن تربية الأطفال تبدأ بوصف الطفل وكيفيّة العناية به، ولكنّها تتجاهل مشاعر الأمّ. وأنا أعتقد أن هذا خطأ كبير.

الأمهات اللاتي تحدّثت إليهن خلال السنوات الماضية، سواء كنّ من المريضات أو الصديقات أو الزميلات، أخبرنني أنهنّ عندما أنجبن الطفل الأول، وبدأن العناية به في بيوتهن، كنّ غير واثقات من أنفسهن، وقد عبّرت إحداهن عن ذلك بقولها «في حياتي كلها لم أشعر بأنني على هذا القدر من عدم الكفاءة كما أشعر الآن».

ليس مهمًا عدد كتب تربية الأطفال التي قرأتِها، ولا عدد دورات الصليب الأحمر التي انخرطت فيها من أجل إعداد نفسك لمهمّة العناية بوليدك الجديد، فستبقى هذه المهمة تجربة جديدة تمامًا. لن تدركي هذه الحقيقة إلّا عند عودتك من المستشفى إلى المنزل لتواجهي عمليًا هذا «الشيء» الجديد، الحيّ، الذي يتنفّس: وليدك الجديد. ها أنتِ ذي هنا، أربعًا وعشرين ساعة متواصلة، والأمر لا يزال في بدايته.

إنها تجربة تكيّف هائلة. لم يسبق لك في حياتك كلها أن كانت على عاتقك هذه المسؤولية النفسيّة الجسيمة. إنّه أمر مخيف للأمّهات الجديدات عندما يتحقّقن للمرة الأولى في حياتهن من أن عبء العناية بحياة هذا الإنسان الصغير الجديد يقع عليهنّ. وفي مواجهة هذه المسؤولية الجديدة الملقاة فجأةً على عاتقهن، تميل معظم الأمهات إلى الشعور بأنهنّ غير مؤهّلات وغير واثقات من أنفسهن.

قد تكون الأم الجديدة غير واثقة من نفسها إلى درجة أنّ كل أمر، مهما كان صغيرًا، يسبّب لها القلق، فهي لم يكن لها تجربة كافية مع المواليد الجدد

لتعرف كيف تفسّر الأحداث التي يمكن أن تواجهها. إذا كان الطفل مستغرقًا في نوم هادئ فقد يبدو كأنه لا يتنفّس. لذا ستهرع إليه للتأكد من أنه ما زال على قيد الحياة! إذا غصّ أو إذا بدا أنه يواجه صعوبة في ابتلاع الحليب، فستصاب بالهلع. كلّ أمر، مهما كان صغيرًا، ينال أهمّية كبيرة عندها. الأم الجديدة هي خبيرة حقًّا في تضخيم الأمور وجعل الحبّة قبّة. إنها تخشى أنّ أيّ انحراف، مهما كان صغيرًا عمّا تعتقد أنه النمط الصحيح في الطعام أو النوم، يعني أنّ أمرًا جللًا يسير بنحو خاطئ. وهذا ما يجعل الأمهات الجديدات يملن إلى الاتصال بأطبّاء الأطفال المرهقين بشكل متكرّر وفي أيّ وقت من الأوقات.

إن أسوأ شيء في مشاعر عدم الكفاءة هذه هو أنّ الأمّ الجديدة تخشى البوح بها لأيّ شخص. إنها تسوّغ الأمور على الشكل التالي: إنّها أمّ الآن، وهذه هي ذروة سعادتها وتتويج حياتها كامرأة، فهي تعايش تجربة المولود الأوّل. إذًا كيف تتصرّف في مواجهة هذا الشعور من عدم الكفاءة؟ إنها تتصوّر أنّ الأمهات الأخريات يعتنين بأطفالهن بكفاءة تامة، وتظنّ أنها الوحيدة التي تشعر على هذا النحو. إنها تفضّل الموت على الاعتراف بهذه المشاعر لأيّ شخص آخر. ولو أنها علمت أن كل الأمهات الجديدات الأخريات يشعرن بما تشعر به، لواجهت الأمر ولشعرت باطمئنان أكبر. صدّقيني، كلهنّ كذلك.

نحن نعلم أن هذه الأم الجديدة قد تلقّت جميع أنواع الرسائل – الصريحة والمضمرة – في ثقافتنا التي تخبرها أنّ الأمهات مزوّدات بطريقة سحريّة وفطريّة بما يسمّى «عاطفة الأمومة» و«غريزة الأمومة»، ما يمكّنهنّ من محبّة أطفالهن والعناية بهم تلقائيًا. المشكلة هي أن الأمر ليس كذلك بالنسبة إليها. فهي تشعر بأنها غير كفوءة للعناية بوليدها الجديد. وبالتالي، تعتقد أن كل الأمهات لديهن هذه الغريزة للأمومة، وأنها الوحيدة التي تخلو منها. إنها مهمومة ومشغولة لدرجة أنها تعجز عن الجلوس والتفكير بعقلانية في أن هناك فرقًا هائلًا بين «عاطفة الأمومة» نحو الوليد الجديد، من ناحية، وبين «المعلومات» و«التجربة» في العناية بالمولود الجديد، من ناحية أخرى.

مشاعر الحب تجاه طفلك سوف تأتي بنحو طبيعي.

بعض الأمّهات يشعرن باندفاعة غامرة من مشاعر الأمومة حالما يلدن أطفالهنّ. وأمّهات أخريات يجدن أن مشاعرهنّ الأموميّة تنمو شيئًا فشيئًا. على كل حال،

ليس هناك صندوق معلومات جاهز عن المواليد الصغار وطرق العناية بهم، يمكن أن تجديه كأم في الغريزة وحدها. هذا سوف يحدث بالتجربة. وفي العادة، من النادر أن يكون لأيّ أنثى هذه التجربة قبل ولادة طفلها الأوّل، بل إن تجربتها مع أطفال آخرين قد تكون بسيطة جدًا أيضًا.

بالإضافة الى الشعور بعدم الكفاءة للعناية بالمولود الجديد، هناك مجموعة أخرى من المشاعر التي تسبّب قدرًا غير قليل من الإزعاج للأم الجديدة: مشاعر الاستياء. عدد كبير من الأمّهات الجديدات يشعرن بالاستياء من الجدول المزدحم بالعمل طوال أربع وعشرين ساعة متواصلة، الذي يواجههنّ فجأة. وكما أسرّت إليّ واحدة منهن: «لم يخبرني أحد قط بأن الأمر سيكون على هذا النحو».

إن حياة الأم الجديدة برمّتها يبدو أنها تتمحور حول هذا المولود الجديد في مهده، وهذا ما تستاء منه بصراحة. إنّ كل هذا طبيعي ومعقول. ولكن لسوء الحظ، لم يجهّزها أحد بطريقة مناسبة لتواجه هذه اللحظة الحقيقيّة التي ستشعر فيها بهذا الاستياء. لذا فإنها غالبًا ما تشعر بالذنب لكونها تشعر بالاستياء من طفلها الجديد في بعض الأحيان، الذي، فيما عدا هذا الشعور، تكنّ له حبًا كبيرًا.

يجب على الأمّ الجديدة أن تدرك أنّ هذه المشاعر الأوّليّة من الاستياء تجاه طفلها الصغير تُعدّ أمرًا طبيعيًا تمامًا.

وبعد فترة من التكيّف مع هذه المسؤولية غير المعتادة عن المولود الجديد، سوف تتلاشى مشاعر الاستياء هذه وتنصهر في الحب الكليّ الذي تشعر به نحو صغيرها.

هناك عامل آخر، على أيّ حال، يؤدّي بالأم إلى الاستياء من مولودها الجديد. إنها تفترض أنّ هذا المولود سيقارب تلقائيًا بينها وبين زوجها. فهما قد أنجباه معًا، وهي تشعر بأنه حالما يولد الطفل الجديد فإنها وزوجها والمولود الجديد سيشكّلون ثلاثيًا مترابطًا. ولسوء الحظ فإن العديد من الأمهات يكتشفن أن العكس هو ما يحدث. فبدلًا من أن يجعلهما متقاربين أكثر، يبدو الطفل كما لو أنه يدقّ إسفينًا نفسيًا يعمل على فصلهما. إنها تكتشف أنّ زوجها أصبح يغار

من الاهتمام الذي تبديه نحو الصغير، وأنّ الأب أصبح يتصرّف كأنه منافس للطفل بدلًا من كونه أبًا، بالإضافة إلى أنّ الزوج قد لا يؤدّي دورًا فعالًا ومساندًا في تحمّل المسؤولية النفسية تجاه المولود الجديد. بل إنه قد يتركها تشعر بأن مئة في المئة من المسؤولية تقع على عاتقها وحدها. لذلك قد تشعر بالاستياء من الطفل لتسبّبه بحدوث هذه الحالة.

الأم الجديدة تحتاج إلى إيجاد طريقها الخاصّ للتعامل مع مشاعر الاستياء هذه، وعليها أن تتعلّم أن تتقبّلها كجزء طبيعي من حالة التكيّف التي عليها وزوجها أن ينخرطا فيها مع وصول المولود. كلّ أمّ تحتاج إلى أن تجد وسائلها الخاصّة لجعل أسرتها متماسكة في وحدة جديدة.

إن كان زوجك من النوع المستعد فعلًا للمشاركة في تحمّل المسؤولية النفسيّة عن المولود معك، يجب أن تعدّي نفسك من المحظوظات. حاولي أن تستفيدي منه وبوحي له بشعورك بالاستياء وعدم الكفاءة على السواء لتتخفّفي من عبئها. تحقّقي من أن هذه المشاعر طبيعة تمامًا، وحاولي أن تتحدّثي معه عنها. فإذا نجحت أنت وزوجك في التحدث معًا عن مشاعر الاستياء وعدم الكفاءة هذه، فلن تشعري بعد ذلك بأن عبء هذه المسؤولية الثقيلة ملقى على كاهلك وحدكِ. هذا سيترك في حدّ ذاته ارتياحًا كبيرًا لك.

وتذكّري أنه عبر آلاف السنين كان على الأمهات أن يتغلبن على هذه التوأمة من مشاعر الاستياء وعدم الكفاءة. وأنك أنت أيضًا تستطيعين ذلك. سيكون الأمرصعبًا في البداية، وستكون هناك أوقات غير سارّة ومن المحتمل أن تبكي قليلًا، ولكن كلما كنت أكثر صدقًا مع نفسك ومع مشاعرك الخاصة كان تجاوزك أسرع لهذه المرحلة من التكيّف.

عاجلًا أو آجلًا، ومثل ملايين الأمهات قبلك، سوف تجدين طريقك خلال هذا المستنقع النفسي من الاستياء وعدم الكفاءة، وستصلين إلى برّ الأمان. وعندما يحدث هذا، سيتولى كل من الأم والطفل دوره المناسب في نوع جديد من العلاقة بينهما: علاقة نحن.

في هذه الأثناء، سيبقى هناك العديد من الأشياء عن المولود الجديد لتتعلّميها من خلال التجربة.

عنـد ولادتـه يبدو لك وليدك صغيرًا جدًا وهشًـا. كل أمر مهما كان بسـيطًا يبدو لـك كأنـه خطـر كبير محدق. فـي بعض الأحيـان تكـون الأم مذعـورة إلى درجة تجعلهـا غيـر قـادرة على اسـتعمال عقلهـا أو معارفهـا البديهية لتحليـل الوضع. إحدى الأمهات قالت لي: «ها أنا ذي خرّيجة جامعية، وأقضي أربع ساعات في إعداد زجاجة الحليب. أتساءل هل جهّزتها بطريقة صحيحة، ثم أبدأ بالشك فيما إن كان لديّ عقل في رأسي». في مثل هذه الأوقات تميل الأم الى أن تنسى أنّ لديهـا منطقًـا سـليمًا على الإطلاق، ثم تبدأ يائسـة بالبحث عـن «مرجع موثوق» ليخبرهـا بمـا عليهـا أن تفعـل. إذا لـم تسـتطع التواصـل مع طبيـب الأطفال في الحال، فستسرع إلى الهاتف وتتصل بجارتها.

يجب على الأم الجديدة أن تعلم أنّ كل هذه المشاعر تُعدّ طبيعية. مشاعر عدم الكفاءة، الذعر، الاستياء، تعانيها كل الأمّهات الجديدات. مرحبًا بك إلى النادي.

سـوف يتبيّـن لـك بالتدريـج أنّ وليـدك الجديد ليـس ضعيفًا وهشًـا كما ظننت في البداية. لقد تمكّن المواليد الجدد من تجاوز الصعوبات ومشـاعر الاسـتياء وعدم الكفاءة لدى الأمهات عبر آلاف السنين. ومولودك الجديد سيتغلب على هذه الصعوبات الأوّلية أيضًا.

ومـع اكتسـابك مزيـدًا مـن الخبـرة فـي التعامل مـع وليدك، سـوف تنمـو ثقتك بنفسـك. سـوف تحضنينـه براحة أكبـر وتطعمينه بسـهولة أكبـر. وعندما يبلغ الشهرين من العمر سوف تدركين أنه فعلًا سوف يصمد ويستمرّ.

إنـه أمـر طيّـب أن تكـون هنـاك إحـدى القريبـات أو مسـاعِدة مؤهّلة تـزور الأمّ الجديدة في الأسابيع الأولى بعد عودتها إلى البيت من المستشفى. ولكن حتى لو وُجد من يسـاعدك إلى جانبك فإن عليك أن تعيشـي التجربة بنفسك متحمّلة، وحـدك، المسـؤوليّة النفسـيّة عن المولود الجديـد. كل أم جديدة عليها أن تمر بهـذه «المعمعـة» في الشـهور الأولـى من حيـاة وليدها الجديـد. لا أحد يمكنه القيام بذلك بالنيابة عنها.

يسـاعد في ذلك بالطبع أن تتحدّثي إلى أمهات أخريات وأن تكتشـفي أنّ لديهنّ المشـاعر نفسها. عندئذ تعلمين أنك لسـت وحيدة تمامًا. التعبير عن المشاعر

هـو علاج طيّب لـك كأم جديدة. لذا تحدّثي مع الأمهات الجديدات الأخريات. تحدّثـي أيضًـا مـع من هنّ أكثر خبرةً من بينهن. ولكن احـذري أن تخوّلي جارتك أو أيّ أمّ أخـرى سـلطة من أيّ نـوع. العديد من الأمهات الجديدات، مدفوعاتٍ بمشاعر الخوف، يقعن في هذا المحظور، فالأم التي قد تمتنع عن أن تطلب من جارتها تشخيص مرض النكاف عند ابنها قد تطلب منها نصيحة (تأخذ بها) حول الرضاعـة مـن الثدي. حاولي تجنّب هذا الإغواء. حاولي الاسـتفادة من الأمهات الأخريـات كسـندٍ مسـاعد لك فـي ما يخصّ مشـاعرك. لا تلجئي إليهـن كمراجع موثوقة مطلقة. ولا تنسي أبدًا أنّ طفلك هو شخص فريد من نوعه. ما قد يناسب جارتك ووليدها قد لا يناسبك أنت ووليدك على الإطلاق.

طفلك فريد في نوعه مثل بصمات أصابعه

إن فرادة طفلك موضوع لا يمكن تناوله بإيجاز. إنه موضوع سوف أؤكد عليه مرة بعد أخرى في كتابي هذا.

ليـس هنـاك في كل هذا العالم فرد آخر يحمـل بصمات أصابع يمكن أن تتطابق مـع بصمـات أصابـع مولـودك الصغير. ومـا يصحّ علـى بصمات أصابـع وليدك، يصـحّ أيضًـا على كل وجـوده العضوي والنفسـاني. إن تركيبتـه الوراثية الخاصة لـم يسـبق أن كان لهـا وجـود قبله ولن يكون لهـا وجود مرةً أخـرى من بعده. لا تنسي هذا أبدًا.

قـد أتمكّـن مـن إيضاح ما أريـده من خلال المثـل التالي. افترضـي أن لكل طفل سـيولد فـي العالم لونًـا مختلفًا عن الآخرين. لـن يكون هناك اثنـان منهم باللون نفسـه إطلاقًا. لن يكون هناك في كل هذا العالم طفلان متماثلان. سـوف يكون هناك تشابهات بالطبع. إن طفلًا برتقاليّ اللون سوف يكون مشابهًا لطفل برتقالي آخـر أكثـر من مشـابهته لطفل أخضر اللون بـكل تأكيد. ولكـن كل طفل برتقالي اللون سـوف يكون له درجته وظله الخاص من اللون البرتقالي. بالطريقة نفسـها نقول إن كل طفل في أسرتك سيكون مختلفًا عن الآخرين.

عندما أقول إن طفلك فريد من نوعه، فإنني أعني أنه لن يكون هناك تطابق بينه وبين الصفات المعمّمة الموجودة في الكتب عن تربية الأطفال. لذا، إن كان طفلك وسلوكه لا يطابقان الصفات الموجودة في الكتب عن المولود «النموذجي»، فلا تقفزي إلى الاستنتاج أن هناك خطأ ما عند طفلك. إن أنماط أكله وأنماط نومه هي فريدة من نوعها كفرادته هو. لا تفرضي عليه نمطًا مُتصوَّرًا في عقلك مأخوذًا من كتاب عمّا يجب أن يكون عليه الطفل. إنه ما هو عليه. نقطة على السطر. إن وليدك ينمو ويكتب نسخته الخاصة من كتاب نموّ الطفل، وعليك أن تتركيه يفعل ذلك. إن لكل طفل أسلوب حياته الخاص الفريد. وهو يبدأ من لحظة ولادته. إن أطفالي الثلاثة، على سبيل المثال، مختلفون تمامًا. واختلافاتهم كانت جليّة منذ أن كانوا مواليد صغارًا.

أودّ منك أن تتوقفي لحظة للتفكير كم هو أمر رائع ألا يكون هناك أحد آخر في هذا العالم كله يشبه طفلك. إنه فريد من نوعه حقًا. لذا تعلمي كيف تحتفين بهذه الفرادة. تخيّلي أن بيكاسو رسم لوحة خاصة من أجلك فقط – لوحة فريدة من نوعها في العالم كله. ألن تحتفلي وتحتفي بهذه اللوحة؟ ولكن حتى هذا التشبيه يبدو ضعيفًا للتعبير المناسب عن فرادة وليدك الصغير الرائع النائم بسلام تام في مهده.

على كل حال، أرجو أن لا يتكوَّن لديك، بسبب إشارتي إلى فرادة طفلك المطلقة، انطباع خاطئ بأنّ دورك كأم لا قيمة له. إن الأمر على النقيض من ذلك. إنه يحتاج إليك ليطوّر هذه الفرادة. إنه لا يستطيع القيام بذلك وحيدًا، فهو يحتاج إلى تشجيعك في كل خطوة من الطريق. وفي ما يبقى من هذا الكتاب سوف أقدّم لك المساعدة لتكوني من ذلك النوع من الأمّهات، قادرة على تمكين طفلك من تطوير كل درجات وظلال لونه الفريد الاستثنائي.

إنّ احترامك وتقديرك لشخصية طفلك المتفرّدة يجب أن يبدأ من لحظة ولادته. فإذا استطعت تقبّل أنماط تغذيته ونومه الفريدة، مزاجه وميوله الطفولية، فسيكون أسهل عليك أن تتقبّلي أسلوب حياته الخاص في مراحل لاحقة من حياته.

وكحقيقة واقعية، فإن طفلك سوف تكون له شخصيته المتفرّدة سواء أردت ذلك أو لم تريديه. وهو ما يذكّرني بالقصة الكلاسيكية عن مارغريت فولر وكارليل،

عندمـا أقـول إن طفلـك فريـد مـن نوعـه، فإننـي أعنـي أنـه لـن يكـون هنـاك تطابـق بيـن وبيـن الصفـات المعمّمـة الموجـودة فـي الكتـب عـن تربيـة الأطفـال. لـذا، إن كان طفلـك وسلـوكه لا يطابقـان الصفـات الموجـودة في الكتـب عـن المولـود «النموذجـي»، فلا تقفـزي إلى الاستنتـاج أن هنـاك خطـأ مـا عنـد طفلـك. إن أنمـاط أكلـه وأنمـاط نومـه هـي فريـدة مـن نوعها كفرادتـه هو. لا تفرضـي عليـه نمطًا مُتصوَّرًا فـي عقلـك مأخـوذًا من كتـاب عمّـا يجب أن يكـون عليـه الطفـل. إنـه ما هـو عليـه. نقطـة على السطـر. إن وليـدك ينمـو ويكتب نسختـه الخاصة من كتـاب نمـوّ الطفـل، وعليـك أن تتركيـه يفعـل ذلك. إن لكل طفـل أسلـوب حياتـه الخـاص الفريـد. وهو يبـدأ مـن لحظـة ولادتـه. إن أطفالـي الثلاثـة، على سبيـل المثـال، مختلفـون تمامًا. واختلافاتهـم كانـت جليّة منـذ أن كانـوا مواليـد صغـارًا.

أودّ منـك أن تتوقفـي لحظـة للتفكيـر كم هـو أمـر رائـع ألا يكـون هنـاك أحـد آخر في هـذا العالـم كلـه يشبـه طفلـك. إنـه فريـد من نوعـه حقًا. لذا تعلمـي كيف تحتفيـن بهـذه الفـرادة. تخيّلـي أن بيكاسـو رسـم لوحـة خاصـة من أجلـك فقـط – لوحة فريـدة مـن نوعهـا في العالـم كلـه. ألن تحتفلـي وتحتفـي بهـذه اللوحـة؟ ولكـن حتى هذا التشبيـه يبـدو ضعيفًـا للتعبيـر المناسـب عـن فـرادة وليـدك الصغيـر الرائـع النائم بسلام تـام في مهـده.

على كل حـال، أرجـو أن لا يتكـوَّن لديـك، بسبب إشارتـي إلى فـرادة طفلـك المطلقـة، انطبـاع خاطـئ بـأنّ دورك كأم لا قيمـة لـه. إن الأمـر على النقيـض مـن ذلك. إنه يحتـاج إليـك ليطـوّر هذه الفـرادة. إنـه لا يستطيـع القيـام بذلـك وحيـدًا، فهـو يحتـاج إلـى تشجيعـك في كل خطـوة من الطريـق. وفي ما يبقـى من هذا الكتاب سـوف أقـدّم لك المسـاعدة لتكونـي من ذلـك النـوع من الأمّهـات، قـادرة على تمكيـن طفلـك من تطويـر كل درجـات وظلال لونـه الفريـد الاستثنائـي.

إنّ احترامـك وتقديـرك لشخصيـة طفلـك المتفـرّدة يجـب أن يبـدأ من لحظـة ولادتـه. فـإذا استطعـت تقبّـل أنمـاط تغذيتـه ونومـه الفريـدة، مزاجـه وميولـه الطفوليـة، فسيكـون أسهـل عليـك أن تتقبّلـي أسلـوب حياتـه الخـاص في مراحـل لاحقـة من حياتـه.

وكحقيقـة واقعيـة، فإن طفلـك سـوف تكـون له شخصيتـه المتفـرّدة سواء أردت ذلـك أو لـم تريديـه. وهو ما يذكّرنـي بالقصـة الكلاسيكيـة عـن مارغريـت فولـر وكارليـل،

حيث تكون مارغريت في مزاج رائق فتفتح ذراعيها وتهتف «أنا أقبل العالم كما هو» ويجيبها كارليل «هذا أفضل لك».

إنّ الأمر سيكون هكذا مع طفلك. إنك لا تستطيعين الحؤول بينه وبين ما هو عليه فعلًا. فلمَ المحاولة إذًا؟ إذا تدخّلتِ في طبيعة أسلوب حياته الخاص فسوف تعرقلين الأمور. وهو، في كل حال، سيبقى على طبيعته الخاصة. كل ما ستجنينه من محاولة فرض أسلوب حياتك الخاص عليه هو أنك تجعلين منه صورة مشوّهة من شخصيته. دعيه يكنْ ما هو عليه فعلًا.

ستتخلصين من عبء ثقيل إذا تنازلت عن محاولة جعل طفلك صورة منك. فقط أعطيه الحريّة لينمو نموًّا طبيعيًا.

إن الفكرة الأساسية في هذا الكتاب هي التأكيد أن أكبر هديّة يمكن أن تقدّميها لطفلك هي الحريّة ليحقق فرادته وإمكاناته النفسية الذاتية الكامنة. إنه لونه الخاص الفريد. أعطيه الحريّة ليكون ذلك اللون فعلًا.

مراحل نموّ الطفل

قبل أن أنتقل الى مولودك الجديد وكيفية العناية به، أريد أن أقول بضع كلمات عن الأطفال وعن مراحل نموّهم المختلفة.

كل الأطفال يمرّون بمراحل مختلفة من النموّ. هذه واحدة من النتائج الأساسية للأبحاث التي أنجزها علماء السلوك في السنوات الأربعين الماضية.

إن مراحل النموّ في السنوات الخمس الأولى تختلف جذريًا عن تلك التي في السنوات اللاحقة. على سبيل المثال، إن التغيّر الذي يحدث ما بين إكمال الطفل عامه الثاني وعامه الثالث أكبر من ذلك الذي يحدث ما بين الثامنة والتاسعة.

كل الأطفال يمرّون بمراحل النموّ نفسها على العموم. ولكنّ كل طفل يمرّ بها بطريقته الخاصة وبجدوله الزمني الخاص. فالمرحلة التي قد يجتازها طفل ما

في سنة، قد يحتاج طفل آخر إلى ستة أشهر أو ثمانية أشهر لاجتيازها. إن الوقت اللازم لاجتياز كل مرحلة من مراحل النموّ سوف يكون متباينًا تباينًا كبيرًا.

وأودّ التأكيد أن مراحل النموّ هذه لا يمكن استعجالها وتسريع وتيرتها، فكل طفل يجتاز هذه المرحلة أو تلك وفق إيقاعه الخاص والفريد، ولا شيء في عالمنا هذا يمكن أن يسرّع هذا الإيقاع. لذا كفّي عن المحاولة.

كل مرحلة من مراحل النموّ تضع الأساس للمرحلة التي بعدها. إنها عملية تشييد بناء، فمتانة الأساسات التي يُبنى عليها سوف تحدّد الطريقة التي سيكون عليها بناء الطابق الأوّل. وكيفيّة بناء الطابق الأوّل سوف تحدّد بناء الطابق الثاني وهكذا. ما يحدث للطفل في السنة الأولى سيؤثّر على ما سوف يحدث في السنة الثانية. وما يحدث في السنة الثانية سيؤثر على ما سيحدث في السنة الثالثة وهكذا دواليك.

إن أهمّ مراحل النموّ التي سيمرّ بها طفلك هي التي سوف تحدث خلال السنوات الخمس الأولى. وإذا استخدمنا مثال البناء السابق، فإن السنوات الخمس الأولى هي الأساسات التي يُبنى عليها البيت. إن البنية الأساسية لشخصية طفلك سوف تتكوّن خلال السنوات الخمس الأولى من هذه المراحل.

العامل الأكثر أهميةً في تشكيل البنية الأساسية لشخصية طفلك هو مفهومه الذاتي عن نفسه. وهذا المفهوم هو الصورة العقلية التي يشكلها عن نفسه. والطرق التي سيسلكها الطفل سوف تعتمد على هذه الخرائط العقلية التي توجّهه. إنّ أهمّ خريطة عقليّة توجّهه في طريقه هي مفهومه الذاتي عن نفسه. ونجاحه في المدرسة وفي حياته اللاحقة يعتمد إلى درجة كبيرة على هذا.

لقد أجريتُ أخيرًا اختبارًا للذكاء لطفل في الثانية عشرة من عمره. جزء من هذا الاختبار كان وضع قطع من لعبة البازل بعضها مع بعض، لقد حاول لبرهة ثم استسلم بسرعة قائلًا إنه لا يستطيع وإن الأمر صعب جدًا. إن مفهومه الذاتي عن نفسه أخبره أنه إذا واجهتَ موقفًا صعبًا فيه مشقة فعليك أن تستسلم وتتركه.

هناك أطفال يرون أنفسهم على النحو الآتي: «أنا ولد طيب. أنا محبوب. أنا أستطيع الإنجاز. أنا أستطيع تجريب الأشياء الجديدة وأستطيع أن أكون

ناجحًا». هؤلاء هم الأطفال الذين لا يسبّبون مشكلات لأحد في المدرسة أو خارج المدرسة. هؤلاء هم الأطفال الذين يتعلمون أكثر.

ولكنْ هناك أطفال آخرون يرون أنفسهم بالطريقة الآتية: «أنا لست ولدًا طيبًا. أنا لست محبوبًا. أنا لا أستطيع فعل ما أريد، وخاصة الأشياء الجديدة، لأنّني لن أنجح فيها على أيّ حال». وهؤلاء هم الأطفال الذي يكونون مشكلة لأنفسهم وللآخرين. هؤلاء الذين يواجهون أكبر المصاعب في التعلم.

إن المفهوم الذاتي للطفل عن نفسه سوف يكون الفكرة الأساسية التي ستعالَج في هذا الكتاب وسأريك شيئًا فشيئًا كيف يتكوّن هذا المفهوم منذ الطفولة المبكّرة ويتطوّر خلال السنوات الخمس الأولى من حياته. وخطوة خطوة سأريكِ كيف يمكن لطفلك أن يطوّر مفهومًا ذاتيًا صحّيًا وقويًا عن نفسه.

2

الطفولة المبكرة

يبدأ تكوّن المفهوم الذاتي عن النفس عند الطفل حال ولادته.

سأضرب لك مثلًا يتّضح فيه ما أقصده بعبارة المفهوم الذاتي عن النفس. فكّري في هذا المفهوم على أنه نظارة. وفي كل واحدة من مراحل النموّ الأربع حتى سنّ السادسة، يضيف طفلك عدسة جديدة إلى هذه النظارة. وكل واحدة من عدسات هذه المراحل تتركب فوق العدسة من المرحلة السابقة.

دعينا الآن نتفحّص النظارة الأولى للمرحلة الأولى من الطفولة. هذه المرحلة تبدأ حال ولادة طفلك وتستمرّ حتى يبدأ بخطو خطواته الأولى. وفي غالبية الحالات تغطي هذه المرحلة السنة الأولى من العمر، وفي بعض الأطفال تغطي التسعة أشهر الأولى، ولدى بعضهم من الذين يتأخرون قليلًا في المشي، تمتد لتغطي الشهور الستة عشر الأولى.

بعض الأمهات قد ينظرن إلى الوليد الصغير في هذه المرحلة الأولى ويقلن لأنفسهن: «حسنًا، ليس هناك أمر مهم حقًا، إنه مجرّد رضيع صغير يُمضي معظم الأوقات نائمًا، وعندما يستيقظ يتغذّى، ويُغيّر حفاضه، ويُحمّم. هذه هي حياته كطفل رضيع. إنه ما زال صغيرًا ليتعلم أيّ شيء. لاحقًا، سيكون قادرًا على الجلوس واللعب في قفص اللعب، ويبدأ بالحبو، ولكنه، الآن، ما زال صغيرًا جدًا ليتعلم».

لا يمكن لهؤلاء الأمهات أن يكنّ مخطئات أكثر من هذا.

فالحقيقة هي أنّ وليدك الصغير يبدأ بالتعلم منذ اللحظة الأولى لولادته. إنّ العدسات الخاصة بمفهومه الذاتي عن نفسه بدأت بالتكوّن منذ ما قبل أن يفتح عينيه.

إنّ أهم شيء يكتسبه طفلك خلال هذه المرحلة المبكرة من طفولته هو نظرته الأساسية إلى الحياة. إنه يكوّن، من خلال وجهة نظره الخاصة كطفل رضيع، فلسفته الخاصة عن الحياة، مشاعره الأساسية حيال ما يعنيه «كائن حيّ»، فإما أن يطوّر شعورًا أساسيًا من الثقة والسعادة بالحياة أو آخر من انعدام الثقة والتعاسة.

يعتمد الأمر على البيئة التي تحيطينه بها. هذه البيئة ستكون جزءًا من نظّارة المفهوم الذاتي للنفس التي سيرى العالم من خلالها. فإذا نجح في تطوير نظّارة يرى العالم بتفاؤل من خلالها في هذه السنة الأولى، فإنه سينمو ليكون إنسانًا بالغًا متفائلًا. أما إذا طوّر نظّارة يرى العالم من خلالها بنظرة تشاؤمية فسوف ينمو ليكون إنسانًا متشائمًا في مستقبل حياته.

إن السنة الأولى في الحياة هي سنة حاسمة – إنها أكثر أهمّية من كل مراحل النموّ النفسي اللاحقة – لأنّ المولود الصغير يكون معتمدًا عليك اعتمادًا كاملًا في تعامله مع البيئة المحيطة به. وحالما يتعلم المشي فإنه يشرع في اكتساب المزيد من السيطرة على هذه البيئة. ويضيف تعلّم الكلام المزيد من هذه السيطرة. لكنه كطفل صغير ما زال غير قادر على فعل الكثير في هذه البيئة. وحالة هذه البيئة ستكون على الأرجح معتمدة كليًا على قرارك بشأنها.

ما هو نوع البيئة المحيطة التي يجب عليك أن توفّريها لوليدك؟ ماذا يجب عليك أن تفعلي لكي تضمني النموّ الأقصى لإمكانيات طفلك الكامنة؟

إذا اعتبرت بوصفك أمًا أنّ الحاجات الأساسية قد استُجيب لها فسيحقق الحدّ الأقصى في نموّ إمكانياته الكامنة. لذا دعينا نناقش الحاجات الأساسية لوليدك الصغير.

إن أولى حاجات طفلك وأكثرها أهميةً هي: الغذاء. وفي هذا الصدد، يُنظر إلى الوليد الصغير على أنه، أساسًا، فم ومعدة.

يشعر المولود الجديد بالجوع شعورًا حادًا وآنيًا. إن مولودًا صغيرًا جدًا، ولنقل في شهره الأوّل، سوف يستيقظ على وقع عضّات الجوع. وبعد حصوله على الغذاء

سيعاود النوم مرة أخرى إلى أن يعضّه الجوع من جديد. وعندما ينمو أكثر ستطول فترات الاستيقاظ، ولن يعود إلى النوم مرة أخرى حال حصوله على الغذاء.

إذًا كيف تلبّين حاجته هذه؟ الأمر بسيط. قومي بتغذيته. إن الأمر يبدو سهلًا وهو حقًا كذلك، باستثناء أنّ مجتمعنا قد عقّد، من غير ضرورة، ما هو في الأصل عملية بسيطة تجري بين الأمهات وأطفالهن الرضّع.

الثدي مقابل زجاجة الحليب

جدل غير ضروري

قبل أيّ شيء آخر، لقد عقّدنا الأمور بانخراطنا في هذا الجدل حول الرضاعة الطبيعية في مواجهة الرضاعة الاصطناعية. ومن سوء الحظ أن نرى الناس وقد انقسموا عاطفيًا إلى هذا الجانب أو ذاك في هذا الجدل. الأطبّاء، الممرضات، المربّيات والمحيط من النساء غالبًا ما تشتعل حماستهم حول هذا الموضوع. وفي بعض الأحيان، على سبيل المثال، يُصار إلى إشعار بعض الأمهات بالذنب بسبب عدم إرضاع أطفالهن رضاعة طبيعية. يقول الناس: «إن الرضاعة من الثدي هي طريقة الطبيعة» وهو قول صحيح بقدر ما قد يكون القول التالي صحيحًا: «لو أنّ الله أراد للناس أن يطيروا، لخلق لهم أجنحة للقيام بذلك».

إنّ هذا الجدل عن المواجهة بين الرضاعة الطبيعية والرضاعة الاصطناعية يمكن فضّه بهذا التصريح: ليس هناك على الإطلاق أيّ إثبات علمي على أن واحدة من الوسيلتين هي الأفضل للأطفال أكثر من الأخرى، سواء من الناحية النفسية أو الفيزيولوجية. يجب أن يكون الأمر عائدًا إليك لتختاري أيّ واحدة من الوسيلتين تفضّلين.

وبناءً على ذلك، إذا اخترت الرضاعة الاصطناعية، فتأكدي من الاستمرار في حمل وليدك وضمّه إليك كما لو أنك ترضعينه رضاعة طبيعية. على أن هذه

ليست قاعدة صارمة أو حتمية. فطفلك لن يُصاب بالأذى إذا تركته مع الزجاجة بين حين وآخر.

ولكن على العموم، فإن طفلك الصغير يحتاج إلى النوع نفسه من الاحتضان الجسماني الذي يحصل عليه عندما ترضعينه رضاعة طبيعية.

◁ عند الحاجة أو حسب الجدول

والآن إلى السؤال الحاسم عن موعد تغذية وليدك بصرف النظر عما إذا كان يرضع طبيعيًا أو اصطناعيًا. إن الجواب الواضح هو: عندما يشعر بالجوع. ولكن للأسف فإن حضارتنا قد نجحت، من غير داعٍ، في تعقيد هذا الجواب البسيط والواضح.

في العشرينيات والثلاثينيات اعتقد الكثيرون من الناس أن من الجيّد تدريب الرضّع والأطفال الصغار حالما يصبح ذلك ممكنًا وفي أسرع وقت ممكن. ومن وجهة نظرهم فإن جزءًا من هذا التدريب على العادات الحسنة يكون بوضع جدول زمني يسير عليه الوليد الصغير في أسرع وقت. وبهذا كان يجري، بواسطة الطبيب، وضع المواليد الجدد على جدول زمني للتغذية كل ثلاث أو أربع ساعات، وكان يُفترض بالأم أن تغذّي طفلها وفق البرنامج أو الجدول.

هذا النظام المخيف انتهك واحدًا من المبادئ الرئيسية لتربية الأطفال تربية نفسية صحية: احترام فردية الطفل.

إن لكل طفل شخصيّته الفردية الفريدة، وله أيضًا ساعته الداخلية الخاصّة بإحساسه بالجوع. فكيف لنا أن نفكر أن بإمكاننا أن نصمّم ساعة خارجية، أو جدولًا زمنيًا، يناسب جميع المواليد الصغار؟ وسواء أخبرتنا هذه الساعة الخارجية أن «غذّي طفلك كل أربع ساعات» أو «غذي طفلك كل ثلاث ساعات» فإن من المحتم أن كلا القولين خاطئ. وعلى الأرجح لن يتناسب هذا النظام مع وليدك. ليس فقط لأنه مختلف عن كل المواليد الآخرين، بل لأنّ إحساسه بالجوع سوف يتغيّر من يوم إلى آخر.

ماذا يحدث لرضيع عندما يُغذّى وفق جدول زمني صارم؟ سيصبح محبطًا عندما يشعر بالجوع. إن جوع الطفل هو أمر منهك له تمامًا. وعندما يشعر بالجوع فإنه فقط يشعر بالجوع. وذلك لا يقبل التأجيل والمماطلة. إنه يريد الغذاء حقًا ويريده الآن. معظمنا، نحن البالغين، لم نجرّب الشعور بالجوع بالطريقة التي يشعر بها الطفل. ربما يمكنني تصوير الأمر على الشكل الآتي: إذا كان على الرضيع أن ينتظر نصف ساعة للحصول على غذائه فإن هذا يعادل انتظارنا ثلاثة أيام للحصول على غذائنا.

إن المولود الصغير ليس مخلوقًا مهذبًا في العادة. عندما يكون جائعًا ولا يُقدَّم له الغذاء، فإنه يستدعي انتباهك بالطريقة الوحيدة التي يعرفها: البكاء. وكلما انقضى وقت أطول بدون أن يحصل على ما يريد، ارتفع صوت بكائه وازداد إلحاحًا، كما لو أنه يقول لك: «أيّ نوع من العالم هو هذا؟ إنني أبكي وأبكي، قائلًا للناس إنّني جائع، لكن لا أحد يحضر لي الطعام». وكلما مرّ وقت أطول، تغيّر البكاء في نوعيته ونبرته. فبدلًا من أن يكون مجرد طلب عالي الصوت للغذاء، فإنه يأخذ نبرة الغضب والحنق. إنه يقول من خلال بكائه: «أنا غاضب. أكرهكم جميعًا وأكره العالم كله. أكرهم لأنكم لا تعيرون انتباهًا لي ولا لرسائلي عن جوعي».

إذا أُخضع الرضيع تكرارًا لهذه البرامج الغذائية، فإنه يبدأ بالتعلم أنه مهما كان بكاؤه فلن يحدث شيء، وأنه لن يحصل على غذائه مباشرةً. قد يكون رد فعله على هذه الوضعية غاضبًا، وقد يصبح هادئًا وغير مبالٍ، كما لو أنه تنازل عن حقه في الحصول على ما يحتاج إليه. لقد تعلم هذا الرضيع الصغير أن يزدرد غضبه وأن يستبدل به الخضوع بنحو مخيف. ولكن، سواء كانت ردة فعله الاستمرار في الغضب أو الخضوع اللامبالي، فإنه يتعلم شيئًا واحدًا: عدم الثقة بالحياة. فهل نستطيع لومه؟ بالنسبة له إن الحياة هي أمر محبط، وشيء كريه.

لقد بدأ مجتمعنا في الآونة الأخيرة يعي حقيقة النقائص المرعبة في هذه الطريقة للتغذية المبرمجة. وبدأ المزيد من الأطباء يوصون، وبدأت المزيد من الأمهات باتّباع ما يطلق عليه التغذية «عند الطلب أو الحاجة». هذه الطريقة مبنيّة على ما يجب أن يكون معلومًا بالبداهة وما يشكّل حقيقة جليّة عند

الجميع: دعي الرضيع نفسه يخبرك متى يكون جائعًا، وذلك عندما يستيقظ ويبدأ بالبكاء طلبًا للغذاء.

الكثير من الأمهات يُبتلين لاحقًا في حياة أطفالهن بمشكلات التغذية التي هي غير ضرورية على الإطلاق من وجهة النظر النفسيّة. تنشأ مشكلات التغذية في أغلب الحالات بسبب الضغط النفسي الذي مورس على الضد من الاحتياجات الحقيقية والبسيطة للطفل – سواء كان رضيعًا أو في الثالثة من العمر. وعلى كل حال، فإنّ لدى كلا الأبوين حليفًا بيولوجيًا عظيمًا في تغذية أطفالهما: الإحساس بالجوع عند الطفل نفسه. فإذا احترمنا فردية أطفالنا وتيقنّا من تحقيق هذه الحاجة البيولوجية عندهم، فلن تواجهنا مشكلات التغذية.

من المهم أن يحترم الوالدان فردية طفلهما منذ الولادة. ولكن ليس هذا هو واقع الحال. وللأسف فإن ما سأذكره في ما يأتي أمر شائع إلى درجة كبيرة:

تمّت تغذية الوليد قبل ساعة ونصف الساعة من الآن وعاد إلى نومه. وها هو يستيقظ الآن باكيًا، فتفكر الأم: «لماذا يبكي الآن؟؟ لا يمكن أن يكون جائعًا لأنّني قد غذّيته قبل قليل». ولكن، كيف باستطاعتها جزم ذلك الأمر؟ هل تستطيع أن تكون بداخله وتستشعر ما إذا كان يشعر بعضّة الجوع أم لا؟ (وفي هذا الصدد، تتمتّع الأمهات في القبائل البدائية بحكمة أكبر من تلك التي نتمتّع بها، لأنهن يُرضعن أطفالهن حالما يبدأ الطفل بالبكاء أو بالتعبير عن الغضب).

لذا، عندما يبدأ طفلك بالبكاء، قدّمي له الغذاء. أرضعيه من ثديك أو بالزجاجة. إذا بدر منه ما يشير إلى رفضه الغذاء كبصق الحليب أو أيّ رد فعل سلبي آخر، فذلك يعني أنّه يبكي لسبب آخر غير الجوع.

إنّ أفضل وأهمّ ما تفعلينه لمساعدة طفلك على تطوير ثقة أساسية بنفسه وبالعالم – وهي العنصر الرئيسي لتكوين صورة ذاتية قوية وصحّية عن نفسه – هو أن تقدّمي له الغذاء حالًا عندما يكون جائعًا. فالطفل الذي يحصل على الغذاء عندما يكون جائعًا سوف يشعر على النحو الآتي: «هذا عالم لطيف. إنه أمر طيّب أن ينال المرء غذاءه عندما يحتاج إليه. أنا أستمتع بالدفء في حضن أمي عندما تُرضعني أو تقدّم لي زجاجة الحليب. إن العالم مكان آمن ومن

الجميل أن نكون فيه، لأنني عندما أخبر العالم أنني جائع فإنني أحصل على الغذاء. أنا أعلم أنّ كل شيء سيكون على ما يرام بالنسبة إليّ في هذا العالم الذي أعيش فيه».

الحاجة الأساسية الثانية للمولود هي الدفء. لا نحتاج للإسهاب كثيرًا في هذا لأن تسعة وتسعين في المئة من الأمهات يعتبرن أن مواليدهنّ الصغار دافئون بما فيه الكفاية وأنهم لا يتعرّضون للبرد.

الحاجة الأساسية الثالثة هي النوم. وهو أمر يتولاه الطفل نفسه. فهو سينام بقدر حاجته. وعندما يأخذ حاجته من النوم فإنه يستيقظ. وعلى كل حال، فإن بضع كلمات عن عادات النوم وأنماطه قد تكون ذات فائدة.

ليس من الضروري أن يكون البيت ساكنًا هادئًا من أجل أن ينام الوليد الصغير. نحن جميعًا نعرف النموذج التقليدي للأم التي تسير على أطراف قدميها في المنزل وتندفع إلى الباب لتخبر الطارقين بصوت هامس «ششش... الصغير نائم». هذا ليس ضروريًا تمامًا. في الحقيقة، إذا حاولت فرض نوع من الصمت والهدوء التام، فإنك ربما تكيّفين المولود على أن لا ينام إلا إذا توفّر هذا الجو المصطنع من الصمت والهدوء. لذا حاولي ممارسة أعمالك المنزلية بطريقة طبيعية ومعقولة عندما يكون طفلك نائمًا ولا تترددي في استخدام الراديو والتلفزيون في الغرفة المجاورة إذا رغبت في ذلك.

شيء آخر أودّ التذكير به وهو أنّ أنماط النوم عند رضيعك مستقلة تمامًا عن أنماط النوم الخاصة بك كبالغة. عندما يكون وليدك صغيرًا جدًا فإنه سرعان ما يعود إلى النوم بعد تناول غذائه. وهو أمر يناسبك. ولكن عندما ينمو أكثر فإن فترات استيقاظه بعد تناول الغذاء سوف تصبح أطول. وهذا ليس أمرًا مربكًا خاصة في ساعات النهار، ولكنه ربما يكون صعبًا في منتصف الليل. فبعد تغذيته في منتصف الليل، ستودّين بالتأكيد العودة إلى النوم مباشرة لأنّ عليك الاستيقاظ باكرًا في الصباح، ولكن الطفل الصغير لا يدرك ذلك. لقد تناول غذاءه وهو الآن سعيد ومكتفٍ ولكن ليس جاهزًا للعودة إلى النوم بعد. إنه يريد اللعب لفترة ما والاستمتاع بفترة الاستيقاظ.

قد يصحو الوليد الصغير أحيانًا في منتصف الليل ويبدأ بالبكاء لأسباب مجهولة. ربما يكون البكاء بسبب المغص أو الاضطرابات المعوية وهو أمر لا تستطيعين شيئًا حياله. وحتى الاحتضان والحمل لن يهدّئه أو يوقفه عن البكاء في بعض الأحيان. ها هو ذا يهز رأسه باكيًا، وأنتما الاثنين تترنّحان من التعب وتريدين، يائسة، أن يتوقف عن البكاء لكي تستطيعي العودة إلى النوم. في أوقات كهذه، تكتشفين أن التحضّر ما هو إلا قشرة رقيقة تغطي بدائيّة ووحشيّة كامنة بداخلك. ربما تجدين نفسك غاضبة على وليدك الصغير، وربما تودّين هزّه بعنف أو ضربه أو الصراخ في وجهه «اخرس! ألا تدرك أنّ علينا معاودة النوم؟!».

وبما أنه لم يخبرهم أحد من قبل عن مثل هذه الأوقات فإنّ العديد من الأمهات والآباء يشعرون بالذنب بطريقة مرعبة، بسبب شعورهم على هذا النحو. في الحقيقة، أنت والدة طبيعية جدًا إذا ما كانت مشاعرك على هذا النحو. لاحظي أنني قلت «على هذا النحو». أما إذا وجدت نفسك تفقدين السيطرة وتضربين الصغير فأنت تحتاجين إذًا إلى مساعدة متخصّصة. يجب أن تكوني قادرة على التحكم في أفعالك، ولكن من الطبيعي أن تشعري بأنك محبطة وغاضبة في هذه الحالات.

هناك أمر يمكن أن يكون مساعدًا لك هو كرسيّ الرضيع. وهو ليس مفيدًا فقط في عملية الانتقال بالسيارة، أو الحركة داخل المنزل من غرفة إلى أخرى، بحيث يكون تحت مراقبتك الدائمة، بل هو مفيد أيضًا في إعطاء طفلك وضعية مختلفة للنوم. في بعض الأحيان عندما لا يستطيع المولود الصغير العودة إلى النوم في سريره مستلقيًا، فإنه يستطيع أن يعود إلى النوم في الخامسة صباحًا جالسًا في كرسيّ الرضيع الخاص.

ولكن تذكري دائمًا أنه مهما كانت أنماط نوم الوليد الصغير واستيقاظه، فإن معظم المواليد الصغار سوف يسبّبون بعض المشكلات والإزعاج بسبب الاختلاف بين أنماط نومهم وأنماط نومنا نحن الكبار.

الحفاضات

الحاجة الأساسية التالية لوليدك هي التخلص من الفضلات التي ينتجها جسمه، من خلال عمليّتي التبوّل والتبرّز. إنها مهمّة سيتولّاها هو بنفسه. لن تواجهي مشكلة حقيقية في هذه المسألة ما لم ترتكبي الخطأ بمحاولة تدريبه على هذه العملية خلال السنة الأولى من حياته.

انطلاقًا من تجربتك الخاصة خلال طفولتك قد يكون عندك نفور قوي من الحفاضات القذرة. ربما تكون أمرًا قذرًا ومزعجًا ونتن الرائحة بالنسبة إليك، فإذا كان الأمر كذلك، حاولي ألا تنقلي هذه المشاعر إلى صغيرك. إنه لا يحسّ بهذه المشاعر تجاه فضلاته الخاصة، فإذا نقلت هذه المشاعر من القرف والاشمئزاز إليه، فستسهمين فقط في جعل عملية التدرّب على النظافة في المستقبل أكثر صعوبة بالنسبة إليه.

العديد من الأمهات، بالنظر إلى مشاعرهنّ السلبية تجاه الحفاضات القذرة والرطبة، يفترضن أنّ مواليدهن الصغار يشعرون بالطريقة نفسها، ويندفعن بالتالي إلى تغيير حفاضاتهم حالما تصبح رطبة أو متسخة. تستطيعين اتخاذ موقف أكثر استرخاءً تجاه عملية تغيير الحفاض، فما لم يكن الطفل في غرفة باردة فلن يكون متضايقًا من رطوبة حفاضه أو اتساخه. أنا أذكر هذا الأمر خاصة لكي لا تظنّي أنه يجب عليك أن تقومي في منتصف الليل لتغيير حفاض طفلك بعد أن يكون استغرق في النوم أخيرًا. ولكن أرجو أن لا تفهميني بطريقة خاطئة وتتراخي في تغيير حفاضات طفلك إلى الحد الذي يؤدّي إلى حدوث طفح جلدي عنده. كل ما أودّ قوله هو أنّ الأمهات يجب أن يكنّ أكثر استرخاءً في ما يخص الطريقة والأوقات المتعلقة بتغيير حفاضات أطفالهن.

راحة الاحتضان

الحاجة الأساسية التالية لمولودك هي الملامسة أو ما يطلق عليه الدكتور هاري هارلو «راحة الاحتضان». إن وليدك لا يستطيع أن يعرف أنه محبوب ما لم يكن الحب مُعبَّرًا عنه بطريقة جسدية – أي ما لم يُحمل ويُحضن ويُهزّ ويُتحدّث إليه ويُغنَّ له.

العديد من الأبحاث برهنت على صحة هذه الفكرة، ففي الأبحاث التي أُجريت على بعض الحيوانات، قام الدكتور هاري هارلو بدراسة على صغار القرود التي عُهد بالاهتمام بها إلى دمى خشبية مجهّزة بزجاجات الحليب.

ومع أن صغار القرود حصلت على غذاء مناسب، فإنها لم تحصل على ما تحتاج إليه من راحة الاحتضان والملامسة حيث لم تكن أمهاتها إلى جانبها لحضنها أو لإظهار الاهتمام بها عن طريق الملامسة الجسدية. أثبتت التجربة أن هذه القرود نمت لتكون غير مؤهّلة اجتماعيًا، فهي لم تكن قادرة على التزاوج مع القرود من الجنس الآخر وظهرت لديها العديد من السلوكيات الغريبة، كتلك التي يمكن ملاحظتها عند البشر المضطربين نفسيًا.

بالطبع، لن نقوم بالتجربة على أطفالنا بحرمانهم الملامسة الجسدية لكي نرى ما إذا كانوا سيتحوّلون إلى بالغين مضطربين في المستقبل.

لكن لدينا فعلًا تجربة سيئة نُفذت على أطفال من البشر في القرن الثالث عشر لأسباب مختلفة. وهي تثبت، بصورة مثيرة للشفقة، الفكرة التي نتحدّث عنها.

فقد أراد فريدريك الثاني ملك بروسيا أن يعرف ما هي اللغة الأصلية للبشرية. وظن أنه يستطيع أن يعرف هذا عن طريق تربية مجموعة من المواليد الصغار من غير أن يكون إلى جانبهم من يتحدث إليهم، متوقّعًا أنّهم، حين يبدأون بالكلام، سيتحدّثون باللغة الأصلية للبشرية. وقد أوعز إلى المربيات أن يقمن بإطعام هؤلاء الأطفال وتنظيفهم ولكن على أن لا يتحدّثن معهم. كان يظن أنهم عندما يبدأون بالكلام سيتحدّثون بالعبرية أو اليونانية أو اللاتينية، ما يمكّنه من معرفة اللغة الأصلية للإنسان. ولكن، لسوء الحظ، فإن نتيجة هذه التجربة

كانت وفاة الأطفال جميعًا، بسبب حرمانهم من الاحتضان وعطف «الأمومة» اللذين كان من الممكن أن يحصلوا عليهما من المربّيات والممرضات لو سُمح لهنّ بالتواصل معهم.

- إن الدراسات عن الأطفال الذين ينشأون في مؤسسات تربوية تؤكد هذه الفكرة، فالأطفال الذين ينشأون في ملاجئ الأيتام والمؤسسات التربوية قد يكونون يتناولون الغذاء الملائم، إلا أن المشرفات عليهم لا يجدن الوقت الكافي لاحتضانهم وإظهار «عواطف الأمومة» نحوهم.

لذلك، قد نلاحظ بعض الهشاشة النفسية لدى الأطفال الذين ينمون في بيئة مجدبة وغير محفزة كتلك التي في ملاجئ الأيتام...

وبالتالي، فإن عليك أن تفعلي ما هو فطري وطبيعي مع وليدك الصغير في ما يتعلق بحضنه وهزّه والغناء له واللعب معه. احمليه، قبّليه، وعانقيه ألف مرّة إذا أردتِ. إنك لن تفسديه بدلالك هذا، لأنّ هذه هي الطريقة الوحيدة التي يدرك بها أنه محبوب.

العلاقة الإنسانية الأولى

تحدثتُ حتى الآن عن الحاجات الأساسية لرضيعك كما لو أنها أشياء منفصلة ومعزولة. وهذا ليس صحيحًا في الواقع، حيث إنه في العادة، تتوفّر هذه الحاجات الأساسية للوليد بواسطتك أنت الأم، بمساعدة الوالد والأعضاء الكبار الآخرين في العائلة. وبكلمات أخرى، من المعتاد أن يكون هناك شخص واحد يعمل على توفير هذه الحاجات الأساسية للطفل. وبالتالي، فإن هذا الشخص الوحيد، وهو الأمّ، يلبّي حاجة الطفل إلى علاقته العاطفية الأولى.

أنت، الأم، توفّرين لصغيرك هذه العلاقة العاطفية الأولى البالغة الأهمية مع كائن إنساني آخر. وهذه العلاقة ستشكل القاعدة والأساس لما ستكون عليه علاقاته العاطفيّة مع الناس الآخرين الذين سيكون له احتكاك بهم خلال حياته،

فـإذا كانـت علاقتـه العاطفية هذه معك جيدة، وإذا شـعر بأنـك تعتنين به فعلًا وباحتياجاتـه، فسـيتكوّن لديـه إحسـاس بثقـة أساسـية بـأن العالم مـكان طيّب للعيـش فيـه. إذا وفّـرت لوليـدك هذا النـوع من الأمومـة، فإنه في نهاية سـنته الأولـى، سـيكون علـى مشـارف تكوين مفهـوم ذاتي قوي عن نفسـه، وسـيواجه الحياة بشعور عميق بالثقة والتفاؤل.

الحاجات العقلية

حاجات وليدك التي ذكرناها آنفًا ليسـت عاطفية فقط، بل إنّ له حاجات عقلية أيضًـا. ولنفهم هذه الحاجات علينـا أن نفهم كيف يتصوّر طفلك الصغير العالم. إنّ أهـم شـيء علينـا أن نتذكّره هـو أن العالم يبـدو لطفلك كأنه فيلم سـينمائي يتحوّل إلى واقع شيئًا فشيئًا.

علـى سـبيل المثـال، عندمـا تجلسـين على الكرسـي لتقرئـي، تعلميـن تمامًا، أن الكرسـيّ الـذي تجلسـين عليـه، أو الكتـاب الـذي تقرئيـن فيـه، أو الضـوء الذي تسـتنيرين به، ليسـت «أنتِ». إن طفلك الصغير لا يعلم هذا. إنه لا يستطيع في البداية أن يميّز بين «أنا» و«ليس أنا» في هذا العالم.

وتلك فكرة من الصعب على الكثير من البالغين أن يدركوها. لقد أمضينا سنوات طويلة ونحن نعي حقيقة «أنا» و«ليس أنا» في هذا العالم. إن من الصعب علينا أن نفهم أنه بالنسـبة لمولودنا الصغير ليس هناك «أنا» في البداية. ويسـتغرق الأمـر شـهورًا لكي يطـوّر الطفل الرضيع مفهومًـا عن «أنا». إن هـذا يصبح، بنحو مدهـش، واضحًـا عندمـا تتأمّليـن طفـلًا أكبـر سـنًا وهـو يبـدأ، بسـعادة كبيـرة، باكتشـاف أنّ «أنـا» هـذا يسـتطيع أن يتسـبّب بتحريـك قدميـه وأصابعـه. إنـه يكتشـف أنّ بإمكانـه أن يحرّكها عندما يشـاء. وغالبًا سـترين طفـلًا يجلس ويهزّ أصابعه بسعادة، منتشيًا بهذا الاكتشاف الجديد لمعنى القوة.

إنّ مـن المهـمّ أن نفهـم هذه السـمة مـن الظهـور التدريجي لعالـم الطفل، لأنك بقيامك بالتحفيز العقلي المناسب لطفلك، تساعدين في هذا الظهور. ويعبّر عن

ذلك عالم النفس الفرنسي بياجيه: «كلما شاهد الطفل وسمع أكثر، رغب في أن يسمع ويرى المزيد».

في دراسة بحثية أجراها الدكتور واين دينيس في ثلاثة ملاجئ للأيتام في طهران، تأكّدت هذه النقطة تمامًا. في أحد هذه المياتم الثلاثة، كان قد تمّ قبول المواليد قبل بلوغهم شهرًا واحدًا من العمر. ووُضعوا في مُهود فردية منفصلة. كانوا يستلقون على ظهورهم في فُرُش طرية ولم يكونوا يُحرَّكون أو يُغيَّر اتجاههم حتى تعلموا ذلك بأنفسهم. كانت حفاضاتهم تُغيَّر عند الحاجة ويُحمّمون بين الحين والآخر. كان الحليب يُقدَّم إليهم في زجاجات، ولكن كانت المشرفات يُقدِّمن إليهم طعامًا نصف سائل بين الحين والآخر. لم تكن لديهم دمى أو ألعاب. بكلمات أخرى، كان العالم الذي يعيشون فيه عالمًا فيه القليل من التنبيه العقلي والحسّي.

عندما بلغ هؤلاء الأطفال الثالثة من العمر نُقلوا إلى ميتم آخر يتميّز ببيئة مماثلة. وجد الدكتور دينيس أن أقلّ من نصف الأطفال بين السنة الأولى والثانية من العمر كانوا يستطيعون الجلوس، بينما لم يستطع أيّ واحد منهم المشي. على النقيض من ذلك فإن نصف الأطفال الأميركيين الذين لا ينشأون في مؤسسات اجتماعية كانوا يستطيعون الجلوس وحدهم في عمر تسعة أشهر ويمشون في عمر خمسة عشر شهرًا. أقل من نصف الذين بلغوا السنتين من العمر في الميتم الأوّل، كانوا يستطيعون الوقوف معتمدين على يد شخص آخر أو كرسيّ، وأقل من عشرة في المئة منهم كانوا يستطيعون المشي وحدهم. ووجد الدكتور دينيس أن خمسة عشر في المئة فقط من الأطفال بعدما بلغوا من العمر ثلاث سنوات وهم في الميتم الثاني كانوا قد تعلموا المشي وحدهم.

في دراسة لاحقة في ميتم في بيروت، أخذ الدكتور دينيس مجموعة من المواليد تراوح أعمارهم بين سبعة أشهر وسنة، ولم يكن أحد منهم قادرًا على الجلوس، وأخضعهم لبرنامج من التحفيز الحسّي، فكانوا يُخرَجون لمدة ساعة يوميًا من أسرّتهم إلى غرفة مجاورة حيث كان يوضعون في كراسٍ منخفضة ويُعطَون مجموعة متنوّعة من الأشياء للنظر إليها والإمساك بها: أزهار طبيعية، أكياس ورقية، قطع من الإسفنج الملوّن، أغطية علب معدنية، مذبّات لقتل

الذباب، قوالب جيلي ملوّنة، صحون بلاستيكية ملوّنة، زجاجات بلاستيكية صغيرة، وصوانٍ معدنية. لا أحد من الكبار وجّه هؤلاء الصغار وأرشدهم في اللعب بهذه الأشياء، وهو أمر لو تحقق لكان أكثر تحفيزًا لهم.

وحتى بهذا الحد الأدنى من التحفيز لمدة ساعة يوميًا، فقد تعلم كل المواليد الصغار سريعًا الجلوس مستقلّين. وبعد شيء من تردّد البعض منهم، انتهوا جميعًا بالاستمتاع باللعب بالأشياء المذكورة سابقًا.

خلال هذه التجربة، زاد معدّل النموّ المكتسب إلى أربعة أمثاله نتيجةً لهذا التحفيز الحسّي، وبدون أيّ تدخّل من شخص راشد.

النوع نفسه من النتائج تظهره دراسات أجريت عن التطوّر الإدراكي عند أطفال عائلات من الفئات الفقيرة الأقل حظًا، مقارنة بأطفال عائلات من فئة ميسورة نسبيًا، في الولايات المتحدة الأميركية.

أطفال الطبقة الوسطى هم في مستوى أعلى من التطوّر الإدراكي والعقلي في عمر الثلاث سنوات مقارنة بأطفال الفقراء. لماذا؟ لأن أطفال الطبقة الوسطي يحصلون على قدر أكبر من التحفيز الحسّي والعقلي، حتى وهم في مرحلة الطفولة المبكرة. لديهم إمكانية الحصول على قدر أكبر من الأشياء المتنوّعة ليلعبوا بها. وتوفّر لهم أمهاتهم هذه الأشياء، ويشجّعنهم على انخراط أكبر في تجربة هذه الأشياء، ويتحدّثن إليهم عنها.

باختصار، فإن الفكرة القديمة بأن كل طفل يولد ولديه كمية محدّدة من الذكاء، هي فكرة لا تدعمها الدراسات الأحدث عهدًا، فالدراسات الحديثة تظهر أن كل طفل يولد مزوّدًا بحد أقصى كامن من الذكاء الذي يمكن أن يبلغه مع النموّ المستمر. قد يكون هذا الحد الأقصى للذكاء عند طفلٍ ما هو العبقرية، وعند طفل آخر قد يكون الذكاء المتوسّط، وعند آخر قد يكون المعدل المنخفض. ولكن بلوغ الطفل هذا الحدّ الأقصى للذكاء أو عدمه، أمر يعتمد إلى درجة كبيرة على مدى ما سيحصل عليه من التحفيز الحسّي والعقلي في السنوات الخمس الأولى من حياته.

وهكذا، يمكنك أن تري أهمّية تقديم هذا التحفيز الحسّي والعقلي إلى وليدك الصغير. وفّري له أشياء ليلعب بها، أشياء سوف تنبّه حواسه – النظر، السمع،

الشم، إلخ... أعطيه أشياء يستطيع الإمساك بها وعضّها ولوكها وتفكيكها. هذه الأشياء يمكن أن تكون أدوات منزلية بسيطة. على سبيل المثال: قطع من الثياب النظيفة يستطيع تجعيدها ومضغها، زجاجات وصحون بلاستيكية يستطيع إمساكها والطرق بها، ملاقط الغسيل وحلقات العضّ، ورقة سوليفان يستطيع تجعيدها وإصدار أصوات بها، مرايا معدنية يرى فيها نفسه، أكياس ورقية وعلب كرتون فارغة، أوانٍ وقدور ومقالٍ من المطبخ... والقائمة لا نهاية لها. بطبيعة الحال، بما أن كل شيء يمكن أن ينتقل الى فمه، يجب أن تكوني حريصة على عدم تمكّنه من الوصول إلى أشياء صغيرة يمكن أن يختنق بها.

لقد توصّل صانعو الألعاب إلى اختراع وسائل مبدعة يمكن استخدامها في التحفيز الحسّي والعقلي للأطفال الصغار. ابحثي في محل الألعاب القريب من منزلك عمّا لديهم من أشياء وألعاب التحفيز الحسّي للأطفال الصغار. يجب أن تجدي موادّ متحرّكة يمكن تعليقها فوق السرير أو المهد، أو ترتيبًا معيّنًا للحلقات والقضبان الأفقية، لكي يضربها ويجرّها، أو حوضًا بلاستيكيًا بداخله أسماك، لوضعه بجانب السرير.

يمكنك أيضًا صنع ألعاب بنفسك. أيّ نوع من الأشياء المصنوعة والملوّنة، الكبيرة بما فيه الكفاية لتكون آمنة للاستخدام من طفلك، يمكن استخدامها كلعبة للتحفيز الحسّي. ابحثي في المنزل، أو قومي برحلة صغيرة الى السوق لتشاهدي أيّ نوع من ألعاب التحفيز الحسّي البسيطة والرخيصة يمكن أن تناسب صغيرك.

وعلى كل حال، علينا أن لا ننسى ذكر أفضل أنواع ألعاب التحفيز الحسّي. هذه اللعبة التي سيحبّها طفلك أكثر من أيّ لعبة أخرى هي أنتِ، الأم.

تحدّثي والعبي مع طفلك بالطريقة التي تروقك. ابدئي بالتحدّث إليه. العديد من الأمهات يغيّرن حفاضات أطفالهن أو يقمن بتغذيتهم أو تحميمهم وهنّ صامتات. لماذا لا تتحدّثين إليه في هذه المناسبات؟ أخبريه عمّا تفعلينه. بالطبع إنه لا يفهم كل ما تقولينه، ولكنه سوف يستقبل تحفيزًا حسّيًا وعقليًا من خلال نبرة صوتك.

ماذا يجب أن تقولي له؟ أيّ شيء تريدين قوله. قولي له مثلًا: «ها هو وقت الاستحمام قد جاء مرّة أخرى. أيّها الولد الحبّوب سنرى كيف سوف تستمتع بالماء اليوم» أو «حسنًا، إنه وقت تغيير الحفاض مرّة أخرى يا صغيري، لذا سوف نزيح القديم هكذا ونضع الثاني الجديد حولك ونغلقه». كل أم سوف تقول أشياء فريدة لطفلها. كل أم سوف تغنّي أغنيتها الفريدة.

عندما تغنّين أنت وزوجك لطفلك أو تتحدّثان إليه أو تصدران أصواتًا مضحكة له، أو تهزّانه وتلعبان معه، فإنكما تقدّمان له التحفيز الحسّي الذي سيحفّز نموّه العقلي.

وبين الحين والآخر، عليكما أن تمضيا وقتًا طيبًا بفعل هذه الأشياء مع طفلكما الصغير. الكثير من الأهل يفتقدون هذا النوع من التسلية. عندما يتحدّث بعضهم عن أنّ لديهم «مولودًا جيدًا» فإنهم يعنون أنه هادئ ولا يتطلب الكثير من الاهتمام، بحيث إنّ الأمّ تتمكّن من القيام بأعمالها المنزلية والعناية بطلبات الأطفال الآخرين في البيت. لكن، بهذه الطريقة، يفتقد هذا «المولود الجديد» التحفيز الحسّي الذي سوف يمكنه من النموّ ليبلغ الحد الأقصى من ذكائه الكامن.

أرجو أن لا تقفزي إلى الاستنتاج المعاكس بأنه يجب عليك قضاء معظم وقت استيقاظ طفلك باللعب معه. فحتى لو كانت عندك خادمة تتحمّل عنك عبء الأعمال المنزلية، ولو لم يكن هناك أطفال آخرون يشغلونك عنه، فربما تكونين غير ميّالة إلى قضاء كل وقت استيقاظه باللعب معه. لا تجعلي اللعب معه واجبًا مفروضًا، اجعليه نوعًا من التسلية. العبي معه عندما تشعرين بالرغبة في ذلك. احضنيه عندما ترغبين في ذلك. وبهذه الطريقة سوف تستمتعين به وسوف يستمتع هو بك.

رؤية شاملة لمرحلة الطفولة المبكرة

أريد في ما يلي أن أقدّم لك رؤية شاملة موجزة عن نموّ طفلك خلال فترة الطفولة المبكرة، السنة الأولى من حياته. لكنّي أودّ أوّلًا أن أقترح عليك الاستثمار في

قراءة كتاب يصف نموّ الطفل في السنوات الخمس الأولى بطريقة أكثر تفصيلًا. هـذا الكتـاب هـو ثمـرة أبحـاث أُجريَـت علـى آلاف الأطفـال فـي عيـادة «ييل» لنمـوّ الطفـل، قـام بهـا الدكتـور أرنولد غيسـيل ومسـاعدوه. إنها حقًّا موسـوعة عـن السـنوات الخمس الأولى مـن الحياة وأعتقـد أن كل والد ووالـدة يحتاجان إليهـا. إن عنـوان الكتـاب هـو *Infant and Child in the Culture of Today* (الأطفـال فـي ثقافـة اليـوم) وربما كان يجـب أن يكـون «الطفل من الـولادة إلى السنة الخامسة» لأن هذا هو محتواه. إنه يصف حياة طفل وسلوكه في الأسبوع الرابع من عمره ويتابعه في نموّه التدريجي إلى أن يبلغ عامه الخامس.

إن هـذا الكتـاب مفيـد خاصـة للوالديـن اللذين ينجبـان طفلًا للمـرة الأولى. كل الأهـل يتعلمـون عن الأطفال من خلال الطفل الأول وكأنـه حقلٌ للتجربة. أحيانًا، أفكّر أنا أيضًا أننا يجب أن نعد تربية الطفل الأول كنوع من التجرية، وأن ننطلق مـن الصفـر اعتبـارًا مـن الطفل الثانـي – حيث نكون قـد تعلمنا قـدرًا جيدًا عن الأطفـال. (أنـا متأكـد من أن هـذه الفكـرة راودت بعض الأمّهـات، خاصة أولئك اللواتي واجهن صعوبات في التعامل مع الطفل الأوّل). إن كتاب الدكتور غيسيل يعطيـك الفرصـة «ليكـون لديك طفـل أول قبل أن يكون لديـك واحد حقيقي في الواقع». بكلمات أخرى، تستطيعين أن تعرفي كيف يكون الأطفال وماذا يمكنك أن تتوقعي منهم في مراحل نموّهم المختلفة وذلك بمتابعة الشروح التي يقدّمها الدكتور غيسيل في كتابه. لهذا أرجو أن لا تستعملي رؤيتي البانورامية الموجزة هذه بدلًا من قراءة أكثر عمقًا وشمولًا في أبحاث الدكتور غيسيل.

لقد وجدت أن من الملائم أن أنظم هذه الرؤية الموجزة لمرحلة الطفولة المبكرة فـي أجـزاء، كل جزء يتناول ثلاثة أشـهر من المدّة الكليّـة لهذه المرحلة، ولكنني أذكرك منذ البداية بأن هذا التقسـيم إلى أجزاء هو تقسـيم اعتباطي فقط. إنني أودّ أن أقـدّم لـك فكرة عامة عن نموّ طفلـك وارتقائه خلال هذه الفترات وأقترح طرقًا محددة تستطيعين بواسطتها تزويده بأجواء لعب غنيّة تدعم نموّه العقلي.

◁ الشهور الثلاثة الأولى

إن مولودك الجديد هو شخص فريد من نوعه على الإطلاق.

أظهرت دراسات عديدة أن المواليد الجدد يختلف أحدهم عن الآخر اختلافًا حاسمًا وبطرق مختلفة: في السلبية أو العدوانية، في الحساسية للضوء، الصوت، أو اللمس، في الحماسة التي يهجمون بها على الحلمة أو زجاجة الحليب، في المزاج، في مرونة عضلاتهم، في تكوين دمهم الكيميائي، وفي توازنهم الهرموني.

إن أنماط الحاجة إلى الغذاء والبكاء في طفليَّ الذكرين كانت مختلفة اختلافًا ملحوظًا عندما كانا رضيعين، فعندما كان راندي، ابني البكر، يستيقظ جائعًا، كان يعلن هذه الحقيقة بصراخ حاد يُسمع من آخر الشارع، ويستمرّ في بكائه حتى يحصل على الزجاجة في فمه. لكنّ ابني الأصغر، راستي، كان له نمط مختلف تمامًا. كان يستيقظ ويلعب وحده لعدة دقائق. وكان يعبّر عن شعوره بالجوع بطريقة تذكّرني بتلك المنبّهات التي تبدأ بصوت ناعم في البداية يتصاعد تدريجًا الى أن يصل إلى درجة مدمّرة للآذان إن لم يُستجب لحاجته قبل ذلك. إنه يبدأ بالبكاء الخفيف ولا يبكي بحدة كبيرة إلا إذا لم تُجْدِه محاولات المواساة اللطيفة الأولى نفعًا.

في حالتي هذه كان لدينا طفلان، كلاهما من الذكور، وهما نتاج إرث جيني واحد عمومًا، ولكنهما مختلفان اختلافًا كبيرًا بالرغم من ذلك، من يوم ولادتهما، في خصائصهما النفسية وأنماط سلوكهما. وأطفالك أيضًا سيكونون على هذه الشاكلة من الاختلاف. عليك احترام الشخصية الفردية لكل واحد منهم. لن يطابق أيٌّ من أطفالك مطابقة تامّة السمات العامة للسلوك المتوقع من طفل في أيّ مرحلة من مراحل النموّ أو العمر المختلفة. ونحن نضع في الاعتبار هذه الحقيقة عن الفرادة المطلقة لوليدك الصغير، دعينا نحاول وضع وصف عام للمواليد الصغار خلال الشهور الثلاثة الأولى من حياتهم.

يُمضي هؤلاء المواليد الجدد معظم الوقت في النوم، بما يقارب عشرين ساعة في اليوم (ولكن، مرة أخرى، ربما يكون وليدك مختلفًا). ويكون الطفل الصغير سلبيًا وهادئًا في الشهور الثلاثة الأولى عادة، فلا يستطيع رفع رأسه ولا يستطيع

التدحرج (إلا بالمصادفة)، ولا يستطيع تحريك إبهامه أو أصابعه بطريقة منفصلة. إنـه يـرى العالم مشوّشًـا إلى حد كبير. ورغـم أنه يبدأ فورًا بالانتبـاه إلى الوجوه الإنسـانية، لا يسـتطيع التمييز بين وجـه وآخر. ولكنّ المولود الجديد يسـتطيع تسـجيل عـدد مدهش من الأشـياء في دماغـه الصغير. وقد أظهرت الدراسـات الحديثـة للدكتـور روبـرت فانتـز أن المواليـد الجـدد يسـتطيعون تمييـز أنماط بصريـة مختلفـة، إذ أثبت أن الوليد يمضي في النظر إلى أشـكال بيضاء وسـوداء ذات معالـم محـدّدة وقتًا أطـول مما يمضيه في النظر إلى مسـاحات ملوّنة غير محدّدة المعالم، وأنه سوف ينظر إلى شكل تقريبي بدائي لوجه بشري أكثر مما سـينظر إلـى ترتيـب غير ذي معنى للملامح نفسـها. أما الدكتور لويس ليبسـت فقد أثبت أن مولودًا في اليوم الأوّل يستطيع التمييز بين مجموعة متنوّعة من الأصوات والروائح، وأنه سرعان ما يتكيّف معها في حال تكرارها.

تثبت أبحاث كهذه أنّ وليدك الجديد يسجّل في دماغه ما يسـمعه ويشـعر به ويراه، وأنه قادر على التمتع ببعض الحواسّ حال ولادته. وحالما يبدأ بالاستمتاع بهذه الحواسّ تستطيعين البدء باللعب معه. ليس المقصود باللعب أن تحمليه وترميه في الهواء أو أن تلعبا لعبة التخفّي والمفاجأة، وإنما المقصود هو الألعاب التي تتناسب مع مستوى نموّه الذي مازال بدائيًا جدًا.

تسـتطيعين البدء باللعب معه باسـتخدام أذنيه للوصول إليه. المواليد الصغار حسّاسون جدًا في سمعهم ويجفلون عند سماع الأصوات العالية الفجائية. لكنّ الأصوات الناعمة والكلام اللطيف والغناء أمور تجذبهم. إنهم يتعلمون التوقف عن البكاء عند سماعهم وقع أقدام. لذا استخدمي هذه البوابة السحرية لأذني طفلـك الصغيـر. تحدّثـي إليـه وغنّي لـه، أصدري أصواتًـا مضحكة لـه. قدّمي له أنواعًا مختلفة من الموسيقى. دعيه يسـمع أصواتًا مختلفة، كدقات الساعة، أو صـوت البنـدول، أو قرقعـة ملعقة على الزجـاج. ربما لا يظهر لك أن هناك شـيئًا يحـدث فـي عقلـه عندمـا تقوميـن بهذه الأشـياء، ولكنها فـي الواقع تُسـجَّل في دماغه. إنك تقدّمين له تحفيزًا حسّيًا لا يقدَّر بثمن.

الجِلـد هـو بوابـة أخـرى رائعـة للتحفيـز عند الرضيـع. المواليـد الصغـار يحبّون الشـعور عندمـا يُربّـت عليهم وتُلمس جلودهـم. دلّكيه لمدة خمـس دقائق قبل

الاستحمام أو بعده. لا تعتبري هذا واجبًا ثقيلًا، افعليه فقط عندما تشعرين برغبة في ذلك.

يمكنك أيضًا أن تجعليه يقوم ببعض التمارين البدائية له، نوع من اللعب المفيد للعضلات. عندما يكون مستلقيًا على ظهره مدّي ذراعيه إلى الجانبين ثمّ اطويهما مرةً أخرى باتجاه صدره، وكرّري هذه الحركة عدّة مرّات. بإمكانك أيضًا رفع ساقيه وتدويرهما بحركة دائرية كحركة قيادة الدراجة. حالما يعتاد طفلك على هذا فإنه سوف يبتسم أو يضحك وخاصة إذا غنّيت له بعض الأغاني الإيقاعية أو أصدرت بعض الأصوات المضحكة خلال قيامك بهذه الحركات والتمارين.

عينا وليدك هما أيضًا وسيلة للتحفيز الحسّي. إن عالم طفلك هو سريره، ويا له من عالم مضجر لهؤلاء الصغار! كيف لك أن تعيشي في بيت مكوّن من أربعة جدران غير مطليّة ولا شيء هناك ليخفّف من قتامة الرتابة؟ بثّي الحياة في سرير طفلك بالتحفيز البصري. أحضري بعض القطع الملوّنة من الملابس، الورق، البلاستيك، ذات التصاميم الذكية، وعلقيها على جانبي سريره، أو فوق رأسه. اشتري لعبة متحرّكة أو اصنعيها بنفسك من قطع من الألمنيوم البرّاق أو الورق أو الكرتون أو الأزرار الملوّنة، أو أيّ أشياء جذابة، وعلقيها بخيط أو سلك.

معظم الأمهات يعلّقن لعبًا متحركة فوق رؤوس أطفالهن. من الخطأ أن تعلقي هذه اللعب المتحركة بهذه الوضعية خلال الأسابيع الستة الأولى من حياة الطفل، فخلال هذه الأسابيع الستة يستلقي طفلك على ظهره ورأسه إمّا إلى الجانب الأيسر أو الأيمن. ولهذا فإن اللعب المتحرّكة يجب أن تكون معلقة على واحد من جانبي السرير. وعندما يبلغ وليدك أسبوعه السادس يصبح قادرًا من الناحية الفيزيولوجية على توجيه رأسه بحيث يستطيع النظر إلى الأعلى باتجاه السقف.

ينبغي أيضًا أن لا تتركي وليدك في السرير طوال الوقت. ضعيه في حضنك من وقت لآخر بحيث يتغيّر المنظر الذي يراه، أو ضعيه في كرسيّه الخاص في غرفة أخرى بحيث يستطيع أن يرى ما يجري هناك. بعض الأمهات يستخدمن حقيبة ظهر لكي يستطعن حمل أطفالهن على ظهورهن من وقت لآخر عندما يشرعن

في القيام بأعمالهن. هذا قد لا يروق كل الأمهات، ولكن إذا أعجبتك الفكرة فإنها ستوفر لوليدك زوايا متنوّعة يرى من خلالها ما حوله.

لقد كنت في الفترة الماضية تتحدّثين مع طفلك وتغنّين له وكان يسجّل كل هذا بطريقة سلبيّة وبدون أن يتجاوب معك بالطريقة نفسها. ولكن، عندما يبلغ وليدك الشهر الثاني من عمره، فستلاحظين بعض التغيّر في هذا الصدد. الآن، عندما تتحدّثين إليه أو تصدرين أصواتًا لا معنى لها خلال لعبك، فقد تشاهدين بداية جهود يبذلها في محاولة للرد عليك. إنه يبدو كأنه يجاهد لصنع أصوات استجابة لك. في ما بعد، يتحوّل هذا النوع من الاستجابة لـ«المحادثة» النموذجية غير المفهومة بين الأم ووليدها.

هذه الجهود التي يقوم بها وليدك للرد في هذا العمر تتشابه مع تطوّر آخر مهمّ يحدث في الآن نفسه تقريبًا: تناول الأشياء، الموجّه بصريًا، وهو واحد من أكبر الاختراقات في سيطرة وليدك على البيئة المحيطة به. يحدث التناول الموجّه بصريًا عندما يصبح طفلك قادرًا على رؤية شيء ما، الوصول إليه ولمسه في الآن نفسه، وهو أمر سيفتح عالمًا جديدًا تمامًا أمام وليدك الصغير.

يمكنك تعزيز هذه الفعالية عند وليدك عندما يقارب الشهرين من العمر بواسطة أكسسوار منزلي الصنع ورخيص التكلفة. خذي بعض جوارب طفلك ذات الألوان المتألقة (أصغر قياس يمكن أن تجديه): الأصفر أو الأحمر الفاقع على سبيل المثال. قصّي أصابع هذه الجوارب واصنعي فتحة في جانبها بحيث تتسع لدخول الإبهام فيها. ضعي ما صنعت على يد صغيرك بحيث تبرز أصابعه إلى الخارج. لقد صنعتِ قفازًا ملوّنًا لطفلك.

في البداية عندما كان وليدك يخبط بيديه على ما حوله لم يكن يدرك أن هاتين اليدين تنتميان إليه. ووضع هذه الجوارب الملوّنة على يديه سيمكّنه من إدراك هذه الحقيقة في وقت أبكر، وسوف يحفز بالتالي نموّ التناول الموجّه بصريًا عنده.

هاكِ الآن اقتراحًا بسيطًا آخر سوف يغني البيئة البصرية المحيطة بوليدك.

هل فكرت مرّة كم تكون مملة البيئة البصرية لطفلك عندما يُغيَّر حفاضه وهو في مهده؟ إنه يستلقي على ظهره ناظرًا إلى الأعلى ويا له من منظر مملّ! ضعي

مرآة إلى جانب مهد طفلك بحيث يستطيع أن يشاهد حركاتك وحركاته عندما تغيّرين حفاضه أو تحمّمينه. إن هذا سيسهم كثيرًا، في زيادة إثارة اهتمامه البصري بالبيئة المحيطة به.

لا يحتاج وليدك إلى بيئة بصرية مثيرة للاهتمام فقط، بل يحتاج أيضًا الى بيئة تشاركيّة. إنه محتاج ليتعلم أنه يستطيع فعل أشياء يكون لها تأثيرعلى بيئته. لقد تحدثتُ سابقًا عن أهمّية الكلام والغناء اللذين توجّهينهما لطفلك. استجابتك للأصوات التي يصدرها هو تُعدّ على القدر نفسه من الأهمية. إن وليدك يبدأ اللعب بالأصوات في مرحلة مبكرة من حياته. عندما يناغي أو يصدر بعض الأصوات التي لا معنى لها، فإن من المثير بالنسبة إليه أن تتجاوبي معه وتردّدي هذه الأصوات له مرة ثانية. إنه بهذا يحصل على ردّ من بيئته وهذا أمر يثيره ويسعده. إنه، في اكتشافه صوته، مثل طفل سعيد بلعبة جديدة. فهو يصدر الأصوات مرة بعد مرة راغبًا في الحصول على الرد نفسه في كل مرة.

إن طفلك يتعلم درسًا قيّمًا جدًا من هذا التفاعل. إنه يتعلم أن باستطاعته فعل أشياء لها أثرها على بيئته، كما يتعلم أنه يعيش في بيئة يستطيع المشاركة فيها. هذا الدرس سوف يساعده على بناء نوع بدائي من الثقة بالنفس والاستقلالية، رغم أنه لا يزال رضيعًا صغيرًا.

أكسسوار آخر مصنوع منزليًا يمكن أن يوفّر لطفلك هذه البيئة التشاركية، هو لوح من القماش. يمكنك خياطة عدة قطع من القماش القديم والمرقع، على لوح من المطاط بمساحة قدمين مربعين. يستطيع طفلك الحك والإحساس باختلاف الأقمشة في اللوح. وبحركة صغيرة منه إلى قسم مختلف من لوح القماش ستتغيّر البيئة التي يشعر بها، وهذا ما سيحفزه على مزيد من الاستكشاف لبيئته المتجاوبة معه.

وإليك الآن أداة أخرى لتوفير بيئة تشاركية لوليدك. خذي قطعة بلاستيكية وعلقي عليها سلسلة من الأشياء مثل الملاعق، أو خشخيشة أو سوار بلاستيكي ملوّن – على أن لا تكون خطرة على صغيرك. لا تعلقي أجسامًا صغيرة يمكن لطفلك أن يضعها في فمه ويختنق بها. علقي هذه الأشياء بمواجهته بحيث يستطيع أن يخبطها بيديه. تأكدي من أن الحبل أو المطاط متين وسميك كفاية

بحيث لا يشكل خطرًا يسبّب جرحًا ليدي طفلك أو أصابعه. لا تستعملي خيوطًا على سبيل المثال.

باستعمال هذه الأدوات البسيطة والمصنّعة منزليًا، أنت تقومين بإثراء شخصية طفلك النامية، وذلك بتعريضه لأشياء ومواقف مختلفة. أنت تعلّمينه أن ما يفعله في بيئته سيكون له رد فعل منها.

تذكّري، على كل حال، أن وليدًا بهذا العمر ما زال ضعيفًا جدًا. وعند تصميمك واستعمالك لهذه الأشياء يجب أن تبذلي قصارى جهدك لحمايته وإبعاد أيّ نوع من الأذى عنه.

◁ من ثلاثة إلى ستة أشهر

إن عمر الثلاثة أشهر هو نقطة تحوّل.

في بداية الشهر الثالث يبدأ الطفل عادة بالوصول إلى الأشياء. هذا الفعل يشير إلى التحوّل الذي يقوم به وليدك من توجّه سلبي وعاجز، إلى موقف استكشافي ومناور تجاه العالم.

في الشهور الثلاثة الأولى من حياته، يستكشف الطفل بيئته بواسطة عينيه وأذنيه وبطبيعة الحال، فمه، من خلال المص. الآن يبدأ الاستكشاف عن طريق يديه. إنه يبدأ بإظهار ما يدعوه الدكتور غيسيل «التوق الى اللمس». إنه الآن يحب لمس الأشياء والإمساك بها والإحساس بها والتلاعب بها. في الشهر الرابع تقريبًا، تبدأ اليدان باحتلال مكان أكثر أهمية عند الطفل. لقد اكتشف سابقًا بواسطة عينيه أن للأشكال هيئة ولونًا. وهو الآن بواسطة يديه يبدأ باكتشاف أن للأشياء صفات أخرى: نعومة، قساوة، وبنية معيّنة.

ليس هناك عالم يدرس العالم المادي يمكن أن يكون أكثر شرهًا واهتمامًا ورغبة في البحث، من طفل في الشهر الرابع من عمره يستكشف قساوة الأشياء التي يمسك بها ويحملها، ورخاوتها وشدّتها ونعومتها وجفافها ورطوبتها وغموضها.

لذا أعطي الفرصة لطفلك. ضعي في متناوله الكثير من الأشياء، دعيه يحسّ بها ويلمسها ويتلاعب بها. في هذا العمر يكون لوح القماش الذي تحدثنا عنه قبل قليل، محلّ اهتمام خاصّ من وليدك.

في هذا العمر أيضًا كلّ شيء يجد طريقه إلى فم طفلك. ويبدو الفم كأنه، بالفعل، واحد من أجهزة الحس الرئيسية التي يستكشف بها مولودٌ صغير العالم. وستستمر الحال هكذا لسنوات. إن الأمر يبدو كما لو أن الطفل يخاطب نفسه: «لن أعرف ماهية هذا الشيء حقًا إلا بوضعه في فمي». ولهذا من المهم في هذه المرحلة أن توفّري بيئة طفولية لوليدك. إن اللعب المتحرّكة والهشّة، والأشياء والأجسام الجميلة ولكن الحادة والقابلة للابتلاع، التي كانت مناسبة في المرحلة الاستكشافية البصرية الأولى، يجب أن تُنحّى جانبًا الآن. أنت الآن تحتاجين إلى أشياء متينة بحيث لا يتمكّن صغيرك من ابتلاعها أو الاختناق بها.

يأتي الآن دور الخشخاشة. ابحثي في المتجر القريب منك عن تشكيلة منوّعة من الخشخاشات. الألعاب المطاطية المنضغطة مناسبة في هذا العمر. كوني على حذر من تلك التي بداخلها صفارات معدنيّة يمكن أن تُخرج من مكانها أو تسقط، فطفلك يمكن أن يختنق بها بسهولة.

طفلك جاهز الآن للتعامل مع الدمى الطريّة، لكن احذري من أعينها الزجاجية التي يستطيع طفلك سحبها ووضعها في فمه وقد يختنق بها. تستطيعين شراء هذه الدمى اللطيفة من المتاجر المختصة أو صنعها بنفسك من الأغطية القابلة للغسل والمناشف أو الأقمشة والمشمعات، كما يمكنك استخدام المطاط الإسفنجي وحتى جواربك القديمة من النايلون.

بالإضافة إلى البحث في المتجر المخصّص للعب الأطفال، يمكنك البحث أيضًا في محالّ بيع الحيوانات الأليفة، حيث يمكنك العثور على بعض الألعاب المطاطية والبلاستيكية، كالكرات التي تحوي أجراسًا بداخلها والحلقات الدائرية، والتي ستكون مسلية كثيرًا لصغيرك.

معظم الأطفال في الشهر الرابع يكونون جاهزين الآن لقفص الألعاب الخاص بالأطفال. من الأفضل وضع الرضيع الصغير في هذا القفص في سنّ ثلاثة أو

أربعة أشهر قبل أن يتعلم الجلوس أو الحبو وتتنامى حريّته في الحركة على الأرض، وإلا فإن وضعه في القفص في سنّ أكبر سيكون نوعًا من السجن بالنسبة إليه. ضعي القفص قريبًا منك في المكان الذي تعملين فيه كغرفة الجلوس أو المطبخ، حيث يكون الطفل بصحبتك ويرى ما يجري حوله. يمكن أيضًا أن يمارس اللعب في القفص من دون أن تكوني قريبة منه، ويستمتع بنفسه بالألعاب التي وضعتها فيه.

◁ من ستة أشهر إلى تسعة

تتميّز هذه المرحلة خاصة بتطوّر ما يمكن أن نسمّيه «القلق من الغرباء» عند المواليد الصغار. لقد طوّر صغيرك في هذه الشهور الستة الأولى من حياته نموذجًا لما هو مألوف عنده، شاملًا الوجوه والأشخاص. لقد نضج الآن كفاية ليحدّد الأشخاص والأشياء غير المألوفين لديه وبالتالي الغريبين عنه.

إذا أدّت عملية تعريضه لهؤلاء الأشخاص أو لهذه الأشياء إلى البكاء فإن طفلك يخبرك أنه خائف. لذا أعطيه وقتًا أكبر.

في هذه المرحلة يستمتع صغيرك أيضًا بالمناغاة والتلفّظ. إنّ عملية تبادل الأصوات التي معنى لا لها والتي كانت قد بدأت في الشهر الثاني أو الثالث، تحوّلت الآن إلى نمط ثابت من اللعب اللفظي بينكما. أسنان طفلك الأولى من المحتمل أن تبدأ بالظهور خلال الشهر السابع، وعملية التسنين هذه تتميّز بدافع قاهر إلى عضّ الأشياء، لذلك يحتاج الطفل في هذه السن إلى ألعاب قابلة للعضّ صُنّعَت لهذا الغرض.

في خلال الفترة من ستة أشهر إلى تسعة يبدأ الصغير بالافتتان بعملية التكرار. إنه يحبّ أن يكرّر الأشياء مرّة بعد مرّة إلى أن يشعر بأنه أتقنها. على سبيل المثال، إنه يريد أن يطرق بجسم ما على طاولة الطعام أو الكرسيّ مرّة بعد مرّة بعد مرّة. من الصعب على إنسان بالغ، يمكن أن يصاب بالملل من التكرار، أن يشعر بمدى المتعة التي يحصل عليها الوليد الصغير من تكرار الأشياء.

ابتداءً من الشهر السادس فصاعدًا، يبدأ المولود الصغير باكتشاف متعة التقليد والمحاكاة. وسيكون هذا واحدًا من أقوى دوافعه الاجتماعية خلال مرحلة الطفولة. سيقلّد الوليد ذو الستة أشهر حركات اليدين التي تقوم بها والدته مثل مسح الطعام بإسفنجة، أو الأصوات التي قد تصدر عنها. وسيكون قادرًا على إيصال ما يريده إلى الآخرين، قبل أن يصبح قادرًا على الكلام بفترة طويلة، فحاله كحال رجل يسافر إلى بلد أجنبي لا يجيد لغته، ولكنه مع ذلك قادر، عن طريق الهمهمات والإيماءات، على أن يشير إلى ما يرغب فيه.

عندما يقترب الطفل من شهره الثامن من المحتمل أن يصبح قادرًا على الزحف. إن هذه الفعالية تجعله أكثر نشاطًا في الاستكشاف والبحث في بيئته.

في الشهر الثامن أو التاسع سيتجاوز وليدك مرحلة التحميم في المغسلة أو الحوض الصغير الخاص به، وسيكون جاهزًا لتحميمه في حوض الاستحمام (البانيو). يجب أن تحافظي على ضحالة المياه في الحوض بحيث لا يغرق الطفل إذا غفلت عينك عنه قليلًا. زوّديه بمجموعة من الألعاب التي تطفو على سطح الماء، القفازات، الأكواب البلاستيكية وسيكون في غاية الاستمتاع. إنّ اللعب بالماء هو واحد من أفضل أنواع اللعب للمواليد الصغار. ربما كان ذلك عائدًا الى آثار ذاكرته عن حياته في السائل الأمينوسي في الرحم. ولكن، على أيّ حال، يبقى اللعب بالماء إحدى أكثر الألعاب راحةً واسترخاءً للمواليد والأطفال الصغار.

بعد أن يكون قد تعلم الزحف، يبدأ طفلك الآن بالحبو. ويختلف الزحف عن الحبو في أن الطفل يزحف على بطنه، بينما يحبو وجذعه مرتفع عن الأرض. وحالما يبدأ طفلك بالحبو، وخاصة إذا كان قادرًا على شد نفسه لوضعية الوقوف، فإن من المهم فعلًا أن تكيّفي بيتك بما يناسب هذا الوضع الجديد. يجب أن تنحّي جانبًا كل ما يمكن أن يؤذي طفلك حال حبوه. يجب أن تفتشي بحرص عن الدبابيس المتناثرة، المسامير، أو أيّ من الأجسام الصغيرة التي يمكن ابتلاعها. تذكّري أنّ كل شيء يجده الطفل في طريقه يمكن أن يضعه في فمه. كل جسم معروض هو دعوة إلى طفلك ليسحبه، كل حبل أو سلك سيُجَرّ. تأكدي من أن كل الأشياء الحادة والخطرة قد أُبعدت من طريق هذا المستكشف الصغير.

يجـب أن تحـرّري طفلك بين الحين والآخر من قفـص اللعب الخاص به. إن تركه فـي زاويـة معيّنة من غرفة أو حتـى غرفة كاملة، منفصلـة، وخالية مما يمكن أن يكـون مؤذيًا، سـوف يعطيـه فضاءً جيدًا للاستكشـاف. ونظرًا لفضولـه واهتمامه باسكتشاف العالم من حوله فإن الطفل في الفترة من الشهر السادس إلى التاسع مـن عمـره، يسـتطيع، غالبًـا، اللعـب وحـده لنصف سـاعة مـن الوقت. الأشـياء والأدوات المختلفة في المنزل قد تكون أفضل الألعاب للطفل في هذا العمر.

إنّ العمـر المحـدّد الـذي يمتلـك فيـه المواليد الصغـار القدرة على فتـح أيديهم وإرسـال مـا فيهـا من أجسـام يختلف مـن وليد إلى آخـر... عندما يبلـغ وليدك هـذه المرحلـة الفارقة في نموّه الفيزيولوجي فهذا يعنـي أوقاتًا عصيبة للأم. إن طفلك الآن يكتشـف لعبة جديدة تمامًا تدعى «إسـقاط الأشياء ورميها». يرميها مـن القفـص الخـاص به إلى خارجه، عـن طاولة الطعام، أو الكرسيّ المرتفع، إلى الأرض. هـو لا يفعـل هـذا لإزعاجـك ومضايقتك، بل كجزء من بحثـه في مكوّنات هـذا العالـم. إن هـذا هـو اكتشـافه للعلاقـة بين القـوّة الجديـدة ليـده، وقانون الجاذبية، رغم عدم قدرته على وصف هذه العلاقة بالكلمات.

◁ من تسعة أشهر إلى اثني عشر شهرًا

بعض الأطفال قد يتمكنون من المشـي في شـهرهم التاسـع، وآخرون قد يبدأون فـي الشـهر الثانـي عشـر، وآخرون قد لا يسـتطيعون حتى الشـهر الرابع عشـر أو الخامس عشر.

بغـضّ النظـر عن العمر الذي تبدأ فيه مرحلة المشـي، فإن طفلك خلال الشـهور الثلاثـة الأخيـرة من سـنته الأولـى، يُنهي عمليـة الانتقال من التوجّـه الأفقي إلى التوجّه العمودي.

لـن يكتفـي بعـد الآن بالجلوس هادئـًا عندما تغيّريـن حفاضه أو تُلبسـينه ثيابه. سـيكون من الآن فصاعدًا ذلك المتحرّك والمراوغ. ومن ناحية أخرى، ربما يبدأ الآن بالتعاون بطريقة بدائية في ارتداء ثيابه.

خلال هذه المرحلة من الشهور الثلاثة الأخيرة من سنته الأولى، يبدأ الطفل بممارسة بعض الأنواع المتقدّمة من االلعب مثل التصفيق وألعاب المحاكاة التقليدية الأخرى.

ورغم أنه ما زال غير قادر على الكلام، هو قادر في هذا الوقت على فهم الكثير من الكلمات التي تقال له. ويستطيع فهم بعض الأوامر البسيطة. إنه قادر على التقاط بعض الكلمات التي ترمز إلى ألعاب مألوفة أو نشاطات روتينية مثل الأكل والاستحمام.

يجب أن تبدئي من الآن بمساعدة طفلك على تسمية الأشياء في هذا العالم. وهو أمر سهل على كل حال. تحدّثي إلى طفلك بجمل من كلمة واحدة. أشيري إلى أشياء وظواهر معيّنة في هذا العالم وعرّفيها له. عندما تحمّمينه، ضعي يدك في الماء ورشّي قليلًا منه ثم قولي «ماء». عندما تقدّمين له قليلًا من عصير التفاح، قولي «عصير تفاح». عندما تقودين سيارتك بجانب شاحنة كبيرة على الطريق السريع، أشيري إليها وقولي «شاحنة». لعبة التسمية هذه يمكن أن تلعبيها مع طفلك في أيّ وقت وأيّ مكان. في هذه المرحلة من النمو قد يسجّل فقط ما تقولين له في داخله، لكن في مرحلة لاحقة من نموّه اللغوي سيعيد تكرار الكلمة بعدك. هذه اللعبة هي أحد أكثر الأشياء نفعًا لتحفيز نموّه اللغوي.

خلال الشهرين أو الثلاثة الأخيرة من سنته الأولى يمكنك البدء بتقديم طفلك إلى عالم الكتب. قد تستغربين ذلك، وتقولين إنه فقط سيضع الكتاب في فمه. ولكن تذكري أنّ هذا هو ما يفعله مع أيّ شيء آخر بما فيه الكتاب. إن كتبه الأولى يجب أن تكون إما من القماش أو من الكرتون المقوّى، لأن من المؤكد أنها ستصل إلى فمه. هذه الكتب لن تكون قصصًا لأنه ليس مهيّأً لها بعد، ولكنها صور (مع كلمات مفردة) لأشياء مألوفة.

إن الكتب الأولى هي بالفعل شكل مختلف من أشكال لعبة التسمية. أنتِ تُرينه الصور وتلفظين الكلمات بصوت عالٍ. عندئذ سيودّ أن يحمل الكتاب بنفسه. سوف يربّت على الصفحات ويلمسها، وبعد ذلك سيضعها في فمه. لاحقًا، سيعجبه أن ينظر إلى الصور ويدندن ببعض المقاطع من الكلمات. إنها «قراءة»

بالنسبة إليه. ولكن لا تسخري من هذا. وبجعل الكتب مألوفة له في هذا العمر، فإنك تضعين الحجر الأساس لمستقبل يكون فيه قارئًا ومحبًّا للكتب.

إن وضع الأشياء وإخراجها من أماكنها هما نموذج من لهوه ولعبه في هذا العمر. الأشياء المنزلية يمكن أن تكون ألعابًا مثيرة له. إن زجاجة بلاستيكية ذات فم كبير يضع بداخلها الأشياء ويسحبها هي عملية مسلية جدًا له. سلّة المهملات، المظاريف، أو حتى البريد غير المرغوب فيه، تشكّل افتتانًا لا حدّ له لطفل في هذه السن.

أمور يجب أن لا تفعليها

لقد قمتُ بوصف نموّ طفلك خلال السنة الأولى من حياته، واقترحتُ أمورًا محدّدة تمكّنه من تحقيق الحد الأقصى من إمكانات النموّ العاطفي والعقلي خلال هذه المرحلة.

ولكن، قبل أن أنهي هذا الفصل أودّ أن ألفت انتباهك إلى أمور يجب أن لا تفعليها مع طفلك خلال هذه المرحلة. في هذا العصر الذي يكثر فيه وجود من يدّعون صفة الخبير (ولنفترض فيهم حسن النيّة)، فإن العديد من الأمّهات غير المدركات يرتكبن العديد من الأخطاء الخطيرة في هذه المرحلة المبكرة من طفولة أولادهن، وذلك بفعل أشياء غير ضرورية وفي بعض الأحيان مؤذية. هاكِ أربعة من الأشياء التي يجب أن تتجنّبيها:

◁ لا تتجاهلي بكاء طفلك

قد يكون هذا أمرًا بديهيًا، لكنك ستدهشين أنّ هذا هو بالضبط ما تفعله العديد من الأمهات – تجاهل بكاء أطفالهن. كتب أحد طلابي السابقين ملاحظة مثيرة للاهتمام في تقرير قدّمه إليّ:

«كان لدى جيراننا طفل في الشهر الثالث من عمره وكانت غرفة نومه في الجهة المقابلة تمامًا لمطبخنا. كل ليلة، عندما نتناول عشاءنا ما بين الساعة السابعة

والثامنة كنا نسمع بكاء الطفل خلال هذه الساعة كلها وبدون توقف تقريبًا. استمرّت هذه الحال شهورًا، وكان الصراخ يزداد حدّة مع نموّ الطفل. إن حل الوالدين لهذه المشكلة كان بالتواري في مكان لا يصل إليهما فيه صراخ الطفل. لقد شرحا لنا أن الطفل كان سعيدًا في الواقع وأن الالتفات إليه في هذه الحالة يعني إفساده بالدلال.

ومما تعلمته في هذا البرنامج الدراسي في علم النفس، يبدو لي بوضوح أن الطفل لم يكن سعيدًا قطّ وأنه كان بحاجة إلى الرعاية. أعتقد أنه كان صغيرًا جدًا لكي يفسده الدلال كما كان يخشى الوالدان. يبدو لي أنّ شعورًا مرعبًا بعدم الأمان ربما ينشأ عن هذه التجربة بالاضافة إلى ارتياب بالعالم عمومًا.»

يبدو أمرًا مدهشًا أن يكون والدان بهذه الدرجة من التعامي عن رؤية حاجة طفلهما بحيث استطاعا تجاهل بكائه. ما هي اللغة التي يستطيع الطفل استخدامها ليخبركِ عن رغباته وحاجاته؟ إن لغته الوحيدة هي البكاء. عندما يبكي صغيرك فإن لديه دائما شيئًا يحاول أن يخبرك به. ما الذي يجري بداخله عندما يشعر بأن العالم يتجاهله باستمرار؟ إنه محض شعور بالعجز التام، الإحباط، والغضب واليأس. هذا ما يشعر به عندما تُتجاهل محاولاته الطفولية للتواصل.

افترضي، على سبيل المثال، أن غسّالتك تعطّلت بعد دقائق قليلة من وصول زوجك إلى المنزل من عمله. إن الغرفة تغمرها المياه بسرعة وأنت تطلبين من زوجك أن يفعل شيئًا حيال الأمر عاجلًا. ماذا كان جوابه على طلبك العاجل؟ لاشيء. لا شيء إطلاقًا. بل إنه يستمر بممارسة ما يفعله بسعادة. أنت مرتبكة الآن، وتحاولين ثانية، تكلمينه بإلحاح أكبر وبصوت أعلى. لكنه لا يزال غير مبالٍ كليًا بما تحاولين قوله. يشتدّ غضبك، لم تعودي قلقة فقط حيال الغسّالة والبيت الذي تجتاحه المياه، بل أصبحت أكثر قلقًا ممّا يمكن أن يكون قد حدث للتواصل بينك وبين زوجك. لماذا لا يعير انتباهًا لما تحاولين إخباره به؟ ربما كان العيب فيك وهذا هو ما يجعله يتجاهل ما تحاولين إخباره به. أنت تشعرين الآن بأنك عاجزة وتائهة كما لو أنك بطلة فيلم أو عرض تلفزيوني غريب، حيث يكاد يصيبك الجنون لأنه لا أحد يستمع إلى ما تودّين قوله.

هذا المثل ربما يعطيك فكرة عما يشعر به المولود الصغير إذا ما تُرك ليبكي ويبكي من دون أن يستجيب له أحد والديه. إن الأمر كما لو أن الطفل يقول للعالم: «انتبهوا إليّ. إنّ هناك شيئًا شديد الخطورة أود قوله لكم. انتبهوا إليّ». ولكن لا أحد يصغي. هل لتكرار هذا النوع من التجارب أن يتيح للمولود تطوير إحساس بالثقة الأساسية بالجانب الطيّب من الحياة؟ أشك في ذلك. سيصبح متشائمًا جدًا، مليئًا بالإحباط والغضب والحنق. ومن المحتمل أن يستسلم ويتبنّى فلسفة: «ما الفائدة» في حياته. إحساسه العميق بأن حاجته لن تجد من يلبّيها، قد يجعله يقرر أنْ لا فائدة من المحاولة أصلًا ويصبح بالتالي ذلك النوع من الأطفال (وفي المستقبل ذلك النوع من الكبار) الذي يفتقد العدوانية الطبيعية والحافز، أو قد يصبح ذلك النوع من الأطفال الذي لا يستسلم على الرغم من كل شيء. وبدلًا من أن يقبل وضعًا معيّنًا بسلبية فإنه قد يطوّر دافعًا شديدًا وعميقًا إلى إرغام العالم على الانتباه إليه.

كم من المرّات سمعتُ فيها كبارًا يتحدثون عن طفل أكبر سنًا ويقولون: «أوه، إنه فقط يبحث عن الاهتمام». نعم إنه فعلًا يحتاج إلى الاهتمام. ولو أنه حصل على الاهتمام والانتباه الذي أراده واحتاج إليه كمولود صغير لما كان الآن، وهوغلام في الثامنة، ليجعل حياة والديه بهذا البؤس.

في بعض الأحيان، تقول الأم عندما يبكي وليدها: «لقد غذّيته منذ قليل، وغيّرت حفاضه، ولا شيء يزعجه، وهو لا يشعر بالبرد، إذًا ليس هناك ما يدعوه للبكاء». هكذا تتجاهل بكاءه وتتّجه إلى متابعة أعمالها المنزلية. إنها تخطئ الحكم: هناك دائمًا سبب ما لبكاء الطفل. وما يجب أن تقوله لنفسها هو أنها لا تعرف سببًا يجعل طفلها يبكي، حيث لا يبكي طفل صغير بدون سبب. إنه يحاول دائمًا أن يخبرنا شيئًا ما عندما يبكي، ويجب أن نحاول فهم ما يريد أن يقوله.

ربما يكون بكاء الطفل لأنه يشعر بالوحدة. المواليد الصغار يشعرون بالوحدة تمامًا كما يشعر بها الكبار. إذا شعرنا بالوحدة فإننا نسأل شخصًا ما ليأتي ويتناول فنجانًا من القهوة معنا، أو، في أسوأ الأحوال، نتناول سماعة الهاتف ونتحدّث مع شخص ما. كل ما يستطيع مولود صغير فعله هو البكاء. ولذا فإن كان يبكي فهو ربما يقول: «أنا وحيد، وأريد أن يأتي أحد ما ويحضنني بدفء أو يربت عليّ أو يغنّي لي وسأكون عندئذ أفضل حالًا».

لكن الوحدة ليست السبب الوحيد للبكاء. في بعض الأحيان لن نستطيع معرفة سبب بكاء الصغير. وفي أحيان أخرى لن نستطيع أن نهدّئ من روعه. تقديم الغذاء له، أو احتضانه والغناء له، لا شيء من ذلك يبدو قادرًا على تهدئته وجعله يتوقف عن البكاء.

كثيرًا ما يكون البكاء بسبب اضطراب المعدة أو المغص حيث إن الجهاز الهضمي عند الرضيع لم ينضج بعد بما فيه الكفاية. التدليك الخفيف للبطن أو شرب ماء دافئ قد يساعد في بعض الأحيان. وفي أحيان أخرى يبدو أن لا شيء يخفّف من هذا المغص. وعلى كل حال، فإن احتضان الطفل وتقريبه منك سوف يجعله قادرًا على الكفّ عن البكاء حتى لو كان المغص ما زال يزعجه.

هناك نوع آخر من البكاء على الأمّهات معرفته. إنه البكاء «المتذمّر» الذي يدلّ على أن المولود الصغير متعب ويحتاج إلى النوم. سرعان ما تعتاد الأم تمييز هذا النوع من البكاء وتعرف أن ليس فيه ما يدعو إلى القلق، فالصغير سيكون نائمًا بسلام وهدوء خلال دقائق.

كل أنواع البكاء هي رسائل يرسلها الطفل الصغير إلينا. وطريقة استجابتك لبكاء وليدك الصغير وللرسائل التي يوجّهها من خلال بكائه سيكون لها أثر هائل على عافيته النفسية.

◁ لا تحاولي تدريبه على النظافة في هذه السن

من وقت لآخر أتعرّف إلى أمهات حاولن تدريب أطفالهن على استعمال المرحاض وهم لا يزالون في سنتهم الأولى، وهو أمر نادر ولكن وخيم العواقب. إحدى الأمهات التي أحضرت إليّ ابنتها المريضة ذات السبعة أعوام، كانت قد ارتكبت هذا الخطأ. كانت البنت تعاني بعض المشكلات النفسية، تتضمّن الخوف الشديد من الذهاب إلى المدرسة، وصعوبات كبيرة في تكوين صداقات، والالتصاق الشديد بوالدتها، وعدم القدرة على تكوين علاقات مع أطفال آخرين، بالإضافة إلى أنها ما زالت تتبوّل في فراشها.

كلما واجهتُ طفلًا فوق الخامسة ما زال يتبوّل في فراشه، كان يتبيّن لي أنّ عملية تدريبه على النظافة جرت على الأغلب بطريقة غير مناسبة. وهذا ما يعني، عادة، أن الطفل ينتقم من الوالدين (بطريقة لاشعورية وغير متعمّدة) للإذلال الذي مارساه عليه أثناء تدريبه على استعمال المرحاض.

وهذه الأم على التحديد كانت قد بدأت محاولة تدريب ابنتها عندما كانت في الشهر الثامن فقط من عمرها. وعندما سألت الوالدة لماذا بدأت في هذا الوقت المبكر أجابتني «حسنًا، لم أكن أظن أنّه مبكر، لقد كانت طفلي الأول وأظنّ أنني لم أكن أعرف الكثير عن الأطفال في ذلك الحين. لقد أخبرتني جارة لي أنه أمر جيد أن أبدأ وأنها بدأت تدريب ابنها على ذلك عندما كان عمره سنة واحدة. أضف إلى ذلك أن العملية سارت جيدًا. كنت أضعها على المقعدة (النونية)، بعد تغذيتها مباشرة، وبعد فترة تقوم بالإخراج وينتظم الأمر مثل الساعة».

لقد صُدمت الأم تمامًا عندما أخبرتها بأنها هي التي كانت تتمرّن، لا البنت. إن الطفلة الصغيرة لم تتعلم فعلًا التدرّب على عملية النظافة، وإنما كانت تستجيب بطريقة سلبيّة لأمها التي كانت في الواقع تدرّب نفسها على العناية بما يجب أن تعتني به البنت نفسها. لقد حاولتُ أن أعرف من الأم ماذا حدث حتى انتهى الأمر إلى هذه النتيجة السيّئة. وبوجه يجلّله الخجل أجابتني: «حسنًا، أنا لا أفهم الأمر، ولكن التراجع حدث بعدما تعلمت البنت المشي وكان عليّ أن أعيد العملية برمّتها مرة أخرى، وعند ذاك بدأت البنت بالتبوّل في فراشها كل ليلة». لقد أخبرتُها أن البنت الصغيرة لم تتراجع ولكنها في الواقع لم تتعلم قط الطريقة الصحيحة للإخراج.

لكي ينجح الطفل في التدرّب على الإخراج عليه أن يكون قادرًا على إتقان بعض المهارات المعقدة، بما فيها السيطرة العصبية العضلية على العضلات العاصرة. وهذه السيطرة العضلية العصبية لا يمكن أن تتم في معظم الأطفال قبل إكمال سنتين من العمر تقريبًا، فهذا هو الوقت المناسب لبدء التدريب على استعمال المرحاض، لا أثناء الطفولة المبكرة. ربما تكون لديك القدرة على تدريب طفل عمره أقل من سنة، لكن سيكون عليكِ دفع ثمن نفسي جراء هذا التبكير. وإنني، شخصيًا، لا أعتقد أن الأمر يستحق هذا الثمن.

◁ لا تقلقي من إفساد مولود صغير بالدلال

الدلال قد يعني أشياء مختلفة لأشخاص مختلفين.

إن كنتِ تعنين به طفلًا في الثامنة من عمره كثير التذمّر، يبكي لسقوط قبّعته عندما لا يستطيع الحصول عليها، وغير قادر على الاستماع لكلمة «لا»، وغير قادر على مشاركة طفل آخر في أيّ شيء، وتنتابه نوبات من الغضب، وهو متذمّر، وصعب الإرضاء ومشاكس، فإن هذا بالفعل طفل مدلّل.

وبالتالي نستطيع تعريف «الدلال» بأنه السماح لأساليب التصرّف الطفولية بالبقاء والاستمرار حيث لا يجب أن تكون، بالنظر إلى أن الطفل قد تجاوز من الناحية النفسية هذه المرحلة. إن السلوك المذكور سابقًا لطفل في الثامنة قد يكون مقبولًا إذا صدر عن طفل في الثانية، ولكنه غير مقبول من طفل في الثامنة. وعلى الأرجح فإن والديه لم يشجّعاه قط أو لم يدفعاه إلى النموّ بحيث يتجاوز المستوى السلوكي الملائم لعمر السنتين.

بالتالي – وهذا هو المهم – فإن الدلال مفهوم لا يمكن تطبيقه على المواليد الصغار. قد نكون منطقيين وواقعيين إذا طلبنا من طفل في الخامسة أن يقلع عن سلوك طفولي أصغر سنًا، لأن الطفل في هذا العمر قادر نفسيًا على التخلي عن سلوك الطفل الأصغر سنًا. ولكننا لن نكون عقلانيين وواقعيين إذا طلبنا من مولود صغير أن يقلع عن سلوك مناسب لعمره. فهو غير قادر على أن يسلك سلوكًا مغايرًا لطبيعته. إنه على كل حال، ما زال مولودًا صغيرًا وعلينا أن ندعه يمارس حقه في أن يسلك سلوك المولود الصغير.

سنكون أكثر توفيقًا في فهمنا للمواليد والأطفال إذا تخلينا عن استخدام مصطلح «مدلل». إن مفهوم «تدليل الطفل» يعود إلى الزمن الذي لم يكن لدينا فيه كلّ هذه الوسائل العلمية لدراسة سلوك الأطفال.

ويبدو أن هذا المفهوم، «تدليل الطفل»، يُطبّق على الحالة التي نمارس فيها اهتمامًا زائدًا بالأطفال في سنّ صغيرة تؤدّي إلى إفسادهم في مرحلة لاحقة.

إلا أنك لا تؤذين طفلًا إذا اهتممت به وهو في سنّ صغيرة. ربما تسبّبين الأذى لطفل أكبر سنًا، إذا أفرطت في الاهتمام بـه، أو إذا خفت أن تكوني حازمة معه أو أن تضعي حدودًا لـه، أو إذا تركتـه يتصرّف على هواه كل الوقـت. وكل هذا يختلف عن معنى الاهتمام. دعونـا إذًا نترك كلمة «الدلال» لمراحل أخرى غير مرحلة الطفولة.

لسوء الحظ، فإن عددًا من الأمهات يساورهن القلق ممّا إذا كنّ يدللن مواليدهن الصغـار. وهـنّ يقلقـن خاصـة عندمـا تتقـدّم واحـدة مـن مدّعيـات الخبـرة من الجـارات وتؤكـد لـلأم: «مـن الأفضل أن تتوقفـي عن فعل هذا وإلا فستفسـدين وليدك بالدلال»، أو يسـمعن أمًا تقول: «إنني أفسـد صغيري بالدلال، أظنّ أنني يجب ألّا أفعل، ولكنّ الأمر ليس بيدي»، أو أبًا يقول: «لا يجب أن تحملي الصغير كلما بكى، سوف تفسدينه بهذه الطريقة. عليه أن يتعلم أن ليس كل شيء يسير على هواه في هذا العالم، ومن الأفضل أن يتعلّم هذا مبكرًا».

كل هـذه التعليقات تظهر سوء فهم عميقًـا لطبيعة المواليد الصغار. صحيح أن الطفل يجب أن يتعلم أنْ ليس كلّ شيء يجب أن يسير على هواه وأنه إذا استمرّ معتقـدًا هذا فسـيكون «مدلـلًا» فعلًا. ولكن في أيّ عمر يجـب أن نبدأ بتعليمه هـذا الأمـر؟ شـهران أو ثلاثـة؟ أو حتى تسـعة؟ إنه وقت مبكر جـدًا ليعرف أنه لا يسـتطيع الاسـتمرار هكذا. إننا نسـبّب له الإحباط فعلًا وهو لا يزال صغيرًا طريّ العـود بينمـا نكون نعتقد أننا نعلمه أن يتـلاءم مع إحباطات الحياة اللاحقة. إن هذا أمر سخيف حقًا.

لنكن إذًا واضحين. إن طفلًا رضيعًا لا يمكن أن يفسـده الدلال. احضني رضيعك قدر ما تحبّين فلن تفسديه. أطعميه كلما احتاج إلى الغذاء وغنّي له واستجيبي له عندما يبكي، فلن تفسديه بالدلال.

إن أفضـل مـا يمكـن أن يحـدث لمولـودك الصغيـر من الناحيـة النفسـية هو أن يتحقّـق أكثـر ما يمكن مـن احتياجاته وأن تقل إحباطاته. إن «أناه» أو إحساسـه بذاتـه مـا زال هشًـا وغيـر ناضج ليكون قـادرًا على التـلاؤم مع الإحبـاط في هذا العمر. سيكون لديه ما يكفي من الوقت لتعلمه الحياة عن الإحباط عندما يكون في سنّ أكبر.

◁ لا تدعي الوالد يتجاهل المولود

ما زلت غير قادر، كعالم نفس، على تفسير أنّ العديد من الآباء لا يقتربون كفاية من مواليدهم الصغار، سواء من الناحية الجسدية أو النفسية. ولطالما اشتكت إليّ الأمّهات خلال السنوات العشرين الماضية من هذه الحالة. تقول لي بعض هؤلاء الأمّهات: «إنه يخبرني أن الرضيع صغير جدًا ويخاف أن يسقط من يديه. إنه لا يريد حتى أن يحمله» أو «إنه يترك كل شيء يتعلق بالمولود لي لأعتني به أنا» أو «تتوقّع أنّ زوجي يغيّر حفاض الصغير أو يطعمه؟! هل هذه مزحة؟».

من الإنصات لهؤلاء الأمهات، يتبيّن لنا أن العديد من الآباء يبدون خائفين من مواليدهم الصغار. إن استجابتهم لهذا الخوف تكون بتجنّب التواصل الحميم مع صغارهم ما أمكنهم ذلك. نحن لا نعرف سببًا محدّدًا لهذا الأمر. كل ما نحن متأكدون منه هو أن العديد من الآباء يبتعدون فعلًا عن أطفالهم الرضّع وأن هذا ليس أمرًا جيدًا لهؤلاء الصغار. إنهم، بالإبقاء على هذه المسافة من صغارهم، يسهمون فعليًا في منع بناء روابط وثيقة ودافئة ومحبّة مع هؤلاء الصغار. وهذا ما يجعل من بداية العلاقة بين الطرفين بداية سيّئة.

إن العلاقة مع الأب هي العلاقة الثانية الأكثر أهمّية في حياة طفل وخاصة في السنوات الخمس الأولى من حياته. وسوف أخصّص حيزًا أكبر في الفصول المقبلة للحديث عن أهمية العلاقة بين الأب والطفل. ولكنني الآن سأشير فقط إلى أنّ الأبوّة، مثل الأمومة، تبدأ حال ولادة الطفل (مع أنّ بعض الآباء يتصرّفون بطريقة توحي بأنهم يفكرون أنّ الأبوّة لا تبدأ إلا عند بلوغ الطفل الثانية من عمره على الأقل).

لا أريد أن يُفهم من كلامي أنّ الأب يجب أن يأخذ مكان الأم في تغذية الرضيع وتجشيئه، وتحميمه، أو تغيير حفاضه. لن يكون أمرًا صحيًا من الناحية النفسية للأسرة كلها، أن يعود الأب إلى المنزل بعد يوم عمل مرهق، ليتولى القيام بدور الأم كاملًا إلى أن يعود إلى عمله في اليوم التالي. إنّ ما أدعو إليه هو أنّ الآباء يجب أن يتعلموا هذه الأشياء مثلما يجب على الأمّهات تعلّمها. لا أحد، ذكرًا كان أو أنثى، يولد وهو يعرف بطريقة فطرية كيفية حمل طفل رضيع. كلنا يحمل

الأطفال الرضّع بطريقة غير صحيحة نوعًا ما في البداية إلى أن نعتادها في ما بعد. إن الدورات التدريبية التي يقيمها الصليب الأحمر وسيلة جيدة للأمّهات والآباء على السواء لتعلم كيفيّة القيام بهذه الأمور مع المواليد الصغار. ولكنّ المكان الأفضل للتعلم يبقى المنزل مع وليدك نفسه. إنه أمر صعب نوعًا ما أن تشعري بالحميمية مع وليد صغير وأنت لم تحمليه بين ذراعيك يومًا من الأيام، ولم تشاهديه يغمغم ويدندن في الحمّام، أو تلعبي معه لعبة التخفّي والمفاجأة (بقّوسة).

إذا لم يظهر زوجك الاهتمام الكافي بوليده الصغير، فلن يكون أحد غيرك قادرًا على جعله يهتم. لماذا لا تحاولين البدء بمحاولة معرفة سبب عدم اهتمامه؟ ابحثي في تاريخ أسرته، ربما كان والده أظهر اهتمامًا قليلًا به عندما كان صغيرًا، وهو بكل بساطة يعيد تطبيق هذا النمط، متّبعًا النموذج غير الصحيح للأبوّة الذي رآه في والده. ربما كان يرى نفسه غير كفوء مثلك للتعامل مع وليد جديد ولكنه لا يريد الاعتراف لك بذلك. ولكن مهما كانت الأسباب حاولي أن تجعليه يتحدّث إليك عنها. حاولي أن توضحي له ما يخسره بهذا الموقف. استخدمي كل مهاراتك الخاصة كامرأة لإثارة اهتمامه الأبوي بوليدك الصغير. مع بعض الآباء ربما يلزم فعل المستحيل لإثارة اهتمامهم بالمواليد الصغار، ولكن الأمر يستحق المحاولة.

الأساس المتين للعلاقة الجيدة بين الأب والطفل يترسّخ في فترة الطفولة المبكرة، وهذه السنوات لن تعود مرة أخرى أبدًا. إن الأب الذي يقول إنه مشغول جدًا الآن بعمله وإنه في ما بعد، عندما يكون طفله قد أصبح أكبر قليلًا، سيكون قادرًا على قضاء أوقات أطول معه، إنما يخادع نفسه، فقريبًا، وقبل أن يشعر الأب بذلك، سيكون على الطفل الذهاب إلى المدرسة وبعدها سرعان ما تأتي فترة المراهقة وعندئذ لن يكون الولد راغبًا في هذه العلاقة الحميمة مع والده. لقد فات الأوان. وبما أن الوالد لم يُبدِ الكثير من الاهتمام بطفله عندما كان صغيرًا، فإن الولد لن يكون مهتمًا الآن بما سيقوله له الأب عندما أصبح مراهقًا. سيعدّ أباه شخصًا غريبًا. إن الفجوة في التواصل بين الأب والابن في سن المراهقة تعتمد إلى حد كبير على نوع العلاقة التي كانت بين الاثنين

عندمـا كان الولد في سـنّ قبل المدرسـة. وهـذه بدورها غالبًا مـا تعود إلى نوع العلاقة التي بدأت خلال مرحلة الطفولة المبكرة.

نظرة شاملة إلى مرحلة الطفولة المبكرة

لقد أشرتُ إلى ما يجب أن تفعليه وما يجب أن لا تفعليه. وحاولت أن أقدّم لك فكرة عامة عن مولودك في السنة الأولى من حياته.

ماذا تعلّم طفلك في هذه السنة؟

إن حصـل علـى غذائه عندمـا كان جائعًا، فقد تعلّم أن العالـم مكان جيد للعيش فيه، مكان ستُلبّى فيه حاجته إلى الغذاء بسرعة.

إن احتُضـن وضُـمَّ بحب، فقد تعلـم أنه محبوب بالطريقة الوحيـدة التي يفهمها وهي: راحة الاحتضان والملامسة.

إن اسـتجبتِ لبكائه كرسـالة عاجلة إليك، فقد تعلم أنّ الأم ستسارع إلى نجدته عندما يحتاج إليها.

إن حظي بعلاقة دافئة ومحبّة مع والدته التي قدّمت له كلّ احتياجاته الأساسية، فقد خبر أولى العلاقات العاطفية العميقة مع كائن إنساني آخر. وهذا سيمكّنه من إنشـاء علاقات عاطفية مُرْضية مع أشـخاص آخرين سوف يقابلهم في مرحلة لاحقـة مـن حياتـه. إن تعرّض لتحفيز حسّـي وعقلي من خلال أشـياء ونشـاطات وتجـارب مـع والدته وأشـخاص بالغين آخريـن، فإنه يكون قد وجـد العالم مكانًا فاتنًـا ورائعًـا بـدلًا مـن أن يجده مكانًـا كئيبًا ومملًا. فالتحفيز الحسّـي والعقلي، بالإضافـة إلى حريّة الاستكشـاف والبحث، كلها أمور تعـزّز النموّ المبكر لقدراته العقلية.

إن كان طفلـك خَبِـر كلّ هـذه الأشـياء خلال السـنة الأولـى من حياتـه، فقد طوّر إحساسًـا جيـدًا بالثقـة الأساسـية والتفاؤل عن نفسـه وعن العالم. إن إحساسـه

بالثقة الأساسية يُعد العدسة الأولى والأكثر أهمية في نظّارة مفهومه الذاتي عن نفسه (التي تحدّثنا عنها سابقًا). وعندما يغادر هذه المرحلة من الطفولة المبكرة فإن هذا الإحساس بالثقة الأساسية سوف يمثّل أفضل إعداد ممكن للانتقال إلى المرحلة الثانية من مراحل النموّ: مرحلة الدّرج، أو الخطوات الأولى.

3

الخطوات الأولى

حالما يبدأ الطفل بتعلّم المشي فإنه يدخل مرحلة جديدة من مراحل النموّ هي مرحلة الدّرج أو الخطوات الأولى.

هذه المرحلة ستضعه بمواجهة مهمّة جديدة من مهمّات التعلم، هي الاستكشاف النشط لبيئته، كما ستمنحه الفرصة لاكتساب الثقة بالنفس.

كذلك، ستعرّضه لحساسية جديدة محدّدة: مشاعر عدم الثقة بالنفس، إذا عوقب بطريقة مبالغ فيها أو أُشعِر بأنه ولد «سيّئ» بسبب استكشافه بيئته المحيطة به.

إن العدسة الأولى من نظّارة المفهوم الذاتي عن النفس قد ثُبِّتَت في الطفولة المبكرة حين أدرك طفلك مفهوم الثقة الأساسية أو عدمها. والآن، مع قيامه بخطواته الأولى، سوف يضيف طفلك عدسة ثانية إلى مفهومه الذاتي عن نفسه: الثقة بالنفس، أو الشك بالنفس.

إلى هذه اللحظة، كان استكشاف مولودك للبيئة المحيطة به محدودًا وسلبيًا نوعًا ما. وحتى عندما كان يزحف ويحبو استعدادًا لمرحلة المشي، كان لا يزال محصورًا في مكان واحد عمليًا. ولكن، حالما يتحقق من قدرته على التجوال في كامل البيت بنفسه، فإن استكشافه للبيئة المحيطة به سيصبح أكثر نشاطًا.

إن هذه المرحلة هي مرحلة تعلّم للأم كما هي للطفل. فبينما هو يتعلّم استكشاف المنزل تتعلّم الأم كل ما يمتّ بصلة إلى الأشياء التي يمكنه فعلها الآن والتي ما كانت تحلم بها سابقًا. إنها تتعلّم أن تتوجّس من فترات الصمت الطويلة عندما يكون طفلها حديث المشي في غرفة أخرى، لأنّ الصمت يعني أنه منهمك بأمر

ما كانت لتفكر بأنه سينهمك فيه يومًا. هكذا، ستُهرع إلى الغرفة الهادئة لتجد المشاغب الصغير يلوّن جدران الحمام بسعادة مستخدمًا أحمر الشفاه الخاص بها، أو لتراه يعبث بسرور بالمنظف الذي سكبه على الأرضية.

إن هذه المرحلة هي، بكل تأكيد، مرحلة الاستشكاف. وكلّ أمّ عليها أن تتخذ قرارًا حاسمًا بخصوص بيتها وهذا المستكشف الصغير الذي يحتله الآن. عليها أن تقرّر ما إذا كانت سترتب المنزل بحيث يكون مناسبًا للكبار، أو ستكيّفه ليتلاءم مع وجود طفل صغير، وإذا قرّرت أنّ البيت سيكون للكبار حصرًا، فإن عليها أن تعتاد قضاء وقت طويل في محاولة كبح جماح طفلها، لفظيًا وجسديًا. سوف يكون عليها قضاء وقت أطول وبذل طاقة أكبر في ترداد كلمة «لا، لا» له، أو ضربه على يديه، أو منعه من الوصول إلى الأشياء والتصرّف بها.

وهذا هو بالضبط ما تفعله أمّهات كثيرات. إنهنّ يحاولن تربية طفل دارج (حديث المشي) في منزل مخصّص تمامًا للكبار، لا لأطفال دارجين. من وجهة نظر علمية تربوية، هذا خطأ كبير، فالعالم بالنسبة لطفل دارج هو مكان فاتن إلى أقصى الحدود. والفضول الذي يبديه في هذه المرحلة هو الفضول نفسه الذي سوف يمكّنه في مرحلة لاحقة من عمره من النجاح في المدرسة أو في العمل. إن شعوره بأن هذا الفضول يجرّ عليه سيلًا من التوبيخ لن يُخمد فقط دافعه الأساسي للتعلم، بل سيزرع الارتياب في نفسه وينتقص من نموّ ثقته بنفسه.

دعيني أستعمل هذا المثل. تخيّلي أنّ ولدك أصبح في الصف الخامس، وفي غرفة صفّه العديد من الوسائل التربوية المساعدة: كتب في مواضيع متعدّدة، ميكروسكوب، حوض أسماك، معرض علمي. يختار ابنك كتابًا في الرياضيات ويبدأ القراءة فيه. وفي الحال تضربه المعلمة على يده قائلة «لا، لا ينبغي أن تلمس هذا» فيعيد الكتاب إلى مكانه. يذهب ابنك الآن إلى الميكروسكوب ويبدأ بالنظر من خلاله. وبلمح البصر يجد المعلمة إلى جانبه قائلة «لا، لا تقترب منه». بعد توبيخه للمرة الثانية، يعود إلى مقعده ويبدأ بقراءة كتاب جزيرة الكنز، وتعود المعلمة مرة أخرى قائلة «لا تفعل هذا». لا يحتاج الأمر أكثر من بضعة أسابيع على هذه الشاكلة لكي يؤدّي هذا التقييد إلى تثبيط همّة الطفل على التعلم. سيشعر على هذا النحو: «كلما كانت لديّ رغبة في الاطلاع على

شيء والتعلم، لاحقتني المعلمة. لا بد أنني ولد سيّئ. من الأفضل أن أتوقّف عن محاولة تعلم هذه الأشياء، وعندها قد تحبّني معلمتي».

لا شك في أنك ستكونين غاضبة إذا كان طفلك يدرس في صف تديره معلمة تتصرّف بهذه الطريقة. ولا بد من أنك ستقولين لها: «إنك تثبطين، بطريقة منهجية، رغبته في تعلّم أيّ شيء. إنك تحرمينه من فضول استطلاع أيّ شيء في هذا العالم وفي الوقت نفسه تنتقصين من ثقته بنفسه»، وستكونين محقة في قولك هذا.

ما لا تدركه الكثير من الأمهات هو أنهنّ يفعلن الشيء نفسه في «صفوف» منازلهن وبالطريقة نفسها التي تخيّلتُ المعلمة تقوم بها في المدرسة. إنهنّ يدرّبن أولادهنّ على تجنّب الأشياء الخاصة بالكبار في المنزل، وهو أمر يريح الأم باعتبارها ربّة منزل. لكنّ ما لا تدركه هؤلاء الأمهات هو أنهنّ، بذلك، يدرّبن أطفالهن على تأسيس أنماط قمع للفضول وللدافع الأساسي لمعرفة كل ما يستطيعون معرفته عن هذا العالم.

حالما يصبح طفلك في هذه المرحلة، مرحلة الدرج أو المشي، فإنّ عليك أن تنظري إلى أثاث المنزل من خلال عينيه هو لا من خلال عينيكِ أنت. سيكون عليك أن تبعدي الأشياء المعرَّضة للكسر، أو الخطرة، بحيث لا يستطيع الوصول إليها. يجب أن يكون حرًا في التجوال واكتشاف المنزل بدون وجود خطر يتيح له إيذاء نفسه أو كسر مقتنيات عزيزة عليك. لذا عليك إبعاد المزهريات القيّمة أو أواني البورسلان وغيرها، أو وضعها في أماكن مرتفعة بحيث لا يستطيع الوصول إليها. المنزل المليء بالمحظورات والممنوعات ليس بيئة سعيدة ومعلِّمة لطفل حديث العهد بالمشي.

عليك أن تكوني حذرة في هذه المرحلة خاصةً، حيث إن طفلك من وجهة نظر علم النفس ما زال يُعدّ طفلًا رضيعًا. في اللغة الإنكليزية، يُسمّى الطفل الحديث المشي «الطفل المتجوّل» وهو وصف مناسب فعلًا. فقدرات هذا الطفل على الملاحظة والحكم ما زالت محدودة جدًا. إنه لا يستطيع التمييز بين ما هو آمن وما هو غير آمن في البيئة المحيطة به، وبالتالي، فإن كل شيء يبحث فيه سيجد طريقًا إلى فمه. ورغم أنه ما زال صغيرًا، أصبح قادرًا على التجوال. وبالنسبة إليه

فـإن عبـوة سـائل التنظيف المنزلي هي شـيء جميل للرمي علـى الأرض وللرشّ، وقد يرشّ منه على عينيه. لهذا يجب عليك أن تحميه من الأخطار الكامنة التي تتربّص به في منزلك. لقد قدّر خبراء السلامة أن نسبة خمسين إلى تسعين في المئة من الحوادث التي تسبّب جروحًا خطِرة أو تقتل الرضّع والأطفال الحديثي المشـي كان يمكن تجنّبها لو اتّخذ الوالدان الاحتياطات المناسـبة وكيّفا المنزل بما يناسب وجود الأطفال فيه.

تكييف منزلك بما يناسب وجود طفل

بدلًا من تزويدك بقوائم مفصّلة من لوائح السلامة، أقترح عليك أن تدرّبي نفسك على رؤية منزلك بالطريقة التي يراه بها طفلك الحديث المشي، لا بالطريقة التي تنظرين بها إليه كبالغة.

أنـت تفكرين بحبّات الأسـبرين الموجـودة في صيدلية المنزل كـدواء تتناولين منه حبّة أو اثنتين عند شعورك بالصداع أو بألم عضلي. لكنّ طفلك الصغير ينظر إليها كنوع جديد من السكاكر. ومن الممكن أن يقتل نفسه وهو يظنّ أنه يتناول الحلوى إذا ما قرّر تناول كلّ ما في العلبة من الدواء.

قومـي بجـولات روتينيـة وبطيئة فـي منزلك شـاملة القبـو والحديقـة والمَرأب. حاولـي أن تـري بعيني طفلك. اسـألي نفسـك: «هل هناك شـيء خطِـر ملقى في مـكان قـد يصـل إليه طفلي الصغير؟ أو هل هناك شـيء يمكـن أن يضعه في فمه ويبتلعه فيؤذيه؟ ثمّ أبعدي هذه الاشياء. هاكِ بعض الاقتراحات عن أشياء عليكِ أن تبحثي عنها خلال جولتك المتفحّصة في المنزل.

ابحثـي عـن المواد السـامّة وضعيها في أماكن بعيدة عن متنـاول طفلك. ابحثي تحت مغسلة المطبخ، وعمّا يمكن أن يكون موجودًا على الرفّ السفلي في غرفة الغسـيل، أو علـى أيّ رفّ سـفلي آخـر، أو في أرضيّـة المرأب. هـل يمكن لطفلك أن يصـل إلـى هـذه المواد السـامة في منزلـك: غاز النشـادر المنزلي، مسـاحيق التنظيف، سـوائل تلميع السيارة، السـجائر، مضادّات التجمّد، الكلور، مساحيق

الغسيل، مرقّقات الدهان، الطلاء الأساسي، ملمّعات الأحذية، التبغ، مبيد الحشرات، ملمّعات الأثاث، بخّاخ الحشرات، النفتالين.

إن صيدلية منزلك قد تكون مصدرًا مهمًا للسموم. العقاقير التي يتناولها الكبار بأمان وبكمّيات صغيرة قد تكون قاتلة لطفل صغير. قد تحوي صيدلية منزلك أدوية مثل الأسبرين، الحبوب المنوّمة، شراب الكودايين، المهدّئات، زيت الكافور، بالإضافة إلى العديد من زجاجات الوصفات القديمة التي لم تُستعمل سابقًا ولكنها لم تُرم حتى الآن. إن الطريقة الوحيدة لحماية طفلك من أخطار صيدلية المنزل (أو أيّ خزانة تحتوي موادّ أو أشياء خطرة) هي وضع قفل عليها. عندما تكونين والدة لطفل حديث المشي فإن عليك أن تتعوّدي أن تكون عينك كعين النسر: أن تلقي نظرة شاملة وفاحصة على الغرف (وخاصة الأرضيّات) من وقت لآخر لتتأكدي من خلوّها من المسامير، شفرات الحلاقة، قطع حادة أو مكسورة من الألعاب، دبابيس أمان مفتوحة، أو أيّ أجسام خطرة ملقاة هنا وهناك.

والآن، بما أن طفلك أصبح قادرًا على المشي، فإن الألعاب أو الأشياء الأخرى التي يمكن أن يلعب بها يجب أن تكون كبيرة بما فيه الكفاية بحيث لا يستطيع وضعها في فمه أو ابتلاعها والاختناق بها. احرصي على أن لا يعثر على نقود معدنية، أزرار، دبابيس أو إبر، خرز، مشابك ورق، أو أيّ أشياء آخرى مشابهة على الأرض. لا تدعيه أيضًا يأكل أطعمة يمكن أن يغصّ بها مثل المكسّرات، الكاراميل، الفشار.

وعندما تطهين الطعام تأكدي من أنّ مقابض القدور والمقالي متجهة إلى الخلف بحيث لا يستطيع أن يصل إليها ويقلبها على نفسه. إن سلة القمامة وقسم التخزين تحت مغسلة المطبخ مكان خطر على الأطفال لأننا عادة ما نضع فيها أشياء ربما تشكل خطرًا على طفل دارج.

الكهرباء، بالطبع، خطر كامن. غطي كل مآخذ الكهرباء التي لا تُستخدم دائمًا بأغطية واقية مناسبة. ستحول هذه الأغطية الواقية بين طفلك واكتشاف ما يمكن أن يحصل لو وضع دبوس شعر أو مشبك ورق في مأخذ الكهرباء. أيضًا، لا تتركي أبدًا جهاز راديو أو سخانًا كهربائيًا، أو أيّ جهاز كهربائي آخر قريبًا من حوض الاستحمام.

وعلينـا أن نذكّـر بأن الأسـلحة النارية والذخيرة يجـب أن تكون في أماكن مقفلة طـوال الوقـت، وأن الأسـلحة الناريـة يجب ألّا تكـون معبّأة حتـى وإن كانت في أماكن مقفلة.

إن ورشـة توضيـب منـزلٍ مـا تُعَدّ مـن الأماكن القاتلـة للأطفال الصغـار. ويجب أن تكـون معزولـة أو مقفلـة بحيث لا يسـتطيع طفـل صغير الدخـول إليها، لأنّك إذا أتحـتِ لـه الدخـول فإنـك تسـهلين له الوصـول إلـى «ألعاب» مثـل الأدوات الكهربائية، المناشير، السكاكين، الدهان، المعاجين... وما شابه.

إذا كان طفلك يلعب في حديقة المنزل وحده (وهي فكرة جيدة، أن يكون هناك حديقة ليلعب فيها) يجب أن تكون الحديقة مسوّرة بحيث لا يستطيع الخروج منها وتعريض نفسـه لكل الأخطار المحتملة، إذ لن يمضي وقت طويل على هذا الطفل الحديث المشـي حتى يبدأ بالتجوال بنفسـه وبمواجهة ظروف خطرة. إن الاحتياط الوحيد من هذا الاحتمال هو وجود سور تكونين متأكدة من أن طفلك لا يستطيع التسلق فوقه أو المرور من تحته.

وبسبب ما يشتهر به الأطفال الحديثو المشي من مقدرة على الظهور في أماكن غيـر متوقعـة وعلى القفز فجـأة إلى الممرّ الخاص بالسـيارة حتى قبل أن تفطني إلـى ذلـك، فـإن السـيارات خاصةً تُعد مشـكلة. إذا كنـتِ تقودين سـيارتك وكان هناك أطفال في المكان، انظري خلف السـيارة وتحتها وأمامها قبل أن تتحرّكي، وكونـي علـى حذر أشـدّ عندمـا ترجعين بالسـيارة إلـى الخلف، حيـث إن معظم الحـوادث تقـع عندمـا تكون الأم مسـتعجلة وترجـع إلى الخلف وهـي تدخل أو تخـرج مـن المـرأب أو إلى الممرّ الخاص بالسـيارة. وعندما توقفين السـيارة في المـرأب تأكـدي مـن أنـك اسـتخدمت المكابح ووضعـت جهاز نقل السـرعة في الوضعية الصحيحة. عندما توقفين السيارة في الخارج أو في مرأب غير مقفل، أغلقي النوافذ وأقفلي أبواب السـيارة. إن لدى الأطفال قدرة مدهشـة على حل المكابح، وعلى السقوط من نوافذ السيارة، أو الانحباس داخلها. إن النوافذ التي يُتحكـم بهـا باليد هي أكثر أمانًا من النوافذ ذات التحكـم الإلكتروني. وإيّاك ثمّ إيّـاك أن تتركـي رضيعًا أو طفلًا صغيرًا داخل السـيارة وتهرعـي إلى أحد المتاجر على أساس أن ذلك سيأخذ دقيقة واحدة. خذي الطفل معك دائمًا.

أحد أفضل الأشياء التي يمكن أن تقومي بها هو أن تجلسي وزوجك وتفكرا في إمكانية حدوث حالة طارئة قبل حدوثها. والحقيقة المرّة هي أن الحوادث الطارئة تأتي دائمًا عندما لا نتوقعها. معظمنا، على الأرجح، ليس لديهم أيّ فكرة مسبقة على الإطلاق عمّا يمكن أن يفعلوه في حال حدوث أمر طارئ. على سبيل المثال، هل ستتّصلين بالطبيب هاتفيًا أم ستتجهين مباشرة إلى جناح الطوارئ في أقرب مستشفى إليك؟ إحرصي على أن تكون الأرقام الضرورية، كهاتف الطبيب والمستشفى، الإطفاء والشرطة، وكل ما قد تحتاجين إليه في حال الطوارئ، قريبة منك دائمًا.

يجب إعلام كل أفراد الأسرة بما ينبغي فعله في حالة الطوارئ. ولا داعي لأن تجعلي من هذا أمرًا كئيبًا ومخيفًا لأطفالك الأكبر سنًا. تعاملي مع الأمر بواقعية كما تتعاملين مع جهاز إنذار الحريق في المدرسة.

تأكدي من وجود معدّات الإسعافات الأولية في البيت ومن أنها في مكان يسهل الوصول إليه. استشيري الطبيب في ما يجب أن يحويه طقم الإسعاف الأوّلي الخاص بك، على أن يحوي دائمًا كمية صغيرة من جرعة مضادّة للسمّ.

وسيكون فكرة جيّدة أن تلتحقي وزوجك بإحدى دورات الصليب الأحمر في الإسعافات الأوّلية. فالأشياء التي ستتعلّمانها هناك، مثل الإنعاش عن طريق الفم، قد لا تنقذ فقط حياة طفلك بل حياتك أيضًا.

على الوالدة أن تكون حامية لطفلها لكن ليس إلى درجة مبالغ فيها. إن الفرق كبير بين الحالتين، فطفلك الصغير يحتاج إلى حمايتك له من أخطار ما زال هو صغيرًا جدًا ليحمي نفسه منها. إنه لا يحتاج إلى أن تبالغي في حمايته من أشياء لا تُعدّ خطرًا حقيقيًا، لأنّك إذا بالغتِ في حمايته فإنك في الواقع تملئينه بالمخاوف التي لا داعي لها من البيئة المحيطة، وتقوّضين ثقته الذاتية النامية بقدرته على التلاؤم مع العالم من حوله.

يبدو الأمر وكأن أخذ كل هذه الاحتياطات في المنزل وفي حديقة المنزل سيكون أمرًا مربكًا. وهو فعلًا كذلك. ولكن إذا قمتِ بهذه الإجراءات الاحتياطية وكيّفتِ البيت بما يناسب حاجات طفلك، فإنك ستشعرين بالحرية في أن تدعي

طفلـك يستكشـف المنزل كما يحلو له، حيث ستشـعرين بالأمـان عندما تعرفين أن منزلك بيئة آمنة له.

دعينـا نفتـرض أنكِ جعلت بيتك وحديقتك مكانًا آمنًا لطفلـك الصغير. لقد أبعدتِ، أو وضعـت فـي خزائـن، كل ما يمكن أن يكـون خطرًا على طفلك. ولنفتـرض أيضًا أنك لـم تجبـري طفلـك على التـلاؤم مع بيت مناسـب للكبار فقط عن طريق سلسـلة من المحظـورات تشـمل الكثيـر من «الـلاءات»، والضـرب على اليدين. وبـدلًا من ذلك، أبعدتِ كل المزهريّات النفيسة والأشياء القابلة للكسر بحيث إنه، عندما يبلغ طفلك مرحلة الدرج يكون البيت قد أصبح ملائمًا لوضعه الجديد (عندما يكبر طفلك سوف تتمكنين من إعادة هذه الأشـياء الجميلة، والقابلة للكسـر، إلى مكانها). بإزاحتك كل الأشياء التي لا تناسب هذا الطفل الدارج (الحديث المشي)، تكونين قد جعلت من بيتـك بيئـة صحّية من الناحية النفسـية تناسـب طفلًا دارجًا يعيـش فيه ويعزز ثقته الذاتية بنفسه. الآن، عليك أن تخطي خطوة أبعد إلى الأمام وتحضري بعض الأجسام والألعاب والمواد الجديدة التي سيلعب بها والتي ستسهم في تحفيز نموّه وارتقائه.

الألعاب هي الكتاب المدرسي للأطفال الحديثي المشي

مـن المؤسـف أن العديـد مـن الكبـار فينـا (الآبـاء خاصـةً) ينظـرون إلـى اللعب باعتباره أمرًا تافهًا وعبثيًا، وذلك يعود إلى إرث طويل من التزمّت والتشدّد. من الناحية النفسية، تُعدّ تلك نظرة خاطئة. إن اللعب ضروري للكبار، لأننا بواسطة اللعـب، والتسـلية، والإجازات، نقوم بتنشـيط وإنعـاش أنفسـنا وبالتالي نحافظ علـى إيقـاع الحيـاة بطريقة تمكّننا مـن أداء أعمالنا بصورة حسـنة. تخيّلي عالمًا من دون أمسـيات، أو نهايات أسـبوع، أو إجازات، كم سيكون باهتًا عالمٌ كهذا؟ إن أوقات اللعب للكبار تشـكّل ثقلًا موازنًا لأوقات العمل. أما بالنسـبة للأطفال وللفئة العمرية الأصغر خاصة، فإن للعب وظيفة أخرى.

إن اللعب هو الوسيلة التي يتعلم بها الطفل في هذا العالم. وبهذا المعنى، فإن اللعـب هـو بمثابـة العمل للطفـل. لاحظي أن الكبـار يقومون بأمور فـي لعبهم لا

يقومون بها عادة خلال عملهم (السباحة، التزلج، الرسم، مشاهدة التلفزيون، أو الذهاب إلى السينما). الأمر مختلف في حالة الأطفال. إن الاطفال لا يقلدون ألعاب الكبار، بل يقلدون أعمالهم. إن ألعاب الأطفال تتضمّن تقليدهم الكبار في تنظيف البيت، إعداد الطعام، تشغيل السيارات، إصلاح الشاحنات، بناء المنازل، قيادة الطائرات، بيع البضائع، ومعالجة المرضى. إن اللعب هو الوسيلة التي يثقف بها الطفل نفسه عن عالمه. والحؤول بين طفل واللعب أو تزويده بموادّ غير ملائمة ليلعب بها، هو حرمان له من المصدر الرئيسي للتعلم عن الحياة في هذه المرحلة من نموّه.

بالنسبة إلى معظم الآباء والأمهات، الألعاب هي أشياء نشتريها من المتاجر أو من أقسام الألعاب في المراكز التجارية. لكنني أميل إلى تعريف «اللعبة» بأنها «أيّ شيء يروق طفلَك اللعبُ به». وبهذا المعنى، فإن الأشياء والمواد التالية هي ألعاب: قدور ومقالي الطبخ، علبة قديمة من الورق المقوّى، سلّة المهملات. باستخدامنا لهذا المعنى الواسع لـ«لعبة»، نتساءل ما هي الألعاب والمواد التي يحتاج إليها طفلك الدارج في البيئة المحيطة به؟

إن طفلك الدارج يحتاج خاصةً إلى أشياء يلعب بها وتساعده على تنمية عضلاته، من خلال الجري والقفز والتسلق والزحف والجرّ والجذب.

دعينا نبدأ مع الألعاب في الهواء الطلق، حيث إن هذا هو المكان الأكثر طبيعيّة لممارسة هذا النوع من النشاطات. كل طفل لا بد أن يكون لديه بعض معدّات التسلق. وعلى العموم فإن أفضل أنواع معدّات التسلق الملائمة لطفل دارج هي: هيكل التسلق. وإذا واجهتك صعوبة في الحصول عليها فسأقترح عليك أداة أخرى مناسبة جدًا للأطفال يمكن أن ترافقهم طيلة سنوات ما قبل المدرسة. إنها قبّة التسلق وهي تشبه هيكل التسلق إلا أنها مصمّمة على شكل قبّة ومبنيّة على أساس مبدأ في الجيوديسيا (فرع من فروع الرياضيات التطبيقية) وقام بتطويرها المهندس باكمنستر فولر. وبسبب هذا المبدأ الجيوديسي تكون هذه القبّة قادرة على تحمّل العديد من الأطفال الذين يتسلّقونها بطريقة آمنة. ويجب أن تتأكدي من تركيب القبّة على أرضيّة طريّة من العشب أو الرمل بحيث تكون آمنة لطفلك في حال انقلابه وسقوطه.

إنها لعبة مصمّمة ومبنيّة بطريقة رائعة لتناسب الأطفال في مرحلة ما قبل المدرسة، ولو كان عليّ أن أختار واحدة من بين ألعاب الهواء الطلق لما اخترتُ غيرها. إن فوائدها كثيرة لنموّ العضلات الكبيرة عند الطفل، ولتنمية قدراته على التسلق، وتعزيز ثقته الذاتية بقدرته الجسدية.

بالإضافة إلى ذلك، يمكن تغطية القبّة بالقماش واستخدامها كخيمة أو قلعة أو كوخ أو غير ذلك من أنواع الأماكن التي يتطلبها طفلك ويرغب في بنائها.

لعبة رئيسية أخرى من ألعاب الهواء الطلق هي حوض الرمل. اجعليه كبيرًا بقدر الإمكان بحيث يتسع لعدة أطفال في الوقت نفسه. وداخل الحوض ضعي أشياء ملائمة مثل قوالب الكعك، أكواب، ملاعق، غرابيل، وعبوات بأحجام مختلفة. إن الرمل بالنسبة لطفل دارج هو مادة ساحرة مثيرة للاهتمام، يصنع منها أشياء مفاجئة وفاتنة، فهو يحب أن يمرّره بين أصابعه وأن يصنع به الهضاب والروابي. ينمّي اللعب بالرمل فضوله العفوي حيال طبيعة الموادّ في العالم. وأهمية اللعب بالرمل وتراب الحديقة المنزلية هي أكبر بكثير مما قد يظنّ بعض الكبار، وستغدو هذه الأهمّية واضحة عندما نناقش الفضول العلمي للطفل في الفترة من ثلاث إلى ست سنوات من عمره.

الرمل وحوض الرمل يمكن استعمالهما كخلفية بيئية للعب بالسيارات والشاحنات، البنايات والأسلحة. إن الأطفال الدارجين وخاصة الذكور منهم، يجب أن يكون عندهم ما يكفي من القطع الصغيرة والناعمة من الخشب للعب في حوض الرمل، بالإضافة إلى سيارات وشاحنات معدنية صغيرة، عساكر وحيوانات وأشخاص وديناصورات. دمى الأشخاص والحيوانات يمكن تركها بالخارج في حوض الرمل. لكنّ السيارات والشاحنات المعدنية يجب عدم تركها في الخارج خشية تعرّضها للصدأ، ولا تتوقعي من طفلك إحضارها إلى الداخل لأنه ما زال صغيرًا لتحمّل مسؤولية كهذه.

العديد من الأمهات يوفّرن صناديق الرمل لأطفالهن ولكن ينسين حاجة الطفل إلى اللعب بالتراب والحفر فيه، فالطفل يحبّ الحفر في التراب، وكل ما يحتاج إليه هو ملعقة معدنية متينة، ومقلاة لها مقبض، ومجرفة أو رفش صغير ودلو بلاستيكي صغير.

على القدر نفسه من أهمّية التراب والرمل تأتي أهمّية الماء، رغم أن الكثير من الأمهات لا يوفّرن هذه المتعة لصغارهن خشية الفوضى. فإذا كان الخوف من الفوضى يصدّك عن السماح له باللعب بالماء في طقس دافئ، فعليك نسيان الأمر لأن موقفك السلبي من اللعب بالماء قد ينتقل إلى صغيرك فتصبح اللعبة مضرّة له بدل أن تكون نافعة. في هذه الحالة، حاولي جعل اللعب بالماء متاحًا في الحمّام وفي أوقات الاستحمام. أما إن كنت أكثر تقبّلًا وتسامحًا مع بعض الفوضي والأوحال، فعليك ترك طفلك يستمتع بالماء والتراب والرمل. ولكن لا تتركيه مع خرطوم الماء وحده، فهو غير جاهز لهذا القدر الكبير من الحريّة بعد. ولذا، إما أن تبقي معه لمراقبة تصرّفاته، أو تعطيه وعاءً كبيرًا يغرف منه الماء ليخلطه مع الرمل والتراب.

نوع آخر من ألعاب الماء يمكن توفيره بواسطة حاوية كبيرة من المعدن أو البلاستيك القاسي، بقطر ثلاثة أو أربعة أقدام، تُملأ بالماء إلى عمق ستة إنشات تقريبًا. في تلك الحاوية، يمكنك تزويد الطفل بعلب قهوة، ملاعق، أكواب بلاستيكية، قوارب بلاستيكية وألعاب مائية أخرى ليلهو بها. ولكن عليك أن تبقي معه على كل حال فهو يحتاج إلى الإشراف الدائم.

لعبة أخرى متميّزة من ألعاب الهواء الطلق هي «المشّاية». هذه الوسيلة المتحرّكة تهيّئ الطفل للدرّاجة الثلاثيّة العجلات التي سيأتي وقتها لاحقًا، فتجربته مع هذه الدراجة البدائية ستساعده على التعامل مع تعقيدات دوّاسة الدراجة ثلاثية العجلات في المرحلة التالية من النموّ.

الزلّاقة وسيلة أخرى للعب خارج المنزل. فالزلّاقات أمر جيّد ولكن الأراجيح ليست مناسبة في هذا العمر بعد.

لا يستطيع طفل صغير فعل الكثير مع الأرجوحة، إنه يحتاج إلى مساعدة أمّه أو أبيه لدفعه وأرجحته. أيضًا فإن طفلًا متأرجحًا قد يصطدم بسهولة بطفل متأرجح آخر وهي نهاية غير سارّة لجولة لعبٍ بريئة.

وعلى العموم، فإنّ أفضل أنواع ألعاب الهواء الطلق لطفل في هذه المرحلة هي الألعاب الثابتة التي يستطيع الطفل تسلّقها، على عكس الألعاب المتحركة.

المكعّبات المجوّفة الكبيرة جيدة لممارسة التسلق واللعب خارج المنزل. الحاويات البلاستيكية الملوّنة والمتينة كتلك المستخدمة في محالّ الألبان لنقل الحليب أيضًا جيّدة جدًا. ولسوء الحظ فإن هذه الأشياء لا تتوفّر بسهولة للراغبات في شرائها. ولكن إن كان بقربك حضانة أطفال فقد يرشدونك إلى حيث يمكنك شراؤها. الحاويات البلاستيكية أفضل من المكعّبات الخشبية لأنها لا تتشقق ولا تتشظى مثلما يحدث للخشبية، كما يمكن تركها آمنةً في الهواء الطلق. إذا لم تستطيعي الحصول على الحاويات البلاستيكية وأردت شراء المكعّبات الخشبية المجوّفة الكبيرة، فمن الأفضل أن يكون زوجك هو الذي يصنعها بسبب غلاء أسعارها. يمكن لطفلك استخدام هذه المكعّبات، بالإضافة إلى بعض الألواح العريضة، بطول ثلاثة إلى أربعة أقدام، المغطاة بالرمل والمطليّة بدهان الخشب، في العديد من النشاطات التي تساعد على نموّ عضلاته الكبيرة. الحديقة العامة القريبة من منزلك المزوّدة بالألعاب والتي تستطيعين مرافقة طفلك إليها كلما كان ذلك متاحًا لك، هي بديل جيد من باحة اللعب في المنزل. وهناك يجب أن تحافظي على الحذر والتيقظ، فعلى الرغم من تحسّن هذه الألعاب، بعضها، مثل الأراجيح والدوارات، خطر بعض الشيء.

أما داخل المنزل، فالألعاب ضرورية وهي أيضًا تساعد على تنمية العضلات الكبيرة. ولو كان عليَّ أن أشتري لعبة واحدة فقط لاشتريت مجسّمًا للتسلّق يحوي مزلقة فهي لعبة يمكن أن يتسلق طفلك عليها ويتسلق درجاتها، كما يمكن أن ينزلق في مزلقتها. ويمكن أيضًا أن يغطيها بالقماش ويستعملها كحصن أو خيمة. وهي صالحة للاستخدام طيلة فترة ما قبل المدرسة.

سيحتاج طفلك إلى دمى وألعاب تساعد عضلاته الصغيرة على النموّ. الألعاب من هذا النوع تتضمّن أشياء مثل: ألعاب الدق، الأكياس الصغيرة على شكل دمى، ألعاب التفكيك، ألعاب البازل البسيطة، اللوحة التي يوزِّع فيها الأشكال في الأماكن المحدّدة لها والتي تنمّي مهاراته في التنسيق، المفكّات الكبيرة، والمربّعات الملوّنة التي يمكن تركيبها وفكّها واستخدامها مع السيارات والشاحنات الخشبية على الأرض. وعلى كل حال، فإن المكعّبات لا تُستعمل كثيرًا في هذا العمر.

هذه سنّ ألعاب الجرّ والجذب، وخاصة تلك التي تُصدر صوتًا عند جرّها.

الدمى الناعمة المحبوبة على أشكال بعض الحيوانات مناسبة جدًا لطفل دارج. ومن الطبيعي جدًا في هذا العمر أن يلعب الأطفال الذكور والإناث بالدمى والحيوانات المحشوّة، وأن يضعوها معهم في الأسرّة عند النوم. بعض الكبار ربما يعتقدون خطأ أن الدمى والحيوانات المحشوّة ليست ملائمة للأطفال الذكور في هذه المرحلة من العمر. والحقيقة أنّ اللعب بالدمى في هذا العمر هو جانب إيجابي من جوانب نموّ الأطفال الذكور، حيث إنها تشجّع مشاعر الرعاية والحنان والحماية عندهم.

بالإضافة إلى ذلك فإن الدمى والحيوانات المحشوّة يستخدمها الأطفال في الألعاب التمثيلية. وهي تساعد الأطفال الذكور والإناث على السواء، على تمثيل مشاعر مختلفة حيال مظاهر متعدّدة من حياة الأسرة، ولعب أدوار الأم، الأب، الإخوة والأخوات.

أين يمكنك خزن كل هذه الدمى والألعاب؟ عليك تجنّب صندوق الألعاب التقليدي. فرغم كونه مناسبًا للطفل لوضع أشيائه فيه، سرعان ما يتحوّل إلى نوع من كومة الخردة الأثرية، مع طبقات من الألعاب والأشياء التي سرعان ما تبدو كأنها موقع للتنقيب عن الآثار. إن مجموعة من الرفوف تستطيعين تخزين الألعاب فيها هي فكرة أفضل بكثير. هذه الرفوف يجب أن تكون منخفضة بما فيه الكفاية ليصل إليها طفلك بسهولة. وهو أمر يساعد في تطوير استقلاليته، حيث يحضر أشياءه بنفسه بدون الاعتماد على أمّه. ويجب أن تكون هذه الرفوف عريضة لتناسب أحجام كل الألعاب التي ربما يودّ طفلك وضعها عليها. كما يجب أن تكون للرفوف حافة حاجزة لتمنع الكرات والألعاب ذات العجلات من السقوط. هذا النوع من الرفوف في غرفة الجلوس أو في غرفة الطفل الخاصة سيكون صالحًا للاستعمال طوال سنوات ما قبل المدرسة.

وكحل بديل محتمل، يمكنك بسهولة بناء صناديق من الخشب الرقيق، بعرض قدم وطول قدمين، يمكن طليُها بألوان برّاقة وتركيبها بعضها فوق بعض بهذه الطريقة:

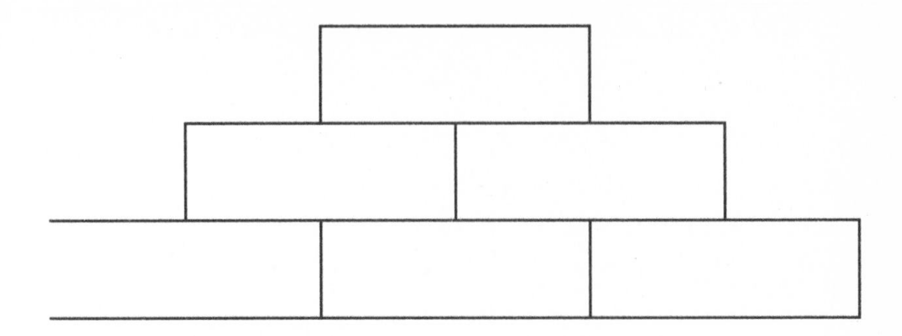

هـذه الصناديق تتميّز بالقابليـة للتحريك وبالتالي يمكن نقلها من غرفة الجلوس بسهولة تامة في أيّ وقت.

الألعـاب التي لها ارتباط بالأصوات والموسيقى مهمّة في هذه السـن. الأطفال الدارجـون يحبّـون الإيقـاع واللعـب بالأصـوات. يمكنـك شـراء أدوات إيقاعيـة مثـل الطبول، الصنـوج، والمثلثات، من المتاجر المتخصّصـة ببيعها، أو يمكنك صنعها بنفسك.

إن سلسـلة من علب الصفيح المتنوّعة الأحجام تشـكل مجموعة مثيرة للاهتمام مـن الطبـول. والقـدور المعدنيـة تشـكل صنوجًا متميّـزة. والحقيقـة أن أدوات منزليـة مختلفـة مثـل القـدور والمقالـي تشـكل مجموعـة رائعـة مـن الأدوات الإيقاعيـة. وفـي متاجـر الألعـاب أو الموسـيقى سـتعثرين علـى ألعـاب بشـكل إكسـيليفون، أكوروديـون، وغيرها من الألعاب التي يمكـن لطفلك التعامل معها بسهولة.

إنـه الوقـت المناسـب أيضًـا لشـراء نوعيـن مـن المسـجّلات؛ واحـد مـن النـوع الرخيص الذي يمكن لطفلك استعماله بنفسه، مع بعض التسجيلات التي يمكن أن يشـغلها بنفسـه. لا تقلقي حيال سلامة هذه الأشـرطة والتسجيلات. سيكون مصيرها الضرب والقذف ولكن طفلك سيستمتع بها كثيرًا، حيث يمكنه تشغيلها بنفسه وذلك بوضعها في المكان المخصّص ودفعها داخله.

لكـن يجـب ألا تكـون هـذه هـي تجربتـه الوحيـدة مـع الموسـيقى. اشـتري مسـجلًا جيـدًا وتسـجيلات جيدة وشـغّليها لـه. لا تحصري التجربة بالموسـيقى

المخصّصة للأطفال فقط. جرّبي موسيقى أجنبية وغريبة مثل الطبول الأفريقية والبولينيزية، السيتار الهندي، الكوتو الياباني، وانظري إن كانت ستعجبه أم لا. طفلك ما زال في عمر يتسم بالحساسية والمرونة، لذلك، هو في وضع مناسب لتعريضه لتشكيلة واسعة من التذوّقات الموسيقية، وإذا قمت بذلك، فإنّ من المرجح أن تلك المتميّزة بإيقاع قوي ستعجبه.

الكتب عنصر أساسي في مواد اللعب التي يحتاج إليها. تذكّري أنّ تعريف كلمة «كتاب» واسع جدًّا إذ تحتوي تلك الفئة على أشياء لا يعدّها الكبار كتبًا في العادة، مثل ألبوم الطوابع، وكتالوغات الألعاب، ومجلّات فيها صور قديمة. وتلك أشياء تمكّنك من الاستمرار في مساعدته على تسمية عناصر بيئته بأن تشيري إلى صورة شيء أو شخص ما ثم تذكري اسم هذا الشيء أو الشخص بصوت مرتفع.

بالإضافة إلى ذلك، يمكنك في الواقع البدء بالقراءة لطفل في هذا العمر. إنه يحب الاستماع إلى الكلام المقفّى في ألعاب الصغار، ولكن عليك أن تكوني انتقائية لأن بعض الأهازيج القديمة قد عفا عليها الزمن.

الطفل الدارج ما زال يحتاج إلى كتب من الكرتون المقوّى أو الأقمشة لأنه لا يزال يميل في هذا العمر إلى البحث في الكتاب عبر تمزيق صفحاته. والقصص المصوّرة البسيطة المناسبة لعمره ستكون ممتعة جدًا له.

الكتب مفيدة خاصة في تعليم الأطفال الدارجين تسمية بيئتهم وبالتالي في زيادة ذخيرتهم اللغوية وتعزيز تطوّرهم اللغوي. في الكتب أو القصص المصوّرة تبدأ الأم بالإشارة إلى الصورة والتلفظ بالكلمة. وعندما ينضج الطفل أكثر سيتمكّن من العثور على صورة الكلب مثلًا أو رجل الإطفاء والجرّار. وفي مرحلة لاحقة، ستشير الأم إلى الصورة ويقول الطفل الكلمة التي تصف الشيء أو الشخص في الصورة.

وعلى كل حال، تبقى الكتب أقل قدرةً مقارنة بقدرة الأم على تحفيز النموّ اللغوي لطفلها. استمرّي في ممارسة لعبة «التسمية» التي بدأتِ بممارستها في مرحلة الطفولة المبكرة، حيث تستطيعين ممارستها في أيّ مكان يكون فيه

طفلك بصحبتك. أشيري إلى محتويات المنزل واذكري أسماءها، وعندما تقودين سيارتك، يمكنك الإشارة إلى الأشياء وتسميتها عند مرورك بها: كالشاحنات، والجرّارات، البيوت...

عندما تذهبين إلى التسوّق ويكون برفقتك يمكنك أيضًا الإشارة إلى الأشياء وتسميتها: الحبوب، الحليب، البرتقال، التفاح، الموز، البسكويت...

هناك مظهران رئيسيان من مظاهر التطوّر اللغوي عند طفلك: اللغة السلبية (فهم ما يقال له)، اللغة الفعّالة (الكلام).

في هذه المرحلة وهي مرحلة الدرج، ما زالت السيطرة للغة السلبية. ولكن الحقيقة أن إطلاق وصف «السلبية» على هذه المرحلة هو نوع من التضليل، فعقل طفلك يعمل بنشاط لمحاولة فهم وتجميع لغته الأصلية التي يسمع من حوله يتحدّثون بها.

إن الطفل الرضيع يبدأ عملية التطوّر اللغوي بالمناغاة كما شاهدنا في الفصل السابق.

وفي وقت لاحق، يبدأ باستعمال ما يطلق عليه الدكتور غيسيل «الرطانة التعبيرية» وهي مناغاة يقلد فيها أصوات كلام الكبار وإيقاعاته. وقد يكون أداؤه طيبًا فيبدو كما لو أنه كوميدي يؤدّي فقرة ما، ويكون قريبًا جدًا من أن يكون مفهومًا كالكلام الحقيقي. لا تتردّدي بالمشاركة في هذه «الرطانة التعبيرية» والمناغاة معه، والتحدّث معه كما لو أنكما تتحادثان محادثة حقيقية. إنه ليس فقط أمرًا مسليًا ولكنك أيضًا بلعب هذه اللعبة معه تساعدين في نموّ مقدرته اللغوية.

في وقت ما، قريب من وقت ظهور هذه الرطانة التعبيرية، تبدأ جملة الكلمة الواحدة بالظهور أيضًا. إن هذه الكلمات المفردة عادةً ما تعمل كجملة تامة المعنى بالنسبة إلى الطفل الذي يلفظها. فكلمة «بسكويت» وحدها هي تعبير عن: أنا أريد بسكويتًا. وكلمة «فوق» تعبير عن: أريدك أن تحمليني. وكلمة «خارج» تعبير عن: أريد الذهاب الى الخارج. ليس هناك أمّ لا تفتتن عندما يصبح التواصل ممكنًا مع طفلها عن طريق هذه الجمل من كلمة واحدة. إنني

أتذكر تمامًا عندما كان ولدي الاصغر في شهره الثامن عشر وكنا نمضي بعض الوقت في كوخ صيفي على الشاطئ وفي ظهيرة أحد الأيام أيقظني من غفوة قصيرة وهو يشدّني ويناشدني قائلًا: «خارج... بحر... شاطئ».

عندما يصبح الطفل في الشهر الثامن عشر يبدأ باستعمال كلمات محدّدة بدلًا من الرطانة التي كان يمارسها في ألعابه اللغوية واستجاباته الاجتماعية. ويتراوح محتوى معجم كلماته من ثلاث أو أربع إلى مئة كلمة. إنه يبدأ الآن بتكوين جمل تلقائية عرضيّة مكوّنة من كلمتين كما في «انظر هذا» أو «تعال هنا» أو «باي باي» أو «أعطني بسكوتة».

وسيعتمد نموّه اللغوي وكثافة ذخيرته اللغوية وغناها في تلك المرحلة إلى درجة كبيرة على الكيفية والكمية التي تحدثتِ بها إليه خلالها وعلى الألعاب اللغوية التي مارستِها معه. فليست هناك أيّ لعبة أو جهاز كمبيوتر يمكن أن يعلمه اللغة بمقدار ما تعلّمينه أنتِ.

من المأمول أن يصبح بيتك الآن مدرسة للتعليم حيث يتعلم طفلك بسعادة وحيوية استكشاف محيطه والتعلم منه. إن هذه المدرسة تحتاج إلى شيء واحد ليكملها: معلم مؤهَّل ومطلع. وهذا هو دورك ودور زوجك. إنك بحاجة إلى معرفة كيف ينمو طفلك في هذه المرحلة، لذا عليك متابعة هذا الأمر في كتاب مثل كتاب الدكتور غيسيل عن أطفالنا في ثقافة اليوم. هناك، سوف تجدين وصفًا مفصّلًا عن السلوك النموذجي لطفل في السنة الأولى وفي الشهر الخامس عشر وفي الشهر الثامن عشر من عمره. عندما تقرئين عن الطفل في الشهر الخامس عشر على سبيل المثال، سوف تجدين قسمًا يغطي تصرّفات يوم نموذجي، متبوعًا بقسم صغير عن النوم والتغذية، التنظيف، الاستحمام والثياب، النشاطات الذاتية، والتواصل الاجتماعي. بالإضافة إلى ذلك، سترغبين في قراءة الفصل عن الأطفال في عمر السنتين، حيث إن هناك احتمالًا بأن تكتشفي لدى طفلك ذي الثمانية عشر شهرًا بعض سلوكيات الأطفال في عمر السنتين.

سوف تحتاجين أيضًا إلى أن تعرفي ما هي الوسائل التعليمية الناجحة مع الأطفال الحديثي المشي وما هي الوسائل غير الناجحة. والشيء الرئيسي الذي

يجب تجنّبه مع طفل دارج هو إجباره على التلاؤم مع بيئة منزلية مناسبة للكبار فقط، حيث الكثير من الأشياء غالية الثمن وقابلة للكسر، وبالتالي الكثير من المحظورات واللاءات التي يُجابه بها الطفل.

وهذا ما يظهر في حالة أمّ وطفلة كانتا من مرتادي عيادتي. في المرة الأولى حضرت الأم إلى عيادتي مع طفلتها ذات السبعة أعوام وأحضرت معها أخاها الأصغر ذا الثمانية عشر شهرًا. جلست الأم وطفلها الصغير في غرفة الانتظار فيما كنتُ في غرفتي مع البنت الأكبر. لم تحضر الأم معها شيئًا ليلهو به الطفل خلال هذه الساعة من الانتظار. ورغم أن عيادتي لا تبعد أكثر من خمس دقائق عن الشاطئ وكنا في الصيف، لم تفكّر الأم بأخذ طفلها إلى هناك حيث كان يمكنه أن يستمتع باللعب بالرمل لمدة ساعة كاملة. وأظن أنها توقّعت أن طفلها ذا الثمانية عشر شهرًا سيجلس هادئًا بينما هي تقرأ إحدى المجلّات في غرفة الانتظار. وهذا أمر لم يحدث بالطبع، فالساعة التي أمضيتُها في غرفتي مع الطفلة كانت تتخللها أصوات ارتطام وصيحات «لا، لا» التي تطلقها الأم في غرفة الانتظار. ماذا كانت الأم تعلّم طفلها خلال هذه الساعة؟ كانت تعلمه: لا تقم بأيّ نوع من أنواع المبادرة، كن سلبيًا وهادئًا، اجلس صامتًا ولا تستكشف ما يحيط بك.

بالطبع سيكون عليك استخدام بعض «اللاءات» مع طفل دارج. ولكن يجب أن تحتفظي بها لاستخدامها في حال اقترابه من النار أو الموقد أو أيّ خطر حقيقي لا يمكن إزاحته من بيئته... وعندما تقولين «لا، لا» لطفل دارج فلا تكتفي بها فقط أو بـ «لا تلمس». إن الطفل الدارج لا يستطيع التمييز ومعرفة أن هذا الأمر يخصّ شيئًا محددًا فقط.

بدلًا من ذلك عليك استخدام كلمات شارحة مثل «لا. الفرن ساخن جدًا» أو «لا. النار تؤذي الصغار» أو «لا. الركض في الشارع يؤذي الطفل». وبهذا تحاولين توصيل رسالة إليه بأن هذا الشيء بعينه (الموقد الساخن، النار، أو أيّ شيء كان) خطر وسوف يؤذيه، فأنت بالطبع لا تريدين إعطاءه الانطباع بأنّ كل شيء في بيئته خطر ولا يمكن مسّه.

إن إحدى أفضل الطرق للتعامل مع حالة طفل يريد الوصول إلى شيء لا تريدينه أن يصل إليه، هي طريقة الإلهاء أو صرف الانتباه. نحن الأهل محظوظون فعلًا

لكون الأطفال الصغار مخلوقات قابلة للإلهاء إلى درجة كبيرة، وقادرة على التركيز والانتباه لمدة قصيرة. إننا باستخدام وسيلة الإلهاء نشبه ساحرًا يقول للطفل: «أوه، انظر إلى هذا الشيء الرائع والفاتن والمدهش الذي أحتفظ به من أجلك هناك» (وابتعد عن هذا الشريط الكهربائي أو ذلك الفرن الذي كنتَ على وشك الوصول إليه).

وبما أن الطفل الصغير شديد الحيوية والفعالية في سلوكه، فلا بد أن تكثر انزلاقاته وسقطاته وعثراته. من المهمّ، بوصفك معلمة واعية مطلعة في مدرسة المنزل، ألّا تصابي بالذعر أمام السقطات الطبيعية في سنّ الطفولة. فإذا لم يسارع أحد إلى التقاط الصغير في كل مرة يقع فيها فسيقوم معتمدًا على نفسه. وإذا لم يظهِر أحد جزعه من هذه السقطات فسيتعامل معها على أنها مجرّد حوادث اعتراضية مزعجة لأوقات لهوه ولعبه الجميلة. وهذا سوف يطوّر ثقته بنفسه بحيث يتعامل مع هذه السقطات على أنها جزء من عملية استكشافه اليومية لهذا العالم.

وسيلة أخرى من وسائل التعليم التي تستخدمها للأسف بعض الأمّهات في هذه المرحلة من الطفولة الدارجة هي الضرب. باستثناء حالات قليلة جدًا واستثنائية، لا يجوز أن يكون هناك أيّ داعٍ لضرب طفل صغير تحت سنّ الثانية. فإذا ما أصرّ طفل دارج على الجري في الشارع فقد لا يكون لديك خيار آخر سوى توجيه ضربة خاطفة إلى مؤخّرته. ولكن على العموم، يجب عليك أن تكوني قادرة على التعامل مع سلوك طفل دارج وذلك بتكييف بيئة البيت من دون الحاجة إلى آلاف اللاءات، أو بالإلهاء، أو بالتقييد البدني في حال الضرورة، ومن دون اللجوء إلى الضرب.

الضرب سيُستعمل في مرحلة لاحقة، لا في مرحلة الدرج، فإذا وجدتِ أنك تفقدين صبرك وسيطرتك على نفسك في معاملتك مع طفلك، وبدأت تضربينه في كثير من الأحيان، فعند ذاك لا بد لك من طلب مساعدة متخصّصة لتحديد سبب مشكلاتك الانفعالية في التعامل مع طفل في هذا العمر.

أحد الأسباب التي تدفع العديد من الأمّهات إلى ضرب أطفالهن هو أنهنّ يفسّرن سلوك الطفل على أنه سلوك مقصود ويهدف إلى الأذى. على سبيل المثال فإن

أمّا تجد أن طفلها الدارج دخل الى مكتبتها ومزّق صفحات من أحد كتبها المفضّلة، تظن أنّ الصغير يتصرّف بطريقة كريهة ومؤذية، وبالتالي تضربه. لكنّ الأمر ليس كذلك. لو أن طفلًا في الرابعة هو من فعل ذلك، رُبّما عُدّ تصرّفه عدائيًا ومؤذيًا، ولكن ذلك لا ينطبق على حالة طفل دارج. بالنسبة إلى هذا الطفل فإن تمزيق صفحات كتاب هو مجرد جزء من بحثه العلمي في عالم الكتب. وهو قد لا يكتفي فقط بتمزيق الصفحات، بل سيضع بعضها على الأرجح في فمه.

على الوالدة أن لا تخلط بين سلوك طبيعي لطفل دارج يستكشف بيئته وبين سلوك عدائي لطفل أكبر سنًا. لا يجوز أن نعاقب طفلًا دارجًا لكونه يتصرّف بما يتلاءم مع عمره.

إحدى القضايا الشائكة التي تواجهها العديد من الأمهات في توجيه أطفالهن هي قضية الأكل. فالعديد من مشكلات التغذية النمطية تتطوّر خلال مرحلة الدرج أو بداية المشي.

ليس هناك أيّ سبب، ليكون لدى طفل دارج مشكلات غذائية، ما لم يكن الأمر يتعلق بإعاقة بدنية. السبب الوحيد من وجهة نظر علم النفس لكون طفل دارج يواجه مشكلات غذائية هو أن والديه لم يكونا معلمين ماهرين في هذا المجال.

فكري بما يحدث عادة. في الوقت الذي يبلغ فيه طفل صغير عامه الأوّل، يميل عادة إلى أن يصبح صعبًا ومتطلّبًا في ما يخص غذاءه، وربما يأكل كمّيات أقل. وهذا أمر يجب أن لا يدهشنا لأنه لو كان الطفل يستمرّ في الأكل بالطريقة التي كان يفعلها خلال السنة الأولى من عمره، فسوف يتحوّل إلى نسخة مصغّرة عن الرجل السمين في السيرك.

في الحقيقة، يكتسب الطفل في هذا العمر فردية أكبر في تفضيلاته الغذائية. وأيضًا، مثل الكبار، تتبدّل شهيّته للطعام من يوم إلى آخر. ولكنّ الأم قد تعتقد أنّ طفلها لا يتناول ما يحتاج إليه من الطعام. وبسبب شعورها بالقلق والخطر، تبدأ بالضغط عليه، لتجبره على الأكل.

«أكمل طعامك يا تومي، حتى تصبح كبيرًا وقويًا» وهكذا تبدأ الدوّامة. كلما ضغطت الأم أكثر أصبح طفلها أكثر عنادًا. وكلما قلّ أكل الطفل، أصبحت الأم

أكثر عصبية وقلقًا وأصبحت تدفعه وتداهنه أكثر ليأكل. وقريبًا سيصبح لدى الأم مشكلة كاملة بكل ما للكلمة من معنى، كانت في غنى عنها.

كل هذا لا داعي له. لماذا؟ لأننا نحن الآباء والأمهات لدينا حليف عظيم إلى جانبنا إذا استخدمناه بحكمة: الرغبة الطبيعية في الطعام عند الطفل. إذا وضعنا وجبة غذائية متنوّعة ومتوازنة أمام طفل وتركناه وحده، فسيتناول ما يكفي من الطعام ليكون صحيح الجسم وقويًا. لكن علينا أن نحترم فرادته الشخصية في اختيار عاداته الغذائية. علينا أن نسمح لذائقته بالتغيّر من شهر إلى آخر، ولشهيّته بالتغيّر من يوم إلى آخر. لنفترض مثلًا أنه امتنع فجأة عن الخضار والفواكه التي كان يحبّها الأسبوع الماضي، وماذا في ذلك؟ أعطيه الحرّية لكي يتحوّل عن هذه الأنواع من الطعام ولا تحاولي إجباره أو تتملقي له لكي يأكلها. إذا قدّمتِ إلى طفلك الدارج وجبات متكاملة، صحّية ومتنوّعة ومتوازنة وتركته ليأكل بالطريقة التي يريدها، فلن تعاني مشكلة تغذية معه أبدًا.

إن مرحلة الدرج هي الفترة التي يميل فيها الأطفال للعبث بالطعام وتضييع الوقت به. وهذا أمر يعود في جزء منه إلى شهيّته المتناقصة، وفي جزء آخر إلى وجود أشياء أخرى أكثر جذبًا من الطعام بالنسبة إليه. وما أعنيه بهذه «الأشياء الأخرى» هو نشاطات أكثر جاذبية من الطعام، مثل العبث بالطعام نفسه أو الطرق بالملعقة على الصحن فوق الطاولة أو رمي الأشياء على الأرض. وهذه التصرّفات تكون مزعجة جدًا للأم. ولكن يجب أن نقرّ بأن هذا شيء طبيعي يفعله طفل في هذا العمر. وهو لا يتعمّد فعل ذلك لاستعداء والدته أو استفزازها.

ولكن، كيف تتكيّفين مع هذا الوضع؟ في بعض الأحيان سيكون عليك تجزئة الوجبة على فترات يتخللها بعض اللعب والإلهاء. في أحيان أخرى، عندما ترين أنه لا يبدي اهتمامًا بالطعام وأنه يريد اللعب، افترضي أنه تناول كفايته، ودعيه ينزل من كرسيّه وضعي الطعام جانبًا، فإذا بدأ، حالًا، بالبكاء والشكوى من أجل الطعام فأعطيه فرصة ثانية.

والآن نأتي إلى السؤال الجوهري وهو: كيف نعلم طفلًا دارجًا أن يأكل بنفسه؟ والجواب بسيط: أعطيه فرصته. إذا أعطيت الفرصة لرضيع في الشهر السادس

لكي يمسك قطعة حلوى أو ما يشبهها ويستعمل أصابعه، فأنت بذلك تحضرينه ليتعلم استخدام الملعقة لاحقًا. الطفل الذي لم تُتح له الفرصة لكي يستخدم أصابعه في الأكل وهو ما بين الشهرين السادس والثاني عشر من عمره، مرشح للتأخر في تعلم استخدام الملعقة في ما بعد.

عندما يكمل طفلك عامه الأول أو قريبًا من ذلك، من المحتمل أن يبدأ بجذب الملعقة إليه أو أن يعطي إشارات أخرى بأنّه جاهز لينال فرصة في تغذية نفسه بنفسه. أعطيه هذه الفرصة إذًا. لا شك أبدًا في أنك تستطيعين إطعامه بالملعقة بسرعة أكبر وبطريقة أكثر فعالية، ولكن لا تستسلمي لهذا الإغراء، فاستمرارك في إطعامه بنفسك لن يساعده في تنمية ثقته بنفسه وروح المبادرة لديه. صحيح أنه لن يكون قادرًا على إكمال وجبته كلها بنفسه وأنه لا يزال يحتاج إلى مساعدتك، ولكنه بالتدريج سيرغب في الحصول على الفرصة لكي يأكل معتمدًا على نفسه.

خلال الفترة المبكّرة من مرحلة الدرج، أي بين الشهرين الثاني عشر والسادس عشر، يودّ معظم الأطفال تعلّم الأكل بالملعقة، فإذا لم تتيحي له الفرصة في هذا العمر وأجّلت الأمر إلى عمر أكبر، لنقل إلى عمر السنتين، فلن يكون الأمر عندئذ مغريًا وجاذبًا له كما كان من قبل، وسيريد في هذه الحالة أن تستمرّ أمه في إطعامه بنفسها.

إن الأمر الذي عادةً ما تواجه فيه الأمهات أكبر الصعوبات في هذه المرحلة هو التدريب على استعمال المرحاض. والكثير من الكتب عن تربية الأطفال يكتنفها الغموض في هذا الموضوع. عادةً، إن الأم التي تحاول تدريب طفلها الأول تتخبّط في الظلام. والقضيّة الأساس في هذا المجال هي الوقت الذي نبدأ فيه التدريب. إن معظم الامهات يتلهّفن ويستعجلن للوصول إلى الوقت الذي يتخلّصن فيه من الحفاضات. ومن يستطيع لومهنّ على ذلك؟ فلا شك في أن تغيير الحفاض عمل مزعج وقذر. وإنه ليوم مشهود ذلك اليوم الذي يتخلص فيه طفل صغير من حفاضاته ويصبح باستطاعته أن يقضي حاجته معتمدًا على نفسه. ولكن علينا أن نفكر في أيّ مرحلة من مراحل النموّ يكون أمرًا معقولًا ومنطقيًا أن نتوقّع من الطفل إنجاز هذه المهمة.

كما بيّنتُ في الفصل السابق، فإن معظم الأطفال ليس لديهم النضج العصبي-العضلي اللازم لكي يكون بإمكانهم السيطرة والتحكم في الأمعاء والمثانة، إلى أن يبلغوا عمر السنتين تقريبًا. ومحاولة تدريبهم قبل بلوغ هذا العمر ما هي إلا كارثة نفسية، أو مجرّد مضيعة للوقت والجهد للأم والطفل على السواء. لذا عليكِ إسقاط فكرة تدريب الطفل على استعمال المرحاض من اعتبارك إلى أن يبلغ السنتين من العمر.

وسوف نتطرّق إلى هذا الموضوع في الفصل التالي عندما نصل إلى المرحلة التالية من النموّ.

ربما تلتقين بإحدى جاراتك وهي تتباهى بالقول: «لقد درّبت طفلي الصغيرعلى النظافة وهو لمّا يزل في الشهر الخامس عشر ولم تكن هناك مشكلة على الإطلاق». ربما يعجبك هذا التصريح وتتساءلين إن كنت ستفعلين الأمر نفسه عندما يبلغ طفلك الشهر الخامس عشر من عمره أيضًا. ولكن ما لا تعلمينه أنت وجارتك هو أن طفلها الصغير قد يعود إلى تبليل فراشه فجأة عندما يصبح في الرابعة أو الخامسة من عمره وقد يستمر في ذلك لسنوات عديدة بعد ذلك. لذا عليك الهدوء والاسترخاء وتأجيل تنفيذ هذه المهمّة إلى وقت لاحق، عندما يصبح في السنّ الملائمة لذلك.

أريد الآن أن أعالج موضوعًا حسّاسًا بالنسبة للأمهات: موقف الطفل من جسمه.

دعونا نفترض أن أمًا تحمّم طفلها الدارج ذا الخمسة عشر شهرًا. إنه يستكشف جسمه بسعادة ومتعة، ويكتشف كل هذه هذه الأشياء المثيرة والغريبة عن نفسه. إنه يلعب بأذنيه ويشدّ شحمتيهما فتقول الأم: «أوه، ما أجملك وأنت تلعب بأذنيك». والآن ها هو يكتشف قدميه ويبدأ باللعب بهما، وتهتف الأم: «ما أجمل الطريقة التي يلعب بها بقدميه». وفجأة يكتشف قضيبه ويبدأ باللعب به، فهل تقول الأم عندئذ: «أوه، ما أجمله وهو يلعب بقضيبه»؟ إن ذلك لا يحدث عادة. بل إنها قد تضربه على يديه وتقول له: «كلا، كلا، هذا ليس أمرًا جيدًا»، أو ربما تلهيه أو تفعل شيئًا يوحي إليه أن ما يقوم به هو أمر خاطئ ومشاغب. أنا واثق من أن هذه الأحداث المحزنة تحدث في بيوت كثيرة.

مـاذا تعلّـم الأم طفلها الصغير عندما تتعامل بهذه الطريقة مع حالة كهذه؟ قبل أيّ شيء آخر، لنوضح أنّ ما يُدعى القضية الجنسية هو أمر مجهول تمامًا بالنسبة للأطفـال الدارجيـن، إنهـا موجودة فقط في عقل الأم. بالنسـبة إلـى طفل دارج، قضيبـه ليـس أكثـر جذبًـا لاهتمامه من أذنيـه أو قدميه. نحن الكبـار من ندفعه إلى الاهتمام السـقيم بأعضائه التناسـلية عندما نعطي أهمية كبيرة لها، ونعطيه الانطباع بأن الأعضاء التناسلية هي أمر محرّم أو محظور من بين أعضاء جسمه.

عندما تتعامل الأم مع حالة كهذه بالطريقة التي وصفتها سابقًا فإنها تبدو كأنها تقول لطفلها: «إن أذنيك جميلتان ولا بأس بأن تلعب بهما، وأصابعك جميلة ولا بـأس بـأن تلعـب بها، وإن قدميـك جميلتان ولا بأس بأن تلعـب بهما، لكنْ هناك شيء سيّئ وكريه حول أعضائك التناسلية. هذا الجزء من جسمك ليس جميلًا».

لو شـئنا، لاسـتطعنا عامدين أن نعلّم أطفالنا أن يكون لديهم مشـاعر الذنب (أو الافتتـان) نفسـها حيال أقدامهم مثلما هو الأمر بالنسـبة إلـى معظم الأطفال مع أعضائهم الجنسـية. كيف نسـتطيع فعل ذلك؟ الأمر سهل. إذا لمس طفل قدمه نسارع إلى ضربه على يديه ونقول «مشاغب! مشاغب! لا تلمس هذه الأشياء». سـوف نعمل علـى تغطية القدمين طـوال الوقت فنقول أيضًـا: «البس جواربك. هل تريد للجميع أن يروا قدميك؟». وعندما نعلمه أسماء أعضاء جسمه نتجاهل متعمّديـن تعليمه اسـم «قدميه» بكل طريقة ممكنة، إننا بهذا الأسـلوب نجعل قدميه أمرًا محرّمًا محظورًا (تابو).

ما هي المواقف والمشـاعر التي سـيطوّرها الطفل لاحقًا إذا عومل بالطريقة التي فرغـتُ للتـو مـن وصفهـا؟ من جانب أول، سـوف يكـون هناك نوع جديـد تمامًا مـن لعبـة «الدكتـور» التقليديـة، إذ سـيتحوّل كل الفضـول الـذي يكتنفهـا نحو القدميـن. سـوف يهمـس طفل في السـنة السادسـة من عمره بخجـل إلى رفيقه قائـلًا «سـوف أجعلك ترى قدميّ إذا سـمحت لي برؤية قدميـك». وعندما يكبر هؤلاء الأطفال ليصبحوا رجالًا كبارًا، سوف يذهبون لمشاهدة نوع مختلف تمامًا مـن الاسـتعراضات في النـوادي والبارات. وبـدلًا من عروض التعـرّي المعهودة سوف يتوجّهون إلى رؤية عروض تعرّي القدمين. ولن يمانعوا في دفع مبلغ جيّد لرؤية نساء شابات يتقافزن على المنصة ويخلعن ببطء وإثارة جواربهن ويُظهرن

«أقدامهنّ». حالة مثيرة للشفقة. أليس كذلك؟ بالطبع. إن السبب الوحيد الذي ينجينا من وجود مثل هذه العروض هو أننا أكثر حكمة من أن نتعامل بهذه الطريقة مع صغارنا عندما يسكتشفون أقدامهم، مقارنة بما يحدث عندما يستكشفون أعضاءهم التناسلية.

كيف يجب أن نتعامل مع الأمر عندما يكتشف طفل دارج أعضاءه التناسلية؟ تمامًا كما نتعامل معه عندما يكتشف أيّ عضو من أعضاء جسمه الأخرى. وبهذه الطريقة، لن تكون أعضاؤه الجنسية أماكن محظورة ومحرّمة (تابو) مرتبطة في عقله بمشاعر الخزي والذنب. وبهذا نكون قد خطونا خطوة كبيرة باتجاه جعل نموّ طفلنا أكثر صحّة وإيجابية تجاه الجنس وتجاه جسمه.

يجب أن نعلم أطفالنا الدارجين أسماء أعضائهم الجنسية كما نعلمهم أسماء الأعضاء الأخرى من أجسامهم. وعلى العموم، فإن ثقافتنا تميل إلى تجاهل أسماء هذه الأعضاء. تحب الأمهات عادة تعليم أطفالهن أسماء أعضائهم وأن يلعبن معهم على الشكل التالي: «أين أنفك؟ ضع إصبعك على أنفك. ابحث عن أذنك. ضع إصبعك على أذنك». ولكن هل تستمرّ في اللعب لتقول: «ابحث عن قضيبك. ضع إصبعك على قضيبك»؟ على الأرجح أن الجواب هو لا.

ولسوء الحظ، فإن المختصّين وعامة الناس على السواء يحاولون تجنّب تعليم الأطفال الكلمات الخاصة بالأعضاء الجنسية. وعلى سبيل المثال، فإن كتابًا معروفًا يتبنّى فكرة تشجيع الأم أطفالها على القراءة، يعطي هذه الكلمات كأمثلة على ما يمكن تعليمه للطفل: يد – ركبة – ساق – رأس – أنف – شفاه – أقدام – رجل – عين – أذن – ذراع – ضرس – بطن – فم – مرفق – إبهام – إصبع – لسان – وكتف. قائمة تخلو من أيّ كلمة لها علاقة بالأعضاء الجنسية، رغم أنها تحوي بعض الكلمات الصعبة نسبيًا على طفل دارج، مثل مِرفق وكتف.

علينا إذًا أن نعلّم طفلنا الدارج كلمات مثل قضيب وثدي وشرج مثلما نعلمه كلمات مثل قدم وإصبع ورِجل، فإذا فعلنا ذلك فستكون لديه مشاعر من القبول لهذه الأجزاء من جسمه. وسنساعده بذلك على تجنّب مشكلات جنسية في المستقبل.

الأطفال في مرحلة النمو هذه – مرحلة الدّرج أو الخطوات الأولى – ليس لديهم أيّ اهتمام بالجنس أو بأعضائهم الجنسية على السواء. نحن من نلقّنهم اهتمامًا مرضيًا فاتنًا مشبعًا بالذنب عن الجنس عندما نتعامل مع الأعضاء التناسلية كأجزاء محرّمة ومحظورة (تابو) من أجسامهم. أمّا إذا امتنعنا عن فعل هذا مع أطفالنا الدارجين، فلن يكون لديهم اهتمام خاص بالجنس في هذه المرحلة من نموّهم.

نستطيع أن نوجز عملية النموّ في مرحلة الطفولة الدارجة هذه بجملة واحدة: إنه عمر الاستشكاف. إن طفلك الدارج هو باحث علمي صغير، لا يكلّ عن استكشاف البيئة التي يجد فيها نفسه. إنه يستكشف بيئته الفيزيائية بما فيها جسمه الخاص. إنه يحتاج إلى تنمية عضلاته الكبيرة وعضلاته الصغيرة، ويحتاج إلى فرصة كبيرة لاستعمال هذه الطاقة الهائلة التي وُهبت له. ولكن المبدأ الأهم والأشمل الذي علينا أن نتذكّره هو أنّ كلّ ما يقوم به من استكشاف يجب أن يكون من أجل تنمية ثقته بنفسه. يجب أن يتعلم الشعور بالثقة وبقدراته المتنامية على المشي والجري والتسلق والقفز، أن يبني بالمكعّبات، أن يلعب بالسيارات والشاحنات، أن يلعب بالرمل والتراب والماء، أن يلعب بالدمى، أن يلعب بالإيقاعات والأصوات، أن يلعب ويتواصل مع أمه، أن يناغي ويلعب بالاصوات وأنماط الكلام مع تنامي قدراته اللغوية، أن يلعب بالكتب وأن يكون هناك من يقرأ له من الكبار.

إذا أتيح له اللعب والاستكشاف بحرية في بيئة محفزة، فسوف يكتسب مشاعر من الثقة بنفسه، وهذه المشاعر ستشكل العدسة الثانية في نظّارة مفهومه الذاتي عن نفسه. ولكنه إذا وُوجه دائمًا بسيل من اللاءات فسوف يكتسب مشاعر من الشك الذاتي بنفسه ستكون مدمّرة لمبادرته وحيويته عندما يصبح بالغًا.

في عمر الاستكشاف هذا، فإن أثمن ما تقدّمينه لطفلك الدارج هو حرية الاستكشاف. وهذا سوف يتطلب صبرًا وحلمًا منك كأم. سوف تفقدين صبرك في بعض اللحظات عندما تواجهين في نهاية يوم مليء باللعب، منزلًا يبدو كأنّ عاصفة ضربته. ولكن تذكري أن تلك البيوت الجميلة والمزيّنة التي ترينها، والتي تبدو كأنْ لا أطفال يعيشون فيها، لن تكون قادرة على تنشئة أطفال واثقين من أنفسهم.

إن أمًّا لديها طفل دارج في بيتها سيكون أمامها واحد من خيارين؛ فإما أن تختار بيتًا نظيفًا لا عيب فيه، وتربّي فيه طفلًا مليئًا بالشك في نفسه، أو أن تختار بيتًا فوضويًا، تتناثر فيه الأشياء من حين إلى آخر، وتربّي فيه طفلًا مليئًا بالثقة بنفسه. إذا ما رسَوْت على الخيار الثاني فستقدّمين أفضل انطلاقة ممكنة لطفلك إلى المرحلة التالية من النموّ وهي: مرحلة المراهقة الأولى.

4

مرحلة المراهقة الأولى

الجزء الأوّل

تبدأ مرحلة الطفولة المسمّاة بالدّرج عندما يبدأ الطفل بالدرج أو بالمشي عند بلوغه السنة الأولى من العمر تقريبًا، وتستمرّ حتى بلوغ السنتين تقريبًا.

ولكن إذا أردنا أن نطابق بين حالة ابني الأصغر وهذا الجدول الزمني فسوف نرى أنه دخل مرحلة الدرج عندما بلغ شهره التاسع، وهي الفترة التي بدأ فيها المشي.

وهذا الجدول الزمني النمطي يستلزم دخوله في سنّ ما أسمّيه «المراهقة الأولى» عند بلوغه السنتين من العمر، إلا أنه بدأ هذه المرحلة عند بلوغه شهره العشرين. كيف علمنا ذلك؟ لقد أعطى إشارة واضحة مؤكدة على تجاوزه لمرحلة الدرج عند بلوغه شهره العشرين، فلو سُئل خلال مرحلة الدرج هل يريد شيئًا لأجاب «لا – لا» بطريقة هادئة وبنبرة متحفظة، من غير أن يحدث جلبة كبيرة حول هذا الموضوع. ولكن عندما أصبح في شهره العشرين، وفي غضون أسبوع واحد، بدا لنا فجأة كأننا نتعامل مع ولد جديد تمامًا، فلو سألناه الآن هل يريد شيئًا لأجاب صائحًا: «لا، لا، أنا لا أريده».

وحالما يبدأ بالتصرّف بطريقة كهذه فإننا نعلم أنه، على الرغم من أنه لا يزال في الشهر العشرين من عمره (من الناحية الزمنية الشكلية)، قد دخل في مرحلة جديدة من النمو. لقد بلغ، من الناحية العاطفية، مرحلة «المراهقة الأولى».

إن توقيت مراحل النموّ هذه يختلف من طفل إلى آخر، فكل طفل يمرّ بمراحل النموّ بالترتيب المذكور في هذا الكتاب، ولكن كل واحد منهم يفعل ذلك بمعدل سرعة خاصّ به، فهو أسرع في نقطة معيّنة، وأبطأ في نقطة أخرى.

عندما أضع وصفًا نمطيًا للخصائص السلوكية لطفل يبلغ العامين من العمر وفي مرحلة المراهقة الأولى، فإن خمسين في المئة تقريبًا من الأطفال في المرحلة العمرية نفسها سيكون سلوكهم على هذا النحو، وخمسة وعشرين في المئة سيكونون قد تجاوزوا هذه المرحلة بالفعل، وخمسة وعشرين في المئة لم يبلغوها بعد.

لذا، لا تستخدمي هذه الأوصاف المعمّمة لمراحل النموّ النمطية كنماذج يتحتّم على طفلك أن يمرّ خلالها بالضبط كما هو موصوف، بل تعاملي معها كدليل ومؤشر فقط على الاتجاه المُحتمل للتغيّرات التي سيختبرها طفلك خلال عملية نموّه ونضجه. المهمّ أن تعرفي ترتيب هذه المراحل. ولكن طفلك سيطبع بطابعه الخاص كل مرحلة يمرّ بها.

إن نموّ الطفل لا يسير بسلاسة وعفوية في اتجاه السلوك الناضج. بل إن النموّ والتطوّر يتمان عادة عبر مراحل من التوازن متبوعة بمراحل من اختلال التوازن. وعلى سبيل المثال فإن مرحلة الدرج هي مرحلة من التوازن تتبعها مرحلة المراهقة الأولى (من الثانية إلى الثالثة من العمر) التي هي مرحلة من اختلال التوازن. وهذه المرحلة بدورها تتبعها مرحلة عمر الثلاث سنوات، وهي مرحلة توازن، ثم تأتي مرحلة الأربع سنوات وهي مرحلة اختلال توازن وبعدها مرحلة عمر الخمس سنوات وهي مرحلة أخرى من التوازن. وللغرابة، يبدو أن الطبيعة قد رتبت الأمر بطريقة بسيطة لتذكيرنا بهذه المراحل، حيث تدلّ الأرقام الفردية (سنة واحدة، ثلاث سنوات، خمس سنوات) على فترات من التوازن، بينما تدل الأرقام الزوجية (سنتان، أربع سنوات) على فترات من اختلال التوازن.

إذا أردتِ وضع تعريف بسيط للتوازن واختلال التوازن بحيث يكون مفهومًا بالنسبة إلى كل الأمهات، فسيكون هو الآتي: عندما يكون الطفل عادة مصدرًا للسعادة (كما في عمر ثلاث سنوات) فهو في مرحلة توازن. وعندما يتصرّف كوحش بغيض (كما في عمر سنتين) فهو في مرحلة من اختلال التوازن.

المراهقة الأولى هي مرحلة انتقالية – إنها المرحلة الانتقالية الأولى في قصّتنا عن نموّ الطفل ونضجه – وقد أطلقتُ عليها اسم «المراهقة الأولى» بسبب

تشابهها المدهش والواضح مع سنوات المراهقة الحقيقية، التي يمكن أن نطلق عليها اسم «المراهقة الثانية».

المراهقة هي فترة انتقالية بين الطفولة والرشد، فالطفل قبل سنّ المراهقة يتصرّف في إطار الحدود التي وضعها له والداه. إنه ليس ناضجًا بما فيه الكفاية بعد ليستطيع الاعتماد على نفسه ويضع الحدود والقواعد التي يسير عليها، ولكن، ضمن الحدود الموضوعة من والديه، فقد تمكن الطفل من اكتساب توازن نفسي معيّن. ولكي يحقق قدرًا أكبر من التوازن كبالغ فإن عليه البدء بكسر توازن الطفولة. وحالما يستطيع الوالدان استيعاب هذه الفكرة الجوهرية، تصبح التنوّعات المذهلة في سلوك المراهقة قابلة للفهم والإدراك. يستطيع الآباء والأمهات عندئذ فهم سبب الاحتياج النفسي للمراهق للإعجاب بنوع مختلف من الموسيقى، ولتغيير تسريحة شعره، وللبس بطريقة مختلفة، وعمومًا، التصرّف بطريقة معاكسة لتلك المتعارف عليها عند الكبار.

وكما يقول مارك توين: «عندما كنت في السادسة عشرة كنت أعدّ والدي أغبى رجل في هذا العالم. ولكن عندما أصبحت في الحادية والعشرين أدهشني تمامًا مقدار ما تعلمه هذا الرجل العجوز في السنوات الخمس المنصرمة».

المراهقة الثانية هي مرحلة انتقالية بين الطفولة والرشد. والمراهقة الأولى هي مرحلة انتقالية بين الطفولة المبكرة والطفولة الأكثر نضجًا. وكلتاهما مفعمة بالهيجان والتوتّر، وكلتاهما تشتمل على السلبية والتمرّد.

من المهم للأم أن ترى الجوانب الإيجابية في هذه المرحلة من اختلال التوازن في النموّ.

وفي أوساط الأمهات المثقفات تُعرف هذه المرحلة بـ«الفترة المرعبة» وهي مخيفة فعلًا. ولكن دعونا ننظر إليها على النحو الآتي. فلنأخذ طفلًا جوّالًا (كثير الحركة) في عمر ما بين ستة عشر وثمانية عشر شهرًا. إنه ما زال في مرحلة مبكرة من الطفولة، فكيف تستطيع الطبيعة جعله يصبح في عمر ثلاث سنوات، مع كل خصائص النضج النفسي المميّزة لكونه لم يعد ذلك الطفل في المرحلة المبكرة من الطفولة بل تجاوزها إلى مرحلة أكثر نموًّا وتطوّرًا؟ إن

الطبيعة تستطيع ذلك فقط عن طريق تحطيم أنماط التوازن التي اكتسبها وهو طفل رضيع، وإن يكن طفلًا رضيعًا جوّالًا. ولهذا السبب فإننا عندما نرى طفلنا الصغير يبدأ بالصراخ «لا، لا» في عمر عشرين شهرًا، نعلم أن أنماط التوازن عنده كطفل رضيع قد بدأت بالتحطم. ورغم أن سلبيّة وتمرّد طفلك في عمر السنتين هذا سوف تسبّب لك أوقاتًا عصيبة كوالدة، عليك أن تتذكري أنّ ما يحدث هو في الواقع مرحلة إيجابية في نموّ طفلك وتطوّره. وبدونها سيبقى عالقًا في مرحلة التوازن الخاصة بسنّ الرضاعة (السنة الأولى).

قبل سنوات عديدة كتبت إليّ صديقة غير ملمّة كثيرًا بعلم نفس الطفل، ولديها طفلة عمرها عامان ونصف تقريبًا. وقد أخبرتني بما حصل معها مرّة، إذ كانت قد اصطحبت معها ابنتها إلى مركز تجاري وفجأة جثمت الصغيرة على الأرض ورفضت أن تتزحزح إنشًا واحدًا من مكانها. لقد أذهلت المفاجأة الأم تمامًا إذ لم يسبق للبنت أن فعلت أيّ شيء مشابه من قبل.

سألتني: «لماذا تتصرّف بهذه الطريقة؟» وربما كان أبسط جواب أستطيع تقديمه إليها هو: «إنها تتصرّف على هذا النحو لأن عمرها سنتان ونصف السنة».

لو أن هذه الأم قرأت الوصف الذي يقدّمه الدكتور غيسيل في كتابه *Infant and Child in the Culture of Today* لعرفت في الحال لماذا تتصرّف ابنتها بهذه الطريقة: «ولو أن اقتراعًا أُجري بين أمّهات أطفال إحدى حضانات الأطفال لتحديد العمر الأكثر إغضابًا واستفزازًا لهنّ في مرحلة ما قبل المدرسة، فمن المرجّح أن ينال عمر السنتين ونصف شرف الفوز، لأنه عمر التناقضات الحادة. لذا يكثر فيه ضرب الأمّهات لأطفالهن».

الطفل في هذه المرحلة ليس عضوًا جيدًا في أيّ مجموعة اجتماعية، وهو ليس مهيّأً في الحقيقة لعلاقات جماعية مع رفاقه. إنه ما زال يحتاج إلى الأم. فالأم هي شمسه التي يدور حولها مثل كوكب تابع.

إنه يُظهر ميلًا للقسوة والتعنّت، فهو يريد أن يحصل على ما يبغي الحصول عليه في الوقت الذي يريده، وهو يريده في الحال. من الصعب عليه التوصّل إلى

تسـويات، أو التنـازل قليـلًا، أو التكيّف بسـهولة. كل شـيء يجـب أن يبقى على حاله، وهو سـيعترض بطريقة عنيفة إذا غيّرت والدته كلمة أو غفلت عن أخرى وهـي تقـصّ عليـه حكايتـه المفضّلة. وهـو يضع لأيّ شـأن منزلي تسلسـلًا صارمًا مـن الخطوات ويصـرّ على أن تجري الأمور وفق تلك الطريقة تحديدًا. إنه يذكّرك برجـل عازب، شـديد الدقّة، متطلّب للكمال، وشـديد التمسّـك بأسلوب حياته الخاص. ولكنّ طفلك يستطيع تغيير طلباته فجأة وبطريقة عنيفة ولمئة وثمانين درجـة، فإذا قدّمت له عصيرًا في كأس فسـيطلب كوبًـا، واذا قدمتِ العصير في كوب فسيطلبه في كأس.

إنه مستبدّ وكثير التطلّب، ويحبّ إعطاء الأوامر، ويتصرّف كملك صغير، كحاكم للبيت. وقد يحاول فعل شيء، من الواضح أنه لا يمكنه فعله، كربط شريط حذائه بنفسـه، بينما سـيرفض، غاضبًا، أيّ مسـاعدة. وبعد ذلك، عندما يشعر بالعجز، سيبدأ بالبكاء ويقدّم مشهدًا مسرحيًا عنيفًا، وقد يلومكِ على عدم مساعدته.

هذه مرحلة انفعالات عنيفة، ضغط وتوتّر، وتغيّرات متكرّرة في المزاج. إنه عمر التطرّف. يصعب على الطفل فيه اتخاذ قرار بسـيط وواضح يسـتقرّ عليه. سـوف يتمـزّق بيـن مشـاعره المتناقضـة: من «أنـا أريده» إلـى «أنا لا أريـده». ان قرارًا بسـيطًا فيما إذا كان يريد التوقف عند البائع للحصول على آيس كريم يمكن أن ينشأ عنه أحد التذبذبات العنيفة في اتخاذ القرار.

يمكننا تشبيه الطفل في هذه المرحلة بشريط مشروخ. فهو يغدو ويروح مكرّرًا نمطًا معيّنًـا مـن التصرّفات والكلمات إلـى أن تفقد الأم صوابهـا. وفي الغالب، يصعب تقديم أشياء جديدة إليه، كالأطعمة والثياب، فهو يرغب في الطمأنينة الناتجة عن القديم والمألوف. وهذا ما يجعله محبًّا للطقوس، فكل شيء يجب أن يسير بطريقة محدّدة وبروتين مضبوط محدّد. إن الطفل في عمر سنتين ونصف هو طفل مشهور بالصرامـة والتصلّب، وعندما تكون بمواجهته والدة لها الصفات نفسـها يجب أن نكـون فـي غاية الحـذر. إن وضع الطفل في هذه المرحلة يشـكل ضغطًا هائلًا على إرادتنا وصبرنا فقدرته على المشاركة والانتظار والتناوب محدودة جدًا.

وفي الجانب الإيجابي، يكون الطفل في هذه المرحلة نشـيطًا، متحمّسًـا ومفعمًا بالحيوية، وإذا تفهّمت الأم جيدًا طبيعة طفلها في هذه المرحلة فستتمكن من

الاستمتاع بميّزات شخصيته الفاتنة. سوف يسحرها في بعض الأحيان بحيويته وسذاجته وإعجابه بالجديد والطريف في العالم الذي يراه، بكرمه وخياله وحماسته الشديدة للحياة.

ماذا يتعلم الطفل في هذه المرحلة من النموّ؟ إن والدة طفل في مرحلة المراهقة الأولى ربما تجيب بالطريقة نفسها التي تجيب بها والدة مراهق حقيقي: «لا أستطيع أن أرى أنه يتعلم أيّ شيء باستثناء كيف يكون كريهًا ويُغضب والدته». ولنكن صرحاء، إن هناك جزءًا كبيرًا من الحقيقة في شكوى هذه الأم المكروبة.

ولكن إذا تعمّقنا في النظر في ما وراء هذه المنغّصات اليومية، يجب أن تعلمي أن طفلك في هذه المرحلة من النموّ يتعلم إدراك «الهويّة الذاتيّة» في مقابل «المسايرة الاجتماعية» (وهي نسخة مصغّرة من المهمّة الارتقائية نفسها التي سيقوم بها خلال سنوات المراهقة الحقيقية لاحقًا في حياته).

تذكّري أن صغيرك قد وُلد بدون إدراك لمعنى «الذات» أو «الأنا». وسيستغرق الأمر منه بعض الوقت ليتعلم فصل «أنا» عما هو «ليس أنا» في محيطه. وهذه المرحلة من النموّ هي الأولى التي يكتسب فيها طفلك الصغير إدراكًا حقيقيًا عن نفسيته وذاتيته الفريدة. وأحد الأمور التي عليه أن يقوم بها ليؤسّس هذا الإدراك لهويّته الذاتية هو التمرّد على والديه وممارسة السّلبية. ولكي يستطيع القيام بهذا التعريف والتحديد لهويته الذاتية، وماذا عليه أن يفعل لإرضائها، فإن عليه اجتياز مرحلة من الرفض والتحدّي لما نريد منه أن يفعله.

وبكلمات أخرى، فإن الهوية الذاتية السلبية هي جزء في الصراع لأجل الهوية الذاتية الإيجابية في هذه المرحلة.

من الصعب التعبير بالكلمات عن الفرق بين إدراك «الهوية الذاتية» عند طفل في مرحلة الدّرج، وعند طفل آخر في مرحلة المراهقة الأولى. فهناك نوعيّة ساذجة وبريئة، ذات اتجاه واحد من الامتداد عند الطفل الدراج، حيث إنه لا يزال، في الأساس، طفلًا رضيعًا، وإن يكن قادرًا على التحرّك. ولكن الطفل في المراهقة الأولى يفقد هذه النوعيّة الساذجة البريئة ذات الاتجاه الواحد للحياة. لم تعد الحياة بالنسبة إليه طريقًا ذا اتجاه واحد بل هي طريق ذو

اتجاهين. وللمرة الأولى في حياته يتصارع مع ميول متناقضة هائلة في نفسه. ومن خلال هذا السلوك يسأل نفسه: «في أيّ طريق أريد الذهاب؟ هل أريد العودة للوراء لكي أكون طفلًا رضيعًا، أم أتقدّم إلى الأمام لأصبح طفلًا أكثر نضجًا، ماذا أريد؟ هل أريد أن أفعل ما يطلبه منّي والداي، أم أريد أن أفعل ما أريده أنا وهو العكس تمامًا؟ أم أن الأمر هو عكس ذلك في الحقيقة؟ ومن هي هذه «الأنا» التي تودّ فعل هذه الأشياء «ومن أكون» أنا «على أيّ حال؟»».

إن مثلًا توضيحيًا من سنوات المراهقة الحقيقية قد يبيّن لنا بجلاء هذا السلوك النموذجي لطفل في مرحلة المراهقة الأول:

ذهبت مراهقة في المرحلة الثانوية، ذات خمسة عشر ربيعًا، برفقة والدتها لشراء ثوب جديد. جرّبت البنت عددًا من الأثواب ولكنها لم تستطع اتخاذ قرار بشأن أيّ منها، وأخيرًا استدارت إلى أمّها وسألتها «أيّ واحد يجب أن أختار برأيك؟» وأجابت الأم: «حسنًا، أظن أنّ ذلك الثوب الأزرق يبدو ملائمًا لك تمامًا». ولكنّ البنت ردّت بنزق قائلة: «أوه، أمّي، إنك تحاولين دائمًا السيطرة على حياتي».

وبعد عدة أشهر، ذهبت الاثنتان للتسوّق مرة أخرى، هذه المرة لشراء ثوب لحفلة المدرسة. ومرة أخرى واجهت البنت صعوبة في اتخاذ القرار، فاستدارت نحو والدتها وطلبت منها إبداء رأيها. ولكنّ الأم، معتقدة بأنها تعلمت الدرس جيدًا من المرة السابقة، أجابت قائلة: «أنا واثقة من أنك قادرة على اتخاذ القرار الصائب بنفسك يا عزيزتي»، الأمر الذي أجابت عليه البنت: «أوه، يا أمي، إنك لا تقدّمين المساعدة لي أبدًا عندما أحتاج إليها!». أصيبت الأم بحيرة شديدة، وعندما روت القصة لي صاحت قائلة: «أظن أنني لن أستطيع فهم المراهقين أبدًا».

الحقيقة أنكِ حالما تملكين مفتاح فهم القضية، سيكون من السهل عليك فهم هذا السلوك المتناقض للبنت، فالمراهقة هي فترة انتقالية بين الطفولة والرشد. في رحلة التسوّق الأولى كانت البنت تشعر أساسًا بالرغبة في أن تكون راشدة وناضجة. وبالتالي فهي لم ترد حقًّا أن تساعدها والدتها في اتخاذ القرار ذلك اليوم. أما في رحلة التسوّق الثانية فقد كانت البنت تشعر بالرغبة في أن

تكون معتمدة على والدتها، ومثل طفلة صغيرة مرة أخرى. ولهذا أرادت من والدتها مساعدتها هذه المرة.

إنّ مرحلة المراهقة الأولى هي على هذه الشاكلة تمامًا. كثيرًا ما يرفض الطفل في هذه المرحلة مساعدة أمه وهو يحاول ارتداء ثيابه بنفسه فيقول لها بحدّة وسخط: «أنا سأقوم بذلك». وفي أحيان أخرى سيكون أكثر نعومة ويعترف بأنه ما زال صغيرًا وأن والدته يجب أن تقوم بذلك بدلًا منه. ومثله مثل المراهق الحقيقي فإن الطفل ذا السنتين من العمر يتأرجح بين الأمام والخلف، من ساعة إلى أخرى، ومن يوم إلى آخر، بين رغبته في أن يكون مستقلًا ورغبته في التمسك بطفولته المعتمِدة على أمه. إنه السيد – نعم ولا –. ولهذا السبب يجب أن تكون القواعد والحدود مرنة في المراهقة الأولى، فمن الخطأ الإصرار على مجموعة معيّنة من القواعد الصارمة بخصوص اللباس والاستحمام وأيّ شيء آخر في هذه المرحلة من العمر. القواعد الصارمة والمطلقة لا تناسب هذه المرحلة من النموّ بكل بساطة، وذلك لأنها مليئة بالمشاعر والدوافع المتناقضة. وعلى العموم، فإن من الحكمة أن يضع الوالدان قواعد وحدودًا متّسقة ابتداءً من بلوغ الطفل الثالثة من العمر تقريبًا. ولكن في الفترة بين عيد ميلاده الثاني والثالث يستطيع الوالدان تبنّي نصيحة إيمرسون الحكيمة: الاتّساق الأحمق هو غول العقول الصغيرة (وهو يعني أن العقول الصغيرة تخاف من الخروج من إطار معيّن في التفكير وتخشى التغيير).

إنّ المهمّة التي يواجهها الطفل في هذه المرحلة من النموّ ستكون اكتساب إدراك راسخ لهويته الذاتية. ولكن، عليه في الوقت نفسه التكيّف (الامتثال) مع ما يتوقّعه منه المجتمع (الوالدان – غالبًا – في هذه المرحلة).

هناك طريقان يمكن أن تسير الأمور فيهما بنحو خاطئ في هذه المرحلة.

الأوّل منهما يذهب فيه الوالدان بعيدًا في تطلبهما للسيطرة والامتثال، وقد يصبح الطفل مسيطَرًا عليه زيادةً عن الحد. وأتذكر الآن ذلك الصبيّ الذي عرفتُه والذي لم يمرّ قط بمرحلة التمرّد المميِّزة لعمر السنتين لأن والدته لم تمكّنه من ذلك، فقد درّبته تدريبًا صارمًا ليكون سلبيًا ومطيعًا. لم تكن تتسامح مع أيّ من تلك الاندفاعات الصبيانية الطفولية أو الفورات الانفعالية المميّزة لتلك

المرحلـة. وبـدلًا مـن ذلك، كانت تكافئ طفلها على كونه هادئًا، سـلبيًا، ولطيفًا. ولقـد «نجحت» في جعل هذه المرحلة سـهلة نسـبيًا عليهـا. ولكنّ هذا لا يمكن أن يُعـدّ «نجاحًـا» لطفلها. فعندما دخل حضانة الأطفال، كان تقرير المعلمة عنه أنـه كان خوّافًـا، ولـم يكن يلعب مع الأطفـال الآخرين ويبقى منعـزلًا، إذ يبدو أن الأم علّمته جيدًا أن يكون هادئًا وسـلبيًا. إلا أن هذا السـلوك يمكن بسـهولة أن يـؤدّي بـه ليكون رجـلًا خجولًا، غير عدوانـيّ، ولكن خائفًا مـن المغامرة وتجريب أشياء جديدة.

لا يتقبّـل كل الأطفـال هـذا النوع مـن السـيطرة الوالدية الزائدة بالسـهولة التي تقبّلـه بهـا ذلك الطفـل، فمن الناحيـة المزاجية هناك أطفال أكثر مشاكسـةً من أطفـال آخريـن. وهـذا النـوع من سيطرة الوالدين الزائـدة قد يلقـى مقاومة من أطفال آخرين، أطفال يصارعون حتى الموت ولا يستسلمون لهذا الوضع. وبذلك تصبـح هـذه المرحلة مـن النموّ سـاحة معركة لـلإرادات بين الوالديـن والطفل. وبغـضّ النظـر عن هويـة الفائز في هذه المعركة فإن الطفل سيخسـر المكاسـب المفترَضة في هذه المرحلة من النموّ والتطوّر.

أحـد الاختلافات الأخرى التي نشـاهدها في مثـل هذه الحالات التي يعاني فيها الأطفـال مـن سـيطرة مبالغ فيها، هـو أن يُظهر الطفـل امتثالًا ظاهريًـا فيما يغلي بالعداوة داخليًا.

وفـي كل مـرة يجـد فيها فرصة، عندما لا يكون أحد ينظر إليه، سـيفرغ قليلًا من هذه العدائية في البيئة المحيطة به. سيكسـر أو يحطم شـيئًا ما، أو يقرص أخته الرضيعة، أو ينخرط في فعل عدواني أو مخرّب. قد ينمو ليصبح في كبره صالحًا، فاضـلًا، ضيّـق الأفـق، متمسّـكًا ظاهريًا بالقواعـد الأخلاقية الورعـة، ولكنه مليء بالعدائية والحقد داخليًا.

هناك مشكلة أخرى من مشكلات السيطرة التي يمكن أن تنشأ في هذه المرحلة هـي مشـكلة الأم التـي تخـاف من ممارسـة السـيطرة، فعندمـا يطلـب ابنها ذو السـنتين والنصـف من العمر شـيئًا، تسـتجيب دائمًـا. وعندما يرفـض الابن أن يلتـزم بالحـدود التـي وضعتهـا، تعـدّل فورًا هـذه الحدود وتدعه يفعـل ما يريد. يتبيّـن لنـا أن الأدوار فـي هذه العائلـة تمارس بطريقة معكوسـة، فالطفل هو من

يدير الأسرة لا الوالدان. ومن هنا تنشأ ما نسمّيها «متلازمة الولد الشقيّ»، فهؤلاء الأطفال لا يتعلمون أيًا من دروس الامتثال الاجتماعي خلال هذه المرحلة من نموّهم، وسوف يواجهون أوقاتًا عصيبة لاحقًا عندما يلتحقون بروضة الأطفال ويجدون أنّ معلمتهم والأطفال الآخرين يطالبونهم بقدر لا بأس به من الامتثال للقواعد. وهو أمر لن يكونوا قادرين على فعله لأن أمهاتهم لم يساعدنهم على تعلم قدر معقول من الامتثال خلال مرحلة المراهقة الأولى.

انظري إلى الراشدين الكبار من حولك. أنا متأكد من أنك ستتعرّفين فيهم إلى بعض الخجولين والهيّابين. وستتعرّفين إلى بعضهم الآخر من بالغي الامتثال والخاضعين تمامًا للسيطرة، الذين يبدون غير قادرين على السماح لأنفسهم بالاسترخاء والانطلاق. إنهم جامدون ومتجهّمون.

أنت تعرفين أيضًا أشخاصًا آخرين دائمي التمرّد، وتعرفين أنهم يتخذون الموقف المضادّ دائمًا في أيّ شيء. وهم في حال كونهم أعضاءً في نوادٍ أو منظمات سيكونون سبب المشكلات الدائم. ومن وجهة نظر سيكولوجية، إنهم يحتاجون دائمًا إلى شيء ما أو شخص ما يتصارعون معه.

إن البالغين الشديدي الامتثال أو الشديدي التمرّد كانوا، دون شك، عرضة لسوء التعامل في طفولتهم الباكرة، والأرجح أن ذلك بدأ منذ مرحلة المراهقة الأولى.

تأديب الطفل

يقودنا موضوع السيطرة الوالدية إلى موضوع آخر وهو التأديب.

إلى أن بلغنا هذه المرحلة من النموّ لم تكن هناك حاجة للتحدّث عن تأديب الطفل بالمعنى الحقيقي للكلمة، فليس هناك سبب حقيقي يدفع الأم إلى تأديب طفل رضيع أو طفل دارج، إذا ما توفّرت له بيئة مناسبة لحاجاته. ولكنّ الطفل في مرحلة المراهقة الأولى يحتاج فعلًا إلى التأديب، وتحتاج الأم إلى معرفة كيفية القيام بذلك.

في هذا الفصل سوف أتحدّث عن التأديب وعلاقته بمرحلة المراهقة الأولى. ولكنني أعتقد أن من المهم أن يكون لديك فكرة عامة عن تأديب الطفل. لذا، قبل أن تقرئي هذا الفصل، أرجو أن تتحوّلي إلى الفصلين الثامن والتاسع المتعلقين بموضوع التأديب وتقرئيهما. وبعد ذلك عودي مرة أخرى إلى متابعة القراءة في هذا الفصل.

إن كنت تقرئين الآن هذه الجملة مباشرة بعد قراءة الجملة الأخيرة من المقطع السابق فهذا يعني أنك راوغتِ ولم تقرئي في الفصل الثامن والتاسع كما اقترحت عليكِ. يا لك من أم مشاغبة!! إنك تقاومين اقتراحاتي تمامًا كما قد يفعل طفل في مرحلة المراهقة الأولى. والآن، لماذا لا نقوم بمحاولة أخرى؟ أطلب منكِ الآن أن تتحوّلي إلى الفصلين الثامن والتاسع. اقرئيهما وعودي مرّة أخرى إلى هذا الفصل وسوف تستفيدين منه أكثر.

أقترح أن نبدأ مناقشتنا هذه لعملية التأديب في مرحلة المراهقة الأولى بأن نسقط كلمتين من قاموس مفرداتنا وهما: صارم ومتساهل. هاتان كلمتان مربكتان. فالأمّهات يسألن دائمًا: «هل أنا صارمة فعلًا؟» أو «هل أنا شديدة التساهل؟». إنهما السؤالان الخطأ والكلمتان الخطأ. فليس هناك من علاقة حتمية بين النجاح والإخفاق في التأديب وبين درجة صرامتنا أو تساهلنا، قلّت أو كثرت.

إن أول ما تحتاج الأم إلى معرفته في التعامل مع طفل، في هذه المرحلة من النموّ خاصة، هو أن تميّز بين المشاعر والأفعال.

وأعني بالأفعال السلوك الظاهري للطفل، كطفل يركض في الشارع بينما أنت تطلبين منه عدم فعل ذلك، أو طفل يضرب طفلًا آخر في الوقت الذي تقولين له أن لا يضرب، أو طفل يلقي الرمل على طفل آخر بينما تخبرينه بأن لا يفعل. هذه كلها أفعال.

وأعني بالمشاعر الانفعالات الداخلية للطفل: كحالة طفل غاضب أو سعيد أو خائف أو محبّ أو خجول.

من المهم للأمهات أن يميّزن بين المشاعر والأفعال، لأن الطفل يستطيع تعلم التحكم في أفعاله ولكن لا يستطيع تعلم التحكم في مشاعره، فمشاعر الطفل

كأفكاره تأتي الى عقله بغير طلب منه. ليست لديه سيطرة على ما يشعر به ولا على الوقت الذي يشعر به.

فلنتحدّث عن الغضب. في بعض الأحيان لا يستطيع الطفل أن يتحكم بمشاعر الغضب والعدائيّة. ومن غير المعقول أن نتوقّع منه السيطرة على هذه المشاعر. ولكن من المعقول أن نتوقع منه أن يتعلم السيطرة على أفعاله التي تعبّر عن هذه المشاعر من خلال سلوك لااجتماعي كالضرب أو إلقاء الرمل أو العضّ.

أول شيء يجب فعله في مرحلة المراهقة الأولى هو مساعدة الطفل على وضع حدود معقولة لأفعاله. ولسوء الحظ فإن الكثيرات من الأمهات قد فهمن خطأ من علم النفس الحديث أن وضع حدود للطفل هو أمر مضرّ وعائق لنموّ شخصيته. وتخبرنا عالمة النفس أدا ليشان بالقصة التالية: أحد أصدقاء زوجها اتصل به وهو في عمله، قائلًا إنه يتحدّث من هاتف عمومي قريب من بيته. ومضى الصديق ليقول: «أنا لا أستطيع التحدث من هاتف المنزل لأن بوبي يغلق سماعة الهاتف دائمًا». وبوبي هو طفل في الثالثة من العمر!

لكن ما هي الحدود المعقولة والمقبولة بالنسبة لطفل صغير؟ ليست هناك قاعدة حاسمة وسريعة يمكن إعطاؤها هنا. ابدئي بسؤال نفسك: «ما هو الحدّ الأدنى من «اللاءات» التي أحتاج إليها في هذه المرحلة؟». إذا ما جلستِ وكتبتِ قائمة فسيفاجئك أن الرقم سيكون أصغر مما تعتقدين.

أخبرتني إحدى السيدات مرّة عن ابنها (في عمر ما قبل المدرسة) وعن عاداته وسلوكياته السيّئة التي تزعجها، وعن واحدة منها خاصة. هذا الولد، بدلًا من أن يأكل قطعة الكيك مثل أخوَيه الآخرين، كان يقشّر الطبقة السكرية منها ثم يدوّرها على شكل كرة صغيرة ويأكلها تاركًا بقية القطعة في الصحن. كان ذلك التصرّف يغيظ الوالدة، لسببٍ ما دفين في نفسها. كانت هذه الأم تستشيرني في تربية الطفل عمومًا عندما تطرّقتْ إلى هذا الموضوع في إحدى المرّات. سألتها ماذا فعلت لتجعله يغيّر هذه الطريقة غير التقليدية في أكل الكيك، فقالت: «لقد جرّبت كل شيء؛ التوبيخ، الضرب، تقديم بعض المال، ولكن دون جدوى». حاولتُ عندئذ أن أعرف لماذا كان أمرًا شديد الأهمية بالنسبة إليها أن يُقلع ابنها عن هذه العادة الغريبة في أكل الكيك. فسألتُها: «هل تسبّب له

هذه الطريقة في أكل الكيك وجعًا في أسنانه؟» «هل تسبّب له ألمًا في بطنه؟». أجابتني «لا. إنها تسبّب ألمًا في بطني أنا! أنا فقط لا أحبّه أن يتصرّف بهذه الطريقة وأن يرمي بقية القطعة».

اقترحتُ عليها تجربةً صغيرة للتعامل مع هذه القضية. في المرة التالية التي قدّمت فيها الكيك لأطفالها حدث ما هو متوقع طبعًا وبدأ الصغير بتقشير الطبقة السكرية وتحويلها إلى كرة. ولكنّ الأم بناءً على إرشادي لها بقيت ساكنة ولم تقل شيئًا. فدُهشَ الولد.

«يا أمي، أنا أقشّر الطبقة السكرية» قال الصغير معتقدًا أنّ أمّه ربما لم تنتبه إلى ما كان يفعل.

قالت الأم «أنا أعلم» وهي تحاول ضبط نفسها التي كانت تغلي من الداخل.

فقال: «ألن تفعلي شيئًا حيال هذا؟». أجابت الأم: «كلا».

وكما يفعل عادةً، استمر الولد في تقشير الطبقة السكرية وتدويرها وأكلها وترك الباقي منها في الصحن. وفعل الشيء نفسه في الأيام الأربعة التالية. واستمرّت الأم بالصمت. في اليوم الخامس، ولدهشة الأم الكبيرة، أكَل قطعته كاملة كما يفعل أخواه الآخران. عندما أخطرتني الأم بهذا الأمر كانت لا تزال منذهلة. «ما الذي جعله يتغيّر؟» سألتني، فأجبتها بهدوء «ليس هناك من ممثّل يؤدّي على المسرح ما لم يكن هناك جمهور للمتابعة».

هناك الكثير من العبر التي يمكن استنباطها من هذه الحادثة الصغيرة، ولكن ما أودّ تأكيده هنا هو مدى سخافة الأم في إصرارها على أن يأكل ابنها الكيك بالطريقة التقليدية الصارمة التي تريدها.

اسألي نفسك دائمًا عندما يتعلق الأمر بفعل طفلك ذي العامين أمرًا ما: ما مدى أهمّية فعله هذا الأمر أو امتناعه عن فعله؟ هل هو مهمّ لدرجة أن نجعل منه قضية؟ هناك الكثير من اللاءات والحدود المهمّة التي يجب وضعها لطفل في عمر السنتين (كالمواقد الساخنة والخروج إلى الشارع، أو قذف الرمل على

أطفال آخرين). ولكن يجب أن لا نعقّد حياتنا وحياته بمجموعة من اللاءات غير المهمّة فعلًا.

العديد من الآباء والأمهات يعتقدون أن هناك قائمة سحرية من الحدود الصحيحة للأطفال، يجب أن يلتزموا بها. هذه القائمة السحرية غير موجودة في الواقع. فلكلّ أبوين ميزات شخصية وأسلوب حياة يختلف عن الآخرين. بعض الأزواج يكونون متسامحين، ولديهم القليل من الموانع التي لا بدّ منها. وبعضهم الآخر قد يكونون أكثر صرامة ولديهم عدد أكبر من الموانع. المجموعة الثانية من الأزواج تكون أقلّ ارتياحًا للسماح لأطفالها بفعل أشياء تكون المجموعة الأولى أكثر تساهلًا في السماح بها.

سوف أفضي إليك الآن بسرّ. أنا لا أعتقد أن كمّ الموانع التي تضعينها قلّما يهمّ كثيرًا، بقدر ما يهمّ أن تكون معقولة ومنطقية ومتّسقة، وبإمكانك تبريرها لنفسك ولطفلك.

فمن جانب أول، من الخطأ ومن غير الطبيعي أن لا يكون هناك حدود تضعها الأم لأفعال الطفل وتصرّفاته. ومن جانب آخر سيكون أمرًا محبطًا لكِ ولا يطاق أن تحاولي منع كل شيء على طفل في عمر السنتين. في مكان ما وسط بين هذين الطرفين توجد صحّة الوالدين النفسية ونموّ الطفل. ولكن هذا «المكان ما» يجب أن يحدّده بنحو فردي الأمّ والأب.

معظم الآباء والأمّهات يكونون منطقيين كفاية في الحدود التي يضعونها لتصرّفات أطفالهم، ولكن عندما يتعلق الأمر بمشاعر الأطفال فإن الكثير منهم يضلون الطريق.

المشاعر لا يمكن تجاهلها

لتنشئة أطفال أصحّاء من الناحية النفسية، ذوي مفهوم ذاتي قويّ عن أنفسهم، يجب على الوالدين أن يسمحا لأطفالهما بالتعبير عن مشاعرهم. ولكن الوقائع

تقـول، للأسـف، غير ذلك. فمعظـم الآباء والأمّهات لا يتيحـون لأطفالهم التعبير عن مشاعرهم بحرّية.

إليكِ مثلًا واحدًا على ذلك من بين مئات يمكنني ذكرها.

لقـد أنصتُّ إلـى هـذه المحادثة فـي إحـدى الحدائق، حيـث كانـت الأم ترافق ولديها – صبي يبدو في السادسـة وبنت في الرابعة –. كان الصبي غاضبًا جدًا مـن أختـه لأمـر ما وبادرهـا بالقول: «أنا أكرهك، سـوزي». هـل تعتقدين أن الأم أجابـت: «جيّـد يـا تومي. أخـرج هذه المشـاعر مـن داخلك. أخبـر أختك كيف تشـعر نحوها». بالطبع لا. لقد أجابته قائلة: « تومي، هذه أختك سـوزي الحلوة الصغيـرة. أنت لا تكرهها. أنـت تحبّها». هذه كذبة والطفل الصغير يعرف ذلك. إنّ أمّه تحاول أن تجعله يغشّ في مشاعره، فهي بالطبع لا تستطيع تغيير مشاعره الغاضبة تجاه أخته، ولكنها تستطيع النجاح في تعليمه أن يكون غير أمين وغير صادق مع مشاعره. تسـتطيع تعليمه دفن مشـاعره في الأعماق، لكي تظهر على السطح لاحقًا بطرق مستترة، كضرب أخته عندما تكون أمّه غافلة عنهما.

إن هـذا المثـل والمئـات غيـره مما يمكـن ذكـره، يظهـر لنـا كيـف أن الأهـل لا يسـمحون عادة لأطفالهم بالتعبير عن مشـاعرهم، بل إننا نحن الأهل نَثنيهم عن هذه المشاعر. وهذا ما ينطبق على كل المشاعر التي نعدّها «سلبية» كالغضب والخوف والخجل والألم وفقدان الأمان.

أمـا المشـاعر الوحيدة التي لا نحـاول ثني أطفالنا عنها فهي المشـاعر الإيجابية مثل الحب والعطف. فأنا لم ألاحظ في حياتي أمًّا تحاول ثني طفلها عن مشاعره عندما يقول: «أنا أحبّك يا أمي».

لمـاذا نتصـرّف نحـن الأهل بهذه الطريقة؟ لماذا لا نسـمح لأطفالنـا بالتعبير عن مشاعرهم السلبية؟ هناك سبب بسيط جدًا. ربما لأننا عندما كنا أطفالًا لم يكن مسـموحًا لنـا بالتعبير عن مشـاعرنا السـلبية. وهكذا، بطريقة غيـر إرادية، ننقل هذه الإحباطات النفسية إلى أطفالنا.

يجـب أن نسـمح لأولادنـا بالتعبير عن مشـاعرهم – السـلبية منهـا والإيجابية – بحريـة، فعندمـا يُسـمح للطفل بالتعبير عن مشـاعره السـلبية وإيجـاد طريق لها

خارج نفسه، فإن المشاعر الإيجابية تستطيع أن تجد طريقًا لها لتأخذ مكانها. إذا لم نسمح له بالتعبير عن غضبه وعدائيته وإخراجهما من داخله، فإن الحب والعطف لن يجدا طريقهما إليه.

المشاعر المكبوتة تؤدّي الى صحّة نفسيّة سيّئة.

والأطفال عادة يميلون للتعبير عن مشاعرهم إلى أن نحول بينهم وبين ذلك. ولهذا نجد أن طفلين في الحيّ كانا يتعاركان بحدّة في الصباح، سرعان ما يعودان ليصبحا صديقين في المساء. لكنّ والدي هذين الطفلين يحملان الضغينة في نفسيهما لشهور. إن أحد الأشياء الأساسية التي يتعلمها الكبار الذين يعانون من مشكلات نفسية، في العلاج النفسي، هو كيفية التعبيرعن مشاعرهم بشكل ملائم. ولكن لو أننا علّمناهم التعبير عن مشاعرهم بالشكل الملائم عندما كانوا لا يزالون صغارًا، لتمتعوا بصحّة نفسية جيدة عندما أصبحوا كبارًا.

من المستحيل بالنسبة إلى طفل صغير أن يكبت فقط المشاعرالسلبية مثل الغضب والخوف بدون أن يمتدّ ذلك الكبت إلى مشاعر أخرى أيضًا، فإذا علّمنا أولادنا كبت مشاعر الغضب والخوف فربما انتهى بنا الأمر – بغير إرادة منا – إلى تعليمهم كبت المشاعر الإيجابية مثل الحب والعطف أيضًا.

لا يحتاج الأطفال فقط إلى السماح لهم بالتعبير عن مشاعرهم، بل يحتاجون أيضًا إلى أن يعرفوا أن أبويهم يتفهّمان حقيقة ما يشعرون به. عندما يكونون خائفين أو يائسين أو غاضبين أو مستائين فإنهم يحتاجون إلى أن نفهمهم. فكيف تستطيعين أن تُرِي طفلك أنك تتفهّمين مشاعره؟

يمكنك أن تفعلي ذلك بطريقة سطحية بأن تقولي له ببساطة: «أنا أعلم كيف تشعر» ولكنّ هذا سهل جدًا وعفوي ولن ينجح في إقناع طفل بالضرورة. هناك طريقة أفضل لننقل إلى طفلنا تفهّمنا العميق لما يشعر به. ولقد اكتُشِفت هذه الطريقة لأول مرة في أربعينيات القرن العشرين بواسطة عالم النفس الدكتور كارل روجرز، وأَطلق عليها اسم «عكس المشاعر».

تقنية الارتجاع (عكس المشاعر)

وهي تعمل على النحو الآتي. تظهرين لشخص آخر أنك تتفهّمين حقًا كيف يشعر وذلك عبر صوغ مشاعره بكلماتك الخاصة وعكسها إليه مرة أخرى، مثل المرآة. وتسهل ممارسة هذه الطريقة مع طفل في الثانية من عمره، حين تعكسين مشاعره نحوه عن طريق استعمال الكلمات نفسها التي استخدمها في التعبير عنها.

على سبيل المثال، يأتي إليك طفلك ذو العامين باكيًا وساخطًا ويقول: «لقد ضربني جيمي (ابنك ذو السنوات الخمس)». في مثل هذه الحالة، ومثل معظم الأمهات تتذمّرين قائلة: «ها نحن إزاء القصّة نفسها مرة أخرى!!» ثم تستدعين الطفلين ويبدو المشهد كأنه من قاعة المحكمة: «والآن مَن بدأ بهذا الأمر؟». ولكن الطريقة الجديدة (عكس المشاعر) سوف تنجيك تمامًا من القيام بدور القاضي. فعندما يأتي إليك طفلك الصغير قائلًا: «لقد ضربني جيمي». تستطيعين الإجابة مع إظهار التجاوب الشعوري: «ضربك جيمي» أو «أنت غاضب لأن جيمي ضربك» أو «إن ما يجعلك غاضبًا هو أن جيمي ضربك». إن ما قمتِ به هو أنك عبّرتِ عن مشاعره بكلماتك الخاصة وعكستها إليه مرة أخرى. أنا أطلق على هذه العملية اسم «تقنية الارتجاع» لأنك تُرجعين (تعكسين) إلى طفلك مشاعره الخاصة، وبهذا تظهرين له أنك تتفهّمين مشاعره حقيقة.

قبل سنوات عديدة أخبرتني واحدة من الأمهات اللاتي تعلّمن هذه التقنية على يدي، بقصة تبيّن الآليّة التي تعمل بها هذه التقنية. لقد كانت جليسة أطفال لإحدى العائلات. وفي أحد الأيام، وضع الوالدان ابنهما تومي في سريره وخرجا في المساء، وفجأةً خرج تومي من غرفته متوترًا وقلقًا وقال لها: «يا سيدة جونز، هناك ذئب في الغرفة». قالت لي هذه الأم إنها لولا تعلمها هذه التقنية لتعاملت مع الحالة بطريقة خاطئة، مثل معظم الآباء والأمهات، وربما كانت ستقول: «هذا أمر سخيف يا تومي. أنت تعلم أنه ليس هناك ذئب في الغرفة» وكانت ستجول معه في الغرفة لتريه أنه ليس هناك ذئب. وهو أمر ما كان ليفيد شيئًا في تهدئة روعه. ولكنها بدلًا من هذا التصرّف الشائع والخاطئ استعملت أسلوبًا مختلفًا. لقد أرجعت إليه مشاعره الخاصة.

قالت له: «اجلس هنا يا تومي وأخبرني كيف تشعر حيال هذا الذئب». فأخبرها كم كان خائفًا منه، فأرجعت إليه مشاعره قائلة عبارات على هذا النحو: «أنت فعلًا تشعر بالخوف من ذلك الذئب»، «هذا الذئب الهرم أخافك كثيرًا» وهلمّ جرّا. لم تحاول طمأنته ولم تحاول أن تثنيه عن مشاعره. بل قامت، بكل بساطة، بعكس المشاعر التي عبّر عنها إليه مرة أخرى. لقد أخبرها كم كان خائفًا من الذئب وكم يكرهه وكيف سيدفعه ويلقيه في البحر. وأخيرًا وبعد حوالى عشرين دقيقة لم تفعل خلالها شيئًا سوى عكس مشاعره إليه، استدار إليها وقال: «سيدة جونز، أظن أنني أستطيع العودة إلى النوم الآن». فعادت به إلى غرفته ووضعته في سريره وفي بضع دقائق كان مستغرقًا في النوم.

لقد أخبرتني بهذه القصة بعد أسبوع من حدوثها وقالت لي: «إنها تعمل فعلًا، هذه التقنية تعمل فعلًا». جرّبيها. إنها تتمتع بآلية تصحيح ذاتي. وإذا لم تعكسي مشاعر الطفل إليه بطريقة صحيحة، فسيقول لك: «كلا، ليس هذا ما أشعر به».

إن تقنية الارتجاع هذه سهلة الفهم ولكنها صعبة الممارسة. والسبب في ذلك أننا نحن الكبار لم نتربّ عليها عندما كنا صغارًا. لقد أمضينا سنوات عديدة من أعمارنا ونحن نحاول طمأنة الآخرين، وإسداء النصيحة لهم، أو ثنيهم عن مشاعرهم، خاصة عندما تكون هذه المشاعر سلبية. لهذا، فإن هذه التقنية تناقض تمامًا الطريقة التي تربّينا بها ونشأنا عليها.

لقد أتحتُ الفرصة لأطفالي للتعبير عن مشاعرهم السلبية والغاضبة إليّ. ولكن يجب أن أعترف بأنني في بعض الأحيان عندما كنت أعكس إليهم مشاعرهم، كنت أسمع صوتًا خافتًا بداخلي يقول: «كيف تجرؤ على الحديث معي بهذه الطريقة أيها الفتى، أنا والدك». إن هذا الصوت الخافت ليس صوت معرفتي العلمية عن كيفية تربية الأطفال. إنه صوت والدي، عندما لم يكن مسموحًا لي التعبير عن مشاعري الخاصة كطفل، يتردّد الآن بداخلي.

هنا تكمن الصعوبة الحقيقية التي نواجهها نحن الأهل في تعلم استعمال تقنية الارتجاع. إن لم نتمتّع بحرية التعبير عن مشاعرنا ونحن أطفال، فقد نواجه صعوبات في السماح لأطفالنا بالتعبير عن مشاعرهم إلينا.

«ولكن ألا يُعدّ هذا تصريحًا لطفلك بإظهار عدم الاحترام نحوك وخاصة عندما تسمح له بأن يخبرك أنه يكرهك؟» ستسأل الكثير من الأمهات. لا أظنّ أن السماح بالتعبير عن المشاعر أمر له أيّ علاقة، مهما كانت، بالاحترام أو عدمه. إن الطفل يحترم والدته إذا شعر بأنها تعلم أكثر منه، وتعامله بطريقة جيدة، وتحترمه. ولكنه بين فينة وأخرى، سيغضب منها. وعندما يشعر الطفل بهذه المشاعر الغاضبة ولا يُسمح له بالتعبير عنها فستبقى داخله وسيظل شاعرًا بها على أيّ حال. إضافة إلى هذا، عليك أن تدعي طفلك يعبّر عن مشاعره الغاضبة لأنك إذا لم تفعلي فستكون سيطرته على سلوكه أكثر صعوبة، فالتعبير عن المشاعر الغاضبة هو مثل تنفيس البخار في مرجل يغلي.

لقد أشرت في ما سبق إلى أهمية تمييز الوالدين بين المشاعر والأفعال. واقترحتُ وضع حدود معقولة لتصرّفات الطفل وأفعاله، على أن نسمح له بالتعبير عن مشاعره مهما كانت. لقد قدّمت وصفًا لتقنية الارتجاع كوسيلة نظهر له بها أننا نتفهّم حقيقة مشاعره.

أما الآن، فإنني سأقدّم مثالًا محدّدًا خاصًا بمستوى عمر السنتين ونصف لأبيّن كيفية التمييز بين المشاعر والأفعال في الواقع العملي.

لقد تكرّرت هذه القصة عدة مرات عندما كان عمر ابني الأكبر حوالى سنتين ونصف.

كنت أصحبه إلى الحديقة حيث كان يلعب بالرمل بسعادة. وأخيرًا يحين وقت الانصراف. لقد أخطرته مسبّقًا ليكون جاهزًا للمغادرة عند الموعد المحدّد. قلت له: «راندي، سيكون علينا المغادرة بعد عشر دقائق». وبعد عشر دقائق قلت «يجب أن نغادر الآن يا راندي». وأجابني «كلا – أنا لا أريد الذهاب». (لماذا يجب أن أتوقع أنه سيذهب؟ لقد كان يتمتّع بوقت رائع على أيّ حال).

عكست إليه مشاعره وقلت: «أنا أعرف أنك لا تريد الذهاب لأنك تستمتع بقضاء الوقت وأنت تلعب بالرمل».

«أنا لن أذهب».

«أنت تستمتع كثيرًا بحيث إنك لن تتزحزح من هنا أبدًا».

واستمررت في عكس مشاعره إليه لدقائق قليلة أخرى. وأخيرًا انتهى الأمر بأن أمسكته وحملته إلى السيارة فيما كان يصرخ ويرفس، إلا أنني استمررت في عكس مشاعره إليه قائلًا: «أنت غاضب جدًا من بابا لأنك تريد البقاء واللعب في الحديقة وهو يضطرّك إلى المغادرة».

دعونا الآن نحلل هذه الحادثة لأنها نموذج يوضح لنا جوانب عديدة من جوانب التعامل مع الطفل في هذه المرحلة من النموّ والارتقاء. لو أنني سمحت لابني بإجباري على تركه يبقى في الحديقة عندما حان فعلًا وقت مغادرتنا، لعلّمته أن يصبح طاغية صغيرًا، يرفض الخضوع للحدود المنطقية والمعقولة. وهو أمر لم يكن ليساعده على الاندماج في المعايير المعقولة للامتثال الاجتماعي.

أما لو كنت رفضت السماح له بالتعبير عن مشاعره، لأعقت نموّ هويته الذاتية والإحساس بتقدير الذات في نفسه.

من خلال سماحي له بالتعبير عن مشاعره وقيامي بعكس هذه المشاعر إليه كنت، في الحقيقة، أقول له: «معك الحق في أن تكون غاضبًا إذا كان هذا هو ما تشعر به. ومن المرجّح أنني سأكون غاضبًا لو أنّ أحدًا منعني من قضاء وقت ممتع. أنت، كشخص (فرد مستقلّ)، لديك الحق بأن تحسّ بهذه المشاعر وبأن تعبّر عنها».

هذه الحادثة هي عيّنة من كثير مثلها سيكون عليك التعامل معها خلال هذه المرحلة من نموّ طفلك الصغير. لذا أعطيه الفرصة للتعبير عن مشاعره ولكن كوني حازمة وأصرّي على امتثاله لحدود معقولة في تصرّفاته.

إن ما وصفته سابقًا كان طريقة «مثاليّة» للتعامل مع مثل هذا النوع من الحالات. ولكنّ هذا لا يعني أنني أو أيّ والد آخر سأتعامل مع الأمور في الواقع بهذه الطريقة دائمًا. نحن الآباء والأمّهات لدينا حقوق أيضًا.

لدينا الحق في أن تكون لدينا أيام سيّئة ولحظات نزقة ومشاعر غاضبة. ولن نكون قادرين دائمًا على البقاء هادئين والتعامل مع الأمور بالطريقة المثلى

لأطفالنـا. ولـن نكـون دائمًـا قادرين على السـماح لهـم بالتعبير عن مشـاعرهم. سـوف نصرخ فيهم في بعض الأحيان: «اخرسـوا، لن أتحمّل أكثر من ذلك، ومن الأفضل لكم أن تبقوا هادئين».

العديد من الأمّهات يشـعرن بالاسـتياء إذا فقدن السيطرة على أنفسهن وصرخن علـى أطفالهـن. في الحقيقة، ليس هناك ما يدعو للاسـتياء من هذا الأمر، ولكنّ الأمهـات لديهـنّ انطبـاع بـأنّ عليهـنّ أن يبقين هادئـات دائمًا فـي تعاملهنّ مع أطفالهـنّ. هـذه مثالية طيّبة ولكنني لم ألتق فـي حياتي قط بأمهات ارتقين إلى هـذا المسـتوى طوال الوقت. إذا كنا نحـاول إعطاء أطفالنا الحق في التعبير عن مشـاعرهم، فإن من المؤكد أن علينا إعطاء هذا الحق لأنفسـنا. لذا، إذا شـعرت بالحاجـة إلـى الصراخ علـى أطفالك فافعلي ذلك، لأنك عندما تنفّسـين عن بعض مشـاعر الغضب في داخلك سـوف يكون شـعورك نحوهم مختلفًا. وبإمكانك أن تقولـي لطفلـك لاحقًا: «ماما فقدت أعصابها. أنا آسـفة لأننـي كنت غاضبة جدًا قبل قليل، ولكنّني أفضل حالًا الآن». وسوف يفهمك طفلك.

من المنصف أن نقول أنْ ليس كل الأطفال سيسبّبون لنا هذه الأوقات العصيبة بدرجـة متسـاوية خـلال هـذه المرحلـة، فهنـاك فروقات حاسـمة بيـن الأطفال، وكل واحـد مـن أطفالنا يختلف بيولوجيًا عن الآخرين. بعض الأطفال أكثر قابلية للاستثارة وبعضهم أكثر لينًا. هذا يعني أنّ قيادة طفل ما خلال مرحلة المراهقة الأولـى هـذه إلى برّ الأمان يمكن أن تكون أسـهل من قيادة طفل آخر في المرحلة العاصفة نفسها.

ولكـنّ كل الأطفـال الأصحّـاء والأسـوياء سـوف يُظهرون قـدرًا معيّنًا من السـلبية والتمـرّد خـلال هـذه المرحلـة. وعندمـا يصيبـك الإحبـاط تذكّـري: سـيتجاوزها عمّـا قريـب، فمـا إن يصبح في الثالثة من عمره حتى يدهشـك كم أصبح متعاونًا وسمحًا، على النقيض من سلوكه عندما كان عمره سنتين ونصف السنة.

إن أيّ أمّ لطفـل فـي هـذا المرحلـة تعرف أنّ كلمتـه المفضّلة هـي: لا. ولا يجب أن نندهـش مـن أن طفلًا صغيـرًا يتعلم قول «لا» قبل أن يتعلم قول «نعم» بفترة طويلـة. علـى كل حـال، لقد سـمع كلمـة «لا» من والديـه أكثر بكثير مما سـمع منهمـا كلمـة «نعـم». لذلك، إذا اسـتطعنا الحفـاظ على حد أدنى من اسـتخدام

كلمـة «لا» خـلال مرحلـة الـدّرج فمـن المرجح أن نسـمعها منه أقلّ فـي مرحلة المراهقة الأولى. لكن، بصرف النظر، فسنظل نسمع كلمة «لا» منه، بالإضافة إلى مظاهر أخرى من السلبية، كالهرب عندما نستدعيه، والرفس، ونوبات الهيجان الشديدة. إن هذه الأشكال من السلوك لا تحدث كثيرًا في مرحلة الدرج. فكيف سنتعامل معها إذًا في هذه المرحلة، مرحلة المراهقة الأولى؟

إذا قـرأت الفصليـن الثامن والتاسـع عن التأديب فسـتعلمين أن السـلوك المُعزَّز يميل إلى أن يتكرّر. وعندما تكون استجابة الوالدين للسلبية غاضبة فإنهما، عن غير قصد، يعزّزان هذه السلبية، بل إنهما يدرّبان الطفل على أن يكون أكثر سلبية.

لكنّ هناك بدائل مفضَّلة لهذا التعزيز السـلبي. أولًا، يجب أن نميّز بين السـلبية اللفظية والسـلوك السلبي الحقيقي. قد نقول لطفل في عمر السنتين والنصف: «حسـنًا، يجـب أن تلبـس معطفك لأننا سـنخرج» ونبدأ بمسـاعدته علـى ارتداء معطفـه. ويجيبنـا «كلا. أنـا لا أريـد بذلـك» بينمـا هـو فـي الواقع يناقـض قوله ويسـاعدنا فعـلًا بوضـع ذراعيـه داخـل الأكمام. هـذا مثـال جيد على السـلبيّة اللفظية. فالأمر يبدو كأن الطفل يقول لوالدته: «أنا أعلم أن الجوّ بارد في الخارج وأنـا فعـلًا أحتاج إلـى المعطف. أنا أعلم أنـك أكبر منّي وأنك تسـتطيعين جعلي ألبـس معطفـي. لكن يجب أن تعرفي أنني شـخص مسـتقل أيضًـا، فدعيني على الأقـل أمـارس قليلًا من المعارضة». هذه السـلبية تشـير إلى أنه يـؤدّي نوعًا من «لعبة العصيان» مع والدته. فإذا لم تدرك الأم طابع اللعب أو شبه اللعب لهذه السـلبية وتعاملت بصرامة مع هذه الحالة، فقد تخلق أزمة في الامتثال، لم يكن لها وجود من قبل.

إن السـلوك السـلبي الحقيقـي، لا مجـرد المقاومة اللفظية، كان سـيُعبَّر عنه في مثل هذه الحالة بالهروب أو بصراع عنيف ضد محاولات الأم إلباسه المعطف. ولو حدث ذلك فعلًا فهناك عدة اتجاهات للتصرّف تبقى مفتوحة أمام الأم. إذا كانـت القضيّـة أنه يريـد اللعب في الحديقـة، فإنها يمكن أن تقول له: «حسـنًا، عليـك أن تلبـس المعطف لتلعب فـي الخارج، وإلا فمن الأفضـل أن تبقى داخل البيت»، فإذا كان يريد حقًا اللعب في الخارج، فمن المرجح أنّه سيتركها لتلبسه المعطف على مضض.

لكن الأمر يختلف في وضعية أخرى، فمثلًا: إذا كانت الأم ستأخذه معها إلى المركز التجاري، وكانت مستعجلة ولا تستطيع أن تكون متساهلة معه في هذه الحالة، فقد يكون عليها الآن عكس مشاعره الغاضبة: «أنا أعلم أنك لا تريد ارتداء معطفك، أنا أعرف أنّ هذا يجعلك غاضبًا» بينما تستمرّ فعلًا في وضع ذراعيه داخل أكمام المعطف.

ليس الحفاظ على ماء الوجه أمرًا مقتصرًا على الكبار فقط، فالطفل في مرحلة المراهقة الأولى لا يرضى بإراقة ماء وجهه أيضًا. وفي هذا الصدد، نستطيع أن نجرّب تفادي المواجهات الشاملة مع سلبية طفلنا، ونتبع سياسة الحفاظ على ماء الوجه بالقيام ببعض المبادرات، مثل تقديم نشاط بديل، أو احتضانه مرّة أو مرّتين إضافيتين، إذا كنا قادرين على ذلك. ولكن، قبل أي شيء آخر، نستطيع الحفاظ على ماء وجهه من خلال عكس مشاعره السلبية إليه. سيكون الأمر كأننا نقول له: «أنا أشعر برفضك التام لهذا ومن حقك تمامًا أن تشعر على هذا النحو. أنا آسفة فعلًا، لأنني أعلم كيف تشعر. ولكنني أخشى أنّ عليك تنفيذ ما طلبته منك على أيّ حال».

كيف نتعامل مع نوبات الغضب المزاجية

إن نوبات الغضب المزاجية تمثّل الذروة في مسألة السلبية. هنا يكون الغضب عند الطفل هائلًا بحيث إن كل ما يفعله سيكون البكاء والصراخ والارتماء على الأرض والرفس والضرب، فإذا استسلمتِ لنوبته هذه ولبّيتِ رغبته فإنك تعزّزين هذا السلوك. أنت تعلّمينه أنّ حدوث المزيد من هذه النوبات يعني حصوله على ما يريد.

عندما كانت ابنتي في العاشرة من عمرها طلبت من صديقة لها أن تصحبنا في رحلة تخييمية في نهاية الأسبوع. أجابت البنت بأن لدى أسرتها ترتيبات أخرى لقضاء عطلة نهاية الأسبوع، ولكنها أضافت: «لكن لا تقلقي، أستطيع تدبّر أمر الذهاب، سأصطنع نوبة غضب كبيرة وستدعني أمي أذهب معكم».

إذا أصبحتِ غاضبة ومنزعجة عند حدوث هذه النوبات فإنك تعزّزينها، وسيعلم طفلك أنه يستطيع استخدامها وسيلة للحصول على ما يريد عندما يشاء. لا تحاولي مناقشة الأمور مع طفل وهو في غمرة نوبته ولا تحاولي ثنيه عنها. إنه بحر يغلي من الانفعالات. وهو في مزاج لا يسمح له بالإنصات إلى العقل أو المنطق. وقبل أيّ شيء، لا تحاولي إنهاء هذه النوبات بالتهديد بالضرب. ألم يسبق لك أن سمعت أمًا تقول لطفلها وهو في غمرة نوبة هياج شديد: «اخرس، وإلا فسأفعل لك ما يجعلك تبكي حقًا». إن مثلها كمثل من يحاول إطفاء حريق بسكب البنزين عليه.

ما الذي عليك أن تفعليه عندما تجتاح نوبة غضب شديد طفلك في مرحلة المراهقة الأولى؟ ما يجب عليك أن توصليه إلى طفلك هو أن هذه النوبة شيء عليه أن يعانيه وحده، وأنه لن يحصل بعدها على ما يرغب فيه. كيف توصلين هذه الرسالة إليه؟ بتجاهل النوبة. وعلى كل والدة أن تجد الطرق الأكثر ملاءمة لها لتفعل هذا. بعض الأمهات يقفن جانبًا وينتظرن إلى أن تنتهي هذه النوبة من تلقاء نفسها. أمهات أخريات يمكن أن يقلن: «أنا أعلم أنك محبط وغاضب، ولكن عليك أن تذهب إلى غرفتك وتبقى داخلها إلى أن تنتهي من البكاء، وعندما يحصل ذلك فإن لديّ شيئًا مثيرًا لأريك إياه». أخريات يقلن بصرامة: «اذهب إلى غرفتك». ابحثي عن الطريقة التي تلائمك لتجاهل نوبات الغضب هذه واستعمليها. ولكن قبل كل شيء حاولي أن تجدي مخرجًا لطيفًا لطفلك من هذه الحالة تحفظ ماء وجهه، إذا كان ذلك ممكنًا.

كلمة أخرى أودّ قولها عن نوبات الغضب التي يمكن لطفلك أن يفتعلها أمام الأقرباء أو الأصدقاء، في السوق أو الصيدلية أو المركز التجاري. التقنيّات الرئيسية نفسها في التعامل مع نوبات الغضب يجب أن تُستخدم، ولكن هذه المرة لديك خصم جديد يقف عائقًا في وجه تعاملك بحكمة مع هذه الحالة. لديك مجموعة من الحضور المشاهدين. وفكرة «ماذا سوف يظنّ الجيران؟» تطلّ برأسها القبيح. إذا كان الحاضرون ذوي معرفة ضحلة عن سيكولوجيا الأطفال فقد يرون أنك على خطأ فظيع لأنك لم تضربي الطفل ولم تقمعي هذه النوبة بشدة. وهل يهمّك ذلك كله!؟ هل تربّين طفلك ليكون إنسانًا سعيدًا ومتوازنًا نفسيًا أم تربّينه من أجل إسعاد الجيران؟!

كيف يعمل الضمير

لكنّ موضوع «الجيران» هذا يثير قضيّة مظهر مهمّ من مظاهر المراهقة الأولى: تعلّم الطفل للقواعد الاجتماعية عن طريق استيعاب الحدود والضوابط التي تعلّمينه إيّاها. سوف يفعل ذلك عن طريق ما يطلق عليه عمومًا «الضمير». يمكننا التفكير في الضمير على أنه الصوت المستوعب أو (المستبطن) للواجبات والمحظورات التي يحدّدها الوالدان. الضمير ليس فطريًا، فلا أحد يولد بضمير (جاهز). نحن نتعلّمه تعلّمًا، ونتعلّمه أساسًا من الوالدين.

بعض الأطفال ينمون ليصبحوا راشدين كبارًا لديهم القليل من الضمير. إنهم السيكوباتيون والمجرمون الذين ينخرطون في أفعال لا اجتماعية بدون شعور بالذنب حيال ما يفعلونه.

وبعض الأطفال ينمون ليصبحوا راشدين كبارًا عندهم الكثير من الضمير. إنهم أولئك الكبار الذين نراهم – نحن الاختصاصيين النفسيين – في عياداتنا. إنهم شديدو القلق وشديدو الإحباط، شديدو التخوّف من أن يكونوا سيّئين أو أنانيين أو أشخاصًا لا قيمة لهم، وهم حريصون جدًا على إرضاء الآخرين ومشغولون بما يمكن أن يظنّه الآخرون فيهم.

نحن لا نريد لأطفالنا أن ينموا ليكونوا واحدًا من هذين الفريقين النقيضين. نريد لأطفالنا أن يكبروا ويكون لديهم ضمير صحيح ومتوازن ومعقول. ونحن نستطيع مساعدة طفل على النموّ بهذا النوع من الضمير إذا كنا عقلانيين، ومعتدلين في ما نتطلبه منه في مجال الامتثال الاجتماعي.

يمكنكِ في الواقع أن تري جانبًا من نموّ الضمير وارتقائه في سلوك الطفل في هذه المرحلة. قبل كل شيء، نرى أنه يبدأ بقول «لا، لا» بصوت عالٍ لنفسه، حتى عندما يقوم بما ليس مفترضًا أن يقوم به. عندما كان طفلي الأكبر في عمر السنة ونصف شاهدته مرة يقف أمام مكتبة المنزل وهو يقول: «لا، لا» – بينما هو منهمك فعلًا في أمر ممنوع وهو سحب الكتب من الرفوف. بعض الأهل قد يغضبون من هذا التصرّف ويقولون: «حسنًا، إذا كان يستطيع أن يقول

«لا، لا» فهذا يعني أنه يعرف أنه يُفترض به أن لا يفعل هذا. فلماذا يفعله إذًا؟». والجواب هو أن ضميره قد بدأ للتوّ باستيعاب المحظور هنا وهو سحب الكتب من الرفوف. لكنه لم يطوّر بما يكفي بعد دافعًا للتحكم والسيطرة قادرًا على لفت الضمير الذي ما زال ضعيفًا وطريًا.

ينبغي على الأم أن تدرك أن مقدرة طفلها على قول «لا، لا» هي الخطوة الأولى في نموّ ضميره وارتقائه. وفي ما بعد، سيكون قادرًا على قول «لا، لا» لنفسه، وتثبيطها عمليًا عن سحب الكتب من رفوف المكتبة.

إن الوظيفة الأساسية للضمير هي منع السلوك اللااجتماعي، لا مجرّد جعل الطفل يشعر بالذنب بعد القيام بفعل شيء خاطئ. ولكن هذه الوظيفة «المانعة» للضمير تستغرق وقتًا للنموّ والتطوّر.

سيحتاج طفلك إلى كامل السنوات الخمس الأولى من حياته ليطوّر وينمّي ضميره، وليتعلم استيعاب متطلبات الامتثال الاجتماعي، فلا تستعجليه. واللغة، بالطبع، هي عامل مساعد كبير في استيعاب متطلبات الامتثال الاجتماعي. وعندما يستطيع الطفل التعبير عن الأشياء في كلمات لنفسه، فسيحصل على مساعدة عظيمة في سيطرته على نفسه وعلى العالم، فمرحلة المراهقة الأولى هي الفترة التي تحقق فيها اللغة هذه القفزة الكبيرة إلى الأمام.

5

مرحلة المراهقة الأولى

الجزء الثاني

في مناقشتي لمرحلة الدّرج أو المشي كنت قد أشرت إلى وجود طورين في عملية تعلم اللغة: اللغة السلبية (الفهم) واللغة الإيجابية (الكلام). تسود اللغة السلبية في الفترة ما بين عيد ميلاد الطفل الأول وعيد ميلاده الثاني، فيما تبرز أهمية اللغة الإيجابية في الفترة ما بين عيد ميلاده الثاني والثالث.

يُعدّ عيد الميلاد الثاني للطفل، بقدر ما يتعلق باللغة، نقطة تحوّل ونموّ سريع، فالرطانة التعبيرية انتهى دورها. ورغم أن جمل الكلمة الواحدة ما زالت موجودة يبدأ الطفل الآن التحدّث بجمل أكثر تعقيدًا أكثر فأكثر. في شهره الثامن عشر، كان الطفل يتلفّظ بجمل مثل «تعال.. هنا» أو «افتح.. باب» ولكنه الآن في عمر السنتين يستخدم جملًا مثل «أين ذهب بابا؟» أو «أحضِر الجريدة لبابا» أو «لا أريد الذهاب إلى السرير». لقد تزايد استعمال الضمائر، واستعمالها صحيح في أكثر الأحيان. كما زاد بنسبة كبيرة وملحوظة عدد المفردات المستخدمة.

إن كنتِ تحدثت وتفاعلت لغويًا بطريقة جيدة مع طفلك في المرحلة السابقة، فسيجني الكثير من الفائدة اللغوية في المرحلة الراهنة. فما كان يسجّله داخليًا في مرحلة الدّرج سيظهر في كلامه الآن. وبصورة عامة، كلما كان كلامك معه أكثر كانت قدرته على الكلام أكبر. هذا لا يعني أنّ عليك الثرثرة معه باستمرار وإغراقه في بحر من الكلمات. ولكن، كقاعدة عامة، فإن المفردات التي يتحدّث بها ستكون أكثر كلما كان عدد الكلمات التي كان قد سمعها منك أكبر. وهذا ما أثبتته الدراسات البحثية المقارنة عن الأطفال في أسر فقيرة مقارنة بالأطفال في أسر من الطبقة الوسطى، فالأطفال في الأسر الفقيرة يُتحدَّث إليهم أقلّ كثيرًا من الأطفال في الأسر المتوسّطة حيث تمضي الأمهات عمومًا وقتًا كبيرًا في

التحدّث والتفاعل اللفظي مع أطفالهن. لذا ليس من المفاجئ وجود اختلافات هائلة لمصلحة الأطفال من الطبقة المتوسّطة في المفردات والنموّ اللغوي، حتى في الوقت الذي يبلغ فيه الأطفال عمر أربع سنوات.

يلفظ بعض الأطفال الكلمات بحدّة وبوضوح منذ اللحظة التي يبدأون فيها الكلام، فيما تبقى الكلمات عند بعض الأطفال الآخرين غير مفهومة تقريبًا بالنسبة إلى الغرباء وذلك حتى مرحلة لاحقة من العمر، فتبقى الأم هي الوحيدة القادرة على فهم ما يحاول الطفل قوله. ويرجع جزء من هذا إلى الاختلافات البنيوية بين الأطفال، ولكنّ جزءًا آخر منه يعود إلى مقدار ما تحدثتِ إلى طفلك ومدى الوضوح الذي كنتِ تلفظين به الكلمات.

إن تسنّت لك مشاهدة فيلم أو مسرحية *The Miracle Worker* (صانع المعجزات) فلا بدّ من أنك تذكرين أنّ نقطة التحوّل في حياة الصغيرة هيلين كيلر التي كانت عمياء وصمّاء وبكماء، أتت عندما تمكّن أستاذها من جعلها تدرك أن لكل شيء اسمه الخاص. وكذلك، فإن طفلك في هذه المرحلة سوف يمرّ بنقطة التحوّل هذه عندما يدرك للمرة الأولى أن لكلّ شيء اسمًا، وأن باستطاعته تعلّم هذا الاسم. وهي لحظة اكتشاف مثيرة بالنسبة إليه، فمعرفة أسماء الأشياء في بيئته المحيطة تعطي الطفل نوعًا من القوة تجاه عالمه. الآن، وللمرة الأولى في حياته، يستطيع استيعاب بيئته والتعامل معها رمزيًا، فهو يستطيع الآن أن يعالج أسماء الأشياء في عقله من دون أن يكون عليه أن يعالج الأشياء نفسها في العالم الخارجي. وهذا ما يمكّنه من تنظيم عالمه، فهذه المقدرة اللغوية المكتشفة حديثًا تعطيه في الواقع تفوّقًا وأفضلية على الحيوانات الأدنى.

قبل سنوات عديدة، قام عالمان نفسيان، رجل وزوجته، بتربية صغيرِ قردٍ في بيتهما مع طفلتهما الصغيرة. والقصّة الجميلة مرويّة في كتابهما *The Ape in our House* (القرد الذي في بيتنا) لكيث وكاثي هايس.

من المثير للاهتمام أنّ صغير القرد تفوّق في البداية على الطفلة الصغيرة في عدة مهارات حركية واختبارات بدنيّة «للذكاء» وذلك خلال السنتين الأوليين من حياتهما. ولكن عند بلوغهما عمر السنتين تقريبًا حققت الطفلة الصغيرة قفزة عقلية كبيرة إلى الأمام وبدأت تتفوّق كثيرًا على القرد الصغير في المهارة

وإتقان المهام. ما الذي تسبّب بهذا الفرق عند هذا العمر؟ إنه اكتساب اللغة من قبل البنت الصغيرة التي بدأت تتمكّن من استيعاب عالمها وترميزه بطرق لم يكن في مقدور صغير القرد أن يتمكّن منها.

بقدراته اللغوية الجديدة، يستطيع طفلك البدء بتشكيل مفهوم عن عالمه. يستطيع أن يتفكّر. يستطيع توقّع مستقبل قريب ويستطيع ممارسة اللعب التخيّلي والتخيّل، فحياته العقلية قد خطت خطوة عملاقة إلى الأمام وبلغت شأوًا كبيرًا.

في مرحلة سابقة كان طفلك يمضي أوقاتًا طويلة ممارسًا مهارات حركيّة مثل تسلّق الدرج. أما الآن فإنه سيمضي قدرًا كبيرًا من الوقت وهو يمارس استعمال الكلمات.

لقد قامت اللغوية روث واير بدراسة كلام طفلها البالغ سنتين من العمر وذلك بتسجيل كل ما كان يقوله لنفسه عندما يكون وحيدًا في غرفة نومه قبل استغراقه في النوم ليلًا. وقد وصفت بحثها الرائع في كتاب *Language in the Crib* (اللغة في المهد) وفي مقدّمته لهذا الكتاب يشرح رومان جاكوبسون أن العديد من المقاطع المسجّلة للطفل تحمل تشابهًا مدهشًا مع التمارين في كتب التعليم الذاتي للغات الأجنبية.

لذا عليك الاستمرار في ممارسة لعبة «تسمية الأشياء في البيئة المحيطة» مع طفلك بكل السبل الممكنة، ففي هذه المرحلة من النموّ يوجد ما يطلق عليه الدكتور غيسيل «الجوع إلى الكلمة». وسوف تجدين طفلك ممارسًا متحمسًا في لعبة الكلمة هذه. وأنت تستطيعين لعب هذه اللعبة في أيّ حال كنتِ وفي أيّ وقت كان. وسوف يكون فخورًا بكونه على علم بأسماء الكثير من الأشياء.

الإجابة عن أسئلة طفلك

مظهر آخر من مظاهر النموّ اللغوي عند طفلك في هذه المرحلة يتجلّى في «لعبة الأسئلة». بعض أسئلته سوف تكون تنويعات من «لعبة التسمية». وأسئلة مثل «ما هذا؟» و«ما ذاك؟» سوف تكون أسئلة نموذجية. سوف يسأل أسئلة عن كل شيء وأيّ شيء. وعندما تشعرين بأنك منهكة من سيل أسئلته يمكنك تعزية نفسك بالتفكير في كم هو ذكيّ ابنك هذا، فكلما كثرت أسئلته كان ذلك دليلًا على حدّة ذكائه.

مرّة أخرى نجد أنّ هناك فرقًا بين ما هو أفضل للطفل وبين ما تستطيع أم حقيقية من لحم ودم أن تفعله. من ناحية مثالية، يجب على الأم أن تجيب عن كل أسئلة طفلها، ففعلك هذا سوف يساعده في نموّه اللغوي، وقاموس مفرداته، وقدرته على المحاكمة، وفي ذكائه عمومًا. ولكن في الواقع الحياتي، ليست هناك أم قادرة على الإجابة عن كل أسئلة طفل في مرحلة المراهقة الأولى. لذا عليك بذل أقصى ما تستطيعين من جهد. ولكن لا تشعري بأنك تلحقين الضرر بطفلك وتبطئين نموّه العقلي إذا قلت له «لا مزيد من الأسئلة! ماما متعبة».

إن كيفية تعاملنا مع أسئلة الطفل في هذه المرحلة سوف تعتمد جزئيًا على الأهمية التي نوليها لهذه الأسئلة باعتبارها جزءًا من نموّه العقلي. وأنا أخشى أن كثيرًا من الأمهات يعتقدن أن أسئلة أطفالهن الذين يبلغون العامين ونصف العام من العمر هي مجرد مصدر للإزعاج، فالأم غالبًا ما تتمنّى أن يصمت طفلها ويدعها تقوم بعملها. ولكنها لو أدركت أهمية هذه الأسئلة وأهمية الإجابات عليها لكان لها موقف مختلف منها.

في كتاب *Your Child's Play* (لعب طفلك) يورد أرنولد أرنود مشهدين يظهر فيهما موقفان مختلفان للأم تجاه الطفل نفسه والأسئلة نفسها التي يوجّهها.

المشهد: في المطبخ تُفرغ الأم صينية من الثلج، فتنزلق واحدة من مكعّبات الثلج على الأرض. يأتي طفلها الصغير ويتناول قطعة الثلج بيده ثم تجري المحادثة التالية:

الطفل: لماذا هذا الثلج بارد؟

الأم: لأنه متجمّد.

الطفل: ولماذا هو متجمّد؟

الأم: لكي يبقى باردًا.

الطفل: ما الذي يجعل الثلج باردًا؟

الأم: البرّاد.

الطفل: ما الذي يجعل البرّاد باردًا؟

الأم: إن فيه محرّكًا.

الطفل: لماذا؟

الأم: ليبقيه باردًا.

الطفل: لماذا يكون البرّاد باردًا؟

الأم: ابتعد عن البرّاد.

الطفل: أريد أن أعرف لماذا يكون البرّاد باردًا.

الأم: لكي لا يفسد الطعام.

الطفل: وما الذي يفسد الطعام؟

الأم: الجراثيم.

الطفل: ما هي الجراثيم؟

الأم: فيروسات.

الطفل: ما هي الفيروسات؟

الأم: أشياء صغيرة.

الطفل: هل أستطيع أن أراها؟

الأم: لا.

الطفل: لمَ لا؟

الأم: لأنها صغيرة جدًا.

الطفل: هل هي أصغر من الفأر؟

الأم: أصغر كثيرًا.

الطفل: بكم هي أصغر؟

الأم: ابتعد عن البرّاد.

الطفل: ولكن أنا أريد أن أعرف لماذا هو بارد؟

الأم: هل ستبتعد عن البرّاد!؟
الطفل: لماذا يوجد للبرّاد محرّك؟
الأم: للمرة الأخيرة...
وهكذا دواليك.

ثم يطلب منا السيد أرنولد تخيّل طريقة أكثر تجاوبًا في التعامل مع هذا الطفل التوّاق. إنه المشهد نفسه والممثلون أنفسهم ولكن بمقاربة مختلفة. الأم مشغولة تمامًا، والطفل مليء بالتساؤلات. ولكنّ الأم تنظر إلى هذه الاسئلة كفرصة سانحة لمساعدته في نموّه العقلي لا كمصدر إزعاج يجب إنهاؤه في أسرع وقت ممكن:

الطفل: لماذا الثلج بارد؟
الأم: الثلج هو في الحقيقة ماء متجمّد. هل تعلم أنّ البرد شديد جدًا في القطب الشمالي إلى درجة أنّ الماء هناك متجمّد دائمًا؟ إذا وضعت بعض اللحم هناك في القطب الشمالي فسوف يتجمّد كالصخر. وعندما يتجمّد هكذا فإنه لا يفسد. هل تذكر عندما رميت قطعة صغيرة من الهامبرغر كنت نسيت إعادتها إلى البرّاد الأسبوع الماضي؟ أخبرتك يومها أنها فسدت.
الطفل: أنا أذكر ذلك. لقد قلت إنك لم تستطيعي إعطاءها للقطة. ماذا تعني «فسدت»؟ لماذا لم يكن بإمكاني تقديمها إلى القطة؟
الأم: هناك الملايين والملايين من المخلوقات الصغيرة، الصغيرة إلى درجة أننا لا نستطيع رؤيتها. إنها تنتشر في الهواء، وبعضها يحب أن يحطّ على الطعام وأن يأكل بعضًا منه وينمو عليه. هذه المخلوقات تُسمّى الجراثيم. إنها يمكن أن تسبّب لك وجعًا شديدًا في البطن إذا أكلتَها مع طعامك. وهي تكره البرد، وعندما تحافظ على الطعام نظيفًا وباردًا فهذه الجراثيم تبقى بعيدة عنه. وعندما يكون الطعام في البرّاد فإنه لا يفسد، إنها لا تستطيع إفساده. ولكنّ البرد الشديد ليس أمرًا مناسبًا للجميع.
الطفل: لماذا البرد ليس جيدًا بالنسبة لي؟
وهكذا دواليك...

إنّ التفاعل اللفظي بينك وبين طفلك، الذي سيستمرّ أثناء حياتك معه، هو «الدروس» الأكثر أهمّية في حياته كلها، التي بإمكاننا اعتبارها «المدخل إلى

أسرار العالم». تعاملي مع طفلك وأسئلته بالاحترام الذي يتطلبه عقله الصغير المتنامي. إن اهتمامك وانتباهك بينما تشاركينه معارفك عن العالم وأسراره هما إحدى أفضل العطايا التي يمكنك تقديمها إليه.

التلفزيون كأداة تربوية

ثمّة «لعبة» يحتويها بيتك، ولكونها معقدة ومتعدّدة الجوانب فإنها يمكن أن تؤدّي دور المعلم لطفلك. هذه اللعبة هي جهاز التلفزيون.

لقد انتُقد التلفزيون كثيرًا في السنوات الأخيرة باعتباره مخرّبًا وقاحلًا من الناحية التربوية، وهو فعلًا كذلك. ودعونا نعترف بأنّ هناك الكثير من الأشياء الخاطئة في التلفزيون، فأنا أكره تلك العروض التافهة وتلك الإعلانات السخيفة تمامًا كما تكرهينها أنت. والحقيقة أنني قليلًا ما أشاهد التلفزيون، لأن نوعية البرامج متدنّية جدًا. وبرامج الأطفال الجيدة هي بالتأكيد قليلة ومتباعدة، فمعظم هذه البرامج تتمثل في أفلام الصور المتحركة القديمة التي نرى فيها الحيوان الكبير المألوف يطارد الحيوان الصغير التعس نفسه مرة ومرة بعد أخرى. ومعظم الأهل اليوم قلقون من تصوير مشاهد العنف في التلفزيون (سوف أعالج هذا الموضوع في الفصل العاشر «طفلك والعنف»).

دعونا نتفق على أن العديد من هذه الانتقادات محقة تمامًا وأن نوعية برامج الأطفال التلفزيونية تتحمّل إضافة الكثير من التحسينات عليها. ولكن من الخطأ التغاضي عن حقيقة أن التلفزيون يمكن أن يكون أداة تربوية قيّمة لطفلك في مرحلة ما قبل المدرسة، فمثلًا، منذ دخول التلفزيون إلى البيوت الأميركية، زاد عدد المفردات التي يستخدمها الأطفال المنتسبون إلى دور الحضانة أو الصف الأول في المدارس العامة بدرجة كبيرة عمّا كان عليه قبل ظهور التلفزيون. وكما يقول الدكتور آيمس من معهد غيسيل: «ابتداءً من عمر الثلاث سنوات يتعرّض الأطفال لكل أنواع المعارف والأشياء التي لم يكن ممكنًا رؤيتها قبل جيل واحد مضى. إن معرفتهم أصبحت أكبر بدرجة هائلة». وتعلّق إديث إيفرون في

مقال لها بعنوان «التلفزيون بوصفه معلّمًا» بالقول إنّ أولاد الصف الأول الذين حصلوا على نسبة معيّنة من المشاهدة كانت مجموعة مفرداتهم متقدّمة بما يعادل عامًا كاملًا على أولئك الصغار الذين لم تتح لهم المشاهدة. وكلما كان ذكاء الطفل أكبر تشرَّب أكثر من الشاشة... وعلى العموم فإن التلفزيون هو إضافة تربوية قيّمة للمواليد الصغار مهما كانت قدراتهم الدماغية».

لكنّ الدراسة الأكثر شمولًا التي أجريت في الولايات المتحدة الأميركية عن آثار التلفزيون على الأطفال أجراها الدكتور ويلبر شرام، على ستة آلاف طفل.

لقد برهن على أنّ الأطفال الأكثر ذكاءً والحاصلين على أفضل الدرجات في المدرسة هم من مشاهدي التلفزيون المواظبين. وبحسب الدكتور شرام: «عادة ما يكون الأطفال الأكثر نبوغًا هم أولئك الذين يبدأون مبكرًا بالمشاهدة... وفي السنوات المدرسية الأولى، هم مرشحون أكثر من الآخرين لمشاهدة التلفزيون بكثافة».

لذا، يبدو أن هناك دلائل بحثية قوية على أن التلفزيون، بالرغم من نقائصه الواضحة، هو وسيلة تربوية صحّية في حياة الأطفال الصغار. ولا شك في أنه إذا حُسِّنت برامج التلفزيون فبإمكانه أن يستحيل وسيلة تربوية أفضل للأطفال».

إن البرنامج التربوي «شارع سمسم» هو مثال عن أفضل ما يمكن للتلفزيون أن يقدّمه لأطفال لا يزالون في مرحلة ما قبل المدرسة. هذا البرنامج المموَّل بمنح من مؤسّسة فورد ومؤسسة كارنيجي، ومكتب الولايات المتحدة للتعليم، أسهم فيه أكثر من مئة من نخبة التربويين واختصاصيّي نموّ الطفل، وعلماء النفس والمعلمين وصنّاع الأفلام والكتّاب والفنّانين وخبراء الاتصال، من أجل تطوير هذا الإنجاز المبدع في مجال تربية الأطفال بواسطة التلفزيون. من خلال مشاهدة طفلٍ في مرحلة ما قبل المدرسة لهذا البرنامج سيتعلم الحروف الأبجدية والتمييز بينها. وسوف يتعلم الأرقام وكيف يعدّ. وسيبدأ بتعلم المنطق والمحاكمة. كما أن المؤسسة التي أنتجته تصدر دليلًا توجيهيًا للوالدين عن البرنامج. وأنا أوصي بشدّة كل الأهل الذين لديهم أطفال في سن ما قبل المدرسة بهذا البرنامج. وآمل أن تُنتَج الكثير من البرامج مثله. إنه نموذج لأفضل ما يمكن للتلفزيون أن يسهم فيه من الناحية التربوية.

أرجو أن لا تستنتجي من كلامي أنّني أتبنّى فكرة تعريض طفلٍ في مرحلة ما قبل المدرسة للتلفزيون بدون حدود. على العكس من ذلك، أنا أعتقد أنّ تحفيز نموّ طفلك يجب أن يتمّ عبر مجموعة واسعة من الأنشطة داخل المنزل وخارجه، فطفلك يجب أن يتسلّق ويجري ويركب الدرّاجة الثلاثية العجلات ويلعب في الرمل ويبني بالمكعّبات ويرسم ويلوّن ويستمع إلى التسجيلات وتُقرأ له الكتب. أعتقد أيضًا أنّ للتلفزيون مكانًا بين هذه الأنشطة، على أن يكون ذلك بنسبة معقولة وألّا يحظى بحصّة الأسد منها على أيّ حال.

وبما أننا نتحدّث عن التطوّر اللغوي للأطفال، فسيكون مناسبًا طرح السؤال التالي: هل يجب أن تعلّمي طفلك القراءة؟ في الفصل الحادي عشر «المدرسة تبدأ في البيت – الجزء الأوّل» سأناقش هذا الموضوع بالتفصيل وسألقي بعض الضوء عليه بناءً على نتائج الدراسات الحديثة. ولكن دعيني أجب باختصار عن هذا السؤال فأقول: نعم، أعتقد أنها فكرة جيدة أن تحاولي تعليم طفلك القراءة في مرحلة ما قبل المدرسة، فنتائج الأبحاث تحثّ على السير في هذا الاتجاه. ولكنّ السؤال الحاسم هو: متى؟ أحد الكتب التي تقترح على الأهل تعليم أطفالهم القراءة يوصي بأن عمر السنتين هو أفضل وقت للبداية. والكتاب نفسه يُؤكّد: «إذا لم تمانعوا تحمّل بعض المتاعب فعليكم أن تبدأوا في الشهر الثامن عشر، أما إن كنتم أذكياء جدًا فعليكم البدء في الشهر العاشر».

إن هذا هراء محض. وأنا أخشى فعلًا أنّ بعض الأمهات المتحمّسات، غير العارفات بما فيه الكفاية، ربما حاولن تعليم طفل في شهره الثامن عشر، أو أسوأ من ذلك، رضيع في شهره العاشر، كيف يقرأ. إن محاولة كهذه مثيرة للضحك إن لم تكن مأساوية تمامًا. إن الوقت الملائم لمحاولة تعليم الطفل القراءة في المنزل هو عندما يبلغ الثالثة من العمر لا قبل ذلك، فمرحلة المراهقة الأولى ليست الوقت المناسب لتعليم الطفل القراءة، لأنها فترة يصارع فيها كل المشاعر المتناقضة والضغوط من أجل الامتثال، التي ذكرتها في الفصل السابق. وهو ليس بحاجة إلى ضغوط إضافية، لذا عليك بتجاهل موضوع تعليم القراءة في هذا العمر.

الغيرة عند الأطفال

أريـد مناقشـة المشـكلة المزمنـة للغيرة عند الأطفـال، أو كما نطلـق عليها نحن الاختصاصيين النفسيين «تنافس الأشقاء».

سـيكون للطفـل فـي مرحلة ما قبل المدرسـة رد فعل معيّن في حـال قدوم طفل جديد إلى العائلة سواء كان ذكرًا أو أنثى. ولهذا عندما تخبرني إحدى الأمهات: «لقد أحب تومي شـقيقته الصغيرة منذ يوم ولادتها» فإنني لا أصدّقها. إنّ هذا مسـتحيل مـن وجهة نظـر علم النفس. لماذا؟ دعيني أشـرح لـك ذلك من خلال هذا المثال.

افترضي أن زوجك حمل إليك غدًا هذا الخبر الرائع. «عزيزتي سـوف تنضم إلينا فـي الأسـبوع المقبل روكسـان خطيبتي السـابقة. بالطبع أنا ما زلـت أحبك كما أحببتـك دائمًـا. وسـوف أكون معـك أيـام الاثنين والأربعـاء والجمعـة. ولكنني سـوف أكون معهـا أيام الثلاثاء والخميس والسـبت. أمّا أيام الأحد فسنتشـارك فيهـا جميعًـا». في ما بعد عندما تأتي هذه المنافِسَـة للإقامـة معكم في البيت وتكتشـفين أنهـا لا تنـوي القيام بأيّ عمل مهما كان صغيرًا لمسـاعدتك، وكل ما سـتفعله هو الاسـترخاء طيلة اليوم وقراءة المجلّات النسـائية وشـرب الحليب، كيف سيكون شعورك تجاه روكسان؟ الغضب الشديد؟ حسنًا، هذا هو ما يشعر به تقريبًا طفل في مرحلة ما قبل المدرسة عند قدوم مولود جديد، ذكر أو أنثى، إلـى الأسـرة. إنه يشـعر بالغبـن والألم والهجـر والغضب. وهو عادةً ما يشـعر بأنّ أمّـه قـد هجرتـه عند ذهابها إلى المستشـفى للـولادة. وعندما تعـود إلى البيت مـع المولـود الجديـد فإنها تخصّـص وقتًا قليلًا لـه، بينما تبـدو منهمكة مع هذا الغريـب. ولاحقًا يأتي الأقرباء والأصدقاء للزيارة وتصدر منهم آهات الاستحسـان والإعجاب بهذا المولود الجميل فيما يتجاهلونه هو. إذاً هل من الغريب أن يشعر طفل في مرحلة ما قبل المدرسة بهذه المشاعر السلبية تجاه شقيقه الصغير؟

لا يمكنك منع ظهور هذه المشـاعرعند طفل تجاه شـقيقه الأصغر ولكن يمكنك التقليل منها.

يمكنك إخبار طفلك الأكبر مسبّقًا عن الولادة المقبلة بحيث لا تكون مفاجأة تامة له عند حدوثها. لكن لا تخبريه قبل تسعة أشهر فهذه مدة طويلة للانتظار. مدة شهر قد تكون كافية (رغم أنه قد يعلم بالأمر قبل ذلك من خلال استماعه لما يدور حوله من الأحاديث في العائلة).

يمكنك أيضًا مساعدة طفلك ما قبل المدرسة باختبار مشاعره حيال المولود الجديد وذلك بأن تقدّمي له دمية مطاطية متينة على شكل طفل صغير مع حفاض ومهد وبانيو. وستكون عناية طفلك بهذه الدمية أو ضربه لها على الرأس أو تعبيره عن مختلف المشاعر نحوها، أمرًا معتمدًا على عمره وجنسه، ذكرًا كان أو أنثى.

قبل ذهابك إلى المستشفى للولادة أخفي بعض الهدايا البسيطة في أماكن مختلفة من البيت. وبعد ذلك اتصلي به وأنت في المستشفى وتحادثي معه وأخبريه بوجود مفاجأة ما في مكان معيّن من البيت. هذا أمر يخفّف من حدّة شعوره بأنه مهجور ومن أنك تخليتِ عنه، وسيُشعره بأنك تفكرين فيه حتى وأنت بعيدة عنه في المستشفى. وعندما تعودين إلى المنزل من المستشفى يجب أن تبذلي وزوجك جهدًا خاصًا لكي لا تنهمكا كلّية مع المولود الجديد وتهملا الطفل الأكبر سنًا. أظهري له بعض المحبّة والاهتمام الخاصّين.

عادة ما يتجلى رد فعل طفل في مرحلة ما قبل المدرسة على ولادة شقيق أصغر من خلال مجموعتين مختلفتين من المشاعر والدوافع. قبل كل شيء، سوف يميل إلى النكوص: وذلك بعودته إلى تصرّفات طفولية كان قد تخطّاها. وهي آلية دفاع نموذجية نستعملها جميعًا من وقت لآخر كردّ فعل على الحالات الضاغطة والمجهِدة، فنصبح أكثر طفولية وصبيانية. ولكنّ معظم الأهل يتعاملون مع رغبة طفلهم بالنكوص بطريقة خاطئة تمامًا، وذلك بمحاولتهم تذكيره بمزايا العمر الأكبر. لكنه لا يستطيع رؤية هذه المزايا المزعومة، فكل ما يراه هو أنه عانى ليتعلّم أن يأكل وحده أو ليتعلم استخدام المرحاض بينما يحظى ذلك المشاغب الصغير بكل الاهتمام، حيث تقوم الأم بتغذيته وتغيير حفاضاته.

يبدو الأمر وكأن هذه الطفل الأكبر يفكر في نفسه قائلًا: «امممم، ربما لو تصرفت كطفل رضيع مرّة أخرى لاستطعت إجبار والدتي على منحي بعض

هذا الحب والاهتمام». هكذا، قد يعود الشقيق الأكبر لتوسيخ نفسه أو طلب زجاجة الحليب أو طلب أن يُحمل ويُهزّ.

ماذا يكون رد فعل والديه على هذه التكتيكات؟ «هيا يا جيري، إنك ولد كبير الآن والأولاد الكبار لا يتصرّفون بهذه الطريقة. لا تكن صغيرًا!». ورد الفعل هذا من والديه سوف يجعله يشعر بالمزيد من الألم بداخله ويدفعه إلى المزيد من التصرّفات الأكثر طفولية والبحث عن السلوى بأن يكون وليدًا صغيرًا.

ماذا يجب عليك أن تفعلي؟ أعطي فرصة لطفلك الأكبر بالنكوص إن هو أراد ذلك. عندما وُلِد طفلي الذكر الأول كانت أخته في السادسة من عمرها، وكنا مهيّئين للتعامل مع رغبتها في النكوص، الذي من المؤكد أنه حدث. لقد طلبت زجاجة الحليب وأعطيناها لها ولمدة أربعة أو خمسة أيام استمرّت في شرب الكولا أو عصير البرتقال بالزجاجة بدلًا من الكأس. ثم بعد ذلك تخلت عنها طوعًا كما لو أنها تقول: «حسنًا، لم أعد بحاجة إليها بعد الآن. أظن أنه ليس أمرًا ذا شأن أن أكون طفلة رضيعة مرة أخرى وأن أشرب من الزجاجة».

لقد مررنا بهذه التجربة مرة أخرى مع طفلي الأكبر وهو في عمر ست سنوات عندما وُلد شقيقه الأصغر. وفي كلتا الحالتين حدث هذا النكوص لفترة معينة ثم تخليا عنه بعدما استُجيب لرغباتهما الأكثر طفولية لفترة مؤقتة.

إن طفلك الأكبر سيشعر بالغضب والعدائية تجاه المولود الصغير. ولسوء الحظ فإن معظم الأهل يحاولون ثنيه عن هذه المشاعر. «لا تقل هذه الأشياء عن شقيقك الصغير، هذا ليس أمرًا جيدًا. كن لطيفًا معه، أليس جميلًا هذا الطفل الصغير؟». بدلًا من مخادعته في مشاعره يجب على الأهل أن يسمحوا للطفل الأكبر بالتعبير عن مشاعر الغيرة والغضب تجاه شقيقه الأصغر. ويستطيعون إذ ذاك عكس مشاعره إليه: «أنت غاضب من الصغيرة جيني. أنت تشعر بأنّ ماما تحبّها أكثر مما تحبّك». وقد يساعد في الأمر أيضًا أن يتجاهل الوالدان مشاعرهما الحقيقية قليلًا وينتقدا المولود الصغير لمصلحة الطفل الأكبر (وهو أمر لن يؤذي المولود على أيّ حال، حيث إنه لا يفهم ما يُقال له). وبهذا تعطينه الانطباع بأن المولود الصغير يمكن انتقاده. مثال جيّد على هذا يمكن أن نجده

في رواية إحدى الأمهات عن ردّة فعل طفلها ذي السبعة عشر شهرًا على ولادة شقيقته الصغيرة:

«عندما عدتُ إلى البيت مع جيني، حدّق فيّ مارك في البداية وكأنني شخص غريب عنه تمامًا. وقد بكى بحرقة عندما حمل والده جيني من السيارة إلى البيت، وبقي متحفظًا لعدة أيام. لقد كنت مهيّأة لأن أرى بعض الغيرة من مارك ولكنني ظننت أنها ستكون ماكرة وخفيّة، أو موجّهة نحوي. لكنّ ذلك لم يكن على الإطلاق، ففي الفرصة الأولى التي سنحت له ذهب مباشرة إلى الصغيرة بكل مشاعره المكروبة وحاول أن يضربها. لقد بدا مصمّمًا على تحطيم هذه الحزمة من المشكلات (شقيقته). كان من الواضح تمامًا أنه غاضب غضبًا مرعبًا من سوء نيته وبكى بحدّة قائلًا «لا، لا» حتى وهو متوجّه إليها... لقد انكسر الجليد أخيرًا في يوم من الأيام، ربما بعد أسبوع من عودتي مع جيني إلى البيت. كنت أغيّر حفاض جيني بينما كان مارك يراقب وهو بين ذراعي جدّته. أصدرت جيني بعض الأصوات الخفيفة وقلّدتها وقلت لمارك: «هذه المولودة الصغيرة تفعل بعض الأشياء السخيفة. أليس كذلك؟» وفجأة ابتسم مارك ابتسامة عريضة وقال «سخيفة!». لقد كان اكتشافًا عظيمًا بالنسبة له أن أكون إلى جانبه. وها نحن الآن معًا نضحك على المولودة الصغيرة. ومن تلك اللحظة فصاعدًا لم تعد هناك أيّ مشكلة تقريبًا».

من الجدير بالذكر أن التنافس بين الأشقاء يحدث في كلا الاتجاهين، من الأكبر إلى الأصغر وبالعكس. وهو شيء لا يمكن إزالته بل يمكن التخفيف من حدّته. يتساءل الأهل دائمًا لماذا يتشاجر أطفالهم ويتخاصمون في ما بينهم مع أنهم يلعبون بسعادة مع ابن الجيران وبدون شجار. والجواب أن ليس هناك من تنافس مع ابن الجيران على الوالد أو الولدة نفسها.

كل طفل تمرّ عليه أوقات يتمنّى فيها أن يختفي كل الأطفال الآخرين في الأسرة وأن يخلُص الأب والأم له وحده، فماذا يمكن أن تفعلي لتقللي من مشاعر الغيرة بين أطفالك؟ حاولي أن تقضي وقتًا منفردًا مع كل طفل على حدة في كل يوم، واجعلي طفلك يعلم بأن هذا الوقت خاصّ به وليس لطفل آخر أن يشاركه فيه.

ثمّة وسيلة مساعدة أخرى للتخفيف من التنافس والغيرة بين الأشقاء خلال الرحلات والنزهات وحتى الإجازات، وهي اصطحاب صديق لواحد أو أكثر من أطفالك، وسوف يدهشك كم سيخفّف ذلك من الضغط ويقلل من التخاصم والتشاجر بين الأشقاء.

كيف تدرّبين طفلك على استخدام المرحاض

التدريب على استعمال المرحاض، في ثقافتنا على الأقل، ينتمي إلى هذه المرحلة من النموّ. ودعونا نبدأ بالاتفاق على بعض الحقائق «العلمنفسية» عن عمليّة التدرّب على النظافة.

الحقيقة الأولى هي أنه ليست هناك والدة تقدر على تدريب طفلها على استخدام المرحاض ما لم يكن الطفل نفسه يريد ذلك. يمكنك أن تسوقي الطفل إلى المرحاض – وأن تفعلي ذلك مئات المرات – ولكن إن لم يكن هو مهيّأً للتدريب فلن يمكنك إجباره، بصرف النظر عن محاولاتك، كثرت أو قلت، لمداهنته أو الضغط عليه.

ثانيًا، ما الذي قد يدفع طفلًا للتخلي عن طريقته الخالية من الهم في قضاء الحاجة وتعلّم هذه الطريقة الجديدة والغريبة لطرح فضلاته؟ شيء واحد فقط يمكن أن يجعله يفعل ذلك. إنه يريد أن يُكافأ بحبّك واهتمامك على تعلّمه هذه العملية الجديدة. ولكنه سيريد حبّك واهتمامك، فقط إذا ما كانت العلاقة بينك وبينه علاقة جيدة في الأساس. أما إن كانت هذه العلاقة ضعيفة فمن المرجّح أنك ستواجهين أوقاتًا عصيبة في تدريبه.

ثالثًا، إذا بدأتِ قبل أن يكون طفلك مهيّأً من الناحية العصبيّة العضليّة للتحكّم في عضلاته العاصرة، أو إذا مارست ضغطًا كبيرًا عليه ليتعلم بسرعة شديدة، فسيشعر بأن ما يُطلب منه كثير ومبكر. وسوف يشعر بالعجز وعدم الكفاءة والإحباط. لهذا شدّدتُ في فصول سابقة على أنك يجب ألّا تبدئي بتدريبه على المرحاض حتى يبلغ السنتين من عمره تقريبًا.

رابعًا، بالنسبة إلى معظم الأمهات يبدو تدريب الطفل على استعمال المرحاض نوعًا بسيطًا جدًا من الإجراءات. ولكنه وإن بدا بسيطًا وسهلًا في أعين البالغين الراشدين فإنه يبدو مهمّة تعليمية معقّدة في ناظري طفل في السنتين من العمر. عندما تحدث حركة الكتلة البرازية في أمعاء الطفل وتضغط على المستقيم فإنها تسبّب حدوث ارتخاء في عضلات المستقيم، ينتج عنه التبرّز. وبالنسبة للطفل الذي يتدرّب على استخدام المرحاض، عليه أن يتعلم تغيير هذا التعاقب للأحداث. يجب أن يتعلم كبح الاستجابة لاسترخاء عضلات المستقيم، ويجب أن يتعلم استدعاء والديه. يجب أن يتعلم الذهاب إلى الحمام وإنزال سرواله والجلوس على المِقعدة، وخلال ذلك كله يكون عليه أن يكبح الاستجابة العاجلة لاسترخاء عضلات مستقيمه. ولا يُعَدُّ الطفل متدربًا فعلًا على قضاء الحاجة حتى يستطيع تنفيذ هذا التعاقب للأحداث بنفسه.

هل بدأت ترين الآن لماذا هي مهمّة تعليمية معقّدة لطفل يبلغ العامين من العمر؟ فإذا عاقبه والداه أو ضغطا عليه بشدّة بسبب «الفشل» أو وقوع «حادث عارض» فإن انفعالات قوية ستستيقظ في نفسه. الخوف والغضب والتحدّي والعناد يمكن أن تُستثار إذا عالج الأهل هذه المهمّة المعقّدة بطريقة خاطئة.

إذًا ما هي، بالتحديد، الكيفية التي ستتعاملين بها مع عملية التدريب على استخدام المرحاض؟

قبل كل شيء عليك أن تميّزي بين تدريب الأمعاء وتدريب المثانة، فهما يتضمّنان آليّات مختلفة ويتطلبان تعاملًا مختلفًا. وبما أن تدريب الأمعاء يبدأ أولًا في العادة، فدعينا نتحدّث عنه أولًا.

العديد من الأمهات يبدأن تدريب الأمعاء عندما توحي لهنّ ما يحسَبن أنها حكمة الكبار اللانهائية التي يتمتعن بها، بأن الوقت قد حان لإجلاس الطفل على المرحاض والنظر في ما إذا كان يمكنه التبرّز. هذه العملية تبدو منطقية للعديد من الأمهات بحيث لا يستطعن أن يرين السخافة المتأصّلة في البدء بهذه الطريقة. وقد أستطيع مساعدتك على تبيّن هذه السخافة من خلال السؤال الآتي: افترضي الآن بينما تقرئين في هذا الكتاب، أن عملاقًا بطول عشرة أقدام دخل عليك فجأة وحملك إلى الحمام ووضعك على المرحاض وخاطبك بصوت

عال ومخيف: «لقد حان وقت التبرّز». وافترضي أنه أجبرك على البقاء جالسة لمدة من خمس إلى خمس عشرة دقيقة. ماذا سيكون ردّ فعلك؟ إنه رد الفعل نفسه عند طفلك في ظروف مشابهة. قد تقولين إن هذا التشبيه سخيف، ولكن فكري فيه وانظري فيما إذا كانت أمّهات عديدات لا يتجاهلن الاحتياجات البيولوجية لأطفالهن حين يتصرّفن بطريقة العملاق ذي العشرة أقدام.

قبل سنوات عديدة، وفي كتاب تقليدي عن تربية الأطفال عنوانه *Babies Are Human Beings* (الأطفال كائنات بشرية) تحدّث الدكتور أندرسون ألدريتش وزوجته ماري ألدريتش عن وسيلة أفضل بكثير لتدريب الطفل على التحكم في أمعائه:

«إن تدريبنا يتجاهل غالبًا واحدة من المعدّات الرئيسية للطفل، وهي تصميمه الفيزيولوجي من أجل التحكم في الأمعاء. وعندما نخفق في المُزامَنة بين تقنيّات تشكيل السلوك التي نقوم بها وبين جهوده الإطراحية الذاتية كما تحدث طبيعيًا، فإننا نضيّع فرصتنا الكبرى... إن الخطة الفيزيولوجية لعملية التبرّز يمكن شرحها في بضع كلمات... وكما في كل نشاط حيوي آخر في الجسم، فليس هناك شيء متروك للمصادفة، فالطفل يتبرّز وفق قواعد محدّدة بدقّة، متموضعة بدقّة في القولون... فعلى فترات فاصلة من عدة ساعات، تحدث عملية مدهشة للكتلة البرازية... ينقسم كامل القولون بعد الجزء الصاعد منه، إلى عدة كتل طويلة بشكل النقانق، وهذه، بفجائية مذهلة، تهبط إلى المستقيم. الضغط الناتج حينها على المستقيم يطلِق المحاولات التوتّرية للعضلات البطنية وارتخاء العضلات التي تغلق المستقيم. في هذا الوقت لا في أي توقيت اعتباطي من اختيارنا، تحدث عملية التبرّز لدى كل الرضّع الذين يتاح لهم استعمال سيطرتهم التلقائية من دون عائق، فحركة الكتلة البرازية هي عملية غير مريحة للطفل بكل تأكيد، حيث يتبرّز الطفل جرّاء تحفيزها، فيدفع بقوة ليشعر بعد ذلك بالراحة.

لن يمضي وقت طويل حتى تأتي قضية «التدريب» لتضع العصيّ في الدواليب... فيُوضع الطفل على المقعدة ويُتوقع منه أن يقضي حاجته. وهو عادةً لا يُستثار إطلاقًا في الوقت المُختار، بل على العكس، يُتوقع منه أن

يقوم بالعملية في ساعة محدّدة من النهار تناسب النظام الذي يسير عليه، ويُفضَّل أن يكون ذلك بعد الإفطار مباشرة. أما حقيقة أنّ للطفل آلية الزناد (التنبيه) الخاصة به وأن هناك حركة الكتلة البرازية فيُصار إلى تجاهلها. وعندما يرفض الطفل، يتحوّل الموضوع بكامله إلى معركة بينه وبين الأم، ويصبح التدريب الحقيقي بعيد المنال.

إنّ تجاهل حركة الكتلة البرازية كقوة أولية في إيقاع الإخراج ليس أمرًا صحّيًا، لأننا إذا تجاهلنا فعالية طبيعية لمدة طويلة فإنها تميل للاختفاء الكامل من قائمة أصولنا (ممتلكاتنا). وهذا ما يحدث في الواقع لمعظم الأطفال المصابين بالإمساك. فالتنبيه الداخلي عندهم إما أن يكون اختفى تمامًا أو جرى تجاهله طويلًا بحيث لم يعد من الممكن التعرّف إليه كنداء آليّ لقضاء الحاجة».

إن الخطأ بتجاهل آلية الزناد (التنبيه) الخاصة بالطفل، أي حركة الكتلة البرازية، يؤدّي غالبًا إلى عواقب أبعد مدى من ناحية التطوّر النفسي لطفلك، فالطفل سوف يعتقد أنه يُتوقع منه أن يشعر بشيء داخله وهو في الواقع لا يشعر به، لأن حركة الكتلة البرازية في أمعائه ليست حاضرة. وهذا الشعور يتسبّب بتقليل ثقته الذاتية بنفسه وسيقول في نفسه: «ربما لا أملك إمكانية الحكم الصحيح على ما يجري داخل جسمي. فأمّي تخبرني أنني يجب أن أتبرّز لأنها تضعني على هذه المقعدة. ولكنّ الأمر لا يبدو على هذا النحو بالنسبة إليّ»، أو ربما يشعر بأنك تعاملينه بقسوة وأنك لا تفهمينه على الإطلاق.

وبقدر عدوانية الأم في ما يُطلق عليه التدريب على استعمال المرحاض، وبقدر طاعة الطفل أو تمرّده، تتطوّر كل أنواع الأنماط السيكولوجية المؤسفة. والطفل المطيع ربما يصبح خائفًا ممّا يتصوّر أنك قد تفعلينه له إذا لم يتنكّر لمشاعره الطبيعية وإحساساته البيولوجية الداخلية المتعلقة بأمعائه. وسيبذل قصارى جهده في سبيل إرضائك، ولكنّ الثمن الذي عليه أن يدفعه هو تنكّره لمشاعره الداخلية الخاصة، الأمر الذي سيقلل من ثقته بنفسه.

ومن الممكن أيضًا أن يصبح ذلك الطفل مطيعًا في التدريب على المرحاض ولكنه سوف ينفّس عن إحباطه وتوتّره في مجال آخر، فمن الممكن أن يبدأ فجأة

بتطوير بعض المخاوف أو الخجل، أو قد تنتابه الكوابيس. ومن الممكن كذلك أن يطوّر مشكلات في الأكل أو أن يصبح عمومًا حرونًا ومقاومًا، بينما نرى الأم تتفاخر أمام جاراتها بسهولة تدريبه ولا ترى أيّ صلة بين هذا التدريب على المرحاض والمشكلات التي ظهرت فجأة.

ومن الممكن أن لا يكون الطفل مطيعًا، بل قد يصبح متمرّدًا، فقد تعلم فجأة أنّ تحريك أمعائه بطريقة معيّنة يبدو أنه الشيء الأكثر أهمية في العالم الذي يستطيع فعله من أجلِك. فإذا تمكّن من تحريكها بالطريقة التي تريدين منه أن يفعلها فسيصبح سيدًا لكِ لأنه يبدو له حينها أنه قد امتلك القوة التي تجعلك سعيدة. وعندما لا يتبرّز بالطريقة والوقت اللذين تريدينهما فهو يعلم أنه يستطيع إغضابك. وفي الحالتين معًا يتعلم أنه يستطيع السيطرة عليكِ. لقد بدأت حرب الأمعاء، وكوّن طفلك نمطًا من التمرّد، من المرجّح أن يمتدّ إلى مجالات أخرى في حياته ويكون سببًا في المزيد من المشكلات لكما. كل ردود الفعل المؤسفة هذه يمكن تجنّبها. فقط عليك احترام المؤشر البيولوجي الخاص بطفلك الذي يدلّ على أنه يحتاج إلى قضاء حاجته.

والآن دعينا نحدّد بوضوح ما يجب أن تفعليه في الواقع عندما يبلغ طفلك السنتين وتقرّرين البدء بتدريبه. ابدئي بتعليمه كلمات عما يحدث له. فإذا بدأت بتدريبه على التحكم في أمعائه وهو في عمر السنتين تقريبًا فلن تكون هناك مشكلة. عندما تلاحظين أنه يعتصر ويشدّ قولي له عرَضًا وببساطة: «جيمي يتبرّز في حفاضه» وبعد تكرار هذه الجملة عدة مرات سوف تصله الفكرة. وقريبًا سوف يعلن بنفسه: «ماما، أنا أريد التبرّز». وعندما يفعل هذا يمكنك المضيّ في الخطوة التالية.

استخدمي مِقعدة (نونية) بدلًا من كرسيّ يوضع فوق المرحاض. وأقترح هذا لعدّة أسباب؛ أوّلها أنّ الطفل يستطيع الوصول إليها بنفسه بدون أيّ مساعدة. والثاني أن الأطفال في بعض الأحيان يخافون من ارتفاع كرسي المرحاض أو من تدفق مياه غسله.

ضعي المقعدة في الحمام قرب المرحاض لبضعة أسابيع قبل الموعد الذي تخططين للبدء بالتدريب فيه، ولكن لا تحاولي تعليم الطفل استعمالها الآن.

فالهدف في هذا الوقت هو، بكل بساطة، جعله يشعر بالألفة والراحة تجاهها. لكنه يستطيع استكشافها كما يشاء وتجريب وضع نفسه عليها.

وعندما تكونين جاهزة للبدء بالتدريب الفعلي أظهري له المقعدة. وأخبريه أنه كبير كفاية ليستطيع الجلوس عليها وقضاء حاجته كما يفعل الكبار تمامًا. الأطفال الصغار يحبّون تقليد والديهم وأشقائهم الأكبر سنًا. والعديد من الأهل بسبب قلقهم الخاص من وظائف المرحاض لا يستعملون وسيلة التقليد هذه في تدريب أطفالهم، وإذا كان لا يزعجك ذلك، فقد يساعد طفلَك رؤيتُه لك أو لزوجك جالسين على المرحاض تقومان بما يجب أن يقوم هو به. ومما يساعد أيضًا وجود طفل أكبر سنًا، فالطفل الأصغر سوف يرغب في تقليد الطفل الأكبر في كل ما يفعله. وقضاء الحاجة ليس استثناءً.

حالما تُرينه مكان وكيفيّة قضاء حاجته، أخبريه أنه ينمو ويصبح كبيرًا وليس بحاجة إلى الحفاض بعد الآن. ألبسيه سروالًا للتجربة واتركي الأمر له. فإذا كان ناضجًا كفاية ليتدبّر الأمر زوّديه بكمّية كافية من السراويل وضعيها في دُرج منخفض أو على رفّ يمكنه الوصول إليه. وبهذه الطريقة يستطيع تغيير سراويله بنفسه.

وبما أنك تعلمينه شيئًا جديدًا فعليك أن تتذكّري أن العقاب دائمًا ما يتداخل مع تعليم أيّ مهارة جديدة. ولكنّ العقاب لا مكان له إطلاقًا في التدريب على استعمال المرحاض. دعي الحركة البيولوجية الداخلية للكتلة البرازية لطفلك تكن مؤشّره إلى وجود حاجة للذهاب إلى المرحاض. ثمّ إنّ عليك أن تعززي نجاحه بالثناء والعطف، وتجاهل الإخفاق.

إنها فكرة طيّبة أن تتركي طفلك يستخدم مرحاض الكبار في بعض الأحيان، بالإضافة إلى مرافق الحمّام الأخرى. إن أهمية تغيير وضع وحالة دورة المياه توضحها تجربتي الخاصة في رحلة تخييم عائلية. كنا في سيارتنا على الطريق عندما أعلن ابني ذو الثلاث سنوات فجأة وبنبرة مستعجلة، أنّ عليه الذهاب إلى المقعدة. ولسوء الحظ فإن أقرب محطة إلينا كانت على بعد أميال، لذا أوقفتُ السيارة وأخرجته منها إلى ما بين الشجيرات على جانب الطريق. لكنه قال «لا، لا» وأردف «لا توجد دورة مياه هنا!». لقد كان مستاءً من العملية

كلها. وعلى مضض وافق أخيرًا على القيام بالعمل. لهذا عليكِ ألا تتركي طفلك يعتاد على شروط ثابتة مألوفة بحيث لا يستطيع أداء وظيفته بطريقة ملائمة عند تغيّر هذه الشروط.

ينبغي أيضًا أن تنتظري حتى يبتعد طفلك عن دورة المياه ثم تنظّفي المقعدة في المرحاض. فبعض الأطفال الحسّاسين وهم في هذه المرحلة من التفكير السحري البدائي، يمكن أن يفكروا في المرحاض باعتباره آلة صاخبة تجعل الأشياء تختفي. وربما يصبحون خائفين منه. بالنسبة إلى البالغين فإن هذه بالطبع طريقة غير منطقية أبدًا في التفكير، ولكن تذكري أن الأطفال الصغار يفكرون في الأمور بطريقة مختلفة عنا.

وحتى لو لم يكن طفلك يخاف من المرحاض، تبقى عملية اختفاء فضلاته في المرحاض عند تنظيفها عملية غامضة، فالطفل الصغير يعتبر فضلاته جزءًا من جسمه، ويعتبرها ذات قيمة.

على كل حال، ألم تجعلي أنت منها أمرًا مهمًا وأظهرت تثمينك لها أيضًا؟ وبينما يخرج فضلاته في المقعدة لإرضائك فهو ينظر إلى الأمر بالطريقة نفسها التي ينظر بها طفل أكبر إلى عملية تقديمه هديّة إلى شخص آخر يحبّه. وبما أن طفلك يقدّم لك هذه «الهدية» من فضلاته لأنه يحبّك، فسيبدو أمرًا غامضًا وغريبًا بالنسبة إليه أن تغسليها في المرحاض في الحال. انتظري حتى يغادر المكان ثم تخلصي منها.

التدريب على التحكم في المثانة

التحكم في المثانة أصعب على الأطفال في العادة من التحكم في الأمعاء. وبالتالي فهو يستغرق وقتًا أطول لبلوغه. وهناك عدة أسباب لهذا. منها أن الإحساسات الجسدية التي تشير إلى حاجة الطفل للتبوّل هي في البداية أقل وضوحًا وحدّة من تلك المتعلقة بحركة الكتلة البرازية في أمعائه. وثانيها أن الطفل يتبوّل في البداية كاستجابة لاإرادية لتوتّرات المثانة. وعليه من ثَمّ، أن

يتعلّم تثبيط هذه الاستجابة اللاإرادية. وعلى النقيض من هذا فحالما يكتمل تكوّن البراز جرّاء حركة الكتلة البرازية، لا تتطلب عملية التغوّط إذ ذاك سوى فعل الطرد والإخراج.

وبعبارة أخرى فإن من الأسهل على الطفل أن يتحكم بنفسه عندما يكون عليه أن يجعل شيئًا ما يحدث، من أن يتحكم بنفسه عندما يكون عليه أن يمنع شيئًا ما من الحدوث.

للتحكم في المثانة جانبان: التحكم أثناء اليقظة والتحكم أثناء النوم. في العادة يحدث التحكم أثناء اليقظة أولًا. وقد أشار د. غيسيل إلى أن للتحكم أثناء اليقظة ثلاث مراحل. الأولى عندما يعي الطفل أنه قد تبوّل على نفسه. ثم في مرحلة لاحقة حين يصبح واعيًا أنه يتبوّل ويستطيع التصريح بهذه الحقيقة. أما الثالثة فعندما يبدأ بتوقع أنه على وشك أن يتبوّل. وقبل أن تبدئي بتدريبه بالفعل يمكنك مساعدة طفلك على أن يكون قادرًا على التعبير عن هذه المراحل بالكلمات. عندما تغيّرين حفاضه يمكنك أن تقولي له: «بيلي مبلّل الآن، ترى ذلك؟». وإن كان لديك طفل أكبر يمكنك أن تستعملي المحاكاة طريقةً للمساعدة في تدريب الطفل الأصغر. مكّني الطفل الصغير من مشاهدة شقيقه الأكبر وهو يتبوّل، وقولي له: «تومي يتبوّل الآن، ترى؟». ويمكن أيضًا أن يكون للأب دور في تدريب الصبيّ وذلك بأن يدع طفله يراه وهو واقف يتبوّل. أما إذا كانت هذه الاقتراحات تسبّب لك إحراجًا فلا تستعملي المحاكاة وسيلةً في التدريب.

عندما تكونين جاهزة للبدء بالتدريب الفعلي على التحكم بالمثانة أثناء الاستيقاظ، يمكنك الاعتماد على المؤشر البيولوجي الذاتي عند طفلك الذي يدلّ على حاجته للتبوّل، وهو امتلاء المثانة. ألبسيه سروالًا وأخبريه أنه أصبح ولدًا كبيرًا ويستطيع التبوّل في المقعدة (النونية). وإن كنتِ تدرّبين طفلًا ذكرًا وأظهر رغبة في التبوّل في مرحاض الكبار مثل والده، فستحتاجين في هذه الحالة إلى درجة صغيرة تضعينها له ليقف عليها لكي يستطيع التبوّل وهو واقف. إن بعض الكتب في تربية الأطفال تعطي الانطباع بأن الأطفال الذكور والإناث يتبوّلون في البداية وهم جالسون. وهذا ليس شيئًا طبيعيًا على الإطلاق

ليقوم به صبيّ صغير، وهو تصرّف يرجع غالبًا إلى أنّ الأمهات هنّ من يتولّين التربية. والأكثر طبيعية هو تعليم الصبيّ الصغير أن يتبوّل واقفًا وذلك بمحاكاة والده أو أشقائه الأكبر سنًا. وإذا حاولت ابنتك الصغيرة التبوّل واقفة فدعيها تحاول إلى أن تكتشف بنفسها أن الأمر لن يسير جيدًا بهذه الطريقة.

وعليك أن تعلّمي الطفل كلمة صغيرة تناسب عمره للدلالة على هذه الوظيفة البيولوجية. وفي كل الأحوال تجنّبي اللفّ والدوران الذي تلجأ إليه بعض الأمّهات بسبب شعورهنّ بالحرج عند الحديث في هذا الموضوع، فتعليمك الطفل أن يقول إنّ عليه «الذهاب لرؤية السيدة مورفي» عندما يريد أن يتبوّل، لن يفيد إلا في إرباكه.

كذلك هي فكرة جيدة أن تجعلي الطفل يتبوّل في أماكن مختلفة بحيث لا يكون معتادًا على مكان واحد فقط أو مجموعة من الشروط المحدّدة للتبوّل.

إن التدريب على التحكم بالمثانة لن يحدث بين ليلة وضحاها، ولكنه سيتخذ مسارًا متذبذبًا إلى أن يصبح مستقرًا في النهاية. يجب أن تتوقعي تقدّمًا بطيئًا في البداية. كافئي الطفل بالثناء على نجاحه وتجاهلي إخفاقه. وحتى بعد أن يتمكن من ممارسة تحكّم جيّد في تبوّله عمومًا، فسيكون هناك بعض الزلاّت العارضة كما عند انهماكه في اللعب أو التعب الشديد.

التحكم بالمثانة أثناء النوم يتطلب تحقيق شرطين قبل حدوثه. أولًا يجب أن يكون الطفل قد تعلم من خلال السيطرة النهارية الاستجابة للتوترات في مثانته عبر شدّ العضلات العاصرة. ثانيًا يجب أن يبقي عضلاته العاصرة مغلقة بدون أن يستيقظ. وبالطبع فإن هذا سيجعل التحكم في أثناء الليل أكثر صعوبة منه في أثناء النهار، وبالتالي فهو سيستغرق وقتًا أطول. ماذا عليكِ أنتِ الأم أن تفعلي للوصول إلى هذا التحكم؟ لا شيء. لا شيء على الإطلاق. النضج الطبيعي للمثانة وحقيقة أنّ عليه أن يتعلم من التحكم أثناء النهار أنّ التبوّل يجب أن يتم في المرحاض، سوف يتوليان العناية بالأمر عاجلًا أو آجلًا. وعندما يستيقظ طفلك في منتصف الليل وقد بلل فراشه، غيّري كسوة الفراش فقط. وقولي له: «في المرة المقبلة ستبقى نظيفًا طوال الليل» أو «في المرة المقبلة قد تستيقظ في الوقت المناسب وتدخل إلى الحمام».

إنّ الطفل الـذي دُرِّب على التحكم فـي التبرّز، والتحكم في التبـوّل أثناء النهار بالوسـائل الموصوفـة فـي هذا الكتـاب، والذي عُلّـم بطريقة متأنّية مـن والدته، لـن يواجـه صعوبـة في تحقيـق التحكم الليلي في سـنّ معقولة. أمـا الطفل الذي سـيواجه الصعوبـات فهـو ذلـك الـذي تعـرّض لضغوط عديـدة من أجـل التحكّم النهـاري والذي يشـعر بأن التدريب على اسـتعمال المرحـاض قضيّة كبيرة. إنه ذلـك الطفـل الذي يسـتغرق وقتًا أطول لكـي يحقق التحكم الليلـي، لأنه عادة ما يكـون متوتّـرًا مـن القضيـة كلهـا، أو سيشـعر بالغضب بسـبب الضغـط عليه من أجل التدريب على المرحاض، وسـوف ينفّس بطريقة لاشـعورية عن غضبه هذا علـى والديـه وذلك بأن يبول في سـريره في الليل بينما يتنصّـل بطريقة آمنة من المسؤولية عن هذا الفعل.

ينبغي على الوالدين معرفة أنّ الطفل لا يتبوّل في فراشه متعمّدًا، فهو في الحقيقة كان مستغرقًا في النوم. ولذا يجب أن لا يعاقب أبدًا بسبب تبوّله في فراشه.

لكـن ثمـة نسـبة ضئيلة من حالات التبـول في الفراش يمكن أن تُرَدّ إلى أسـباب عضويـة. وهـي عادة مـا تكون حالات واضحة لأنّ هنـاك أعراضًا أخرى تصاحبها، مثـل عدم القـدرة على التحكم في البول أثناء النهـار الأمر الذي يمكّن الطبيب من معرفة أين تكمن المشكلة.

ولكـن فـي الغالبيـة السـاحقة مـن الحـالات فـإن التبـوّل فـي الفراش يرجـع إلى التوتّرات النفسـية في الطفل. فإذا اسـتمرّ التبوّل في الفراش بعد سنّ الخامسة فعلى الوالدين الامتناع عن محاولة تجريب العديد من العلاجات المنزلية التي يدأب العديد من الأهل للأسـف على اسـتخدامها (أهل الأطفـال الذين يتبولون في فُرُشِـهم يفعلون أغرب الأشـياء في سـبيل جعل أطفالهم يتوقفون عن ذلك). فـإذا كان لديـك طفـل تجـاوز الخامسـة من عمـره وهو مـا زال يتبوّل في فراشـه فعليك اللجوء إلى مساعدة متخصّصة بدلًا من محاولة تصحيح الوضع بنفسك.

يمكنـك أن تقـودي الطفـل إلى الحمّام ولكـن لا يمكنك جعله يذهب بنفسـه ما لـم يكـن مهيّأً لذلـك. افترضي أنه ليـس مهيّأً بعـد؟ افترضي أنه بعد أسـبوع أو عشـرة أيـام انتهت جهـودك لتدريبه على اسـتعمال المرحاض إلى لا شـيء؟ أنا أقترح عليك في هذه الحالة أن تسـتنتجي أن طفلك ليس مسـتعدًا بعد. عودي

إلى الحفاضات وانتظري بضعة أشهر أخرى قبل أن تحاولي ثانية. لقد بدأنا تدريب طفلنا البكر عندما كان في حوالى الثانية من عمره وبعد أسبوع تبيّن لنا بوضوح أنه لم يكن لديه أدنى اهتمام في ذلك الوقت. وبدلًا من أن ندخل في صراع طويل للإرادات وضعنا له الحفاض، وحاولنا مرة ثانية عند بلوغه العامين والنصف ولكن النتيجة لم تتغيّر. وحاولنا مرة أخرى قبل شهر من بلوغه الثالثة. وفي غضون أسبوعين تقريبًا كان قد تدرّب على التحكم في أمعائه ومثانته. أما في حالة طفلنا الأصغر فقد بدأنا أيضًا عند بلوغه العامين واكتشفنا أنه ما زال غير جاهز بعد فعدنا إلى الحفاضات، ثم أعدنا الكرّة عندما أصبح عمره عامين ونصف العام وكان جاهزًا في هذه المرة، وتم تدريبه في نحو ثلاثة أسابيع.

كيف تشعر الأمّهات تجاه عملية التدريب على استعمال المرحاض

لننظرْ الآن إلى مشاعر الأمّ عند محاولتها تدريب طفلها على استخدام المرحاض (الكثير من الكتب عن تربية الأطفال يبدو أنّها تتجاهل هذا الموضوع المهمّ). دعونا نفترض أنّ الأمّ قرّرت استعمال الوسائل العامة للتدريب المتبنّاة في هذا الكتاب. لقد جاءت ساعة الحقيقة وألبستِ الطفل سروالًا دون حفاض. فماذا سيحدث؟ قد لا يحدث شيء إيجابي في اليوم الأول، وحتى في الأيام الأولى، فالطفل يلوّث عدة سراويل في اليوم الواحد. وهذا هو كلّ ما يحدث. كيف تشعر الأم إذًا؟ عادة ما تشعر بأنها غير كفوءة وعاجزة. وربما تفكر: «لقد بدا الأمر سهلًا جدًا عندما قرأت عنه في الكتاب! أين أخطأتُ إذًا؟ من المحتمل أنني لست أمًا جيّدة. وربّما أنا غير جيّدة تحديدًا في مثل هذه الأمور». إن مشاعرها طبيعية ومفهومة، وخاصة إذا كان هذا هو طفلها الأول. وسيساعدها أن تتذكّر أن العامل الأهمّ في التدريب على استخدام المرحاض ليس ما تفعله هي وإنما هو استعداد الطفل ليتعلم هذه المهارة الجديدة. إن لم يكن الطفل جاهزًا بعد فلن يستطيع التعلم. يجب أن تذكّر نفسها بأنّ طريق تعلّم أيّ مهارة جديدة يمرّ بارتكاب الأخطاء ومن ثم الاستفادة من هذه الأخطاء. والتدريب على استخدام المرحاض يتم بالطريقة نفسها، فطفلك سوف يرتكب الكثير من الأخطاء وسوف يحتاج إلى وقت ليتعلم.

لقد ناقشتُ حتى اللحظة، في ما يخص موضوع التدريب على المرحاض، الأشياء التي باستطاعة الأم إنجازها كلية، حيث هي أمور تتعلق بأفعالها هي. والآن أريد أن أتحدّث عن أمر هو خارج السيطرة الواعية للأم: مشاعرها حول التدريب على استخدام المرحاض. يجب أن نواجه بصراحة حقيقة أن الكبار والأطفال الصغار يشعرون شعورًا مختلفًا حيال الفضلات التي ينتجها هؤلاء الأطفال. فالطفل الصغير لا يتضايق من الحفاض المتسخ بل إنه ربما يستمتع برائحته وإحساسه. طبعًا، معظم الأمهات لا يشاركنهم الدرجة نفسها من الحماسة للحفاض. فالبراز بالنسبة إلى طفل صغير، لا يعدو أن يكون نوعًا مثيرًا من «الطين البنّي». وقد يلطّخ ما حوله به مثل أيّ مادة مشابهة. وقد يشعر بنوع خاص من الاعتزاز بهذا «الطين البنّي» لكونه من إنتاجه الخاص.

إن الوقت مناسب الآن لتعليم الطفل أن هذا «الطين البنّي الخاص» يجب التخلص منه في المرحاض عن طريق التبرّز، لا استعماله في مشاريع فنّية. ولكن يجب أن نتجنّب بقدر الإمكان إعطاءه أيّ مجموعة من المشاعر السلبية وغير الضرورية حياله. وهذه قد تكون مهمّة شاقة بسبب كل المشاعر السلبيّة التي تعلمناها عن البراز والبول (والتي تعود إلى تلك الأيام المنسيّة التي كنا نتدرّب فيها نحن على استخدام المرحاض)، فعقلنا غير الواعي لم ينس تلك الأيام على أيّ حال، وهذا ما يجعل الأم تتصرّف بطريقة مغايرة عند تنظيف طفل متسخ (بفضلاته) عن تصرّفها عند تحميمه، فهي تظهر القرف في حركاتها وتعبيرات وجهها. وقد تستعمل عبارات مثل: «حفاضات مقرفة. أوف!» أو «طفل ذو رائحة كريهة» أو «طفل قذر».

وإذا نقلت الأم مشاعر القرف إلى طفلها الصغير فسيشعر بأنه «قذر» أو «سيّئ» بسبب إنتاجه لهذا البراز والبول. وهذه المواقف يمكن أن تكون لها آثار ضارّة على النموّ الجنسي للطفل الصغير. فحيث إن الأعضاء التناسلية وأعضاء الاطراح توجد في أماكن متقاربة، فإن الإحساسات المكتسبة أثناء التدريب على المرحاض يمكن، لسوء الحظ، أن تُعمَّم على الأعضاء التناسلية. فيمكن للطفل أن يشعر بأن هذه الأعضاء «في الأسفل» سيّئة وكريهة. وقد تسبّب هذه الإحساسات بالخزي والقرف صعوبات في تنمية موقف صحّي تجاه الوظيفة الجنسية.

لا تستطيع الأم السيطرة على مشاعرها الداخلية عندما تغيّر حفاضًا أو تنظف طفلًا متسخًا. ولكن يمكنها، على قدر الاستطاعة، في حال وجود مشاعر القرف والاشمئزاز هذه، أن تحتفظ بها لنفسها. الموقف الواقعي هو الأفضل، إذا كان في الإمكان بلوغه.

لقد ذهبتُ بعيدًا في تفصيل موضوع التدريب على استعمال المرحاض لأنني خلال عشرين سنة من الخبرة العملية كنت مندهشًا من الطرق المبتكرة التي يتخبّط بها الأهل في التعامل مع ما هو، في الأساس، مشكلة بسيطة في تعليم الطفل مهارة جديدة.

إذا لم تكوني مستعجلة، وإذا تعاملت مع موضوع التدريب على استخدام المرحاض بطريقة متأنّية، وإذا أظهرت الاحترام للمؤشرات البيولوجية للحاجة إلى إفراغ الأمعاء والمثانة عند طفلك، فستُنجز مهمّة التدريب ببساطة، وبدون التسبّب بمشكلات نفسية.

معدّات اللعب في مرحلة المراهقة الأولى

لنتحوّل الآن إلى جانب أكثر إشراقًا في مرحلة المراهقة الأولى ونناقش قضيّة التعليم من خلال اللعب. سيبقى طفلك متلهّفًا لاستعمال معدّات اللعب التي ذكرتُها في الفصل الرابع في مرحلة المراهقة الأولى هذه، ولكنه الآن مستعدّ لأن تضيفي له معدّات لعب جديدة بما يتلاءم مع درجة نضجه الحالية.

وحيث إننا نطلب منه الامتناع عن «العبث» بما قد ينتج من جسمه من فضلات، علينا أن نقدّم له فرصة «العبث» بالرمل والوحل والماء والدهان والمعاجين والطين.

اللعب بالماء يبقى مهمًا لطفل في هذا العمر. ويمكنه أن يستخدم مغسلة المطبخ أو حوض الاستحمام. سيعجبه أن يغمس الملاعق في الماء ويضغطها. وسوف يستمتع بملء وتفريغ الكؤوس البلاستيكية الصغيرة أو المقالي أو

الأواني. وقريبًا سوف يتعبك هذا التكرار مرة بعد أخرى، ولكنّ الطفل في الثانية من العمر لا يتعب. والأهل غالبًا ما يندهشون لطول المدّة التي يظلّ أطفال هذا العمر يستمتعون فيها باللعب بالماء.

للتنويع في لعب الماء، قدّمي له خفاقة بيض أو ثياب الدمى أو منديلًا ليغسلها. سوف يستمتع أيضًا بقشّة البلاستيك التي سيستخدمها لنفخ الهواء في الماء وأداء بعض التجارب الصغيرة في الفيزياء التي تناسب مستواه البدائي. حفنة من رقائق الصابون سوف تجعل اللعب بالماء أكثر تنويعًا وإمتاعًا، فصنع رغوة الصابون هو كالسحر بالنسبة إلى طفل في الثانية من العمر. ومجموعة من اللُّعَب العائمة تضفي المزيد من الإثارة على اللعب بالماء.

لا تنسي أن الطفل في هذا العمر يستمتع في الواقع بإزالة الفوضى التي صنعها أثناء لعبه بالماء. والأم الفطنة سوف تستغل هذه الخصيصة، لأنها ستختفي في مراحل لاحقة من النموّ. لذا أعطيه الفرصة للتنظيف بإسفنجة أو قطعة قماش كبيرة ممتصّة للماء.

والطفل في هذا العمر يحب «الدهان» بالماء في الخارج. كل ما يحتاج إليه هو فرشاة كبيرة ودلوان من الماء. المواد الإبداعية مثل المعجون واللدائن والطين ترضي هذه المجموعة العمرية من الأطفال بنحو مدهش. والمعجون هو الذي تفضّله الأمهات على الأرجح لأنه أقل تسبّبًا للفوضى من الطين. يمكنك شراء المعجون أو يمكنك صناعته بنفسك، وإليك وصفة بسيطة لصناعته: امزجي مقدار كأسين من الطحين مع مقدار كأس من الملح. أضيفي ما يكفي من الماء لجعله متماسكًا، فإذا كان لزجًا أكثر من اللزوم أضيفي المزيد من الطحين. وبالتغيير في الوصفة قليلًا يمكنك الحصول على بنيات متعددة من المعجون.

ويمكن أن ترشّي بعض ملوّنات الطعام أو طلاءً مجففًا معتدل الحرارة من أجل الحصول على اللون، كما يمكنك أن تضيفي بعض «بودرة الأطفال» أو القِرفة أو جوزة الطيب أو أيّ من البهارات الحلوة لإعطائه رائحة طيبة. ونقطة أو نقطتان من زيت القرنفل سوف تحفظ هذا المعجون لمدة طويلة. ويمكن خزنه في كيس بلاستيكي وسيبقى صالحًا لمدة شهر تقريبًا.

عندما يستعمل الأطفال في هذه المرحلة من العمر المعجون أو الطين أو اللدائن فإنهم لا يصنعون شيئًا مميّزًا، هم مهتمّون بالمادّة نفسها. يعجبهم دقّها وصبّها وعصرها، والإحساس بها وتشكيلها. واستعمال أيّ من هذه المواد هو أمر مريح جدًا في هذا العمر المبكر. إن أفضل الأدوات بالنسبة للطفل هي يداه، ولكن بعد أن يكوّن تجربة كبيرة باستعمالهما، ستضيف الأعواد الخشبية كتلك المستخدَمة لخفض اللسان خلال فحصٍ طبّي، المزيد من التنويع إلى تجربته.

أحضري لطفلك قطعة من الخشب المعاكس بحجم قدمين مربعين. وقومي بطلائها لتكون مقاومة للماء. سيكون بإمكانه وضع المعجون أو الطين على هذا اللوح. ثم ضعي قطعة من المشمع على الأرض وبعض الورق على الطاولة تحت لوح الخشب المعاكس، ودعيه ينطلق في اللعب.

لقد أصبح طفلك الآن جاهزًا لواحدة من معدات اللعب التربوية التي سوف تساعده على طول الطريق خلال مرحلة ما قبل المدرسة: سبورة كبيرة، بمساحة أربعة أقدام على الأقل. ويجب أن تكون كبيرة إلى هذا الحد لكي يكون بمقدور طفلك الخربشة والرسم والكتابة عليها مستمتعًا بتحريك ذراعه على طولها، بحرّية. ذراعه (من المدهش أن القليل من البيوت فيها هذا النوع من السبورات لأطفال في هذا العمر). ويمكن تثبيت اللوح على جدار غرفته. هذا اللوح سيكون واحدة من أهم الألعاب المتعدّدة الاستعمالات وأدوات التعليم التي يمكنك تزويد طفلك الصغير بها.

ضعي طباشير بيضاء وملوّنة على الرف أو في علبة متصلة بالسبورة، وسيخربش طفلك عند ذاك كما يحلو له. وهو أمر سيقلّل من احتمال خربشته على جدران المنزل، على الرغم من أن من المشكوك فيه أن طفلًا حرونًا في خطواته الأولى أو في مرحلة المراهقة الأولى لن يقوم، ولو لمرة واحدة على الأقل، بغارة للخربشة على جدران المنزل.

الخربشة هي تمرين على الكتابة والرسم. والطفل الذي لم يكن لديه الفرصة لممارسة الخربشة بحرّية سوف يتأخر في تطوير مهارة الكتابة والرسم. ليس هناك طفل يولد مزوّدًا بالقدرة على التنسيق بين حركة الإبهام وبقية الأصابع

للإمساك بالقلم، فهذا النموّ العضلي الصغير يحتاج إلى التعلم لكي يكون الطفل قادرًا على إتقان آلية الكتابة أو الرسم.

والطريقة التي يتعلم بها الطفل التنسيق بين العضلات الصغيرة اللازمة للإمساك بالقلم هي الخربشة.

للسبورة فوائد كثيرة. وهي شيء يستطيع طفلك استخدامه خلال سنوات ما قبل المدرسة وأثناء سنوات الدراسة. وسوف تقدم له مساعدة هائلة في تعلم الكتابة والرسم في الفترة ما بين السنتين الثالثة والسادسة من عمره.

أقلام التلوين الشمعية يمكن استعمالها الآن بأمان (يجب أن لا تعطي هذه الأقلام لطفل في سنته الأولى لأنّ من المحتمل أن يأكلها). والورق يجب أن يكون كبيرًا بما فيه الكفاية. أوراق اللف والتغليف جيّدة، كما يمكنك أن تستخدمي ورق الجرائد، فطفلك سوف يخربش ويرسم عليها بسعادة كما لو أنه يفعل ذلك على الورق الأبيض العادي. كما أن مستطيلًا من الخشب المعاكس الرقيق يمكن أن يشكل لوحًا جيدًا للرسم ويمكن أن تثبتي الورق عليه بمشابك غسيل معدنية أو بمشابك الورق العادية. وأقلام التلوين الشمعية يجب أن تكون كبيرة ومتينة، لا صغيرة ولا رقيقة.

التلوين أيضًا يمكن البدء به في هذا الوقت. سوف تحتاجين إلى حامل. والحامل الجداري أكثر متانةً من حامل قائم بذاته تشترينه من السوق ويمكن قلبه بسهولة. وإذا توفر لديك المكان فإن حاملًا في داخل البيت على جدار وحاملًا في الخارج على سياج الحديقة سيكونان محل إعجاب طفلك. كذلك يمكنك صنع حامل جداري بنفسك من قطعة من الخشب المعاكس بارتفاع قدمين وطول ثلاثة أقدام، وهو كبير بما فيه الكفاية لتعليق أوراق من الصحف عليه. أحضري مكعّبين خشبيين بسماكة إنشين وثبّتيهما إلى ظهر لوح الخشب المعاكس عند الزوايا السفلية بحيث يكون الحامل مائلًا بشكل طفيف عند تعليقه. واحفري ثقبين في الأعلى قرب الزوايا لتعليق اللوح بالبراغي أو المسامير إلى الحائط أو سياج حديقة المنزل. ويمكن وصل الحامل بحافة مرتفعة لحفظ أوعية الدهان فيها. أيّ نوع من الأوعية البلاستيكية بغطاء متحرّك يمكن أن تكون أوعية مناسبة للدهان. يمكن للطفل عندها أن يغمس في علبة الدهان

عندما يلوّن، والغطاء يمكن إعادته إلى مكانه عندما ينتهي من التلوين. قد تشعرين براحة أكبر إذا زوّدت طفلك بثوب خاص يستخدمه أثناء التلوين. واحد من قمصان الوالد القديمة، تُقصر أكمامه، ويُلبس من الخلف إلى الأمام، يمكن أن يفي بالغرض.

سوف تحتاجين إلى دهانات قابلة للذوبان في الماء، يمكن أن تشتريها بشكل سائل أو بشكل بودرة، وإلى كمّية وافرة من الورق الذي يمكنك الحصول عليه من الجرائد أو ورق اللفّ والتغليف.

يحتاج الطفل في هذه المرحلة إلى فراشٍ يسهل عليه استخدامها. لا تعطيه فرشاة صغيرة ذات مقبض صغير، فهو يحتاج إلى فرشاة ذات مقبض طويل ويكون طرفها ذو الشعر الخشن بعرض ثلاثة أرباع الإنش. وعندما تبدئين بمساعدة طفل في هذه المرحلة على التلوين قدّمي له لونًا واحدًا في كل مرة. وعندما يعتاد على هذا اللون ويعمل عليه لفترة، أضيفي عندئذ لونًا آخر إلى مجموعته.

بعض الكبار يفكرون في ما يعتبره طفل في الثانية من عمره «رسمًا» ويتساءلون: «ما هذا؟»، وهذا خطأ، فبالنسبة إلى طفل في الثانية من عمره هو ليس «رسمًا» بالمعنى المعتاد للكلمة. إنه، بالنسبة إليه، تجربة باللون والخط. إنه مفتون بالطريقة التي يستطيع بها أن يتسبب بظهور العلامات والألوان. بعد أن ينتهي من العمل فيها فإن الطفل ذا السنتين لا يعود مهتمًا بـ«رسمه». كل ما يهمّه هو تجربته في العمل عليها. ومن خلال قيامه بالتلوين يستطيع التعبير عن مشاعر مهمّة لا يستطيع التعبير عنها بالكلمات حتى الآن.

وهنا نطرح قضية ربما كنت تفكرين فيها: ما هي قيمة كل هذا العبث بالمعاجين أو الطين أو الأقلام الملوّنة والدهان؟ هل يستحق الأمر كل هذا العناء من الوالدين؟ الجواب هو نعم، بلا ريب. فالطفل ذو السنتين من العمر لم يتعلم بعد التعبير بالكلمات عما يشعر به. وهذه النشاطات مثل اللعب بالطين أو الأقلام الملوّنة أو الدهان تساعده على التعبير عن مشاعر ليس ثمّة من كلمات تعبّر عنها حتى الآن. هذه النشاطات تُغذّي وتنمّي حياته الشعورية، وتغني تفكيره اللاواعي وبداهته.

يستمرّ الطفل في مرحلة المراهقة الأولى بممارسة ألعاب الهواء الطلق التي بدأها في مرحلة الخطوات الأولى. قبّة التسلق ستبقى اللعبة المفضّلة. وألعاب مثل: عربة للسحب، درّاجة ثلاثيّة العجلات، كرات كبيرة للدحرجة والدفع، مكعّبات مجوفة للجرّ والبناء، كلها سوف تساعده في تنمية عضلاته الكبيرة وبناء جسم قوي وماهر. أما اللعب بالرمل والماء فسيبقى مرغوبًا كما هو دائمًا.

تبقى لدينا بعض الملاحظات حول قدرة طفل في الثانية من عمره على اللعب مع أطفال آخرين. فعادة ما يقع الكبار في خطأ توقّع الكثير من طفل في هذا العمر في ما يتعلق بقدرته على اللعب مع الأطفال الآخرين. تذكّري أنني سبق أن قلت إن الطفل في مرحلة المراهقة الأولى ليس عضوًا جيدًا في أيّ مجموعة لعب. وبناءً على ذلك، إذا تركت أم مطمئنة البال عدة أطفال ممن هم في عمر السنتين وحدهم في حديقة المنزل فهي بذلك تهيّئ لحصول مشاجرة بينهم لن يطول الأمر قبل وقوعها.

إن رفيق لعب واحدًا في وقت واحد أمر جيد لطفل في السنتين من عمره، فبنية شخصيته ما زالت غير مهيّأة للتعامل مع تعقيدات وجود أكثر من علاقة شخصية في الوقت نفسه. لكن ما هو مثير للدهشة تمامًا هو أنّ أفضل من يمكن أن يكون أول رفيق لعب لطفل في السنتين من عمره هو طفل أكبر، في الخامسة أو السادسة من العمر. ولن يكون، بالرغم من ذلك، الشقيق الأكبر أو الشقيقة الكبرى للطفل ذي السنتين. وتبقى المواد التي يمكن تقسيمها بين عدة أطفال بدون الانتقاص من استمتاعهم باللعب، هي الخيار الأفضل (الأطفال في هذه المرحلة يميلون للتشاجر على درّاجة ثلاثيّة العجلات أو على عدد من الشاحنات). وبالتالي فإن الرمل والمعجون أو المكعّبات هي أفضل موادّ اللعب إذا استطعتِ توفير ما يكفي منها لكل واحد من الأطفال.

لا تتوقّعي من طفل في الثانية من عمره أن يكون قادرًا على المشاركة في الألعاب مع طفل آخر. وتذكّري أن طفلك في مرحلة المراهقة الأولى لا يمتلك المهارات الكافية للعب مع أطفال آخرين. فإذا استمرّ طفل في الثانية من عمره في اللعب لمدة ساعة مع أطفال آخرين، اعتبري أنه يبلي بلاءً حسنًا. وفي كل الأحوال، عليك أن تبقي قريبة بحيث تستطيعين المراقبة وملاحظة أيّ دلائل

على التعب الشديد، أو التدخل قبل أن تتطوّر المشاجرات، والمساعدة في إنهاء فترة اللعب في الوقت المناسب.

إن نظرة سريعة على مراحل نموّ القدرة على اللعب مع الأطفال الآخرين قد تكون مفيدة عند هذه النقطة.

فهناك أولًا اللعب الانفرادي، حيث لا يكون للطفل الدارج أيّ قدرة على الإطلاق للعب مع أطفال آخرين. بالنسبة إلى طفل في خطواته الأولى، فإن طفلًا رضيعًا أو آخر دارجًا هما «لعبة أو شيء للعب» وليسا رفيقي لعب. ويتفحّص الطفل الدارج الأطفال الصغار الآخرين بعناية كما يفعل مع لعبة أو مع أيّ جسم آخر يثير اهتمامه، وذلك عن طريق اللكز والقرص والتمسيد، ولكنه لا يلعب مع طفل آخر.

خلال مرحلة المراهقة الأولى ينتقل الطفل من اللعب الانفرادي إلى اللعب الموازي. وهذا يعني أن اثنين أو أكثر من الأطفال يشغلون البيئة المحيطة الجغرافية نفسها، ولكنّ لعب كل واحد منهم لن يكون له علاقة بلعب الآخر، حتى لو تمتع كل واحد منهم بصحبة الآخر.

الخطوة التالية صعودًا في سلم اللعب هي ما أطلق عليه اللعب التشاركي، وفيه يفعل الأطفال الشيء نفسه، كاللعب في صندوق الرمل، أو صنع فطائر الطين، أو دقّ العصيّ على الأرض، لكن من دون تفاعل حقيقي في ما بينهم.

أما اللعب التشاركي الجماعي فلا يأتي إلا لاحقًا، في المرحلة التالية من النموّ، بعد عمر الثلاث سنوات. وفي هذا النوع من اللعب يناقش الأطفال الخطط ويوزّعون أدوار اللعب على كل واحد منهم، ففي لعبة «المنزل»، يستطيعون توزيع أدوار أسرية مختلفة على كل واحد منهم، أو يقرّرون من سيكون دوره في دفع من في العربة.

لكن لا تتوقّعي الكثير من هذا اللعب التشاركي من طفل في مرحلة المراهقة الأولى، ولا تتوقعي منه أن يكون قادرًا على المشاركة بعد، فهذا سيحدث في مرحلة ما قبل المدرسة.

يحتاج الطفل في مرحلة المراهقة الأولى إلى اللعب الهادئ بقدر حاجته إلى اللعب النشط. وبما أن نموّه اللغوي يخطو خطوة هائلة إلى الأمام، فسيُظهِر حساسية عالية للكلمات، وبناء القوالب اللغوية. وهو يحب اللعب بالكلمات، ومحاكاة الأصوات، وإعادة الكلمات المقفّاة المألوفة. ولهذا السبب يحب أطفال هذا العمر أناشيد حضانات الأطفال. وعندما يُقرأ له يُسرّ بالإعادة. أما توقع ما سوف يحدث لاحقًا في القصة فهو ما يثير حماسته. والويل لمن يغيّر في قصّة مألوفة لديه أو يسقط جزءًا منها.

يحبّ الطفل عادة القصص عن تجاربه الخاصة: الذهاب إلى السوق، ركوب السيارة، اللعب في الملعب. إنه يحب قصصًا من هذا النوع سواء وردت في كتاب أو اخترعتِها أنتِ عن طفل مُتخيَّل يشبهه بشكل لافت.

«لعبة الصمت» هي واحدة من أفضل أنواع اللعب الهادئ لطفل في مرحلة المراهقة الأولى. وتسميتها «لعبة» أمر جيد لأن الأطفال الصغار يحبّون، غالبًا، أن يفعلوا كل ما يطلق عليه اسم «لعبة». قولي شيئًا مثل: «هاري، هناك لعبة سنلعبها أنا وأنت. إنها تُسمّى «لعبة الصمت». أنا وأنت سنبقى صامتين وهادئين بقدر ما نستطيع وسنستمع فقط. ششش! أنصت بانتباه تام، أنصت جيدًا وأخبرني ماذا تسمع». وسيخبرك عندئذٍ عن الأصوات التي يستطيع سماعها والتي تحدث في خلفية المكان الذي تلعبان فيه: قد يكون صوت سيارة عابرة، أو زقزقة العصافير، أو صوت مذياع من بيت الجيران القريب.

في تنويع لهذه اللعبة يمكنك أن تطلبي من طفلك إغماض عينيه وتخمين الصوت الذي تصدرينه، كالطرق بالملعقة على الزجاج أو الخدش على مبرد الأظافر أو أيّ شيء آخر يمكن أن يصدر عنه صوت مثير للاهتمام. ويمكنك أيضًا أن تقولي له: «والآن يا هاري، أنصت تمام الإنصات لأنني سأهمس إليك شيئًا بصوت خافت جدًا وسنرى إن كنت تستطيع سماعه». وعند ذاك اهمسي له ببعض التوجيهات البسيطة التي سيكون عليه تنفيذها، مثل: «انهض واذهب باتجاه باب المنزل والمسه». وبعد عدة توجيهات وطلبات من هذا النوع يمكنك إنهاء جلسة اللعب بالهمس له عن المكان الذي سيجد فيه مفاجأة صغيرة خبّأتِها من أجله.

إنّ «لعبـة الصمـت» جيدة خاصة لطفل هذه المرحلة العمرية، فهي تساعد في تدريبـه علـى الهـدوء والإنصات. وهـي أيضًا علاج لـلأم المنهكة بسبب طفلها الصغير الشـديد النشـاط، والتي تحتاج إلى طريقة لطيفة لتهدئته قليلًا. وكذلك هي طريقة جيدة لحثّ طفل صغير على الإقبال على وجبة عندما لا يكون راغبًا فيها، أو استمالة آخر ليس متحمسًا كثيرًا للاستحمام أو للنوم.

مظهـر آخـر مهمّ من مظاهـر التغيّر التي تحـدث في مرحلة المراهقـة الأولى هو التغذية. لن تكون التغذية سـببًا في مشـكلات نفسـية إذا كنت تعتمدين على الإحسـاس الطبيعي بالجوع الذي يدفع طفلك للأكل. ولذلك عليك الامتناع عن دفعه أو الإلحاح عليه من أجل أن يأكل، فهو وإن بدا لك أنه يأكل أقلّ مما تظنّين أنـه يجـب أن يفعل، يتناول مـا يكفي ليعطيه كمية كبيرة من الطاقة التي يحتاج إليهـا كل يـوم. قدّمـي له وجبـة معقولـة متوازنة ودعيـه وشـأنه. لا تلحّي عليه لإنهاء كامل وجبته، ولا تشترطي عليه إكمال الطبق الرئيسي من الطعام من أجل الحصول على الحلوى.

شيء آخر يمكن أن يسبّب المتاعب أحيانًا مع الطفل في هذا العمر هو بدء الوالدين بالضغط من أجل تعليمه آداب المائدة، وذلك بسبب انخداعهما بالقدرات اللغوية الجديدة للطفل. وهما يستنتجان خطأً بسبب هذا النضج اللغوي الجديد أنه قادر على الالتزام بسلوكيات أكثر نضجًا في مجالات أخرى. إن مرحلة المراهقة الأولى ليست الوقت المناسب للبدء بتعليم الطفل آداب المائدة.

كنـت قـد ذكـرتُ سـابقًا أن الطفل فـي هـذه المرحلة يحـب الطقوس. لـذا فإن الوقت مناسـب لتأسـيس طقس خـاص بوقت النوم. وهو أمر لـه فوائد عديدة. وبمـا أنـه ليس ثمة من منبّه داخلي يوعـز للطفل بالذهاب إلى الفراش (وهو أمر لـو وُجـد لسـهّل علينا الأمور نحـن الآباء والأمهـات) فنحن بحاجة لأيّ مسـاعدة نسـتطيع الحصول عليها، وإذا كانت طقوس وقت النوم تسـاعد فلا تتردّدي في الاسـتفادة منهـا. وما يجب عليـك عمله بهذه الطقوس هو أن ترسّـخي في عقله فكرة أنّ الذهاب إلى السرير أمر لا بدّ منه مثل غروب الشمس.

دعيني الآن أقترح نوعًا بسـيطًا من الطقوس. أولًا، يجب أن تجنّبيه المشـاجرات واللعب النشـط بعد العشـاء لأن هذا يجعله كثير التنبّه ويصعّب عليه الاستقرار

والهدوء. ويمكنك بدء طقوس النوم بتحميمه. ورغم أن معظم الأمهات يفكّرن في الاستحمام باعتباره أمرًا متعلقًا بالنظافة، ينظر إليه الطفل في هذا العمر كنوع من أنواع اللعب بالماء. لذا فإن تمكينه من هذا اللعب سوف يجعله نظيفًا أيضًا. دعيه يلعب في الحمّام قدر ما يشاء ثم يخبرك عندما يرغب في الخروج (إذا كنت في عجلة من أمرك في ليلة ما يمكنك تسريع وتيرة العملية). قدّمي له الكثير من الدمى وألعاب الماء وسيعتبر أن هذا الوقت للاسترخاء والراحة. وبعد الاستحمام يذهب إلى السرير ويتناول وجبة خفيفة فيه. وبهذا فإنك تعزّزين عملية الذهاب إلى السرير لاقترانها بالمكافأة السيكولوجية للطعام. وأثناء تناوله هذه الوجبة الخفيفة، يمكنكما الاستمتاع بدردشة قصيرة، رقيقة وعفوية. ومرة أخرى، تُعزَّز عملية الذهاب إلى السرير بمكافأة، هي حضورك، أنت الأم، إلى جانبه. بعد الوجبة الخفيفة يمكنك أن تقرئي له قصة أو اثنتين وهو في سريره.

هذه فرصة مناسبة للوالد ليدخل على الخط. لسوء الحظ فإن بعض الآباء لا يستمتعون بقراءة القصص لأطفالهم. لكن لا تلحّي، لأن الطفل لن يستمتع إذا شعر بأن والده لا يفعل ذلك برغبة حقيقية. بعض الآباء قد لا يصلون إلى البيت في وقت مناسب لقراءة قصة لأطفالهم قبل النوم. وإذا كنتِ من المحظوظات وكان زوجك من النوع الذي يستمتع بهذا فسيكون أمرًا جميلًا أن يتولى العناية بأمر العشاء الخفيف أو قراءة القصة، أو كليهما، في طقوس وقت النوم. لقد فعلتُ هذا مع أطفالي الثلاثة واستمتعتُ كثيرًا. إنّ قراءتك القصّة لطفل صغير تعلمه أشياء كثيرة. تعلمينه أنك تحبّينه لأنك تخصّصين له هذا الوقت للقراءة، وتعلمينه أنك تحبّين الكتب ليحبّها هو أيضًا، بدوره. وقد تنشأ محاورات عفوية كثيرة بينك وبينه انطلاقًا من وقت القراءة الدافئ هذا.

وعندما تقرئين للطفل، احملي الكتاب بحيث يستطيع أن يرى الصور، فهي مهمّة لطفلٍ في هذا العمر. ساعديه على أن يتعلم قراءة التفاصيل في هذه الصور من خلال سؤالك له عن الأشخاص والأشياء المتنوّعة الموجودة فيها.

إن عادة القراءة للطفل في وقت النوم يمكن أن ترافقه حتى بلوغه السابعة أو الثامنة من عمره، أو إلى أن يخبرك هو أنه لم يعد يرغب فيها بعد الآن.

بعض الأهل يتوقفون عن القراءة لأطفالهم حالما يتعلم الطفل القراءة بنفسه، وهذا خطأ، لأنه حتى إن كان قادرًا على القراءة بنفسه، فهو سيبقى لعدة سنوات أخرى مقبلة يستمتع بدفء القرب من والديه عند قراءتهما له.

إذا كان أحد الوالدين يستمتع بتأليف القصص بنفسه فسيضفي ذلك المزيد من الجمال على طقوس النوم، فالطفل في هذا العمر يحب خاصةً القصص عن طفل مُتخَيَّل، يمكن أن يكون هو نفسه، مموّه بطريقة رقيقة.

إن لم تكوني قرأتِ لطفل من قبل، فهذا هو الوقت الأفضل للبدء. طفلك المستمع إليك في هذا العمر سوف يحب كل قصصك مهما كانت طريقة روايتك لها. لذا أضيفي إليها الكثير من الأصوات المضحكة إذا كان ذلك ممكنًا، فهي تعني الكثير للطفل.

استخدمي أسلوب الخطيب الذي يتوجّه إلى الناس: ارفعي صوتك أو اخفضيه بطريقة درامية في بعض الأحيان، وهذا سيجذب انتباهه بالتأكيد.

وبين الحين والآخر اسألي طفلك: «ما الذي تظنّ أنه سيحدث لاحقًا؟» وبعد أن يجيبك قولي له: «هذا صحيح، جوني وجد جروًا صغيرًا وأحضره معه إلى البيت».

كثير من الأطفال في هذا العمر يخافون من العتمة. فلماذا نحارب هذا الخوف ونجبر طفلًا خائفًا على صرّ أسنانه والنوم في غرفة مظلمة؟ ليس هناك سبب يمنع من وجود ضوء خافت في غرفته يبدّد خوفه، فالمبلغ البسيط الذي تكلفه الإضاءة ستعوّضك عنه الصحّة النفسية الجيدة لطفلك. لا تجعلي القلق يساورك بأنّ طفلك سيكبر وسيكون دائمًا محتاجًا إلى إضاءة غرفته، فهو سيكون قادرًا إذ ذاك على التخلص من الحاجة إلى الإضاءة على نحو طبيعي وسينام مطمئنًا في غرفة مظلمة.

ليس هناك أيضًا ما يمنع من الاستمرار في تقديم زجاجة الحليب المسائية ليذهب بها إلى النوم، حتى في هذا «العمر المتقدّم»، أي سنتين أو سنتين ونصف. صحيح أن بعض الجارات (مدّعيات الخبرة) سوف يتجهّمن إذا فعلت ذلك ويقلن: «ماذا؟ عمره سنتان ونصف وما زال يتناول زجاجة الحليب حتى الآن!؟». ولكن لا عليك. فلمَ العجلة؟ إن كان لا يزال يشعر بالأمان بفعله هذا

فلماذا نصرّ على جعله يتخلى عنه في هذا العمر؟ لقد استمرّ أولادي الثلاثة في تناول زجاجة الحليب عند النوم ولم يتركوها حتى بلغوا السنتين ونصف السنة أو الثالثة من أعمارهم.

أحد الأمور المهمّة التي ينبغي أن ندركها عن طقوس النوم المسائية هو أن هذا الوقت يجب أن يكون ممتعًا للطفل. نريده أن يتطلع إلى الذهاب إلى السرير وألّا يشعر بأن وقت النوم شيء كريه يُبعَد فيه فجأةً إلى غرفة مظلمة، بينما بقيّة أفراد الأسرة يفعلون أشياء ممتعة. إن طقوس النوم المسائيّة يجب ألّا تكون وقتًا ممتعًا للطفل فقط، بل للأم والأب أيضًا.

وهنا أجدني مدفوعًا إلى الحديث عن أهمية دور الأب في حياة أطفاله في هذا العمر. لقد شاهدت أخيرًا إعلانًا على علاقة بيوم الأب على النحو الآتي: «حسنًا أيها الطفل افعل شيئًا جيدًا من أجل بابا. طبيب الأسنان، المخيّم الصيفي، مجموعة الطبول... كل هذه الأشياء التي فعلها لك بابا، إنه طيّب جدًا معك، أليس كذلك؟ عبّر له عن مشاعرك... بهديّة خاصة من محالّ أورباك». إنه إعلان ذكي ومكتوب بطريقة متقنة من وجهة نظر مالكي محالّ أورباك، ولكنّ ما أثار اهتمامي، كعالم نفس، هو مجموعة الافتراضات غير المكتوبة عن دور الأب التي يتضمّنها هذا الإعلان. فدور الأب، حسب هذا الإعلان، هو تقديم الأشياء المادية إلى الطفل الصغير: الذهاب إلى طبيب الأسنان، المخيّم الصيفي، أو شراء مجموعة الطبول. لا يسعنا هنا إلا تذكّر القول المأثور لإيمرسون: «الهدايا ليست عطاءً، بل هي وسيلة للعطاء. العطاء الحقيقي هو ما تجتزئه من نفسك للآخرين». وهذا ما على الأب أن يعطيه: جزء من نفسه. وذلك يكون بالوقت الذي يمضيه مع طفله بفعل أشياء يستمتعان بها. نعم، أشياء يستمتع بها كلاهما. أما إذا كان الأب يفعل ذلك بتجهّم منطلقًا من مبدأ الواجب الأسري المفروض ولا يستمتع حقًا بما يفعله، فسيحسّ الطفل بهذا ولن يجني فائدة كبيرة من الوقت الذي يقضيانه معًا.

ولهذا السبب، من المستحيل تحديد نوعية الأشياء التي يمكن أن يشارك الأب طفله فيها بدقة، فالآباء يختلفون كثيرًا بالطريقة التي يستمتعون بها. ولنأمل أن الأب سيحبّ أن يفعل أشياء مع الطفل في هذا العمر مثل قراءة الكتب أو رواية

القصص، السباحة أو اللعب في الماء، أو الذهاب معه إلى الحديقة أو الملعب، أو مجرّد نزهة صغيرة متمهّلة على الأقدام في الشارع المجاور. وفي نزهة كهذه يستطيع الطفل التقاط الحجارة أو الحصى، والبحث عن النمل بين الأعشاب، أو الانهماك في كل هذه الاستكشافات الصغيرة التي تفتن طفلًا في هذا العمر. ولكنّ كل والد سيكون عليه أن يكتشف بالتجربة ما هي النشاطات التي يجدها ممتعة بصحبة طفله الصغير. وإذا كان الأب يقرأ ما كتبه الدكتور غيسيل أو في كتب أخرى جيدة في علم نفس الطفل فسيجني فائدة أكبر من لعبه مع طفله. وسيكون قادرًا على رؤية معالم فارقة في نموّ الطفل العاطفي والعقلي لن يكون بمقدوره ملاحظتها إن كان جاهلًا تمامًا بسيكولوجيا الأطفال.

كلمة أخيرة أودّ قولها قبل اختتام هذا الفصل. من المحتمل أن يكون أهمّ مظهر من مظاهر نموّ الطفل في هذه المرحلة هو الطبيعة الديناميّة لشخصيته. ويجب على الوالدين أن يقبلا هذه الطبيعة الديناميّة للشخصية لمساعدة الطفل على ترسيخ هويته الذاتية وبناء مفهوم ذاتي قوي عن نفسه في هذه المرحلة المميّزة من نموّه وارتقائه.

إنه لأمر مثير للسخرية أن نريد لطفلنا أن ينمو ليصبح راشدًا قويًا وديناميًا، في الوقت الذي يعجز فيه أغلب الأهل عن تقبّل هذه الطبيعة الدينامية للشخصية عندما يكون الطفل في عمر السنتين. الطفل في مرحلة المراهقة الأولى ليس شيئًا ما لم يكن ديناميًا. من منّا لا يستطيع ملاحظة اعتراضاته القوية على القيود والكبح، واستمتاعه الحسّي والمرِح والعميق بالحياة، ومطالبه الفورية الملحّة، والتزامه الكلي والحماسي بالعالم كما يعرفه؟

كل النشاطات التي تجعله شخصًا حقيقيًا نتجت عن هذا الدافع الديناميّ للحياة. وبدون هذا الدافع الديناميّ ما كان ليتعلم الجلوس أو الحبو أو المشي، أو اللغة. هذه الطبيعة الديناميّة لطفلك هي ثروة نفسية مهمّة جدًا، فلا تخافي منها، ولا تجعليه يخسرها. عليك أن تنمّي هذه القوة الديناميكية الحياتية وتتعاملي معها كثروة لا كشيء يجب الحد منه أو تخفيفه.

الطفل في مرحلة المراهقة الأولى يحتاج إلى ثلاثة أشياء، وهنا لا أقصد: القراءة، والكتابة، والحساب، بل أقصد احترام الطبيعة الديناميّة لحياته في هذه

المرحلة من النموّ، وقواعد مناسبة لهذه الطبيعة الحيوية، وقدرتنا على التلاؤم مع الصعوبات. أعطيه هذه الثلاثية لتساعديه على إضافة العدسة الخاصة بهذه المرحلة من النموّ إلى نظّارة المفهوم الذاتي للنفس التي تحدّثنا عنها سابقًا.

6

ما قبل المدرسة

الجزء الأوّل

إن كنت لا تزالين تكافحين لخوض غمار مرحلة المراهقة الأولى مع طفلك الصغير فاعلمي أن هناك انفراجًا قريبًا مع المرحلة التالية من النموّ التي ستكون أكثر سهولة بالنسبة إليك.

أتذكّر بوضوح الحياة خلال مرحلة المراهقة الأولى التي مرّ بها طفلي البكر. كنا نصرّ على أسناننا ونقول: «سوف يكون أفضل عندما يصبح في الثالثة من عمره». ولقد أصبح أفضل فعلًا. ورغم علمنا بأن بلوغ الثالثة سيقود إلى مرحلة نموّ أكثر إسعادًا، كان صعبًا أن نصدّق أنّ ابننا ذا الثلاث سنوات هو نفسه ذلك الصبي الذي عرفناه عندما كان يبلغ الثانية والنصف من عمره.

على سبيل المثال، ما زلت أتذكّر تمامًا ذلك اليوم عندما سألني ولم يكن قد تجاوز الثالثة إلا بقليل: «بابا، هل يمكنني أن أشاهد التلفزيون؟». صدمتني يومها المفاجأة إذ لم يسبق له أن أزعج نفسه بالاستئذان لفعل أيّ شيء خلال السنة السابقة. لكنّ هذا السلوك كان مؤشرًا على المرحلة الجديدة من النموّ، مرحلة يهجر فيها الطفل طريقته القديمة ويحاول أن يسرّ والديه ويتلاءم معهما. إنه في الحقيقة يستمتع بأن يكون متعاونًا، بينما بدا في مرحلة المراهقة الأولى وكأن متعته الوحيدة في الحياة كانت في عدم التعاون.

تمتد المرحلة التالية من النموّ، مرحلة ما قبل المدرسة، من عيد ميلاد الطفل الثالث إلى عيد ميلاده السادس تقريبًا. ولكن على عكس المرحلة السابقة، لا نستطيع الإشارة إلى مهمّات تطوّرية محدّدة لهذه الفترة، فهناك العديد منها. والكيفية التي سيواجه ويتقن بها هذه المهمّات سوف تحدّد مفهومه الذاتي عن نفسه وبنية شخصيته، التي ستتّخذ شكلًا مستقرًا عند بلوغه السادسة من

العمـر. وقبـل أن نتفحص هذه المهمّات التطوّرية الارتقائية، دعونا نقُمْ بمسح شـامل للأطفـال في هـذه المرحلة، حسـب المجموعات العمريـة، لأنه يجب أن تكون لديك فكرة عامة تقريبية عن نماذج أعمار الثلاث سنوات والأربع سنوات والخمس سنوات.

عمر الثلاث سنوات

دعونـا نبـدأ مـع عمر الثلاث سـنوات. إنّ الطفل الآن في مرحلة تـوازن أكبر مع نفسـه ومـع الناس المحيطين به. لقـد عبر مرحلة انتقالية مـن الطفولة المبكرة إلـى طفولـة حقيقيـة. لـم يعـد مليئًا بالقلـق كما كان خـلال المرحلـة الانتقالية، وبالتالـي، لا يحتـاج إلى طقـوس الحماية بالقدر ذاته. إن لديـه روحًا جديدة من التعاون ورغبة في كسب استحسان والديه، بل حتى شقيقه الأكبر. وبينما كان في المرحلة السابقة المتمرّد الأكبر في العالم، فإنه الآن يُسرّ بالتلاؤم مع الناس الآخرين وإسـعادهم، فنوبات الغضب تتوقف، ويكتشـف الوالـدان أنهما يبدآن بالتفاهـم والتحـاور معـه (فـي المرحلة السـابقة كان يبـدو للوالدين أنـه لم يكن بالإمكان التفاهم والتحاور معه في أيّ شيء).

لم يعد أيضًا ذلك النزّاع للسـيطرة، الطمّاع والمسـتبد. لم يعد ذلك الذي يريد كل شيء على طريقته وإلا! لقد تنازل عن دوره كإمبراطور في المنزل وعن دور الطاغية الصغير الذي يريد حكم الآخرين. لقد بدأ يكتسب قدرة على المشاركة والانتظار حتى يأتي دوره. كما أصبح أكثر قدرة على العمل الصبور بدلًا من الانفجار غضبًا كما كان يفعل عندما كان عمره سنتين ونصف السنة. وكل هذا يرجع في جزء منه إلى ثقته الجديدة بنفسه، وفي جزء آخر إلى اضمحلال هموم المرحلة الانتقالية. لقـد أصبـح أكثر ثقة بنفسـه في التحكم الحركي والنموّ العضلي. إنه يسـتطيع أن يكون أكثر صبرًا في محاولة ارتداء ثيابه بنفسه أو ترتيب كومة من المكعّبات.

وقدرتـه اللغويـة المتحسّـنة تمكّنه من فهـم الآخرين فهمًا أفضل ومن السـيطرة بطريقـة أفضـل أيضًـا على دوافعـه. إنه يحبّ الكلمـات الجديدة. وباتسـاع أفقه

العقلي ينفتح عالم جديد من الخيال. وهذا هو الوقت الذي ربما يصبح لديه فيه رفيق خيالي، كطفل أو حيوان غير مرئي، فهو يحتاج إلى الرفقة في هذه المرحلة. والطفل الذي يلعب وحيدًا في أغلب الأوقات مهيّأ أكثر من غيره لاختلاق هذا الرفيق الخيالي، وهو أمر يجب ألّا يقلق الوالدين، حيث إن هذا الرفيق قد يبقى لعدة سنوات ثم يختفي. إنه في الواقع لم يكن أكثر من جهاز أمان للطفل الذي اختلقه.

العلاقة الرفاقية مع الأقران تصبح أمرًا مهمًا في عمر الثلاث سنوات، فعندما كان في الثانية والنصف من عمره كان في مرحلة اللعب الموازي. أما الآن فقد انتقل إلى مستوى آخر من اللعب التشاركي الحقيقي. إنه يكتسب الآن قدرة على التفاعل مع الأطفال الآخرين، والانتظار، والتناوب، والمشاركة وقبول البديل من الألعاب.

إنها حقًا فترة ذهبية ووقت ممتع للطفل ووالديه. إنه وقت سلام للطفل مع عالمه، فهو يحب الحياة، ويحب والديه، ويشعر بالرضى والسرور من نفسه. وعلى الوالدين الاستفادة من هذه الفترة الممتعة لأنّ المرحلة المقبلة هي مرحلة شاقة.

إنّ عمر الثلاث سنوات هو مرحلة توازن. ولكن ثمة مرحلة أخرى من اختلال التوازن بانتظارنا، وهي عمر الأربع سنوات. ومرة أخرى فإن سلوك الطفل يحتاج للإرخاء والإطلاق لكي يبلغ مرحلة جديدة من التكامل، فعمر الأربع سنوات هو الوقت الذي يُحلّ فيه ويُحطَّم التوازن القديم. والطريقة الأكثر اقتضابًا التي أستطيع بها وصف عمر الأربع سنوات هي القول بأنها كعمر السنة والنصف بالنسبة لما سبقه، أكثر نضجًا ولكن أكثر مشقّة في التلاؤم معها.

عمر الأربع سنوات

هي مرحلة تتميّز باختلال التوازن، انعدام الأمان، وعدم التناسق. وانعدام التناسق هذا يظهر في عدة مظاهر سلوكية.

الطفل الذي أظهر تناسقًا حركيًا جيدًا في عمر الثلاث سنوات، سوف يظهر الآن عدم تناسق حركي يتجلى في التعثر والسقوط، أو الخوف من الأماكن المرتفعة. وتـزداد المُتنفَّسـات التوتّرية في هـذا العمر، فقد يطرف بعينيه أو يقضم أظافره أو يحفـر أنفـه أو يلعـب بأعضائه التناسـلية أو يمـصّ إبهامه. وقد يطـوّر عرّةً في الوجه (تقلّص لا إرادي في عضلات الوجه).

سـيصبح الطفل كائنًا اجتماعيًا، وتكتسب الصداقات أهمّية بالنسبة إليه، رغم أنـه قـد يجد صعوبة فـي التلاؤم مع أصدقائه، وسـيواجه صعوبات مع الأطفال الآخرين كما كان يفعل في مرحلة عمر السـنتين. إنه متسـلط وهائج ومحارب. سيشـتبه والداه في أن سـلوكه هذا هو ردّة إلى عمر السنتين والنصف، إلا أنها في الواقع فترة اندفاع مغامراتية تقوده إلى مستوى جديد من الإنجاز في عمر الخامسة.

وعلـى كل حـال، هناك العديد من الأمور في عمر الرابعة التي سـتذكّر الوالدين، مـن الناحيـة الظاهرية علـى الأقل، بالطفل الـذي كانه عندمـا كان يبلغ العامين ونصـف العـام، فهو يميل إلى النموذج ذاته من التطرّفات الانفعالية: خجول في لحظة معيّنة، وشـديد الصخب في اللحظـة التالية. والكثير من الأطفال يكونون طقوسـيين في هذا العمر كما كانوا في سـنّ الثانية والنصف، فقد ترسّـخ لديهم روتين معيّن في الأكل واللباس والنوم، يصبح معه صعبًا على الطفل أن يتسامح مع أيّ تغيير في هذا الروتين. وسوف يعبّر عن عدم الأمان العاطفي هذا بالبكاء والنحيب والاستجوابات والتساؤلات المتكرّرة.

الأطفـال فـي الرابعـة مـن عمرهم يحبّـون اللعب بعضهـم مع بعض. ولكـنّ عالمًا أنثروبولوجيًـا يـدرّس علـم النفـس الاجتماعـي والحيـاة القبليـة لمجموعـة مـن الأطفال في الرابعة من عمرهم سيحظى بالتأكيد بأيام شاقة، فالحياة الاجتماعية بين أطفال في الرابعة ليست حفلة شاي، بل إنها عاصفة وعنيفة. الغرباء يُقصَون حالما تتشـكّل عصبة منهم، وهناك قدر من التسـلط والتطلب والدفع والضرب. والتبجّح هو الشكل اللغوي الأكثر شيوعًا بين مجموعة من الأطفال في عمر أربع سـنوات، والشـتم والسـباب أمر شـائع أيضًا. إن الطفل في الرابعة من العمر فظ وصريح، ومشاعر الآخرين قلما تعني له شيئًا.

يقترح الدكتور غيسيل كلمة سرّ تختصر حال الطفل ذي الأربع سنوات وهي: «خارج عن الحدود». إنه خارج عن الحدود في سلوكه الحركي، يضرب ويرفس وتنتابه نوبات من الغضب. وهو خارج عن الحدود من الناحية اللفظية أيضًا، فهو مفتون بالكلمات وبأصوات الكلمات. إنّه يتعلم الآن أنّ هناك فئة كاملة من الكلمات ليس لها وقع طيّب في نفوس الآباء والأمهات، والكثير من هذه الكلمات تتألف من أربعة حروف. لذلك فهو يكتشف أن بإمكانه إحراج والديه باستعمال واحدة من هذه الكلمات وخاصة في حضور أشخاص آخرين. والكلمات المتعلقة بدورة المياه شديدة الإضحاك والتسلية بالنسبة إليه. سيقول شيئًا مثل: «ماما، هل تعلمين ماذا أريد على الغداء؟ أريد ساندويشًا وجزرًا وآيس كريم و.. و«برازًا»!». وفي هذه اللحظة سوف ينفجر ضاحكًا، غير قادر على مقاومة خفة دمه الشديدة. ووفق مبادئ التعزيز (انظري الفصل الثامن) فإن الأم الحكيمة يجب ألّا تعزز استخدامه هذه الكلمات بإظهارها الغضب منها وجعلها قضية كبيرة، بل سيكون عليها بدلًا من ذلك أن تتجاهلها. وفي النهاية ستتلاشى هذه الكلمات ولن تُسمع مرة ثانية عند بلوغ الطفل الخامسة من عمره.

في علاقاته الشخصية يكون طفل الرابعة من العمر «خارجًا عن الحدود» أيضًا. يحبّ تحدّي الأوامر والطلبات، ويغضب من القيود، ويتبجّح ويتفاخر ويشتم، وعبارته المفضّلة لتهديد الأطفال الآخرين هي: «سوف أضربك ضربًا شديدًا».

إن لديه قدرًا كبيرًا من الخيال في هذا العمر أيضًا. وهذا واحد من العوامل الرئيسية التي تجعل من الصعب عليه التمييز بين ما هو حقيقي وما هو زائف، فالخط الفاصل بين الحقيقة والخيال ليس واضحًا تمامًا بالنسبة إليه. إن لديه قدرًا كبيرًا من القصص الطويلة التي يرويها بجدّية تامة. لذا يجب على الوالدين تجنّب ارتكاب خطأ وصفه بالكاذب في هذا العمر، فكل ما يحاول فعله في الواقع هو التمييز بين الحقيقة والخيال، على الرغم من أن خياله سيخرج عن السيطرة في سياق هذه العملية. على سبيل المثال، سوف يؤكد الطفل لوالديه أنه رأى وحشًا أكبر من البيت «في حديقة المنزل»، أو أنه «كان في رحلة بسفينة فضائية إلى القمر بعد ظهر أمس».

إنه لا يعي أيضًا معنى حقوق الملكية، باستثناء اعتقاده الطريف بأن كل شيء يراه هو ملك له. ولكن الطفل في الرابعة من عمره ليس «لصًا» كما أنه ليس «كاذبًا»، لأنه في هذا العمر يعتقد أن حيازة شيء تعني ملكيّته، فاللعبة التي رآها في بيت الجيران «تخصّه» لأنه كان يلعب بها، ثمّ وضعها في جيبه وأحضرها إلى البيت. هذا هو منطق طفل في الرابعة من العمر عن الملكية.

إنّ مستوى حيويته استثنائي، والدافع الحركي عنده قوي. يركض على الأدراج صعودًا وهبوطًا، ويجري مرحًا في أنحاء المنزل، ويصفق الأبواب بعنف وصخب.

والدافع إلى الكلام ليس أقل قوة، فهو كثير الكلام، ويحب أن يتحدّث في أيّ شيء وعن كل شيء. وقد عيّن نفسه معلقًا على الأحداث، ومتابعًا لها حينًا آخر. لديه نزعة لعرقلة الأمور، كما يحبّ أن يخترع كلمات سخيفة أو مقفاة. عندما كان أحد أولادي الذكور في الرابعة من عمره أمضينا حوالى نصف ساعة في نظم الكلمات. والوالدة الفطنة تستغل هذا الافتتان باللغة لممارسة كل أنواع اللعب بالكلمات مع طفلها ذي الأربع سنوات، (انظري الفصل الحادي عشر)، فإذا لعبت معه هذه الألعاب فسيحصل على متعة كبيرة من سؤالك له أسئلة مثل: «هل لديك فيل في جيبك؟».

يحبّ الطفل أيضًا الألعاب التمثيلية والإيمائية. وهو يستطيع استخدام دمى اليد أو الأصابع جيدًا. وسينهمك في ألعاب تمثيلية طويلة داخل البيت وخارجه، مع المكعّبات، والسيارات والقطارات والسفن والدمى.

يذكّرنا الطفل ذو الأربعة أعوام بقوة بالرجل الذي يصفه ستيفن ليكوك، والذي امتطى حصانه وأخذ يعدو بسرعة في جميع الاتجاهات، فطفل الأربعة أعوام لا يعرف البتّة في أيّ طريق يتوجّه، وحيويته العالية ونظامه العقلي المتدفّق سوف يقودانه إلى مسارات غير متوقعة.

سيجيب على النحو التالي عن سؤال موجّه إليه من أحد والديه ويتعلق بهوية ما يرسمه: «وكيف لي أن أعرف؟ أنا لم أنته من عملي بعد». وقد يبدأ برسم سلحفاة ولكنه قد يغيّر رسمه فجأة إلى ديناصور أو شاحنة. وهو يميل إلى التغييرات المفاجئة للاتجاه عندما يروي حدثًا ما.

وكما يصفه الدكتورغيسيل: «يمكن أن يكون رقيقًا، صاخبًا، هادئًا، حازمًا، دافئًا، متعجرفًا، سهل الإقناع، مستقلًا، اجتماعيًا، نشيطًا، ميالًا للفن، واقعيًا، خياليًا، متعاونًا، غير مبالٍ، فضوليًا، صريحًا، مهذارًا، هزليًا، متعسّفًا، سخيفًا، ومتنافسًا».

وبسبب الخصائص الشخصية المميّزة عند هذه الفئة العمرية، فإن التعامل معهم يجب أن يتّسم بالحزم. والأهل الضعفاء أو المتردّدون يعانون الكثير. تشتكي إحدى الأمهات قائلة: «لا يمكنني القيام بشيء معه».

الطفل في الرابعة يتطور مع التنوّع وينتعش به، فهو يحتاج إلى التغيير. والوالدة الفطنة يجب أن يكون في ذهنها بعض النشاطات البديلة لتجتذب بها طفلها ذا الأربع سنوات ولتستدرجه بعيدًا عن الحالات الإشكالية. فلعبه وسلوكه قد يتدهوران إلى حدود السخافة إذا لم يكونا تحت السيطرة. وعلى الوالدة أن تتوقع متى يمكن حدوث هذا الأمر وأن تقدّم له نشاطًا بديلًا جديدًا ومثيرًا للاهتمام.

وبسبب حيويته الاجتماعية القوية، والأهمية المتزايدة للصداقة بالنسبة لطفل في الرابعة مقارنة بطفل في الثالثة من عمره، فإن العزل عن رفاقه يصبح وسيلة تأديبية فعالة في هذا العمر. يجب على الوالدة أن تقول شيئًا مثل: «لن يمكنك أن تلعب مع تومي وستيف يا جو. سيكون عليك أن تلعب وحيدًا الآن. ربما يمكنك أن تعود للعب معهما قريبًا، وسأخبرك أنا متى يكون ذلك».

وهذه طريقة تحافظ بها الأم على ماء وجهه، كما تساعده على تقويم سلوكه بما يمكنه من الانضمام إلى مجموعته مرة أخرى. لكن عليها أن تحاول، قدر المستطاع، قول ذلك بنبرة عملية واقعية وبدون إيحاءات للعقاب في صوتها.

هذا هو عمر الأربع سنوات. وفي الوقت الذي يشعر فيه الوالدان بأن الحياة لا تستحق أن تعاش مع هذا الوحش الصغير، إذا به يبلغ الخامسة من العمر، ويتغيّر فجأة كل شيء، فعمر الأربع سنوات كان مرحلة اختلّ فيها التوازن. أما عمر الخمس سنوات فهو مرحلة توازن جديدة.

عمر الخمس سنوات

إنه عمر ممتع، والسلوك الخارج عن الحدود لطفل الأربع سنوات انتهى. الطفل في عمر الخمس سنوات يكون عادة موثوقًا به، مستقرًا، ومنضبطًا. إنه آمن في نفسه، هادئ، ودود، ولا يتطلب الكثير في علاقاته مع الآخرين. إنه يحاول القيام فقط بما يشعر بأنه يستطيع إنجازه، ولهذا فهو يستطيع، عادة، إنجاز ما يحاوله. وبينما يكون في الرابعة «مائعًا ومنفلتًا» يصبح في الخامسة أكثر انضباطًا وتركيزًا. وعلى النقيض من سنّ الرابعة، حيث لم يكن يعلم ماذا سيرسم إلى أن ينخرط في الرسم فعلًا، فهو في سنّ الخامسة يمتلك فكرة محددة في عقله مسبقًا، ويكمل الرسم الذي كان قد تصوّره. وبعدما لم يكن يزعجه في سن الرابعة النقص أو تغيير الاتجاه في ما يفعله، أصبح في الخامسة يودّ إكمال ما بدأ به.

في الرابعة يهيم بغير هدى، وفي الخامسة يعرف أين يقف. وعلى عكس السلوك التوسّعي والخارج عن الحدود الذي مارسه في الرابعة، يُظهر في الخامسة سلوكًا اقتصاديًا في الحركة وفي التحكم.

الطفل في الخامسة من عمره سعيد لكونه يعيش في العالم كما هو في لحظته الراهنة. وهو يعرّف الأشياء بطريقة براغماتية «عملية»: «الثقب هو للحفر والآيس كريم هو للأكل». إنه ليس في نزاع مع نفسه أو بيئته المحيطة، بل هو سعيد بالآخرين كما هم سعداء به. لقد عاد إلى روح التعاون والرغبة في استحسان الآخرين اللذين كان قد أظهرهما عندما كان في الثالثة من عمره، ولكن بدرجة أكبر. ستبقى الأم محور حياته، وهو يحبّ أن يكون بقربها، وأن يفعل الأشياء من أجلها ومعها. وطاعة أوامرها تسرّه في العادة، هو الذي كان قد قاومها بكل ما استطاع في الرابعة. وكما كان في الثالثة فهو الآن يستمتع بأن يكون مُوجَّهًا وبأن يحصل على الموافقة لفعل ما يرغب في فعله.

على الرغم من حبّه الكبير للبيت ولأمه لم يعد البيت كافيًا بالنسبة إليه. لقد أصبح مستعدًا لتجارب مجتمعية أوسع. إنه يحب اللعب مع الأصدقاء في الحيّ. وهو جاهز للذهاب إلى روضة الأطفال ومتلهّف للذهاب إلى المدرسة.

روضـة الأطفـال ملائمـة تمامًا لأنـه أصبح مهيّأ لتحقيـق نموّ عقلـي كبير تحت إشـراف معلمة مؤهلة. لكن إذا كان نظامكم المدرسـي لا يشـتمل على روضات الأطفال، ينبغي توجيه عناية خاصة إلى أوقات لعبه.

يصف الدكتور غيسيل الطفل ذا السنوات الخمس على النحو الآتي: «إنه يبدي توازنًـا لافتًا في الخصال والأنماط: من الاكتفاء الذاتي والنشـاط الاجتماعي، إلى الاعتمـاد علـى النفس والامتثـال الثقافي، والصفـاء والجدّية، والحذر والحسـم، والتهذيـب واللامبالاة، ومن الودّية والثقة الذاتية بالنفس».

الخامسـة هـي فتـرة تـوازن ملحوظ فـي الخصال ضمـن رزمة شـاملة جامعة. إنه يشيع السرور في من حوله. من الناحية البدنية اكتسب اتزانًا ومهارات عضلية، ومـن الناحيـة العاطفية أصبح متوازنًـا بنحو جيد. أما من الناحيـة العقلية، فهو ممتلئ فضولًا وحماسـة للتعلم. إن الخامسـة هي ذلك العمر المبهج الذي يتقبّل فيـه الطفـل الحيـاة كما هي ويكون مسـرورًا بها. ويمكننـا أن نتأكد من ذلك من الطفل نفسه الذي سيلخص لنا بعبارة موجزة هذه المرحلة من النموّ حين نسأله «ما هو أحب الأشياء إليك؟» ويجيب «اللعب».

يمكنك أن تري أن هناك فروقًا سـيكولوجية ضخمة بين الأطفال في عمر الثلاث والأربـع والخمـس سـنوات. ويجـب أن تأخذي هـذه الفروق في الحسـبان عند تفاعلـك معهـم أو تأديبهـم. لا تتوقعـي من طفل فـي الرابعة أن يكـون قادرًا على الطاعة مثل طفل في الخامسة.

ولكـن علـى الرغـم مـن هـذه الفـروق تشـترك المجموعـات العمريـة الثلاث في العديد من الأشـياء. ولهذا تُصنَّف في إطار مرحلة واحدة من مراحل النموّ وهي مرحلـة ما قبل المدرسـة. ثمّة مهمّـات تطوّرية وارتقائية تعمـل كأفكار مهيمنة متكرّرة خلال هذه السنوات الثلاث. هذه الفكرة المهيمنة قد تبدو مختلفة في عمـر الثلاث سـنوات عما هي في عمر الأربع سـنوات ولكـنّ جوهرها يبقى قابلًا للتمييز.

مـا هـي هـذه الأفـكار المهيمنـة وما هـي هـذه المهمّـات التطوّريـة والارتقائية لمرحلة ما قبل المدرسة؟

ما هي الأشياء التي يجب على الطفل تعلمها خلال هذه السنوات الثلاث والتي سوف تعمّق وتكمل مفهومه الذاتي عن نفسه والبنية الأساسية لشخصيته؟

استيفاء الحاجات البيولوجية

قبل كل شيء، يجب على الطفل في مرحلة ما قبل المدرسة استيفاء حاجته البيولوجية لتنمية العضلات الكبيرة والصغيرة. إن لدى طفلك دافعًا بيولوجيًا فطريًا لتحرير الطاقة: ليركض ويقفز ويتسلق ويهزهز، وعمومًا، ليكون في حركة دائمة. ولكوننا، نحن الأهل، مخلوقات أكثر انضباطًا من الناحية البيولوجية، فإننا نميل إلى التجاهل أو الاستخفاف بهذا الجانب من الديناميّة البيولوجية في حياة أطفالنا في مرحلة ما قبل المدرسة.

في يوم من الأيام، كنت في أحد المطاعم وجلس قبالتي والدان وطفلهما الصغير الذي بدا أنه في حوالى الرابعة من العمر. كان «يتهزهز» في كرسيّه بلا كلل ويغيّر مكانه مرارًا كل عدة دقائق. وقد صاح به والده فجأة: «ألا تستطيع الجلوس هادئًا؟». أحسستُ عندها برغبة في أن أقول له (ولكنني لم أفعل بالطبع) «كلا، إنه لا يستطيع أن يبقى هادئًا. إنّ عمره أربع سنوات فقط. وفي هذا العمر أنت أيضًا لم تكن تستطيع ذلك». بكلمات أخرى، كان ذلك الوالد يتوقع من طفله ذي الأربع سنوات نضجًا بيولوجيًا هو لا يزال غير قادر عليه.

فكّري في طفلك الذي لا يزال في مرحلة ما قبل المدرسة على أنه مصنع بيولوجي. يأخذ الموادّ الخام الأوّلية على شكل أطعمة ويستخدمها لصناعة كمّيات ضخمة من الطاقة. لقد أجرى أحد علماء النفس تجربة صوّر خلالها فيلمًا مدّته ساعة عن طفل في مرحلة ما قبل المدرسة وهو يمارس نشاطه في صالة لعب خارجية. وبعد ذلك عُرض هذا الفيلم على عضو في فريق كرة القدم التابع لإحدى الكليات، ثم طلِب من هذا اللاعب أن يؤدّي الحركات نفسها التي أدّاها الطفل لمدة ساعة. في نهاية هذه الساعة كان لاعب كرة القدم منهكًا تمامًا.

وهـذا يعنـي أنّ عليـك أن توفّـري لطفلـك فـي مرحلـة ما قبل المدرسـة مسـاحة لعـب كافية ومعدّات لعب مناسـبة داخـل البيت وخارجه، الأمر الذي سـيتيح لـه التخلـص مـن طاقته غيـر المحـدودة والحصول على الممارسـة التـي يحتاج إليهـا لتطويـر التحكـم والأداء بعضلاتـه الكبيـرة والصغيـرة. الأطفـال يحتاجـون للجـري والقفـز والصيـاح، علـى عكـس الراشـدين الذيـن يبحثـون عـن السـلام والهـدوء والنظـام، مـا يجعل مـن الصعب علينا التعـاون مع طفل في الخامسـة يحاول تحقيق حاجاته البيولوجية. وفي جميع الأحوال، إذا لم نوفّر لذلك الطفل مصارف عمليّة وبنّاءة لطاقته الهائلة، فإنه بالتأكيد سيجد منافذ أخرى مدمّرة. لا يمكـن للعضـلات والتناسـق العضلـي أن يتطـوّرا ما لم يكن هناك مجال واسـع لاسـتخدام العضـلات الكبيـرة والصغيـرة. وإذا مـا أجبـر طفل ما علـى أن يكون شـديد الهدوء و«التهذيب» في سـنوات ما قبل المدرسـة، فسيكون متأخرًا عن زمـلاء صفّـه في سـنوات الدراسـة المقبلة. سـوف يفتقر إلى القواعد الأساسـية للتناسـق العضلي اللازم لتطوير مهارة معقولة في الألعاب والرياضات (ومن ثم العلاقات الاجتماعية) خلال سنوات الدراسة.

عـلاوة علـى ذلك، وبدرجـة أكبر ممّـا قد يدركه معظـم الأهل، تشـكل المهارات الحركيـة الحجر الأسـاس لمهـارات عقلية تأتي لاحقًا كالقراءة. التناسـق العضلي يتكـوّن من عاملين رئيسـيين: التجانب والتوجّه. ويمكـن تعريف التجانب على أنـه الإحسـاس الداخلـي بالتناظر الذاتـي – مفهوم اليمين واليسـار. إنه خريطة للفضـاء الداخلـي، تلك الخريطة التي تمكّن الطفل من التشـغيل السـلس لإحدى اليديـن والقدميـن أو لكلتيهمـا معًا. أمـا التوجّه فيمكن تعريفه على أنه إسـقاط لمفهـوم التجانب على الفضاء الخارجي، أي هو إدراكنا لليمين واليسـار، الأعلى والأسـفل، الأمـام والخلف، في العالم المحيط بنا. إنـه خريطة للفضاء الخارجي. فالأحاسـيس التـي نشـعر بهـا داخـل ذواتنـا (أيّهما هو جانبنـا الأيسـر وأيهما هو جانبنا الأيمن مثلًا) لها نظائرها في التوجّه في العالم الخارجي المحيط بنا.

هـذه الخرائـط الداخليـة والخارجيـة تعتمـد على الأنمـاط العضليـة والفعاليات الحركية التي يجب أن يتعلمها الطفل في سنوات ما قبل المدرسة، والتي يمكن أن نصفها بأنها «معرفة العضلات».

ولكن ما علاقة هذا كله بالمهارات العقلية وخاصة منها القراءة؟ قد تسألين. إنها علاقة أكبر ممّا قد يخطر ببالك، فالطفل الذي لم يطوّر إحساسًا جيدًا بالتجانب سوف يقلب (يعكس) الأحرف والكلمات في القراءة. لاحظي مثلًا أن الفرق الوحيد بين حرف b وحرف d هو فرق تجانبي إذا صحّ التعبير. وإذا لم يتمكن طفلك من اكتساب إحساس جيد من التجانب في عمر الخامسة أو السادسة، فسيعاني من مشكلات في التمييز بين هذين الحرفين. أما أهمية النموّ الحركي وعلاقته بمهارات عقلية لاحقة فقد عولجت بإسهاب في كتاب أوصي بقوة بقراءته هو *Success Through Play* (النجاح من خلال اللعب) من تأليف هـ. رادلر ونويل كيفارت.

أعطي طفلك الكثير من الفرص ليتسلق ويزحف ويبني ويركض ويتشقلب، ولن تكوني بحاجة لتقلقي من إخفاقه في اكتساب «التجانب والتوجّه» المطلوبين.

نظام للتحكم في الاندفاعات

طوال مرحلة ما قبل المدرسة، يحاول طفلك تطوير نظام تحكم باندفاعاته، فالرضيع هو كائن بدائي ليست له القدرة على التحكم في كل اندفاعاته. ومع نموّه المستمرّ وبلوغه مرحلة المشي يبقى تحكمه في مستوى بدائي، فإذا أخذ طفل آخر لعبته، فمن المرجّح أن يضربه لاستعادتها، وإذا تعثّر بعربة فسيرفسها تعبيرًا عن إحباطه. ولكن بين عيد ميلاده الثالث والسادس سوف يعمل على تأسيس نظام للتحكم في اندفاعاته.

وتنمية هذا النظام سوف تستغرق وقتًا على كل حال، فإن عملت على مساعدته بحكمة ومهارة في سنوات ما قبل المدرسة فسوف يتمكن من اكتساب نظام تحكّم جيّد إلى درجة معقولة عند بلوغه السنة السادسة من عمره. وبمعنى آخر سوف يكتسب قدرة تمكّنه من كبح نفسه، بطريقة فعالة، عن الضرب أو السرقة أو أيّ سلوك لا اجتماعي آخر قد يورّطه في مشكلات في سنوات الدراسة. هذا

يعني أيضًا أنه ابتداءً من سنّ السادسة، سيكون عليك مواجهة مواقف عدة تحتاجين فيها لضربه خلال ما بقي من سنوات الطفولة.

ويبدو بعض الأهل عاجزين عن تفهّم حقيقة أنّ تأسيس نظام للتحكم يحتاج إلى وقت. وهم يعتقدون أنهم بمجرّد أن يقولوا «لا» للطفل، سيسارع إلى طاعة الأمر تلقائيًا من تلك اللحظة فصاعدًا. سوف تسمعين أحد الوالدين يقول لطفله: «ألا تعلم ما تعنيه (لا)؟». نعم من المؤكد أنه يعلم ما تعنيه ولكن نظام التحكم عنده ليس بالقوة التي تسمح له بالتعامل مع هذه الـ(لا). وتعليم الطفل تأسيس نظام تحكم يحتاج إلى تكرار متواتر على مدى سنوات ما قبل المدرسة وذلك قبل أن تترسّخ لديه جيدًا عادات كبح للاندفاعات اللااجتماعية.

هل تتذكرين عندما بدأ طفلك بتعلّم الكلام لأوّل مرة؟ إنه لم يبدأ الكلام بجمل معقدة مثل: «جيمي وأنا سوف نذهب إلى المتجر لشراء آيس كريم»، بل بدأ بجمل من كلمة واحدة. ثم انتقل إلى جمل من كلمتين، إلى أن تدرّج أخيرًا إلى مستوى أكثر تعقيدًا. والأهل عادة ما يُظهرون تفهمًا وصبرًا تجاه قدرة الطفل على تنمية إمكاناته اللغوية، وهم يحتاجون إلى أن يكونوا بالقدر نفسه من الصبر تجاه نموّ وتطوّر قدرة الطفل على التحكم باندفاعاته.

تقدّم لنا عالمة نفس الطفل سلمى فريبرغ مثلًا طريفًا على الصعوبة التي تواجهها طفلة تبلغ سنتين ونصف السنة من العمر في تعلم التحكّم باندفاعاتها وتأجيل إرضاء نزواتها.

كانت الصغيرة مغرمة بالحلوى. وعندما كان يحين وقت تناول الحلوى كانت تنفعل بشدّة وتبدأ بالطرق بملعقتها على صينية كرسيّها الخاص صائحة: «حلوى، حلوى». وفي إحدى المرات كانت الحلوى الموعودة هي الآيس كريم وكان على الأم أن تنزل إلى الطابق السفلي لإحضارها من الثلاجة. لقد أثار صياح الطفلة الصغيرة وطرقها المستمر بالملعقة أعصاب الأم ما جعلها تقول بغضب وهي في طريقها لإحضار الحلوى: «أوه جيني، ألا يمكنك الصبر!». عندما عادت، صُعقت الأم بمنظر ابنتها التي بدت في حالة من التشنّج. كانت تجلس جامدة في كرسيها، قبضتاها محكمتا الإغلاق، عيناها ثابتتان، ووجهها أحمر

كالشمندر، وبدت كأنها لا تتنفّس. صرخت الأم: «ما الأمر يا جيني؟». زفرت جيني وأرخت قبضتيها قائلة: «إنني أصبر يا أمي!».

إن إرجاء اندفاعة ملحّة يحتاج إلى مجهود كذلك الذي بذلته الطفلة الصغيرة التي كان عليها أن تستجمع كل احتياطيها من الطاقة للوقوف بوجه هذا الاندفاع. ولهذا يحتاج الأطفال إلى عدة سنوات حتى يصبحوا قادرين على كبح اندفاعاتهم بطريقة فعالة.

يرتكب الأهل واحدًا من خطأين جسيمين في تعليم أطفالهم في مرحلة ما قبل المدرسة التحكم باندفاعاتهم. من جهة أولى، قد نتخلى عن مطالبة الطفل بفعل أيّ شيء للتحكم بانفعالاته، وبالتالي ستكون حاله في عامه السادس مشابهة إلى حد كبير لما كانت عليه حاله عندما كان في عمر السنتين، ولن يكون قادرًا على التحكم بانفعالاته اللااجتماعية. ولكن معظم الأهل عرضة لارتكاب الخطأ المعاكس، وهو الضغط على الطفل ليتعلم التحكم بانفعالاته بنحو سريع جدًا. لهذا فإن معرفتنا عمّا يمكن أن نتوقعه من الطفل في كل عمر خلال سنوات ما قبل المدرسة تقدّم لنا مساعدة كبيرة. إن قراءة واعية لكتاب الدكتور غيسيل «أطفالنا في ثقافة اليوم» تساعدنا في ذلك. وبالتالي فإننا سوف نضبط مطالباتنا للتحكم بالاندفاعات وفق إمكانيات الطفل في عمر معيّن. إنّ الضغط الذي يمارسه الأهل على أطفالهم لحثّهم على التحكم باندفاعاتهم بنحو سريع جدًا يسبّب لهؤلاء الأطفال مشكلات عديدة. ومشكلات الأكل والتلكؤ وقضم الأظافر والمخاوف والكوابيس الليلية كلها مظاهر تخفي وراءها استجابة الطفل للضغط الكبير الممارس عليه من أجل التحكم باندفاعاته بنحو سريع جدًا.

لذا يجب على الوالدين زيادة مطالباتهم من الطفل التحكم باندفاعاته بنحو تدريجي.

وثلاث سنوات هي عمر مناسب للبدء، لأنها فترة توازن وتعاون. ففي هذا العمر يكون الطفل قد اكتسب ما يكفي من المهارة اللغوية بحيث يسمح له هذا التمكن من الكلمات بتذويت (استبطان) التحكم بالاندفاعات من خلال الكلمات. إن إتاحتنا الفرصة للطفل لصياغة مشاعره والتعبير عنها بالكلمات، تساعده في أن يكون قادرًا على التحكّم باندفاعاته وأفعاله اللااجتماعية. سماحنا له بأن

يقول لشقيقته «أنا أكرهك يا جيني» سوف يسهّل عليه كبح اندفاعه لضربها أو العبث بألعابها. كما يمكننا أن نقدّم له مخارج بديلة للتنفيس عن اندفاعاته الاجتماعية. «كلا، لا يمكنك ضرب أختك يا تشارلز. ولكن أنا أعلم أنك غاضب منها وتودّ أن تضربها، لذا يمكنك أن تضرب «كيس اللكم» هذا بدلًا من ذلك».

تقدّم الدكتورة روث هارتلي اقتراحًا رائعًا للأبوين لإرشادهما إلى مخارج بديلة لاندفاعات أطفالهما اللااجتماعية. واقتراحها هذا يقوم على فكرة تزويد الطفل بدمى مخصّصة لتلقي الضربات بدون عواقب مؤذية. وهذه الدمى تتكون من رؤوس من قماش محشوّ، وملامح مطرّزة بخيوط ملوّنة، تضاف إليها بلوزة نسائية أو قميص رجالي يخاط عند الرقبة، ما يجعل هذه الدمية مكتملة. وتُصنع دمى تمثّل كل واحد من أفراد العائلة: الأم والأب وأطفال من أعمار مختلفة ومن الجنسين. هذه الدمى يمكن استخدامها عندئذ للامتصاص والتنفيس عن الاندفاعات اللااجتماعية والمشاعر المضطربة.

تضرب الدكتورة هارتلي مثلًا لترينا فائدة هذه الدمى الصغيرة: كانت ماري في الثالثة من العمر عندما وُلد شقيقها الأصغر، وسرعان ما أطلقت على دميةٍ لها اسم «توني»، شقيقها الصغير الجديد. شكّل وصول المولود الحقيقي توني إلى البيت من المستشفى نقطة الانطلاق للعبة ماري المفضّلة «ضرب توني». وكل ضربة كانت مستحقة طبعًا، فقد كان توني سيئًا: توني كسر الصحون، توني يبكي في الليل... لكنّ ماري كانت لطيفة وحنونًا تجاه توني الحقيقي، فيما كانت الدمية كافية للتنفيس عن مشاعر الغيرة التي تحملها لأخيها.

وإذا كان باستطاعة طفلك الالتحاق بحضانة أطفال في الثالثة أو الرابعة من عمره، فهذا سوف يساعده على تطوير جهاز تحكم في اندفاعاته.

الانفصال عن الأم

إن الطفل في مرحلة ما قبل المدرسة يتعلم أيضًا الانفصال عن والدته. ففي مرحلة المراهقة الأولى لم يكن طفلك جاهزًا بعد للانفصال عنك، لأن الأم لا تزال محور حياته وما زال يحتاج إليها.

لهذا السبب فإن إرسال طفل في الثانية من العمر إلى روضة أطفال ليس فكرة صائبة، فالطفل في هذا العمر ليس جاهزًا للابتعاد عن والدته ثلاث ساعات في اليوم للعب مع أطفال آخرين تحت إشراف امرأة «غريبة» (المعلمة). لكن في حالة أم عاملة تحتاج إلى ترك طفلها في مركز للرعاية بسبب حاجتها الاقتصادية، فليس هناك بديل آخر. أمّا من حيث المبدأ فيجب ألا يلتحق الطفل بروضة الأطفال قبل بلوغه الثالثة.

يبدأ الطفل بالتطلع إلى الصحبة في اللعب في الثالثة من العمر، فهو يريد أن ينفصل عن أمّه وأن يكون أكثر استقلالًا. والطريقة المثلى لمساعدته في هذا هي إرساله إلى روضة أطفال جيّدة. ورغم أن الطفل ذا الثلاث سنوات يرغب في أن يكون منفصلًا عن والدته وأن يخرج إلى عالم الرفاق والأقران، ما زال يعاني مشاعر متناقضة تجاه التخلي عن الأمان والحماية اللذين توفرهما له الأم. لذا من الطبيعي أن يحس بمشاعر القلق إزاء هذا الانفصال بعدما كانت الأم الملجأ الحصين خلال ثلاث سنوات كاملة. وتكون هذه المشاعر أقوى عند بعض الأطفال بالمقارنة مع آخرين.

ربما يمكننا تصوّر مشاعر طفل ذي ثلاث سنوات تجاه هذا الانفصال إذا ما قمنا برحلة خيالية داخل عقله في اليوم الأول من التحاقه بروضة الأطفال. نستطيع أن نتخيّل حدوث المونولوج الآتي داخل عقله: «أمّي أحضرتني إلى هذا المكان. قالت إنني سأحبّه وأجد فيه الكثير من التسلية، ولكنني لست متأكدًا من هذا. قالت أمي إنّ امرأة هناك ستكون معلمتي. كيف ستكون يا ترى؟ هل ستكون لطيفة معي؟ هل ستعتني بي؟ من هم أولئك الأطفال الغرباء؟ لم أشاهد من قبل في حياتي مثل هذا العدد الكبير من الأطفال الذين لا أعرفهم متجمّعين في مكان واحد. هل سيحبونني؟ هل سيكونون لطفاء باللعب معي أم سيؤذونني؟

أنـا أشـعر بالخـوف. في الحقيقة، أنا لسـت متأكدًا من أنني أحـب هذا المكان. أمّي لا تتركيني، لا تهجريني. أنا خائف جدًا وسوف أبكي».

سوف يبكي فعلًا. إذا زرتِ روضة أطفال في يوم الافتتاح في شهر أيلول فسوف تجديـن عددًا من الأطفال يبكون فـي أحضان المعلمات اللاتي يحاولن تهدئتهم وتطمينهم.

كلّ – أشـدد علـى كلّ – الأطفـال فـي عمر الثلاث سـنوات سـوف يعانـون، إلى درجة معيّنة، المشـاعر التي حاولتُ للتو التعبير عنها. لكن إذا كان الطفل آمنًا ومتمتعًا بصحّة نفسية جيدة فسوف تكون معاناته لهذه المشاعر عابرة. وعندئذ سـوف يتـرك العنان لنفسـه للانضمام إلـى مجموعة الأطفال ويبدأ بمشـاركتهم فـي نشـاطهم. وحتى لـو كان الطفل، بدون بكاء أو تذمّر، قادرًا على بداية نشـاط مـع المجموعـة فسـوف يعاني نوعًا مـن المشـاعر المتناقضة حيال مغـادرة أمّه للمـكان. ولننظـر مـرة أخـرى إلى المشـاعر التـي بداخلـه: «أنا أسـتمتع باللعب بهـذا الطيـن، ولكـن أنا أفتقدك يـا ماما. يبدو غريبًـا أن أكون هنـا وحدي. ماما قلـتِ إنك سـتعودين ولكن هل سـتعودين فعـلًا؟ أظن أنّني سـأتصل بك بالهاتف لأطمئـن» (عنـد هـذا الحد قـد يتناول هاتفًـا لعبة وفرّتـه الروضة مـن أجل هذه اللحظة بالتحديد). «مرحبًا ماما. نعم أنا هنا. أنا ألعب بالطين، وأستمتع بذلك. هل ستعودين عما قريب؟ حسنًا ماما. إلى اللقاء».

قـد لا يعبّـر الطفـل عن مشـاعره بالكلمات بل بنـوع من «لغة الجسـد» بأعراض جسـمانية، ففي وقت مغادرة البيت صباحًا إلى روضة الأطفال، قد يُصاب فجأة بأوجاع في ساقه، أو باضطراب في معدته، أو بالدوار.

مـن الممكـن أيضًـا أن يتأخر رد فعـل الطفل على انفصاله عـن والدته. وقد تبدو الأمـور سـائرة علـى ما يُرام في الأسـبوع الأول مـن التحاقه بروضـة الأطفال، فهو يتوجّـه إلـى المدرسـة وكأن ليـس هنـاك ما يقلقه. قـد لا نلاحظ، ولكنـه لا يظهر حقيقة مشاعره القلقة. إلا أنّ هذا القلق سوف يصل أخيرًا بعد انقضاء أسبوعين أو ثلاثـة أسـابيع، وسـوف يخبـر والدتـه أنـه خائف مـن الذهاب إلى المدرسـة. وتحتـار الأم: «لمـاذا؟ إنـه لم يكن خائفًـا على الإطلاق في الأسـبوع الأوّل». نعم

لقـد كان خائفًـا، لكنّ الأم لم تلاحظ ذلك فقط لأنـه كبت خوفه. وعندما لم يعد قادرًا على المزيد من كبت هذه المشاعر القلقة، طفت على السطح.

الانفصـال عنـك واندماجـه من تلقاء نفسـه مع مجموعة رفاقه هـي خطوة كبيرة بالنسـبة إلى طفلك. وإذا لم يسـتطع الانتظام في روضة الأطفال فسـيكون عليك مسـاعدته فـي إنجـاز المهمّـة التطوّريـة والارتقائيـة بالانفصال عنـك، وذلك عن طريق تشجيعه على الانخراط في اللعب مع أطفال الحيّ. وهو أمر ليس بالسهل عـادة، وخاصة فـي حالة الطفل الخجول، كما هو في حالـة الطفل المواظب على الذهاب إلى روضة الأطفال، حيث تسـاعد المعلمة الخبيرة الطفل في الانفصال عـن والدتـه. وعلـى كل حـال، مـا زال يمكنـك المحاولـة، وسـأخبرك فـي الفصل الحادي عشر كيف يمكنك إيجاد نظير لروضة الأطفال في بيتك الخاص.

عالم الرفاق الجديد

إن الطفل في مرحلة ما قبل المدرسة يتعلم الأخذ والرد في العلاقات مع الأطفال الآخريـن، مجموعـة الرفاق، في هذه المرحلة من النموّ. وعالم العلاقات الرفاقية يختلف اختلافًا جذريًا عن عالم العلاقات الأسـرية. مثلًا، حدث يومًا في روضة من رياض الأطفال أن طفلًا صغيرًا أراد اللعب بشاحنة بلاستيكية كان طفل آخر يلعب بها:

«أعطني هذه الشاحنة» طالب الأوّل.

«أنا ألعب بها الآن» ردّ الطفل الآخر.

«أعطني الشاحنة» أعاد الأول.

« لن أفعل» قال الآخر.

«أنا مريض – أعطني الشاحنة الآن».

لكـنّ الطفـل الآخر لم يردّ هذه المرّة. عندما تشـاهدين هذا التفاعل بين الاثنين تسـتطيعين غالبًـا تخميـن كيـف يفكـر الطفـل الأول: «هـذا ينجـح مـع والدتي وأحصل منها على ما أريده، فلماذا لا ينجح الأمر مع هذا الصبي؟».

وهكذا، بحزن ومتعة، بألم ولطف، يتعلم طفل الثلاث سنوات أن عالم العلاقات الرفاقية هو عالم جديد بمجموعة جديدة من القواعد والمتطلبات. وفي تجربته الجماعيـة الأولـى يجد الطفل نفسـه وجهًا لوجـه مع عناصر القـوة والضعف في نفسه. إنه يحوز بعض القبول ويعاني بعض الرفض. إنه يتعلم أن يأخذ ويعطي.

فـي عالـم الرفـاق والأقـران، يحتـاج الطفـل إلـى أن يتعلـم مهـارات التواصـل الاجتماعي. ويحتاج إلى أن يتعلم كيف يشارك وكيف ينتظر دوره وكيف يطلب شيئًا من طفل آخر، وكيف يعبّر عن مشاعره بالكلام. يحتاج إلى أن يتعلم كيف يدافع عن حقوقه، وأن يعبّر عن مشـاعره بدون اسـتخدام قبضتيه، وأن يشـارك مثلمـا يراقب، وأن يكتسـب ثقة ذاتية بنفسـه في علاقاته مـع الأطفال الآخرين. وبمـا أنـه ليس ثمة طفل يولد مزودًا بهذه المهـارات الاجتماعية والعاطفية، لذا يجب تعلم هذه المهارات في العلاقات الإنسانية خلال مراحل الطفولة المبكرة لكي تؤتي ثمارها في ما بعد.

ينبغي أن يتعلم طفل في مرحلة ما قبل المدرسة اللعب مع الأطفال الآخرين، وأن يتعلـم مهـارات التواصل الاجتماعي خلال السـنوات الثالثة والرابعة والخامسـة مـن العمر. وروضات الأطفال مـكان مثالي لتعلمها لأن التعليم فيها يكون تحت إشراف معلمات مؤهلات. أما اللعب في الحيّ مع أطفال الجيران فيكون التعلم فيـه عشـوائيًا، عبـر تقنيـة التجربـة والخطأ، فمثلًا ليـس هناك في ألعـاب الحيّ مـع الجيران شـخص مؤهّل لمسـاعدة طفل خجول على الاندمـاج في المجموعة وتعليمه كيفية بناء ثقته بنفسه والتغلب على الخجل.

تعلُّم التعبير عن المشاعر

فـي السـنوات ما بين عيد ميـلاده الثالث وعيد ميلاده السـادس، يتعلم الطفل أن يعبّـر عن مشـاعره أو أن يكبتها. وقد أشـرت في الفصـل الأخير إلى أهمية أن نتيـح للأطفـال التعبيـر عن مشـاعرهم بدلًا مـن دفنها في أعماقهـم، حيث تجد طريقهـا للخـروج لاحقًا بأشـكال مموَّهة ومؤذية. وفي السـنوات مـن الثالثة إلى

السادسة سوف يؤسّس طفلك بعض المواقف الأساسية تجاه مشاعره وعواطفه، فإما أن يخلص إلى الاعتقاد بأن هذه المشاعر والعواطف خطرة ومن الأفضل كبتها بداخله، أو يتعلم الشعور بالارتياح تجاه كل هذه المشاعر، السلبية منها والإيجابية.

لو كنتُ أملك عصًا سحرية واستطعت أن أعطي كل أطفال أميركا هدية واحدة تحسّن صحتهم النفسية بين ليلة وضحاها، لاخترت أن تكون هذه: تنحية فكرة «الصواب» و«الخطأ» و«الجيّد» أو «السيّئ» من قاموس المشاعر. يمكننا الاحتفاظ بمفاهيم مثل «صواب وخطأ وجيّد وسيّئ» من أجل الأفعال فقط. فحتى قانون الولايات المتحدة يمنحنا هذا الحق في التمييز بين مشاعرنا وأفعالنا. نستطيع أن نشعر برغبة في إيذاء أحد ما (نحن نقول «كنت غاضبًا جدًا إلى درجة أنني كنت سأقتله بكل سرور»). ولن يعارض القانون وجود هذا الشعور داخلنا. فقط عندما نترجم مثل هذه المشاعر إلى أفعال يتقدّم القانون ويقول «هذا خطأ». إذًا لماذا لا يعطي الأهل أطفالهم الحق نفسه الذي يعطيه قانون الوطن لجميع المواطنين؟ إن ما يمنع معظم الوالِدِين من إعطاء أطفالهم هذا الحق هو أنه لم يُعطَ لهم عندما كانوا أطفالًا. ولهذا فإننا في أعماقنا، في عقلنا اللاواعي، نعتقد أنه نوع من الخطأ أن نسمح لأطفالنا بالتعبير عن أنفسهم بهذه الطريقة.

خذي هذا المثال اختبارًا. اصطحبت إحدى الأمهات طفلها الصغير ذا العامين والنصف للتسوّق. وضعت ما اشترته في عربة التسوّق وجلس الطفل في العربة أيضًا. وفجأة اقتربت امرأة مسنّة وبدأت بالتودّد للصغير قائلة: «أوه ما أجملك أيها الولد الصغير! «فما كان منه إلا أن نظر إليها قائلًا بصوت واضح ومرتفع: «اذهبي بعيدًا. أنا لا أحبّك».

لو كنتِ مكان هذه الأم فكيف سيكون تعاملك مع هذه الحادثة؟ أنا أخشى أن معظم الأمهات سيقلن للطفل شيئًا مثل: «هذه ليست طريقة للتحدث مع هذه السيدة اللطيفة. قل لها إنك آسف». أو ربما سيعتذرن من السيدة ويقلن: «إنه فقط في الثانية والنصف من عمره وهو لا يعلم ما يقول». وبعبارة أخرى فإن العديد من الأمهات سيوحين إلى الطفل بطريقة ما أنه كان من الخطأ أن

يعبّر عن مشاعره الحقيقية. وأنا لا أعتقد أنها فكرة جيدة. أنا أرى أن للأطفال الصغار الحق في أن يعبّروا عن مشاعرهم الحقيقية عندما يكونون في مرحلة ما قبل المدرسة. إنه أمر سيّئ لنمو شخصياتهم، وعفويتهم، وأصالتهم كأشخاص صغار، أن نعلمهم أن يخمدوا مشاعرهم في هذه السنوات المبكرة.

أنا لا أتبنّى فكرة السماح للأطفال في كل الأعمار بالتعبير عن مشاعرهم في أيّ وقت وأيّ مكان يشاؤون. الأطفال يجب أن يتعلموا أنّ للناس الآخرين مشاعرهم أيضًا ويجب أن يتعلموا احترام هذه المشاعر وأن يكونوا لطفاء معهم. ولكنهم لا يستطيعون تعلم أن يكونوا لطفاء مع الآخرين، وهم لا يزالون في مرحلة ما قبل المدرسة، بدون أن يدفعوا ثمن ذلك كبتًا لعفويتهم وحيويتهم الخاصة. إن الطفل ذا العامين والنصف لن يستطيع على الأرجح تعلم أن يكون لطيفًا مع مشاعر السيدة المسنة وهو في هذه السنّ الغضة.

الوقت المناسب للبدء بتعليم الأطفال أن الناس الآخرين لهم مشاعرهم الخاصة هو عند بلوغهم السادسة تقريبًا، لا في سنوات ما قبل المدرسة. وسيكون هناك الكثير من الوقت لتعليم الطفل، اعتبارًا من سنّ السادسة، أن هناك أوقاتًا وأماكن للتعبير عن المشاعر، وأنه سيكون عليه في بعض الأحيان أن يحتفظ بمشاعره لنفسه وإلا فسيقع في المشكلات. في سنوات الدراسة اللاحقة نستطيع تعليم الأطفال التمييز بين الظروف المناسبة للتعبير عن المشاعر بأمان، وبين الظروف التي تجعل من الحكمة عدم إظهار هذه المشاعر. ولكنّ سنوات ما قبل المدرسة هي المرحلة التي يجب علينا فيها أن نشجّع أطفالنا على التعبير عن مشاعرهم.

الهوية الجنسية: ذكر أم أنثى

إن الطفل في مرحلة ما قبل المدرسة يتعلم أيضًا تحديد الهوية الجنسية كذكر أو أنثى. وقد قلتُ في فصول سابقة إن الصبيان والبنات يكونون، بطريقة ما، «غير محدّدي الجنس» في سنواتهم المبكرة وذلك إلى أن يبلغوا الثالثة من أعمارهم

تقريبًا، فهم يلعبون النوع نفسه من الألعاب ويحبّون الأشياء نفسها. الذكور، مثلًا، في هذه السنوات المبكرة يحبّون اللعب بالدمى والحيوانات المحشوّة تمامًا كما تحب الإناث. لكن هناك اختلافات بالطبع بين البنات والصبيان، حتى في هذه السنوات المبكرة، فالبنات عمومًا يملن إلى النضج بسرعة أكبر في بعض النواحي (كالنمو اللغوي). والصبية عمومًا يميلون إلى أن يكونوا أكثر عدوانية ونشاطًا بدنيًا. ولكن، آخذين بالاعتبار كل هذه الأمور، لا يظهر التفريق بين الجنسين بصورة محدّدة إلى أن يبلغ الصبيان والبنات الثالثة من أعمارهم. منذ هذه اللحظة، سوف يتصرّف الصبيان والبنات بطريقة مختلفة وسوف يرون أنفسهم والعالم حولهم بشكل مختلف.

في كتاب حديث، يستخلص نتائج حوالى تسعمئة دراسة بحثية، تُلخَّص الفروق بين صغار الصبيان والبنات على النحو الآتي:

> **الصبيان هم الأكثر عرضة لبدء المشاجرات وهم الأكثر صخبًا، ويخاطرون أكثر ويفكّرون باستقلالية أكثر، وتربيتهم أصعب وهم الأكثر هشاشة بين الجنسين، إذ يفوق عدد الوفيات من الذكور عددها لدى الإناث خلال السنة الأولى من الحياة. وهم أكثر عرضة للتلعثم، ولمشكلات القراءة، ولمعاناة النزوات العاطفية بكافة أنواعها. ويتأخرون سنة أو أكثر خلف البنات في النموّ البدني. وفي الوقت الذي يبدأون فيه المدرسة تكون عضلات أيديهم ما زالت أقل نضجًا بشكل ملحوظ.**
>
> **على العكس من ذلك، تكون البنات أكثر قوة ونضجًا، ولكن أكثر اتكالية وسلبيّة وخضوعًا وامتثالًا، وأقل مغامرة. وهنّ أكثر اهتمامًا بالأشخاص مقارنة بالأشياء، ويظهرن اهتمامًا أكبر بالآخرين، وحساسية أعلى تجاه ردود أفعالهم، وهنّ أكثر قدرة، بحسب الدراسات التي أجريت حتى الآن، على تذكر الأسماء والأماكن.**
>
> **لم يعثر العلم على فروق بين الصبيان والبنات في حاصل الذكاء في مرحلة الطفولة، مع أن نماذج التفكير والتعلم تختلف تمامًا عند الطرفين، فالبنات يتفوّقن في المقدرات اللفظية. ويتكلمن أوّلًا، ولاحقًا يتهجّين أفضل ويكتبن أكثر. أما الصبيان فيتفوّقون في التفكير المجرد، بما فيه الرياضيات والعلوم، وهم أكثر قدرة على الإبداع.**

كيف نفسّر هذه الفروق الأساسية والمبكرة بين الصبيان والبنات؟ من المرجح أن هذه الاختلافات تعود إلى عوامل هرمونية وجينية من جهة أولى، وإلى الطريقة التي يربّى بها الأطفال من جهة أخرى.

الخبراء يختلفون في ما بينهم في تحديد حجم أهمية العوامل البيولوجية والعوامل الثقافية التربوية.

لكنّ ما يهمّنا نحن الأهل هو أن يحقق أولادنا الذكور والإناث هوية جنسية صلبة وثابتة خلال سنوات ما قبل الدراسة. وتحقيق هذه الهوية الجنسية الثابتة باعتباره عضوًا ينتمي إلى مجموعته الجنسية الخاصة يشكل جزءًا أساسيًا في مفهوم الطفل الذاتي عن نفسه وفي صحته النفسية.

كذلك يجب أن نتذكر أن الصبيان والبنات يميلون أساسًا إلى التشبّه (التماثل) بالأم باعتبارها الشخص الأكثر أهمية في حياتهم.

والصبي ليس أقل من البنت في هذا، إذ هو يحب والدته ويريد أن يكون مثلها. ومن الطبيعي لطفل صغير في الثالثة من عمره أن يؤكد لوالدته أنه سوف يكبر «ليكون (أمًّا) مثلها تمامًا». كما أنه أمر مألوف تمامًا أن يرغب الصبي الصغير في ارتداء حذاء والدته، كرغبته في ارتداء حذاء والده، وأن يرغب في استعمال أحمر شفاهها وعطرها.

لكن في السنوات من الثالثة إلى السادسة يبدأ الصبيان والبنات عادة بالتوجّه في طريقين منفصلين في ما يخصّ نموّهم النفسي.

الطفل ذو الثلاث سنوات يكون أكثر نضجًا عقليًا ويبدأ بإدراك الفروق الجنسية بين الصبيان والبنات الصغار. ولكن الطفل في مرحلة ما قبل المدرسة يبقى مشوّشًا في هذا الأمر. لقد سُئل صبي في الخامسة من عمره ينظر إلى طفل صغير عارٍ هل هذا الأخير ذكر أم أنثى فأجاب «لا أدري، من الصعب أن نعرف ذلك وهو لا يرتدي ثيابًا».

لكن على الرغم من ذلك، وبطريقة أو بأخرى، يستطيع طفلٌ في مرحلة ما قبل المدرسة، أي بين الثالثة والسادسة من عمره، أن يكتشف أنّ للصبي قضيبًا

فيما لا تملك البنت شيئًا مماثلًا. وهذا الاكتشاف يمثّل نقطة تحوّل في حياة العديد من الأطفال رغم أن معظم الأهل يبدون غير واعين لذلك. والسبب الذي يجعل الأبوين غير واعيين لهذا هو، بطبيعة الحال، أنّ هذا الاكتشاف يتعلق بالموضوع الجنسي، فالعديد من الأهل يعانون كبتًا كبيرًا يجعلهم عُميًا صُمًّا بُكمًا إزاء ما قد يفكر أو يشعر به أطفالهم الصغار حيال الجنس.

كلما كان الجوّ الأسري حيال الموضوع الجنسي أكثر صحّيةً، كانت الصدمة النفسية التي قد يسببها هذا الاكتشاف للطفل أصغر. وكلما كان هذا الجو أكثر كبتًا وإحساسًا بالذنب، كانت الصعوبة التي سيواجهها هذا الصبي الصغير أو (البنت الصغيرة) في استيعاب هذا الاكتشاف الجديد والمدهش أكبر. ولكن، بغضّ النظر عن الجوّ الأسري فإن كل طفل، ذكرًا أو أنثى، سيكون له رد فعل مختلف وطريقة مختلفة للتعامل مع هذا الاكتشاف. على أننا نستطيع أن نقدّم وصفًا معمّمًا حول رد الفعل النموذجي للأطفال الذكور والإناث تجاه اكتشافهم أن الصبيان يملكون قضيبًا فيما لا تملك البنات هذا العضو.

تميل الطفلة الصغيرة إلى الشعور بأنها قد تعرضت للاحتيال، وبأنها نوع من «مواطن من الدرجة الثانية» في ما يتعلق بهذا الموضوع، أو تظن أنها وُلدت في الأصل بقضيب ولكنها حُرمت منه، ربما كنوع من العقاب. أعلم أن البعض ممن يقرأ هذا الكلام سيقول «هذا هراء تام. أنا لم أسمع قط بمثل هذا الأمر!». لكنّ هذه الأفكار مستنبطة من ملاحظات لآلاف من الأطفال الصغار، دقّقها علماء السلوك.

ويمكنك إن كنت منفتحة التفكير أن ترصدي مثل هذه الأمور في لعب وكلام وأسئلة طفلك في مرحلة ما قبل المدرسة. فأنا أتذكر، مثلًا، أن ابني الأصغر قال يومًا لوالدته عندما كان في الثالثة من عمره: «ماما، أين قضيبك؟» فأجابته «ماما ليس لديها قضيب، الصبيان والرجال فقط لديهم» ولكنه أصرّ قائلًا «نعم إن لديك واحدًا» و«أين هو؟ أين تخبّئينه؟».

إذا راقبت الأم المنفتحة التفكير سلوك ابنتها في مرحلة ما قبل المدرسة فسوف تجد العديد من الأمثلة على ردود فعل طفلتها تجاه هذا الاكتشاف

للفروق التشريحية بين الجنسين. وهاك الآن مثالًا على وصف أم لسلوك ابنتها ذات الثلاثة أعوام:

«كانت كارولين تحسد ذكورة شقيقها ذي الخمسة أعوام، بيلي، وكانت تظهر ذلك بطرق متعدّدة. ولكن أكثر هذه الطرق وضوحًا كانت محاولتها للتبوّل واقفة كما يفعل هو. وقد شاهدتُ هذا الصباح كيف تفعل ذلك.

كانت كارولين وحدها معي في الحمام. ثم خلعت سروالها ووقفت عند المرحاض كما لو أنها تريد التبوّل. ثم دفعت حوضها إلى الأمام كما لو أنها تتوجّه إلى أسفل المرحاض. ولكنها قررت بوضوح أن الأمر لن ينجح فتنازلت عن ذلك سريعًا.

في ما بعد شدّت جلدها فوق منفرج فخديها وحاولت طيّه على شكل القضيب. لقد كان واضحًا أنها ظنّت أنها إذا صنعت قضيبًا متخيّلًا بهذه الطريقة فسيمكنها التبوّل من خلاله. ولكن هذا الأمر لم ينجح أيضًا لأنه لم يكن هناك ما يكفي من الجِلد بكل بساطة.

ومرة أخرى وقفت على المرحاض محاولة التبوّل. ثمّ، بالتدريج بدأت بالاسترخاء على مقعد المرحاض. وبهذه الوضعية، ووجهها إلى الحائط، تبوّلت. بعد ذلك نزلت وارتدت سروالها».

دعونا نواجه الأمر: البنات الصغيرات يشعرن بشيء من الحرمان، ويحسدن الصبيان. ولكن هذا لا يعني، على أيّ حال، أنهن سيعانين حتمًا أذى نفسيًا كبيرًا بسبب هذا الأمر. وإذا كانت البنت الصغيرة تتمتع بمفهوم ذاتي صحّي عن نفسها، فسوف تتكيف مع حقيقة أنه ليس لديها قضيب، وسوف تدرك أن هناك الكثير مما تتمتع به كأنثى، يعوّض هذا النقص.

قد تستطيع الأم مساعدة طفلتها الصغيرة على بناء ثقتها بنفسها وتقديرها لذاتها وذلك بأن تشرح لها أنه وإن كان الصبيان والرجال يملكون قضيبًا فإنها تملك شيئًا لا يملكه الذكور وهو الرحم. فتشرح الأم أنّ الرحم تشبه كيسًا خاصًا صغيرًا داخل البنت أو المرأة وأنها مكان خاص ينمو فيه الأطفال الصغار. وعندما تكبر البنات الصغيرات ويصبحن نساءً، يستطعن إنجاب الأطفال بينما لا يستطيع ذلك الأولاد الذكور. وأنا أتذكر تلك البنت الصغيرة في مرحلة ما قبل

المدرسة التي شرحت لها أمّها هذا الأمر، فقد استمرّت لأيام بعد ذلك تهتف متفاخرة «أنا أملك رحِمًا، أنا أملك رحمًا».

أما الصبيان فقد يعانون ضغطًا نفسيًا جرّاء اكتشافهم أن البنات والنساء لا يملكن قضيبًا. وربما يستنتج الصبي، بتفكيره البدائي والساذج، أن البنات كنّ يملكن هذا القضيب ولكنه قُطع، وأن هذا العقاب قد يناله هو أيضًا إذا لم يكن ولدًا جيدًا. وقد سأل طفل في الخامسة من عمره والدته أين أخفت قضيبها، وذكّرته بأنها قد أخبرته سابقًا أن الصبيان والرجال يملكون قضيبًا ولكن البنات والنساء لا يملكن، فأجاب الولد قائلًا «نعم، أتذكّر الآن، لقد قطعه لك أحد ما».

في البيت الذي يسوده جوّ جنسي صحّي ويُتعامل فيه مع الأعضاء التناسلية بطريقة عرضية، فإن مخاوف الصبي الصغير حول أن شيئًا ما قد يحدث لأعضائه التناسلية عن طريق العقاب، تضمحلّ بسرعة. في الحقيقة، يتفاخر الصبية الصغار عامة بأعضائهم التناسلية ويحبّون التباهي بها أمام والديهم ورفاقهم. وإذا تمكنت الأم من تهدئة روعها في هذا الخصوص، فقد تتمكن من الاستمتاع بالطريقة الساذجة التي يتباهى بها صبي صغير بخصائصه الذكورية المكتشفة حديثًا بالنسبة إليه. والمثال الآتي من مفكّرة معلمة في روضة أطفال يوضح الأمر جيدًا:

كارل وجينيفر كلاهما في الثالثة من العمر، كانا يلعبان ويبنيان بيتًا من المكعّبات. وفجأة نظر كارل إلى جينيفر وقال «أنا ذاهب لأتبوّل». واستمرّت جينيفر في لعبها.
قال كارل «هل تودّين الذهاب معي إلى الحمام ورؤيتي وأنا أتبوّل؟».
قالت جينيفر «نعم» ونهضت وتبعت كارل إلى الحمام.
تبعتهما ووقفت بجانب الباب المفتوح بحيث ألاحظهما بدون تطفل.
فتح كارل سحاب سرواله وقال متفاخرًا «أنا لديّ قضيب».
هزّت جينيفر كتفيها وقالت بواقعية «أنا أعلم ذلك».
بال كارل وشاهدت جينيفر. اهتمامها بدا متواضعًا، لا أكثر ولا أقل.
عندما انتهى كارل قال «لست مضطرًا للجلوس مثلك. أنا أستطيع التبوّل واقفًا».
«هذا لا يعني شيئًا» قالت جينيفر بعناد، وأردفت: «أخي يفعل ذلك أيضًا».

ماذا يفعل الوالدان لمساعدة الطفل في مرحلة ما قبل المدرسة في تثبيت هويته الجنسية سواء كان صبيًا أو بنتًا؟ العامل الأهم هو قبولك أنت وزوجك بجنس طفلك. إذا كنتما سعيدين بكونه صبيًا يتزايد احتمال سعادته بجنسه، وإذا كنتما سعيدين بكونها بنتًا يتزايد احتمال سعادتها بجنسها.

لكنّ الصبي الصغير والبنت الصغيرة يحتاجان أيضًا إلى نموذج لمحاكاته. وفي هذا الصدد، أعتقد أنه أصبح من الأسهل في مجتمعنا المعاصر للبنت الصغيرة أن تقبل وتقوّي هويّتها الجنسية مقارنة بالصبيان الصغار. وهناك عدة أسباب لهذا. إذا قارنّا بين مجتمعنا الحضري اليوم وبين مجتمعنا كما كان قبل مئة سنة، نجد أنه في ذلك الوقت كان معظم الناس يعيشون في المزارع أو في مدن صغيرة. كان الصبيّ الصغير يشاهد والده كثيرًا وكان يرافقه إلى المزرعة. وحتى لو كان الوالد يعمل في مجال المهن الحرّة، كأن يكون محاميًا في بلدة صغيرة، فإنه كان يأتي إلى المنزل للغداء. أما في هذه الأيام فالكثير من الآباء يغادرون إلى أعمالهم مبكرًا في الصباح ويعودون متأخرين في الليل. وربما لا يستطيع الصبيّ الصغير مشاهدة والده إلا في عطلة نهاية الأسبوع.

قبل مئة عام، كان هناك القليل من المعلمات في مدارسنا، وبالتالي كان الصبيان والبنات يتعلمون على أيدي معلمين ذكور في سنواتهم الدراسية الأولى، أما في هذه الأيام فقد لا يرى الصبي معلمًا «رجلًا» إلى أن يصبح في الصف الخامس أو السادس. كذلك يجب أن نأخذ في اعتبارنا أثر الطلاق في حضور أو غياب النموذج الذكوري في حياة الصبية الصغار.

إن الأمر أيسر في حالة الطفلات الصغيرات، فهنّ يحتجن إلى نموذج أنثويّ لمحاكاته ولديهنّ الأم. لكن ماذا عن الصبي الصغير الذي قد يرى والده قليلًا جدًا في مثل هذه الظروف؟ أين سيجد نموذجًا ذكوريًا لمحاكاته؟

علاج هذه المشكلة بسيط ولكنه ليس سهل المنال بكل تأكيد. على الوالد أن يقضي وقتًا أكثر مع طفله الصبي في سنّ ما قبل المدرسة (على الآباء قضاء وقت مع بناتهم أيضًا، يجب ألا ننسى ذلك). كم أتمنّى لو أنني أعرف طريقة سحرية لإقناع آباء الصبية في مرحلة ما قبل المدرسة بأهمية هذه المسألة. ولكن لسوء الحظ فإن الكثير من الرجال المدفوعين بالطموح والحاجة القاهرة

للتطوّر المادي لا يجدون الوقت الكافي ليكونوا مع أطفالهم الصغار. وهم عادة ما يبرّرون هذا بالقول إنهم، في الواقع، يعملون هذه الساعات الطوال لتكون عائلاتهم في وضع أفضل ماديًا في المستقبل. وهم يعتقدون أنهم في وقت ما في المستقبل عندما يصبح أطفالهم أكبر، سيكون لديهم وقت أكثر لقضائه معهم. ولكن للأسف، لا تسير الأمور بهذه الطريقة عادة، فإن لم يكن الأب أمضى وقتًا مع طفله وهو في مرحلة ما قبل المدرسة وأسّس علاقة جيدة معه في هذه السنوات المحورية، فإن الطفل لن يكون شديد الاكتراث بأبيه في السنوات اللاحقة. وهذا أمر محزن تمامًا.

ثمّة العديد من الأشياء التي يستطيع حتى الآباء المشغولون فعلها من أجل أولادهم الذكور (والإناث أيضًا) والتي لا تخطر ببالهم عادة. أحدها هو الاحتفاظ بكمّية وافرة من البطاقات الملوّنة في عملهم وإرسالها عبر البريد إلى أطفالهم في سنّ ما قبل المدرسة. وبما أن الأطفال الصغار لا يتلقّون إلا القليل من البريد، فسيكون أمرًا رائعًا بالنسبة إليهم أن يتلقّوا رسالة من الوالد. ويستطيع الوالد أيضًا الاتصال بالهاتف من عمله لمحادثة طفله الصغير من وقت لآخر. إن محادثة لمدة خمس دقائق تعني الكثير بالنسبة للطفل الصغير.

على كل والد أن يجد طريقة ما لأن يصطحب طفله الذي لا يزال في سنّ ما قبل المدرسة ويريه المكان الذي يعمل فيه وأيّ نوع من الأعمال يؤدّي. ينبغي أن يفكر الوالد بهذا الأمر، فمن المهمّ أن يشرح عمله للطفل بطريقة تناسب مدارك الطفل الصغير.

بعض الأعمال تكون أكثر سهولة في الشرح والتوضيح من غيرها. والأم تستطيع أن تشجّع طفلها في البيت على ممارسة نوع من اللعب التمثيلي «لعمل بابا»، كما يمكن مساعدة الطفل في صنع كتاب يسمّى «عمل بابا». وسوف أصف بتفصيل أكبر في الفصل الحادي عشر كيفيّة صنع هذه الكتب مع الطفل.

يحتاج الأطفال الصبية إلى ملابس تنكرية للعب التمثيلي تعبّر عن نشاطاتهم ومشاغلهم الذكورية، تمامًا كما تحتاج البنات إلى ملابس تنكرية أنثوية. ولكن لو بحثنا في عامة البيوت فمن المرجّح أن نعثر على ملابس للبنات الصغيرات تتكوّن من ثياب الأم القديمة وأحذيتها وقبّعاتها ومجوهراتها. وليس هناك

في الغالب ملابس من هذا النوع للصبيان. لذا يجب أن نوفّر للصبي قبّعات وسراويل الجينز وأحذية والده القديمة، ولباسه وقبّعاته العسكرية القديمة، وقبّعات البناء...

والأهم من ذلك كله هو مواقف الأم والأب تجاه الصبي والبنت الصغيرين، فإذا افتخرت الأم، لا فقط بأنوثة ابنتها، بل أيضًا بذكورة ابنها المتنامية، فكل شيء سوف يسير على ما يرام. ويجب على الأم أن تتقبّل طبيعة الصبي المشاكسة والمزعجة والهائجة والفظة. كما يجب ألا تحاول جعله مخلوقًا منصاعًا، لطيفًا، هادئًا وكأنه بنت صغيرة.

وقراءة كتاب مثل *This Is Goggle* (هذا تحديق) من تأليف بينتز بلايجمان الذي يصف هذه الطبيعة الصبيانية جيّدًا، قد تغني الأم عن قراءة عشرات البحوث العلمية الجافة عن هذا الموضوع.

ولكن ماذا عن الأب؟ إن دوره أساسي. فهو يستطيع أن يقدّم لولده الصبي الذي لا يزال في مرحلة ما قبل المدرسة الخشونة والألعاب الذكورية التي يحتاج إليها. وفي الوقت نفسه يستطيع تقديم الرقّة واللطف اللذين تحتاج إليهما البنت الصغيرة لتشجيع جاذبيتها وأنوثتها.

من الجيد أيضًا أن يتذكر الوالدان دائمًا أنه ليس هناك طفل خالص الذكورة أو خالص الأنوثة، فلو كان الأمر كذلك فكيف كان يمكن لأحد الجنسين أن يفهم الجنس الآخر؟ ينبغي أن نتجنّب القوالب النمطية المتعلقة بالجنس، مثل «أن تكون ذكرًا يعني أن تكون قاسيًا وعديم المشاعر» و«الصبيان لا يبكون» و«البنات غير محتاجات للتفكير»... إلخ... نريد لصبياننا أن يكبروا ليكونوا رجالًا قادرين على إظهار بعض الخصال «الأنثوية» مثل الدفء والحساسية تجاه مشاعر الآخرين. ونريد لبناتنا الصغيرات أن يكنّ نساءً أقل خضوعًا وأكثر أصالة وجرأة، وأن يستطعن التفكير بمنطق كأي رجل.

لهذه الأسباب يجب ألّا نكون متزمّتين في ما نوصله لأطفالنا حول ما هو «ذكوري» و«أنثوي» في السلوك. ويجب أن نتيح لأطفالنا في سنّ ما قبل المدرسة أداء الأدوار والمشاعر المناسبة للجنس الآخر بالإضافة إلى تلك الخاصة بجنسهم. لن يضير صبيًا في الثالثة من العمر أن يلعب لعبة تلعبها البنات، أو

أن تعلّمه والدته كيف يطبخ أطباقًا بسيطة أو يخبز بعض المعجّنات. ولن يضير بنتًا في الثالثة من عمرها أن تلعب بالشاحنات وسيارات الإطفاء إذا كان هذا هو ما ترغب فيه. شجّعي أطفالك في سنّ ما قبل المدرسة على تعزيز هويّتهم الجنسية ولكن لا تصلي إلى حدّ الصرامة والجمود.

7

مرحلة ما قبل المدرسة

الجزء الثاني

خلال مرحلة ما قبل المدرسة، يتعلم الطفل اتخاذ مواقف أساسية من الجنس. وكنت قد قلت في فصول سابقة إن كل ما عليك فعله، حتى بلوغ الطفل عمر الثلاث سنوات، هو الامتناع عن تقديم أيّ تربية جنسية سلبية لهذا الطفل. أما الآن فقد حان الوقت للبدء بتقديم تربية جنسية إيجابية لطفلك، فمن هذا العمر فصاعدًا ثمة العديد من الأشياء عن الجنس سيكون راغبًا ومحتاجًا لمعرفتها.

كعالم نفس تعامل مع المشكلات الحميمية للناس لأكثر من عشرين عامًا، أدرك جيدًا أن معظم الأهل يحملون في مشاعرهم الداخلية آثارًا من المعلومات المضللة ومشاعر ذنب وخوف حيال الجنس، تعود إلى فترة طفولتهم. ولا يمكن إلا لعالم نفس أن يدرك هذا الكمّ من الأشياء التي لا تصدَّق عن الجنس التي يخفيها العديد من الأهل في أعماقهم. ولذا لا غرابة في أن الكثيرين منهم يجدون أن التعامل مع أسئلة أطفالهم وتوجيههم في هذا الموضوع أمر صعب، وهو للعديدين منهم أمر شديد الدقة والحساسية.

لو كنا محظوظين بما فيه الكفاية لننشأ في واحدة من جزر المحيط الهادئ لكانت الأمور على الأرجح مختلفة تمامًا. فالبالغون في هذه الجزر لا يعانون عمليًا أيّ حالات من المثلية أو الفيتيشية الجنسية أو الرغبة في التلصّص، أو أيّ أنحرافات جنسية أو عصابية من تلك التي تنتشر بكثرة في مجتمعنا، للأسف. والسبب الذي يجعل البالغين في هذه المجتمعات لا يعانون من هذه الانحرافات الجنسية هو أنهم تلقوا تربية جنسية صحّية عندما كانوا أطفالًا صغارًا.

الكثيرون منا لم يكونوا محظوظين. وأنا أدرك تمامًا أنّ قدرتك على اتباع نصائحي في ما يخص التربية الجنسية لأطفالك، سوف تعتمد أساسًا على نوع التربية

أو اللاتربيـة الجنسـية التـي تلقيتِهـا عندما كنت طفلة صغيـرة، هدفنا يجب أن يكـون التعامـل مع موضوع الجنـس بموضوعية وواقعية تامـة مثلما نتعامل مع أيّ موضـوع آخـر. الأطفـال ليسـوا معنيين بشـكل غير طبيعي بالجنس وليسـوا مهووسـين بالأفكار عنه، ولكننا نحن الكبار من نعلمهم أن يكونوا مهووسـين به. وعندما يسـأل الأطفال أسـئلة عن الجنس، فهذا بالنسبة لهم كأنهم يسألون عن سـبب سـقوط المطـر أو أين تذهب الشـمس في الليل أو ما الـذي يجعل الأزهار تنمـو. ولكـن عندمـا يواجهـون رد فعـل مختلفًا منّا على أسـئلتهم السـاذجة عن الجنس، يشـعرون بأننا نحن الكبار ننظر إلى الجنس باعتباره شـيئًا محرّمًا (تابو) وقذرًا، لكن أيضًا، جذابًا.

أول شـيء نحتـاج إلى فعله هو محاولة الإجابة عن أسـئلتهم حـول الجنس بأكبر قـدر ممكـن من الانفتاح والمباشـرة والصدق. وهذه الأسـئلة غالبًا ما تأتي فجأة بـدون أن تكـون لدينـا طريقة لتوقعهـا. والسـؤال الأول الذي سـنتلقاه عادة من طفل في الثالثة من العمر هو بالطبع ذلك السـؤال الأزلي «من أين يأتي الأطفال الصغـار؟» وهـو ما يمكـن الإجابه عنه ببسـاطة: «الأطفال يأتـون مـن داخل الأم. إنهم ينمون في مكان خاص داخل الأم يسمّى الرحِم». وهـذا سيكون عادة وافيًا بالغـرض إلـى أن يرغـب الطفل في الحصول على تفسـير أكثر دقـة لاحقًا. أعطي أجوبـة قصيـرة وبسـيطة عن أسئلة الطفل حـول الجنس كما تفعلين مع أسـئلته حـول أشـياء أخرى. وإذا رغب طفلك فـي معرفة المزيد، لا تخافي من الاختصار، فإنه سيسألك أسئلة أكثر.

ولبعض الأسباب التي لا أزال غير قادر على فهمها تخبر بعض الأمهات أطفالهن أنّ المواليـد الصغـار ينمـون في بطـن الأم. وهذا، بالإضافة إلـى أنه غير صحيح، يثيـر كل أنـواع المفاهيم الخاطئـة الخيالية في عقل الطفل حـول جوانب أخرى للجنس، كالتساؤل عن كيفية دخول الطفل في البطن؟ وكيف يخرج الطفل من البطن؟ لذا أخبري الطفل عن الرحم بدلًا من الحديث عن البطن.

يخاف الأطفال عادة من طرح الأسئلة عن الجنس. لذلك، بالإضافة الى إجابة أيّ نوع من أنواع الاسئلة عن الجنس قد يسألها طفلك، يجب أن تقومي بخطوة أبعد لكي تزوّديه بتربية جنسـية إيجابية في هذه المرحلة من النموّ. يجب أن تقرئي

لـه كتابًا يعطيه رؤية شـاملة للعملية الجنسـية والطريقـة التي يولد بها الأطفال. هنـاك ثلاثـة كتب ممتـازة تقوم بهذا الأمر، وأقترح أن تشـتري واحدًا منها على الأقل وتقرئيه لطفلك. هذه الكتب الثلاثة تعالج الموضوع من زوايا تختلف قليلًا في ما بينها ولن يكون أمرًا ضارًا قراءتها كلها. لقد قرأتها شخصيًا لأطفالي عندما كانوا في هذا العمر. والكتب التي أوصي بها هي:

- *A Baby Is Born*، (لقد وُلِدَ رضيع) لميلتون ليفين وجان سيليغمان
- *Growing Up*، (عملية النمو) لكارل دوشفاينتيس
- *The Wonderful Story of How You Were Born*، (القصة الرائعة لولادتك) لسيدوني غرونبورغ

لا تجعلـي مـن قـراءة واحد أو أكثر من هـذه الكتب لطفلك أمـرًا خاصًا. لا تقولي بصـوت منخفض: «الليلة يا جيمي سـوف نقرأ كتابًا عـن الجنس!». ولكن اقرئي هـذه الكتـب لـه كما تقرئين أيّ كتاب آخر وأجيبي عن أسئلته كما تجيبين عن أسئلته عن أيّ كتاب آخر.

ولكـن هناك شـيء آخر، علـى أيّ حال، يجعل من قراءة هـذه الكتب عن الجنس أمرًا مختلفًا عن قراءة كتب أخرى، فبسـبب الأجواء المشـحونة بالقلق والمعبّأة بالذنـب التـي تحيـط بموضـوع الجنـس فـي مجتمعنـا، فـإن الأطفـال معرّضون للتشويش بهذا الصدد أكثر مما يمكن أن يتعرّضوا له في موضوع محايد عاطفيًا كعلم الحسـاب أو علم الفلك. ولهذا السـبب ربما تحتاجين إلى إعادة الشـروح التي كنت قد قمت بها سابقًا عن الجنس وظننتِ أن الطفل فهمها. الشرح مرة واحدة جوابًا عن سؤال طفلٍ ما عن الجنس لن يكون كافيًا بالضرورة وبنحو حاسم لكشف الالتباس الذي يعانيه بهذا الصدد. وللسبب نفسه، فإنها لفكرة طيبة أن تقرئي هذه الكتب لطفلك مرات متعدّدة بدلًا من مرة واحدة فقط.

ولكـي أكـون أكثـر تحديـدًا، فإنني سـأقرأها للطفل مـرة عندما يكون فـي الثالثة مـن عمـره، ومرة عندما يكون فـي الرابعة، ومرة عندما يكون في الخامسـة، على أن تبقـى هـذه الكتـب بمتناوله في مكتبتـه الصغيرة ليرجع إليهـا لاحقًا بعد أن يتعلـم القـراءة. إن المعلومات الموجودة في هـذه الكتب تغطي أغلب ما يمكن

أن يحتـاج الطفـل إلـى معرفته عن الجنس إلى أن يصبح على حافة البلوغ، حيث يُفتح الباب لبدء حقبة جديدة من التربية الجنسية.

وإذا صودِفَ أن كنتِ حاملًا فسـوف تكون لديك فرصة خاصة لتعليم طفلك في مرحلـة مـا قبل المدرسـة عـن الجنس والـولادة، وفـي الوقت المناسـب يمكنك إخبـاره أنّ لديـك طفـلًا ينمـو في داخلك وأنه سـيكون لديه قريبًـا أخ أو أخت (لا تنسـي أننا ناقشـنا فـي الفصل الأخير كيفيـة التعامل مع موضـوع التنافس بين الأشـقاء عنـد ولادة طفل جديد). ومـن المؤكد أن طفلك سـيكون مهتمًا بكيفية نمـوّ الطفـل الجديـد داخلك وكيفيـة حصوله علـى الغذاء وكيف سـيخرج وغير ذلـك مـن الأمور. وسـيكون هـذا هو الوقـت لتسـتخرجي واحدًا مـن الكتب عن الجنـس التـي قرأتهـا له سـابقًا وتقرئيها له مـرة ثانية. وقد ترغبين فـي أن تقرئي لطفلك وتُريه الصور الموجودة في الكتاب المتميّز *A Child Is Born* (لقد وُلدَ طفل) للينارت نيلسون. هذا الكتاب سيجذب طفلًا في مرحلة ما قبل المدرسة بصوره التي تظهر نموّ الأطفال وكيف يبدون وهم في أرحام أمهاتهم. ولا تنسي أن تخبـري طفلـك كم كان صغيـرًا عندما بدأ ينمو وهو في داخلك، وهو سـيكون مفتتنًا بمعرفة كيف كان يبدو وهو يجتاز مراحل النموّ المختلفة داخل رحمك.

مـن الأسـئلة التـي يواجه الأطفال عـادة صعوبة فيها، السـؤال عـن كيفية خروج المواليـد مـن داخل أمهاتهم. وإذا سـأل طفلك هذا السـؤال فاطلبي منه قبل أن تقدّمـي لـه الجواب الصحيح، أن يخمّن. فطلبك منه التخمين يمكّنك من معرفة المفاهيـم الخاطئـة الموجودة عنـده وبالتالي توضيحها له قبـل إعطائه الجواب الصحيـح. قـد يخمّـن أن المولـود يخـرج مـن فتحـة الشـرج أو من سـرّة البطن. ويمكنك أن تخبريه: «كلا، المولود لا يخرج من فتحة الشرج ولا يخرج من سرّة البطـن، فـالأم لديها فتحة خاصة لخروج الطفل تشـبه نفقًـا صغيرًا وهذه الفتحة ضيّقـة جـدًا. وعندمـا يحين وقت خروج المولود تتسـع بما فيـه الكفاية ليخرج الطفـل عبـر هذا النفق. وبعد ولادة الطفل تضيـق مرة أخرى وتعود إلى ما كانت عليه في السابق».

والآن نأتـي إلـى ذلـك الجـزء مـن التربية الجنسـية الصحّيـة لطفل فـي مرحلة ما قبـل المدرسـة، الذي هو علـى الأرجح الأكثر صعوبة بالنسـبة لنا نحن الأهل في

التعامل معه. ماذا نفعل عندما يعبث طفل صغير بأعضائه التناسلية؟ في العديد من الكتب عن تربية الأطفال يُشار إلى هذا الموضوع تحت عنوان «استمناء الأطفال» وهو في اعتقادي التعبير الأقل توفيقًا.

فهو ليس استمناءً على الإطلاق. فالاستمناء الحقيقي لا يحدث إلا عند بلوغ سنّ المراهقة، لأن الطفل لا يكون قادرًا على القذف قبل هذه المرحلة. ووصف طفل في الثالثة من عمره يمداعب قضيبه في حوض الاستحمام بأنه يستمني أمر غير صحيح ومضلل. لذا لندعْه ببساطة لعبًا أو عبثًا بالأعضاء التناسلية. قد يفعل طفل أصغر في السنّ هذا الأمر انطلاقًا من فضول خالص، فيما لا تعني له أعضاؤه التناسلية شيئًا أكثر ممّا تعنيه له أذناه أو قدماه. ولكن الآن، في مرحلة ما قبل المدرسة، يكتشف أن هذه الأعضاء لها شأن خاص. إنه يكتشف أنه يستطيع الحصول على نوع خاص من المتعة بمداعبة أعضائه التناسلية. في أوقات سابقة كنا نظنّ أن لا شيء مثل هذا يحدث قبل سنوات المراهقة ولكنّ العصر الفيكتوري قد انقضى. نحن نعلم الآن أن هذا النوع من المتعة الجنسية عن طريق اللعب بالأعضاء التناسلية الذاتية هو جزء من النموّ الطبيعي في مرحلة ما قبل المدرسة.

كيف نتعامل مع هذا الوضع عندما يفعل طفلنا ذلك؟ من الناحية المثالية سيكون من الأفضل ترك الطفل وحيدًا، فبعد فترة معينة سيتوقف عن اللعب بأعضائه التناسلية ويتجه إلى نوع آخر من النشاط. وإذا كنت مرتاحة وواثقة في مشاعرك حول الجنس لتتركيه يفعل ذلك فهذا أمر حسن. ولكن ماذا لو لم تكوني كذلك؟ ماذا لو كان تركه يفعل ذلك يشكل لك ضيقًا كبيرًا؟ في هذه الحالة أعتقد أن أفضل شيء يمكنك فعله هو تحويل انتباهه إلى نشاط جديد ومثير للاهتمام يمكنه أن ينخرط فيه. وإذا كنت ستفعلين ذلك فحاولي أن تحافظي على هدوئك وافعليه بمهارة. لا تندفعي وكأنك تسارعين لإطفاء حريق وتصيحي بلهفة: «هيا يا تومي ألا تحب أن تلعب لعبة جميلة مع ماما؟».

لقد تحدثتُ حتى الآن عن كيفية التعامل مع وضع يكون فيه طفلك يلعب بأعضائه التناسلية بنفسه. ولكن قد يكون عليك التعامل مع حالة يكون فيها مع أطفال آخرين وسط لعب جنسي جماعي. في العادة يبدأ نوع من اللعب

الجنسي الجماعي بالظهور انطلاقًا من الفضول المحض. وهو ما يتجلى بشكل تقليدي في لعبة «الطبيب». فأحد الأطفال يتولى القيام بدور «طبيب»، يفحص طفلًا (أو طفلة) صغيرًا آخر «مريضًا». وينتظر الأطفال الآخرون دورهم للقيام بدور الطبيب الفاحص أو المريض الخاضع للفحص. وحالما يُستجاب لهذا الفضول الأوّلي، يفقد هذا النوع من اللعب جاذبيته ويختفي. وليس هناك من ضرر قد يصيب أيًا من الأطفال بسببه.

إذا صادف واكتشفتِ حدوث هذا النوع من اللعب الجنسي، فليس عليك أن تصابي بالخوف أو الرعب من أن يكون لديك مجموعة من شياطين الجنس الصغار. ليس عليك أن تعاقبيهم أو أن تكوني قاسية معهم. أخبريهم بطريقة واقعية أنك تعرفين أنهم كانوا يشعرون بالفضول تجاه أعضائهم الجنسية وأنهم وقد أشبعوا فضولهم هذا الآن، يستطيعون القيام بنوع آخر من الألعاب. ثمّ ساعدي مجموعة الأطفال للبدء في نشاط آخر جديد.

بالتعامل مع الأمور بهذه الطريقة، سوف يعلم طفلك والآخرون أنك قد قبلتِ تصرفهم الطفولي وطريقتهم الطبيعية في إرضاء فضولهم الجنسي، على أن ينهوا الآن لعبهم الجنسي مع أقرانهم. ليس عليك السعي لمعرفة إن كان طفلك يلعب لعبة «الطبيب» في هذه المرحلة من نموّه. احترمي خصوصيته. وقد لا تعرفين أبدًا أيّ شيء عن لعبه الجنسي الطفولي مع رفاقه، وهو أمر لا بأس به أيضًا، فإذا كانت تربية طفلك الجنسية صحية فلن يكون مهووسًا باللعب الجنسي.

من الممكن دائمًا، بطبيعة الحال، أن تكتشف اللعبَ الجنسي أمّ أخرى تتصل بك بالهاتف بصوت يرتعش من السخط الفاضح لتخبرك أن ابنك الصغير جوني، الذي هو في نظرها منحرف جنسيًا، قد قاد ابنتها ذات الأربع سنوات إلى سلوك سيّئ في المرأب. ومعالجتك لهذا الأمر تعتمد على حالة العلاقة بينك وبين هذه الأم. إذا كنتِ الطرف المستقبل لهذا الهجوم الكلامي من أمّ غاضبة، حاولي التفكير في أنها كانت مبتلاة بشدّة بسوء التربية الجنسية، عندما كانت طفلة صغيرة، ما جعل ردة فعلها على هذا الشكل وهي كبيرة وراشدة. وإذا وجّهت أمّ أخرى توبيخًا شديدًا لطفلك بسبب اللعب الجنسي فسيكون عليك أخذ طفلك جانبًا في البيت والشرح له أن هذه السيدة كانت غاضبة جدًا منه

الجنسـي الجماعـي بالظهـور انطلاقًـا مـن الفضـول المحـض. وهـو مـا يتجلـى بشـكل تقليـدي فـي لعبـة «الطبيـب». فأحـد الأطفـال يتولـى القيـام بـدور «طبيـب»، يفحـص طفلًـا (أو طفلـة) صغيـرًا آخـر «مريضًـا». وينتظـر الأطفـال الآخـرون دورهـم للقيـام بـدور الطبيـب الفاحـص أو المريـض الخاضـع للفحـص. وحالمـا يُسـتجاب لهـذا الفضـول الأوّلـي، يفقـد هـذا النـوع مـن اللعـب جاذبيتـه ويختفـي. وليـس هنـاك مـن ضـرر قـد يصيـب أيًـا مـن الأطفـال بسـببه.

إذا صـادف واكتشـفتِ حـدوث هـذا النـوع مـن اللعـب الجنسـي، فليـس عليـك أن تصابـي بالخـوف أو الرعـب مـن أن يكـون لديـك مجموعـة مـن شـياطين الجنـس الصغـار. ليـس عليـك أن تعاقبيهـم أو أن تكونـي قاسـية معهـم. أخبريهـم بطريقـة واقعيـة أنـك تعرفيـن أنهـم كانـوا يشـعرون بالفضـول تجـاه أعضائهـم الجنسـية وأنهـم وقـد أشـبعوا فضولهـم هـذا الآن، يسـتطيعون القيـام بنـوع آخـر مـن الألعـاب. ثـمّ ساعدي مجموعة الأطفال للبدء في نشاط آخر جديد.

بالتعامـل مـع الأمـور بهـذه الطريقـة، سـوف يعلـم طفلـك والآخـرون أنـك قـد قبلـتِ تصرفهـم الطفولـي وطريقتهـم الطبيعيـة فـي إرضـاء فضولهـم الجنسـي، علـى أن ينهـوا الآن لعبهـم الجنسـي مـع أقرانهـم. ليـس عليـك السـعي لمعرفـة إن كان طفلـك يلعـب لعبـة «الطبيـب» فـي هـذه المرحلـة مـن نمـوّه. احترمـي خصوصيتـه. وقـد لا تعرفيـن أبـدًا أيّ شـيء عـن لعبـه الجنسـي الطفولـي مـع رفاقـه، وهـو أمـر لا بـأس بـه أيضًـا، فـإذا كانـت تربيـة طفلـك الجنسـية صحيـة فلـن يكـون مهووسًـا باللعـب الجنسـي.

مـن الممكـن دائمًـا، بطبيعـة الحـال، أن تكتشـف اللعـبَ الجنسـي أمٌّ أخـرى تتصـل بـك بالهاتـف بصـوت يرتعـش مـن السـخط الفاضـح لتخبـرك أن ابنـك الصغيـر جونـي، الـذي هـو فـي نظرهـا منحـرف جنسـيًا، قـد قـاد ابنتهـا ذات الأربـع سـنوات إلـى سـلوك سـيّئ فـي المـرأب. ومعالجتـك لهـذا الأمـر تعتمـد علـى حالـة العلاقـة بينـك وبيـن هـذه الأم. إذا كنـتِ الطـرف المسـتقبل لهـذا الهجـوم الكلامـي مـن أمّ غاضبـة، حاولـي التفكيـر فـي أنهـا كانـت مبتـلاة بشـدّة بسـوء التربيـة الجنسـية، عندمـا كانـت طفلـة صغيـرة، مـا جعـل ردة فعلهـا علـى هـذا الشـكل وهـي كبيـرة وراشـدة. وإذا وجّهـت أمٌّ أخـرى توبيخًـا شـديدًا لطفلـك بسـبب اللعـب الجنسـي فسـيكون عليـك أخـذ طفلـك جانبًـا فـي البيـت والشـرح لـه أن هـذه السـيدة كانـت غاضبـة جدًّا منـه

ولكنك لا تشعرين الشعور نفسه تجاهه. صحيح أنه لم يكن عليه وابنتها أن يلعبا في المرأب بهذه الطريقة، ولكن لم يكن لديها حق في أن تجعل من الأمر قضيّة كبيرة كما فعلت.

جانب أخير من التربية الجنسية للأطفال الصغار يتعلق بالتعرّي الشخصي في البيت. في العهد الفكتوري ما كان الأهل ليتركوا أطفالهم يرونهم عراة بشكل كامل أو جزئي.

كانت أبواب الحمامات مغلقة. أما الآن فيبدو أن البندول يميل إلى الجهة الأخرى المعاكسة، حتى إنه في بعض الأحيان يسمح الأهل لأطفالهم برؤيتهم وهم عراة عندما يكون هؤلاء الأطفال في مرحلة ما قبل المراهقة. فما هو الخيار الأفضل؟

عمومًا، أشعر بأن المواقف الأكثر مرونة المتبعة في يومنا هذا من التعرّي في المنزل هي أسلوب أكثر صحّية لتربية أطفالنا جنسيًا. وأعتقد أنه بالنسبة إلى الأطفال حتى سنّ السادسة، فإنّ سياسة منفتحة نوعًا ما تجاه التعرّي في المنزل هي الأفضل. إن حرّية التعرّي كليًا أو جزئيًا في المنزل عندما يكون الطفل في مرحلة ما قبل المدرسة تخلق سلوكًا أكثر استرخاءً وصحّة تجاه الجنس ووظائف الجسم عند الأطفال والوالدين.

ولكن بعد ذلك أعتقد أن الأمر يصبح مختلفًا. وعمومًا، عندما يصبح الأطفال في السابعة أو الثامنة من أعمارهم يبدو أنهم يطوّرون نوعًا من الاحتشام الغريزي. ونحن الأهل نستطيع المساعدة بتعزيزه. في هذا العمر، ربما يودّ الطفل أن يكون باب الحمام مغلقًا عندما يستحمّ، ويجب أن نحترم حقه في الخصوصية. وفي هذا الوقت يكون من الحكمة أن يستتر الوالد أو الوالدة بشكل معقول عندما يستحمّان أو يستخدمان المرحاض.

إنّ سبب هذا التغيّر في الموقف تجاه الجزء الخاصّ بالوالدين هو أنّ رؤية أحد الوالدين عاريًا بالنسبة لطفل في التاسعة أو العاشرة أو أكثر ربما تكون أمرًا شديد التنبيه الجنسي للطفل. وهذا التنبيه الجنسي المبكر يمكن أن يؤدّي إلى مشكلات لأنه تنبيه أكبر مما يستطيع أن يتحمّله الطفل.

إن حالة طفل في التاسعة كنت أراه من أجل العلاج تشكّل مثالًا جيدًا، فبالإضافة إلى مقابلتي للطفل مرّة في الأسبوع كنت ألتقي بالوالدين معًا مرّة كل شهر. ومن بين مشكلات أخرى يعانيها، كان الطفل مشغولًا بشكل غير طبيعي بالجنس. إنه أمر غير طبيعي في سنّ التاسعة. لقد بحثت في البيئة الجنسية العائلية المحيطة به ووجدتُ أنّ الأم، التي كانت تفاخر بتجاوزها للمحرّمات الجنسية للعصر الفيكتوري، كانت تجول في البيت مرتدية حمّالة الصدر والسروال الداخلي فقط. كانت الأم مندهشة عندما اقترحت عليها التوقف عن هذا السلوك لأن الطفل كان يجده مثيرًا جدًا. «من المؤكد أنه لا يلاحظ أمرًا خاصًا في هذا، أليس كذلك؟» سألت الأم. لكن زوجها الأكثر واقعية أجاب: «عزيزتي إنه أمر يثيرني أنا وأراهن أنه يثيره هو أيضًا». لقد كان مصيبًا في قوله هذا.

إن شعوري هو أن كلا الوالدين والأطفال سوف يطوّرون على نحو طبيعي احتشامًا أكبر تجاه التعرّي في المنزل خلال مرحلة الدراسة، بينما في مرحلة ما قبل المدرسة ما زال هناك مجال لسلوك أكثر استرخاءً من الجانبين تجاه هذا الأمر.

الرومانسية العائلية

يمرّ طفلك في مرحلة ما قبل المدرسة بما يمكن أن نطلق عليه اسم «الرومانسية العائلية»، وهي شيء طبيعي وإن كان يحدث عند الذكور بطريقة تختلف عما يحدث عند الإناث. لهذا سوف أعالج كلًا منهما على حدة، وسأبدأ بالذكور.

في فترة قريبة من عمر الثالثة يبدأ الصبي الصغير باكتشاف أن لوالده علاقة بوالدته تختلف عن علاقته هو بها. حتى هذه اللحظة لم يكن ذكاؤه قد نضج بما فيه الكفاية ليكتشف هذا الأمر، فالأم كانت دائمًا هي الشخص الأهم في حياته. وبينما كانت علاقته معها في السابق علاقة طفولية واعتمادية فإن مشاعره نحوها تبدأ الآن بالتغيّر. وما يحدث أساسًا هو أنه يقع في حبّ والدته ويطوّر مشاعر رومانسية جديدة تجاهها. إنه يصبح متيّمًا بها. وهذا أمر طبيعي، وكل

الصبية الصغار يشعرون بهذه الطريقة. لكنّ بعض هؤلاء الصبية يحتفظون بهذه المشاعر في أنفسهم، فيما يعبّر آخرون عن مشاعرهم هذه بصراحة، وخاصة أولئك الذين تربّوا في أسر يُسمح لهم فيها بالتعبير عن مشاعرهم بحرّية.

يريد الصبي الصغير أن تكون أمّه له حصرًا ويبدأ بالاستياء من والده لأنه ينظر إليه الآن باعتباره منافسًا على امتلاكه الكامل (مئة في المئة) لوالدته.

كنا في رحلة عائلية إلى حديقة الحيوان عندما كان ابني البكر في هذه المرحلة، وكنت أمشي ممسكًا بيد زوجتي عندما ظهر فجأه من خلفنا وفرّق بين أيدينا قائلًا: «أنا أحطم حبّكما».

تخبرنا عالمة النفس دوروثي باروخ قصّة مدهشة توضح لنا هذه المشاعر الرومانسية الجديدة التي تنشأ لدى الصبي الصغير في هذه المرحلة:

> **بول في الخامسة من عمره، يؤدّي مشهدًا من صنعه في بيت الدمى الموجود في غرفة أخته الكبيرة. يضع الأب والأم ليناما جنبًا إلى جنب في غرفتهما، ويضع دمية الصبي في سريره في الغرفة المجاورة. «إنه ظلام تام» يقول بول، ثم وهو يدندن بأغنية «ليلة هادئة»، يجعل الصبي يمشي على رؤوس أصابعه إلى غرفة الوالدين ويسحب الأم من سرير الأب وينقلها إلى غرفته الخاصة. في هذه اللحظة يغيّر بول النغمة إلى «الآن تأتي العروس». بعد ذلك يجعل الدمية الأب تقوم من السرير وتغادر المنزل مدندنًا في الوقت نفسه بمرح أغنية «جنغل بل» الميلادية.**
>
> **كان والد بول يراقب المشهد بفضول، ثم تساءل بصوت عال: «هل تعلم أيّ نغمات كنت تغنّي؟».**
>
> **«أوه، نعم» يجيب بول مكشّرًا. «إنها ما يريده الولد». يعطي بول الأم دور العروس والأب دور سانتا كلوز، الذي يقدّم بدوره الأم كهدية عيد الميلاد للولد ويغادر بعدها البيت على عربته التي تجرّها الوعول.**

غالبًا ما يُسمع الصبيان في هذا العمر وهم يقولون إنهم عندما يكبرون فسوف يتزوّجون أمّهاتهم، أو كما عبّر عن ذلك صبي في الخامسة من عمره قائلًا لوالدته: «ماما، أتمنّى لو أنك كنت أصغر، وأقصر كثيرًا، ولو أنك لم تكوني متزوّجة بابا!».

بدلًا من الاكتفاء بمجرّد الابتسام المتساهل مع هذه الأقوال «الظريفة» يجب أن ننظر إليها بجدية تامة. فهذه المشاعر والخيالات تجري عميقًا في نفس الصبي الصغير. وهي طريقة الطبيعة في إعداده لدوره اللاحق كزوج لزوجة المستقبل. إن هذه الرومانسية العائلية التي يقع فيها في حب والدته في هذا العمر هي جزء حيوي من نموّه، فالأم هي المرأة الأولى في حياته وهي موضوع الحب الرومانسي الأول. ومشاعره تجاه والدته، في المستوى اللاواعي، سوف تحدّد، عادة، اختياره لزوجة المستقبل لاحقًا. سوف يرغب في الزواج بفتاة تذكّره بطريقة ما بوالدته، ولدينا أغنية أميركية قديمة مبنيّة على أساس هذه الموضوع الطفولي: «أنا أريد فتاة مثل تلك التي تزوّجت والدي العزيز». ولكنّ الطبيعة لا تريده أن يبقى مرتبطًا بأمّه إلى الأبد. إنها تريده أن يتجاوز هذه المرحلة في الوقت الذي يبلغ فيه السادسة أو السابعة من العمر ومعظم الصبيان يفعلون ذلك فعلًا، إلّا أنّ هذه المشاعر الرومانسية تزدهر في قلب هذا المتيّم الصغير بالأم في السنوات ما بين الثالثة والسادسة من العمر.

المشكلة في كل هذا هو أن الرومانسية العائلية هي جزء من علاقة مثلثة الأضلاع. فالصبي لا يشعر فقط بحب عميق ورومانسي تجاه والدته، بل إنه أيضًا يشعر بالتنافس والغيرة تجاه والده. وإذا لم يكن الأب واعيًا لما يجري (والعديد من الآباء لا يعون ذلك للأسف) فهذا التطوّر سوف يحيّره. أتذكرُ عودتي يومًا من الأيام إلى البيت من العمل وسلامي الودّي الحار على طفلي ذي الثلاث سنوات الذي واجهني عند الباب بقوله: «اذهب من هنا! أنا أريد ماما». ورغم أنني كنت أعلم ما يحدث خلال هذه الفترة من النموّ كان من الصعب أن لا آخذ الموضوع بشكل شخصي وأن لا أشعر بأنّ مشاعري قد جُرحت كرد فعل على هذا التصرّف.

إن هذه المشاعر من التنافس والخصومة مع الأب تجعل الصبي الصغير في وضع غير مريح، فهو يحب والده ويحتاج إليه، فكيف يستطيع أن يشعر في الوقت نفسه بأنه يتمنّى ابتعاده لكي يتمكّن من الاستحواذ على والدته لنفسه فقط؟ هذه المشاعر المتناقضة تجاه والده ترهق الصبي الصغير.

وبما أنه يشعر بهذه المشاعر المنافسة والمعادية لوالده، فإنه باستخدام الإسقاط كآلية دفاع، يُسقط مشاعره الخاصة على والده، ويبدأ بالتخيّل أن والده

أيضًا يشعر بالتنافس والخصومة تجاهه. وحيث إن الوالد هو أكبر حجمًا وقوة بكثير، فإنّ الصبي الصغير يبدأ بتطوير مخاوف من أن والده سوف ينتقم منه ويعاقبه بشدّة. وهذا ما ينتج عنه غالبًا تلك الكوابيس الشائعة جدًا عند الأطفال ما بين الثالثة والسادسة من العمر. يُسقط الصبي الصغير مخاوفه من أن والده سيؤذيه أو يعاقبه على نمر أو أسد أو وحش يطارده في أحلامه.

في حالة أسرة سويّة يدرك الطفل شيئًا فشيئًا أنّ خيالاته عن الحلول مكان والده لن تجد طريقها إلى التحقق، وهذا ما يشكل جزءًا من المهام العقلية العامة خلال هذه المرحلة للتمييز بين الواقع والخيال (هل نتذكر كيف أن الطفل في الرابعة من العمر خاصة يواجه مشكلات في الفصل بين الواقع والخيال؟). وعادة ما يستغرق الأمر السنوات من الثالثة حتى السادسة ليتخلى الصبي الصغير عن خيالاته الرومانسية عن والدته، ويتكيّف مع حقيقة أن والدته هي امرأة والده وأنها ليست له هو. إنه، على أيّ حال، سيدرك هذه الفكرة أخيرًا ويبدأ بتبنّي الموقف التالي: إذا لم تستطع أن تتغلب على خصم ما أو تجعله يغيّر موقفه أو فكره، فالحل هو أن تغيّر أنت موقفك أو فكرك. بما أنه لا يمكن أن يكون الأب فإنه يقرّر أنه يريد أن يكون مثل هذا الأب.

عندها، تبدأ عملية التماثل (المماهاة) مع الأب، فهو يتّخذ الأب مثالًا ويحاول محاكاته بطرق شتى. هاتان العمليتان (التخلي التدريجي عن الخيالات الرومانسية حيال الأم، والتخلي التدريجي عن منافسة الأب واستبدال التماثل معه بها) سوف تستغرقان كل هذه السنوات الثلاث من هذه المرحلة من النموّ لكي يقوم الصبي الصغير بإنجازهما.

لقد صعّب مجتمعنا المعاصر على الصبية الصغار إنجاز هذه المرحلة التطوّرية المهمّة من وجهين. الأول منهما، أن الأب هو شخص بعيد وغائب بالنسبة إلى الكثيرين من الأطفال في مرحلة ما قبل المدرسة في هذه الأيام، بحيث تكون هناك صعوبة في التماثل معه. وهذا ما يجعل من الصعب عليهم حلّ «العلاقة العائلية المثلّثة الأضلاع» والتخلي عن خيالاتهم حيال الأم، والرغبة في التشبه بالأب.

والثاني، هو أنه عند حدوث طلاق بين الأبوين، عندما يكون الصبي في عمر ما بين الثالثة والسادسة، يصبح حل قضيّة الرومانسية العائلية أكثر صعوبة عليه،

فهـو يريـد والدتـه خالصة له ويريد إزاحـة الوالد من الصورة. لكـن عند الطلاق، يبدو للصبي كما لو أنّ أمانيه قد تحققت بشكل سحري، وهو يشعر الآن بأنه قد يكون، بطريقة ما، هو غير قادر على اسـتيعابها تمامًا، مسـؤولًا عن هذا الطلاق. بعـد كل شـيء، إن ما كان يريده قد حدث، أليـس كذلك؟ إنه أمر واقع الآن، لذا يبدأ بالشعور الفظيع بالذنب. وعادة ما يحاول بطريقة مثيرة للشفقة أن يعوّض كلا والديه عما يشعر بأنه قد تسبّب به لهما.

لذلك، إذا تعرّضتِ لتجربة الطلاق خلال الفترة التي يكون فيها طفلك في مرحلة ما قبل المدرسـة، يجب أن تحرصي على مسـاعدته في إدراك أنه ليس مسـؤولًا عن الأمر. اسـتخدمي تقنية الارتجاع التي وصفتُها في الفصل الرابع لمسـاعدته في التعبير عن مشاعره بالكلمات، بصرف النظر عن عدم عقلانية هذه الكلمات ومنطقيّتها. وفقط بعد إعطائه الفرصة للتعبير عن مشـاعره بالكلمات وعكسـها إليـه، يجـب أن تشـرحي له أنه ليس مسـؤولًا عـن حدوث الطلاق بأيّ شـكل من الأشـكال. يمكنـك أيضًـا الاسـتعانة بكتـاب *The Boys and Girls Book of Divorce* (كتـاب الطـلاق للصبيان والبنات) لريتشـارد غاردنـر إذا ما حدث أن مررتِ بتجربة الطلاق وطفلك في مرحلة ما قبل المدرسة، وأنا أوصي به بشدّة.

في العائلات السـويّة، عندما يبلغ الصبي الصغير سـنّ السادسـة، يكون قد حلّ قضيـة الرومانسـية العائليـة واجتـاز هذه المرحلة الشـديدة الأهمية فـي عمليّة النمـوّ. لقـد أصبح لديه في داخله صور غيـر واعية وعميقة عن نوع المرأة التي سيرغب في الزواج بها مستقبلًا، كما عن نوع الزوج الذي سيكونه لهذه المرأة. وبدون حل قضية الرومانسـية العائلية بين السـنة الثالثة إلى السادسة من عمره لن يكون قادرًا على العثور على شريك الزواج في مستقبل حياته.

دعونا الآن نتحوّل إلى البنت الصغيرة حيث تبدو قضيّة الرومانسية العائلية في نمط مختلف نوعًا ما.

نلاحـظ أن موضـوع حـب الصبـيّ الصغيـر الأول هـو الأم، وهـو يحافـظ على هذا الوضع، وإن بشـكل رومانسـي مختلف، خلال مرحلة الرومانسـية العائلية كلها. أمّـا البنـت الصغيرة فتبدأ مع موضوع الحب الأول نفسـه: أمّهـا. ولكن، بعكس

الصبـي، عليهـا أن تغيّر بعد ذلك موضوع حبّها هـذا من الأم إلى الأب. وهذا ما يجعل مرحلة الرومانسية أمرًا أكثر تعقيدًا بالنسبة إليها.

وحيـث إن البنـت الصغيـرة أخـذت تصبح أكثر اسـتقلالية وتمايزًا عـن أمّها في مرحلة ما قبل المدرسـة، فإنها تجد الآن شـخصية جديدة داخل العائلة موضوعًا لحبّهـا، وتقـع فـي حـبّ والدهـا. وكما فـي حالة الصبيـان الصغـار، تحافظ بعض البنـات علـى هـذه المشـاعر والخيـالات بدواخلهـن فيمـا تكـون البعـض منهن صريحات تمامًا. وتكون بعض البنات شديدات الأنوثة والغنج في هذه المرحلة. عندمـا كانت ابنتي في الخامسـة مـن عمرها، خرجت مرّة مـن الحمام وأخذت منشفتها، وبطريقة راقصة لفّتها حول جسدها وقالت لي: «يا بابا، انظر إليّ!».

تكـون البنـات الصغيرات أكثر براعة بكثير من الذكور في الطريقة التي يسـعين بها لتحقيق أهدافهن خلال هذه الفترة من الرومانسـية العائلية. وهذا يتماشـى مع البراعة الأكبر التي تتمتع بها الإناث في العلاقات الشخصية. وفي الحقيقة، قـد لا تـدرك الأم كـم أن ابنتهـا الصغيـرة، في داخل نفسـها، تنافسـها على حب الأب. ربمـا تظنين أنها تحاول بسـعادة اتباع خطواتك عندما تجرّب تعلم الطبخ والتنظيف، لكنكِ لا تدركين أنها في مشاعرها الداخلية تحاول أن تظهر لوالدها كيف أنها ستكون زوجة أفضل منك بكثير بالنسبة إليه.

تواجـه البنـت الصغيـرة حالـة مختلفـة عن الصبـيّ في مـا يتعلق بالوقـت الذي تمضيه مع والدها المحبوب. في الكثير من الحالات تكون الأمّهات في البيوت معظم الأوقات، بينما يخرج الآباء بمعظمهم خارج البيت. وهكذا يمضي الطفل الصبـي الكثيـر مـن الوقت مـع موضوع حبّـه، أي والدتـه، بينما تمضـي البنت الصغيـرة معظـم نهارها متشـوّقة إلى والدهـا الغائب، وبالتالي تعيش مشـاعرها الرومانسية في الخيال أكثر ممّا يحدث عند الصبيّ.

تشـعر البنت الصغيـرة بالتنافس مع والدتها. وهذه المشـاعر تزعجها كما تزعج مشـاعر التنافـس مـع الأب الصبـيّ الصغير. إنهـا تعيش بحب والدتهـا وعطفها ورعايتهـا. وبنـاءً علـى ذلك، نسـتطيع أن نتصوّر كم هو مرعب بالنسـبة إليها أن تشـعر بأنهـا ترغـب في أن تذهـب أمّها بعيدًا إلى مكان مـا ولا تعود منه. لكنها، بالطريقـة نفسـها التي يُسـقط بها الصبي الصغير مشـاعره العدائيـة على والده،

تُسقط مشاعرها العدائية على والدتها. فتتخيّل أن أمها تعرف كم هي راغبة في التخلص منها وأنها بالتالي غاضبة منها وتريد أن تعاقبها. وتصبح أحلامها في هذه الفترة معكرة بالكوابيس التي تطاردها فيها بعض الساحرات المخيفات أو المسوخ، وهو تمويه غير واعٍ للأم الحاقدة التي تتصوّرها.

في أسرة مستقرّة، تتعلم البنت الصغيرة أيضًا أنّ الأب ينتمي إلى الأم وأنه لن يكون لها. وهذا التعلم يستمرّ خلال كل الفترة من عمر الثلاث إلى الست سنوات. وهي تتخلى بالتدريج عن شوقها الرومانسي لوالدها وتستبدل به في عقلها الخطوط العامة للرجل الذي ستقع في حبّه وتتزوّجه يومًا ما. كذلك تتماثل بالتدريج مع والدتها، وتحدّد في عقلها اللاواعي، الخطوط العامة لنوعيّة الزوجة التي ستكونها في مستقبل حياتها. وهكذا تحلّ البنت الصغيرة، كما فعل الصبي الصغير، قضية العلاقة العائلية المثلثة الأضلاع.

والآن إلى السؤال المهم: ماذا تستطيعين أنت وزوجك القيام به لمساعدة أطفالكما في مرحلة ما قبل المدرسة للتقدّم بنحو طبيعي خلال هذه الفترة من الرومانسية العائلية والوصول إلى حل قضيتها في الوقت الذي يبلغون فيه السادسة أو السابعة من أعمارهم؟

أوّلًا، والأكثر خطورة، ستكون حالة علاقتكما الزوجية. فهي الأكثر أهمّية في قدرة أطفالك على التعامل مع مشاعرهم وحلّ قضيّة الرومانسية العائلية، فإذا كنت وزوجك في علاقة مستقرّة وقائمة على المحبّة، فسيدرك الأطفال تدريجًا استحالة خيالاتهم الرومانسية، وسيتخلصون منها خلال سنوات ما قبل المدرسة. ولكن إذا كانت علاقتك بزوجك تتميّز بالخصومة المتأصّلة والنفور، فسيكون من الصعب على أطفالك حلّ قضية الرومانسية العائلية بطريقة مناسبة.

إذا كانت علاقة زواجك غير مستقرّة فإن أفضل شيء تفعلينه لمساعدة طفلك على حل قضية الرومانسية العائلية سيكون أن تحصلي على استشارة عائلية متخصّصة. وأنا أقول هذا بجدّية تامة.

سيحاول طفلك بالتأكيد إثارة بعض المنازعات بينك وبين زوجك ليتمكن من جني بعض المكاسب المفترضة. وسيحاول، بطريقته الطفولية، أن يوقع بينكما،

فإذا كان الزواج يعاني من صعوبات جوهرية فقد ينجح الصبي الصغير في جعل الأم تعامله ك»نموذج مصغّر للمحب» أكثر منه كطفل. وإذا استمتعت الأم كثيرًا بهذا النوع من الاهتمام من ابن في مرحلة ما قبل المدرسة لأنها تشعر بأنّ زوجها لا يهتمّ بها اهتمامًا كافيًا، فسيكون هذا أمرًا غير صحّي للصبي الصغير. ستميل الأم عندئذ إلى التقليل من شأن الأب في نظر ابنه بدلًا من أن تعمل على رفع شأنه.

البنات في مرحلة ما قبل المدرسة يمكن أن يلعبن بالطبع لعبة «فرّق تسد» ذاتها في محاولة تأليب الأب على الأم.

يجب على الوالدين أن يكونا حريصين في هذه الفترة على أن لا يدعا الطفل، في حال وجود شقوق في جدار علاقتهما الزوجية، يستخدم نقاط الضعف هذه في لعبة «فرّق تسد».

يجب على الأب والأم أن يقاوما إغراء الاستجابة للإغواء الرومانسي لأطفالهما والترحيب المفتوح بمبادراتهما. بدلًا من ذلك ينبغي أن تكون استجابتهما عن طريق ما يمكن أن نطلق عليه «الرفض اللطيف». ينبغي أن يرفض الوالدان عروض العلاقات الرومانسية المقدّمة من الطفل، فالأم تحتاج إلى أن توضح لصبيّها الصغير أنها تحب «بابا» وأنها زوجة «بابا»، وأنها تريد من صبيّها الصغير أن يحبّ بابا أيضًا، وأنّ الصبي الصغير لن يتزوّجها عندما يكبر لأنها متزوجة فعلًا «بابا» وهي سعيدة بذلك. ويجب أن توضح له أيضًا أنه في يوم من الأيام سوف يجد امرأة خاصة به ويتزوّجها. أما الآن فهو ابنها الصغير وابن «بابا» الصغير أيضًا.

يجب على الأب أن يوضح لابنته الصغيرة أنه يحبّها كثيرًا ولكنّ الأم هي زوجته، وأنها لا يمكن أن تتزوّج «بابا» عندما تكبر، فهو متزوّج وسعيد بزواجه بـ»ماما». ويجب أن يوضح لها أنها الآن ابنته الصغيرة ولن يكون بمستطاع أحد أن يحتلّ مكانها في قلبه، وستجد في يوم ما رجلًا ويكون زوجها.

لا داعي لأن يكون أحد الوالدين قاسيًا في تحرير طفل في مرحلة ما قبل المدرسة من خيالاته الخاصة. ولا داعي أيضًا لتشجيعه على الاعتقاد بأن خيالاته ستصبح

حقيقة. ولكن يمكن التدرّج معه لتقديم الحقائق الواقعية إليه. لا حاجة لجعل الطفل يشعر بأنه سخيف أو غبي بسبب هذه الخيالات. تذكري دومًا أن خيالاته هذه جزء طبيعي في رحلة نموّه، وأنها إعداد طبيعي لزواجه المستقبلي، فلا ينبغي أن يشعر بالحرج أو الخزي بسبب هذه المشاعر التي هي جزء طبيعي في مرحلة النموّ هذه.

قبل كل شيء، يجب أن لا تشجّعي طفلك عمليًا على هذه الخيالات، وذلك بتعزيز ارتباطه بك ارتباطًا وثيقًا زائدًا عن حدٍّ يصعب عليه الفكاك منه لاحقًا. وكلنا يعرف رجالًا لم يكونوا قادرين على حل قضيّة الرومانسية العائلية قط والانفكاك من ارتباطهم الوثيق بأمّهاتهم وإيجاد امرأة للزواج بها والبدء بتكوين أسرهم الخاصة.

ولكن، إن كنت وزوجك تتمتعان بنضج كافٍ وتعيشان زواجًا صحّيًا وسعيدًا فإن طفلكما في مرحلة ما قبل المدرسة سوف يجتاز بأمان هذه المرحلة من الرومانسية العائلية، بكل ما فيها من تقلبات، في الوقت الذي يكون قد بلغ فيه سنّ السادسة أو السابعة.

الحساسية للتنبيه العقلي

خلال مرحلة ما قبل المدرسة يمرّ طفلك بفترة يكون فيها مستجيبًا للتنبيه العقلي خاصةً. وبواسطة النوعية المناسبة من التنبيه سوف يتمكن من تطوير مهارات أساسية إزاء عملية التعلم التي سيتابعها طيلة ما بقي من حياته.

يمكن تعريف ذكاء الطفل ببساطة على أنه «ذخيرة الطفل من المهارات الأساسية للتعلم». وفي كل مرّة تزيدين فيها من مهارات التعلم الأساسية عند طفلك فإنك تزيدين ذكاءه. ستجدين في اختبارات الذكاء بنودًا لاختبار قدرة الطفل على اتباع التوجيهات، والإنصات بعناية إلى قصّة، وتلخيص قصّة ما، وتذكّر كلمات في جملة أو ترتيبها، وتجميع أجزاء البازل، أو صنع تصميم معيّن بالمكعّبات وفق نموذج مسبّق. كانت هذه أمثلة على مهارات التعلم الأساسية

التي يستطيع الطفل اكتسابها في السنوات بين الثالثة والسادسة من حياته، وهي سنوات يصحّ وصفها بأنها «سنوات تعلّم كيفية التعلم».

كيف يمكنك ضمان أن يحصل طفلك على أفضل قدر ممكن من التنبيه العقلي والعاطفي خلال مرحلة ما قبل المدرسة؟ إحدى أفضل الطرق لذلك هي تسجيله في روضة الأطفال عندما يكون في حوالى الثالثة من العمر.

ربما من الأفضل هنا أن أعرّف بدقة ما أعنيه بروضة الأطفال حيث إن العديد من الأهل يخلطون للأسف بين عبارتي «دار الحضانة» و«روضة الأطفال». دور الحضانة كما يدلّ اسمها تعني أن الأطفال الصغار ما بين السنتين الثانية والسادسة من أعمارهم، الذين على أمهاتهم الذهاب إلى العمل، يُعتنى بهم نهارًا في هذه المراكز خلال غياب أمهاتهم في أعمالهنّ. وتستقبل هذه الدور الأطفال منذ السادسة والنصف صباحًا ويبقون فيها حتى السادسة مساءً. بعض هذه الدور جيّدة وفيها معلمات مؤهّلات وتجهيزات وافرة ومناهج جيدة. والعديد منها سيئة ويديرها أناس سيّئو التأهيل وهدفهم من العمل في هذا المجال هو كسب أكثر ما يمكن من المال في أسرع وقت ممكن. أما العناية النفسية بالأطفال في بعض هذه الدور فهي صادمة. ولسوء الحظ فإن هذه المراكز تُدرج في دليل الصفحات الصفراء الهاتفية تحت عناوين «روضات الأطفال» ما يجعل من الصعب على الآباء والأمهات البسطاء التمييز بينها.

روضات الأطفال أمر مختلف تمامًا، فهي لم تصمَّم في الأصل من أجل أطفال الأمهات العاملات. وهي تعمل عادة لنصف يوم بدلًا من يوم كامل ولا تستقبل الأطفال قبل بلوغهم الثالثة من العمر.

وتتباين مستويات روضات الأطفال في ما بينها ولكن، كقاعدة عامة، يمكن أن نطمئن نسبيًا إلى أن الروضات التي تُدار بالتنسيق مع كليات أو جامعات تتحلّى عمومًا بمستويات عالية.

وهناك نوع من روضات الأطفال لا يشغّلها أشخاص محترفون بل الأمهات. وفي العادة يكون المدير شخصًا مؤهلًا يعمل براتب فيما تكون المعلمات من الأمهات اللواتي يتناوبن على تعليم الأطفال.

الكثير من الأهل الموصوفين بالأذكياء هم على جهل تام بما يتعلق بحقل التعليم في روضات الأطفال، أو كما يسمّى الآن التعليم المبكر للأطفال. لقد سمعت من يوصف بالذكاء من المهندسين والمصرفيين والمحامين وزوجاتهم يقولون: «حسنًا، إن روضات الأطفال ليست في نهاية الأمر سوى جليسة أطفال عظيمة. أليس كذلك؟». إن وصف روضة أطفال جيدة بأنها لا تعدو كونها جليسة أطفال عظيمة هو أمر لا يقل ابتذالًا عن وصف جامعة هارفارد بأنها لا تعدو كونها صالة ألعاب للراشدين. لقد سمعت أيضًا من يوصفن بالذكاء من الأمّهات يقلن بجدية كاملة: «أنا لا أحتاج لإرسال ابني الصغير إلى روضة أطفال لأنّ لديه الكثير من الأطفال ليلعب معهم في الحيّ». وهذه الأم نفسها ما كانت لتقول أبدًا: «أنا لا أحتاج لإرسال ابني في الصف الثالث إلى المدرسة لأن لديه الكثير من الأطفال ليلعب معهم في الحيّ».

إذا كان الأشخاص العاديون جاهلين بكثير ممّا يجري في مجال التعليم المبكر للأطفال في هذه الأيام، فإن بعض المتخصّصين المحترفين يبدون على الدرجة نفسها من التشوّش. والعديد من الكتب عن تربية الأطفال تبدو كأنها تفترض أن روضة الأطفال جيدة فقط للنموّ العاطفي للطفل، وليس لديها ما تقدّمه في ما يتعلق بنموّه العقلي. كتب أخرى تتطرّق بتردّد وتحفّظ إلى موضوع جدوى أو عدم جدوى ذهاب الطفل إلى روضة الأطفال، ونجد فيها فصولًا معنونة مثل «محاسن روضات الأطفال ومساوئها». إنني أعتبر هذا أمرًا لا يقل سخافة عن عنونة فصل آخر بـ«محاسن المدرسة الابتدائية ومساوئها».

أحد أفضل الأشياء التي يمكن أن تفعليها لطفلك في مرحلة ما قبل المدرسة، إذا كان باستطاعتك ذلك، هو تسجيله في روضة أطفال جيدة عند بلوغه الثالثة من عمره. وليس عليكِ أن ترسليه قبل هذا العمر لأنه لا يزال غير مهيّأ للانفصال عنك بعد. لكن، بطبيعة الحال، إذا لم يكن ذلك بمستطاعكِ أو لم تكن هناك روضة أطفال قريبة منك يجب أن تقومي بترتيبات أخرى. سوف أعالج هذا الموضوع في الفصل الحادي عشر حيث سأصف بالتفصيل كيف يمكنك إنشاء ما يوازي روضة أطفال في منزلك الخاص.

أما إذا كان الأمر في مستطاعك، فكيف ستسعين لإيجاد روضة أطفال جيدة؟ كعالم نفس لديه دراية واسعة بروضات الأطفال والتعليم المبكر للأطفال، يجب عليّ أن أصارحك بالقول إن العديد من الأمهات في الواقع يخترن لأولادهن روضة أطفال على أساس ملاءمتها لهنّ لا للطفل. فهي تختار الروضة الأقرب إلى منزلها أو تلك التي بإمكانها الوصول إليها لإيداع طفلها عبر وسيلة نقل مناسبة. وبصراحة أقول إنني مندهش ومروّع لهذا. وحيث إن معظم روضات الأطفال في منطقة جغرافية معيّنة تقع ضمن المعدل السعري نفسه، فالأمر يستحق من الأم عناء قضاء الوقت في البحث وإيجاد أفضل روضة أطفال لابنها، لا فقط الأقرب من حيث المسافة.

تتمايز روضات الأطفال في ما بينها بواحدة من ثلاث نقاط: 1- المعلمات، 2- التجهيزات، 3- المنهج. والأكثر أهمية من بين هذه الاعتبارات هو الكادر التدريسي. إنّ وجود معلمة مؤهّلة وجيدة التدريب، بالإضافة إلى كونها دافئة التعامل ولطيفة وعطوفة على الأطفال، هو العامل الأكثر حسمًا في تجربة التعلم التي سيخوضها طفلك في الروضة. لا تتردّدي في الكلام مع المعلمة وسؤالها عن خلفيّتها العلميّة ومؤهّلاتها في التعليم المبكر للأطفال. إن لك الحق في معرفة هذه الأمور، ففي نهاية الأمر إنه طفلك أنت هو مَن تعهدين إليها برعايته.

معظم الأهل لديهم معرفة قليلة عن تجهيزات روضات الأطفال ومناهجها. لذا سأقترح عليك قراءة بعض الكتب عن التعليم في رياض الأطفال. بعض هذه الكتب الجيدة هي التالية:

- *The Nursery School* (الروضات) لكاثرين ريد.
- *The Guidance Nursery School*، (إرشاد حول الروضات) للويس إيمس وإيفلين بيتشر.
- *The Nursery School: Adventure in Living & Learning*، (الروضة: مغامرة في العيش والتعلم) لماري روجرز وهيلين كريستيانسون وبلانش لودلوم.
- *Good Schools for Young Children* (المدارس الجيّدة للأطفال الصغار) لسارة هاموند ورالف ويذرسبون ودورا سكيبر وروث ديلز.

إن كنتِ تعرفين القليل عن روضات الأطفال، فمن المرجّح أن تدهشي لوجود ذلك التنوّع الكبير في التجهيزات الداخلية وتلك التي في الهواء الطلق التي تعزّز النموّ العقلي والعاطفي عند الطفل. لذا عند زيارتك لروضات الأطفال عليك أن تكوني متنبّهة إن كانوا يوفرون فيها الكثير من الألعاب التربوية ومعدات اللعب، أو يحاولون التقليل منها قدر ما يستطيعون.

أما بالنسبة إلى المنهج فيجب أن تعرفي أنّ هناك قدرًا كبيرًا من الجدل بين الجهات المعنيّة حيال مناهج رياض الأطفال. بعضهم يفضّل مناهج الفنون التقليدية واليدوية التي تساعد الطفل في نموّه العاطفي. في هذه المقاربة يتمتع الطفل بإمكانية تنمية عضلاته الكبيرة من خلال معدات التسلق وبناء المكعّبات المجوّفة الكبيرة والألواح الخشبية وركوب الدرّاجات الثلاثية العجلات، وذلك في الأنشطة الخارجية. أما في الأنشطة الداخلية فيشتغل بالطين والتلوين والطباشير الملوّنة وبناء المكعبات واللعب التمثيلي والكثير من المعدّات الأخرى التي تساعد في نموّ عضلاته الصغيرة وقدرته الإبداعية ونموّه العاطفي. وبالمجمل، سيكون الطفل موجّهًا من المعلمة لتعلم كيفية إدارة علاقات التواصل الشخصية مع الأطفال الآخرين.

أما المقاربة الأخرى لمناهج رياض الأطفال فيمكن أن نسمّيها «المقاربة المعرفية». هذه المقاربة تقرّ بأنّه ليس هناك من خطأ على الإطلاق في المنهج المذكور سابقًا، لكنه ناقص. والمدافعون عن هذه المقاربة يعتقدون بوجوب تعريض الطفل لأنواع متعدّدة من التنبيه المعرفي في هذه السنوات المبكرة، بدون الضغط عليه وبدون تقييد الأجواء الطليقة للطفولة في حالة صفّ مدرسي رسمي لا يلائم الطفل في هذا العمر. في هذا النوع من المقاربة المعرفية تظهر موادّ وتقنيات تربوية جديدة، فهناك من الأدوات التربوية ما يساعد الطفل على الطباعة، وهناك أدوات التطوير اللغوي باستخدام الدمى وغيرها، وهناك موادّ أخرى مُدرَجة تعلّم الطفل القراءة.

هناك انقسام حادّ في الآراء يسود أوساط معلمات روضات الأطفال في هذه القضيّة، بعضهن، من التقليديات، يشعرن بأنه يجب التمسّك بنشاطات بناء المكعّبات والتلوين بالأصابع وزراعة البذور. وهنّ يعتقدن بأن تعليم الطفل

القـراءة فـي روضـة أطفال أمـر يضغط على الطفـل أكثر ممّا ينبغي ويسـلب منه طفولتـه، فيمـا تصرّ أخريات على إتاحـة الفرصة للطفل لتعلم القـراءة في روضة الأطفال لأنه يكون مهيّأً لذلك.

أنـا أميـل بقوة إلـى جانب المجموعة التـي تؤيّد المنهج «المعرفـي». فأنا لا أرى أيّ سـبب لبقـاء ريـاض الأطفال علـى الهيئة التـي كانت عليها فـي الثلاثينيات والأربعينيات من القرن العشـرين. وبعد عشـر سـنوات من الآن سوف نستغرب كيف أن بعض المربّين اعتقدوا لوهلة أننا نسلب من الطفل طفولته حين نعلّمه القـراءة فـي روضة الأطفال. لقد راكمنا قدرًا كبيرًا مـن الأدلة البحثية التي تظهر أهمّية التنبيه المعرفي للأطفال في مرحلة ما قبل المدرسـة، إذا كنا راغبين في مساعدتهم على تطوير الحد الأقصى من ذكائهم في مستقبل حياتهم. والزعم بأننا يجـب أن نمتنع عـن تقديم التنبيه المعرفي لأطفالٍ في مرحلة ما قبل المدرسـة خشية التسبّب بإيذائهم عاطفيًا، ما هو إلا نوع من مرويّات الجدّات القديمة.

قد يكون لهذا الجدل بعض التأثير على اختيارك لروضة الأطفال الخاصة بطفلك، فـإذا كانـت الروضـة التـي سـتختارينها تؤمـن فقـط بمنهـج «الفنـون التقليدية واليدوية»، وكانت عدا عن ذلك روضة جيدة وفيها معلمات مؤهّلات، فلا بأس بذلك، طفلك الصغير سـوف يسـتفيد منها كثيرًا. ولكن إذا استطعت العثور على روضـة من النوع الأكثر حداثة الذي يقـدّم منهج التنبيه المعرفي بالإضافة إلى منهج الفنون التقليدية واليدوية، فسيكون ذلك أفضل بكثير.

حاولـي أن تجـدي فرصـة لمعاينـة الوضـع فـي روضـة الأطفـال، حتى يكـون قرار اختيـارك حكيمًـا. اسـتعيني بأحد ليعتني بطفلـك خلال غيابـك وزوري الروضة بنفسـك واقضـي هناك وقتًا كافيًـا. لا تصحبي طفلك معك، لأنـك إذا فعلت ذلك فستنشـغلين به بدلًا من مراقبة ما سـتكون عليه معلمته المفترضة. ولا تخبري الروضـة بزيارتـك مسـبقًا. بهذه الطريقة سـتحصلين على فكـرة حقيقية عن نوع التعليـم الـذي توفّره... أما إذا رفضت المدرسـة السـماح لك بالزيـارة والمعاينة بهذه الطريقة، فمن المفترض أن يقلّل ذلك من ثقتك بها.

ربما تحتاجين لإلقاء نظرة على تقنيّات التعليم ووسائله، وذلك من خلال تصفّح الكتب عن روضات الأطفال التي ذكرتها سابقًا. وما لم تفعلي ذلك، فقد لا يكون

بمقدورك التعرّف إلى ماهية التعليم الجيّد عندما ترينه قيد التطبيق. ربما تتحدث المعلمة في روضة الأطفال قليلًا جدًا وتبقى في الخلف معظم الوقت لتتدخل فقط إذا ما نشأت مشكلة ما. عند ذلك ربما تميل الأم، القليلة الخبرة، إلى التفكير على هذا النحو «لماذا لا تكاد المعلمة تفعل شيئًا؟ ما هي هذه النوعية من التعليم!؟» إن هذه الوالدة لا تعي المهارة والبراعة التي تتعامل بها تلك المعلمة مع مجموعة الأطفال.

مع ذلك، يجب أن تكوني قادرة على تقييم جانب مهم في الروضة رغم افتقارك للمعرفة الكافية بتقنيّات التعليم في رياض الأطفال، ألا وهو الجو العاطفي في غرفة الصف. هل هو جوّ دافئ ومريح بحيث يشعر الأطفال بحرية أن يكونوا على سجيّتهم؟ أم هو جو متوتّر وزجري ومتزمّت حيث يمكن للمعلمة أن تخزي الطفل أو ترسله ليقف في الزاوية، أو تقول له أشياء مثل «لست ولدًا جيدًا يا تومي». أنت بالتأكيد لا تريدين أن تضعي طفلك في مكان يخضع فيه لمثل هذا الجوّ القمعي الخطر لمدة ثلاث ساعات في اليوم.

وسواء كنت قادرة على إرسال ابنك إلى روضة أطفال أو قمت بإنشاء ما يوازي هذه الروضة في بيتك الخاص، فإنك ستكونين أفضل في توجيه طفلك في هذا المرحلة كلما اتسعت معرفتك عن تقنيّات التعليم الجيدة. وسيكون من الحكمة أن تسارعي إلى شراء الكتب المتخصّصة في هذا الموضوع إذا وجدت منها ما يحظى بإعجابك.

روضة الأطفال هي سنة تعليم حاسمة لطفلك. ولكن كيف ستعدّين طفلك ليكون جاهزًا لها؟ إذا اتبعتِ الاقتراحات التي سوف أقدّمها في الفصل الحادي عشر «المدرسة تبدأ في البيت» فسيكون طفلك مهيّأً إلى درجة كبيرة للالتحاق بروضة أطفال. كذلك يمكنك أن ترجعي إلى أحد الكتب المتخصّصة في هذا الموضوع مثل:

Your Child and the First Year of School (طفلك والسنة الأولى في المدرسة) لبرنارد راين.

أما إن لم تكن روضة الأطفال ملحوظة في نظامكم المدرسي، فإن الاقتراحات التي سأقدّمها في الفصل الحادي عشر، وإن لم تحلّ محلّ روضة أطفال حسنة الإدارة بما فيها من فرص للتفاعل مع أطفال آخرين ذوي خمسة أعوام من العمر، فستكون الخيار الثاني في حدود ما أعلمه.

لقد غطينا في هذا الفصل جزءًا كبيرًا من مادّة موضوعنا. وهذا ليس بمستغرب في الحقيقة لأن قدرًا كبيرًا من نموّ الطفل يحصل في السنوات التي تمتد من الثالثة إلى السادسة من عمره.

لذا سنحاول في ما يلي إيجاز ما حدث في هذه السنوات المهمّة.

خلال فترة ما قبل المدرسة، حقق طفلك عددًا من المهام التطوّرية، فقد تمكن خلال هذه المرحلة من:

- الاستجابة لحاجاته البيولوجية في ما يتعلق بكلا عضلاته الكبيرة والصغيرة،
- تطوير نظام تحكم في اندفاعاته، الانفصال عن والدته،
- الأخذ والعطاء (الرد) في علاقاته مع أقرانه،
- تعلم التعبير عن مشاعره أو كبتها،
- تحقيق استقرار في هويته الجنسية كذكر أو أنثى،
- تشكيل مواقفه الأساسية تجاه الجنس،
- إيجاد حل لقضية الرومانسية العائلية،
- اجتياز مرحلة من النموّ كان فيها متجاوبًا خاصةً مع التنبيه العقلي، ولنأمل أنه تلقى القدر الأمثل من هذا التنبيه.

ها هو ابنك الآن قد أمضى السنوات الخمس الأولى من عمره كمسافر في سفينة فضائية ندعوها الأرض. فإن كنت اتبعتِ ما قدّمته لك من أفكار واقتراحات في هذا الكتاب، يجب أن يكون طفلك قد اكتسب مفهومًا ذاتيًا صلبًا عن نفسه وبنية نفسية صحّية مستقرة.

وإذا سارت الأمور على ما يُرام، فإن طفلك سيكون قد طوّر إحساسًا أساسيًا بالثقة، وثقة جيدة بالنفس، وإحساسًا قويًا بهويته الذاتية. لقد كان عملك الأكثر أهمية هو مساعدته على بناء أساس متين في هذه السنوات الخمس الأولى من حياته.

أما وقد اجتزتُ معكِ هذه الرحلة الزمنية للسنوات الخمس الأولى من حياة الطفل، فسأركّز في الفصل التالي بالتفصيل على موضوع حيوي في تعاملك مع طفلك، لا فقط خلال هذه السنوات الخمس الأولى، بل ما دام في رعايتك. وهذا الموضوع الدائم الأهمية هو تأديب الطفل.

8

هل تستطيعن تعليم دلفين الطباعة؟

إن التأديب موضوع مثير للجدل، وخاصةً في هذه الأيام حيث تجد الكثير من الأمهات أنفسهن محتارات إزاء آراء متضاربة هنا وهناك. ثمة مقال في مجلة يقول شيئًا ما، ومقال آخر يقول نقيض القول الأول. وهناك كتاب ينصح بفعل شيء ما، فيما ينهى كتاب آخر عن فعله. وتنصح جارة بتصرّف معيّن لتأتي جارة أخرى وتقنع بنقيضه. وتتساءل الأمهات في أنفسهن في عزلة وصمت: «هل أنا شديدة الصرامة، أم شديدة التساهل؟ هل أخطأتُ عندما ضربت جيمي هذا الصباح؟ مؤكّد أنني شعرت بحاجة لضربه، لكنني لست متأكدة من أنني فعلت الصواب».

قبل كل شيء، ماذا نعني بالضبط بكلمة التأديب أو Discipline بالإنكليزية؟ إنها كلمة ذات معانٍ ودلالات متعدّدة. فقاموس وبستر الكامل يعرّفها على أنها: 1) توجيه، تربيةً أو تدريب. 2) جزاء أو عقاب. كما يقترح لها القاموس المترادفات التالية: يدرّب، يشكل، يربّي، يوجّه، ينظم، يصوّب، يجازي ويعاقب. أما إذا قابلتِ عيّنة عشوائية من الأمّهات فالأرجح أن الكثير منهن سيملن إلى التفكير في التأديب على أنه شيء يجب فعله لجعل الطفل يسلك سلوكًا ملائمًا. وفي أذهان الكثير من الناس يترادف التأديب مع العقاب كوسيلة لتوجيه سلوك الطفل.

أودّ أن أقترح تعريفًا أكثر شمولًا لتلك العبارة، هو «التدريب»، فكلمة Discipline التي تعني التأديب، مرتبطة في الإنكليزية بكلمة disciple أي تلميذ. وعندما تؤدّبين طفلك فأنت في الحقيقة تقومين بتدريبه ليكون تلميذًا لك أنت، معلمته.

ينبغي علينا، نحن الأهل، أن نسـأل أنفسـنا: «ما هو الهدف النهائي الذي نسعى إليه من خلال «تدريب» أو تأديب «أطفالنا؟»». إذا تأمّلنا عميقًا في هذا السؤال فسـيجيب أغلبنا بأن الهدف النهائي هو تنشـئة إنسـان راشد قد تعلم الانضباط الذاتـي، وصنـع خياراتـه الشـخصية، وضبـط سـلوكه الخـاص، وممارسـة حريته بطريقة مسؤولة.

آلاف التجـارب السـيكولوجية علـى الحيوانـات، مـن الفئـران البيضـاء إلـى الدلافيـن، زوّدتنـا بنماذج تفيدنا فـي بلوغ هذا الهدف مـع أطفالنا. وأرجو من الأمهـات اللاتـي يقـرأن هـذا الـكلام أن لا يفزعـن. فأنا لا أقـول إنه لا فـرق بين طفـل ودلفيـن! ولكن كما تعلّم الأطبـاء الكثير عن الأدوية والأمصـال التي تنقذ الحيـاة البشـرية عبـر تجربتها فـي البداية علـى الحيوانات الدنيـا، تعلمنا نحن أيضًـا العديد من الأشـياء عن تدريب (تأديـب) الأطفال من خلال التجارب على الحيوانات الدنيا.

علـى سـبيل المثـال، أراد أحد علماء النفـس المقارنة بين عدة وسـائل تعليمية، في فعاليتها على الحيوانات، فجعل مجموعتين من الفئران تجري، الواحدة بعد الأخرى، في متاهة يوجد طعام في نهايتها. كان الهدف هو اسـتعمال وسـيلتين مختلفتيـن لتدريـب الفئران على الجري في المتاهة لمعرفة أيّ منهما سـتكون الأكثـر نجاحًا. اقتيدت إحدى المجموعتين خلال الطريق الصحيح الموصل إلى الطعـام بواسـطة «عربـة» يجرّها عالم النفـس. أما فئران المجموعـة الثانية فقد وُضعَـت ببسـاطة في المتاهة وأتيح لكل واحدة منهـا أن تجد طريقها عن طريق التجربـة والخطـأ عشـرين مـرة. بعد ذلـك، دُمجـت المجموعتان وسُـمح لفأرين اثنين، واحد من كل مجموعة، بالجري في المتاهة. لقد كسبت فئران المجموعة الثانيـة السـباق لأن الفئران في المجموعة الأولى لم يكـن عليها التفكير بفعالية وهي في المتاهة إذ كانت تُرشَد إلى الطعام بواسطة «العربة».

يمكنك رؤية صلة هذه التجربة بوسائل التعليم المكتشفة حديثًا، فالتعليم يكون أكثـر رسوخًا فـي عقل الطفل عندما يكتشـف الأفكار بنفسـه مقارنة بما يحصل عندما يُقدَّم إليه بشـكل لفظي معلَّب مسبقًا بواسـطة المعلم. تجربة مثل هذه تقول الكثير عن كيفية تعليم الطفل ليصبح منضبطًا ذاتيًا.

إن كانـت لبعض الآباء والأمهات تجربة مباشـرة فـي تعليم الحيوانات وتدريبها، فمن المشـكوك فيه أنهم سـيرتكبون الأخطاء المعتادة في تدريب أطفالهم. قد يبدو هذا كلامًا مبالغًا فيه، لذا دعوني أقدّم لكم مثالًا عمّا أعنيه.

يقـوم الآبـاء والأمهـات فـي طول الولايـات المتحـدة وعرضها بتدريـب أطفالهم على أن يكونوا مزعجين وفظين. وهؤلاء الأهل الحسـنو النيّة لا يفكرون في الأمر بهـذه الطريقـة طبعًا. ولكنّ الانتباه، والاستحسـان، والعواطف التي يقدّمها أحد الوالديـن أو كلاهمـا للطفـل، هي معـزّزات قوية. فأيّ سـلوك مـن الطفل يحدث انتباهًا أو يجلب استجابة عند الوالدين أو أحدهما، من المرجّح تعزيزه وتقويته.

دعونا نتأمّل في المشهد النموذجي التالي الذي يجري في أحد الأسواق. يطلب الطفل شـيئًا بصوت منخفض ولا تسـتجيب والدته له، فهي مشـغولة بالحديث مـع صديقـة لها أو مع الموظف. يصبح صوت الطفـل أعلى وأكثر أنينًا وإلحاحًا. وفي النهاية تستجيب الأم.

لقـد علّمـت ابنهـا، عـن غيـر قصد، أنه كلمـا كان صوتـه في طلب مـا يريد أعلى وإلحاحه عليه أكثر إزعاجًا، زاد احتمال نجاحه في الحصول عليه.

بـدون أن تكـون مدركـة، اتبعت هـذه الأم نهجًـا مُحكَمًا لتلقيـن طفلها أن يكون مزعجًا وفظًا. إن الأمر كما لو أنها قالت لنفسها: «أريد لصغيري جيمي أن يتعلم كيـف يصبـح مزعجًا وفظًا، وكيف يطلب الأشـياء بأكثر الطرق إزعاجًا وبشـاعة. في كل مرة يطلب فيها شيئًا ما بأسلوب لطيف وصوت خفيض سأكون منهمكة في نشـاط من نشـاطات الكبار يمنعني من الاسـتجابة له. سوف أكافئه وأدعمه بانتباهـي فقـط عندمـا يطلب شـيئًا بطريقـة مزعجـة وفظـة، أو إذا كان متجهّمًا وعالي الصوت، أو إذا اصطنع نوبة غضبة مزاجية».

كنت ألتقي بصبيّ في الثامنة من عمره من أجل العلاج، وقد طلب مني في أحد الأيام أن أعقد له شـريط حذائه. قلت له: «أنا واثق بأنك تسـتطيع عقده بنفسك يا ريتشارد».

«كلا، أنا لا أستطيع. عليك أن تفعل ذلك من أجلي». أجابني.

قلت له: «أنا أعلم أنه أمر صعب، ولكنني متأكد أنك تستطيع فعله».

«سوف أطلب من والدتي أن تفعله إذا لم ترد أنت» ثم فتح الباب إلى غرفة الانتظار وجرى إلى حيث تجلس والدته.

قال لها: أمي، إن الدكتور دودسون ليس لطيفًا فهو لا يريد أن يعقد شريط حذائي. افعلي أنت ذلك!».

حافظت الأم في البداية على حزمها، متبعة التوجيهات العامة التي أعطيتها إيّاها في الماضي حول تعليم ابنها الاستقلالية والاعتماد على النفس، وقالت له: «كلا يا ريتشاد، أنت تستطيع عقده بنفسك».

«لا أستطيع، لا أستطيع. يجب أن تفعلي ذلك بنفسك من أجلي!».

«سوف تكون قادرًا على فعله بنفسك إذا حاولت».

وهنا انتابت ريتشاد نوبة غضب، سقط على الأرض وبدأ بالرفس والصراخ «لا أستطيع، لا أستطيع، عليك أن تفعلي ذلك من أجلي».

استسلمت الأم وقالت ممتعضة: «حسنًا يا ريتشارد، سأفعل ذلك».

عندئذ قرّرتُ أنّ الوقت قد حان لأتدخل وقلت: «سيدة غودوين سوف ترتكبين خطأ بفعل هذا لريتشاد الآن».

توقفتْ وفكرت في الأمر لدقيقة وقالت: «كلا يا ريتشارد، لن أفعل ذلك، أنت تستطيع ذلك بنفسك».

استمرّ ريتشارد في الصراخ والخبط على الأرض لبضع دقائق، ثم عندما رأى أنها تعني ما تقوله تمامًا هذه المرّة، نهض فجأة من الأرض واندفع عائدًا إلى غرفة اللعب. تبعتُه وأغلقت الباب من خلفي. جلس في زاوية الغرفة وظهره إليّ، صامتًا وحزينًا، لبضع دقائق، ثمّ استدار إليّ وبابتسامة ماكرة قال: «هل تريد لعب الداما؟». فأجبته: «بالتأكيد. لمَ لا تعقد شريط حذائك أولًا ثمّ نبدأ باللعب».

إن هذه الطريقة في التعامل مع السلوك الطفولي والإنساني لريتشارد، تقدّم مثلًا على كيفيّة عدم تعزيز العادات السيئة. وهي طريقة لها ما يوازيها في تدريب الحيوانات. لكن بطبيعة الحال، يبقى الجانب الأكثر أهمية في التدريب هو ذلك المتعلق بالتعزيز الإيجابي.

افترضي أنك طلبت من طفلٍ في الثامنة من عمره: «أودّ منك أن تتلفظ بكلمات بصوت عالٍ، بأسرع ما يمكنك التفكير بها، واحدة بعد الأخرى. لا تهمّ نوعية الكلمات التي تقولها. قل فقط الكلمات التي ترد على بالك. هيا الآن».

وسنفترض أنك قرّرت مسبقًا أنه في كل مرة سيقول فيها اسم حيوان ما ستقولين «جيد». وستبقين صامتة عند قوله أيّ كلمة أخرى. والطفل لا يعلم طبعًا بقرارك هذا. ثم يبدأ بقول الكلمات، وفي كل مرة يقول فيها اسم حيوان تقولين «جيد» بصرف النظر عن أيّ حيوان هو.

قومي بهذه التجربة واحتفظي بتسجيلات دقيقة. سوف تجدين أن عدد كلمات «الحيوانات» سيزداد بالتدريج. وانتبهي إلى هذه الحقيقة المثيرة للاهتمام: لن يكون الطفل واعيًا لما يحدث ولكنه سيستمرّ في قول المزيد والمزيد من أسماء الحيوانات. لماذا يحدث هذا؟ لأنك تعزّزين هذا السلوك بانتباهك وبكلمة الثناء الصغيرة «جيد» في كل مرة يقول فيها اسم حيوان من الحيوانات.

من أجل بعض المتعة، يمكنك تجريب هذا الأمر مع الكبار أيضًا. عندما تتحادثين مع أحد الأشخاص أو مجموعة منهم قرّري تعزيز موضوع معيّن في كل مرة يُناقَش فيها. نوعية الموضوع ليست مهمة: الأطفال، الثياب، السياسة، البستنة... لك الخيار. في كل مرة يُذكر فيها هذا الموضوع عزّزيه بإظهار اهتمام كبير به. علّقي بعبارات مثل: «إنه أمر مثير» أو «لم يسبق أن انتبهت إلى ذلك من قبل» أو «أخبرني المزيد عن ذلك». وعندما يتحدّث الشخص الآخر في أيّ موضوع آخر ابقي صامتة. ستحصلين من الكبار على النتائج نفسها التي حصلت عليها عند أطفال الثامنة من العمر. فنحن غالبًا ما نعزّز أنواعًا مختلفة من السلوك عند الأشخاص الآخرين.

فكّري في الأطفال في مختلف أنحاء العالم الذين ينشأون في ثقافات ولغات مختلفة. جميعهم يبدأون بالمناغاة في العمر نفسه، في الشهر السادس أو قريبًا منه. وأصوات المناغاة هي نفسها تقريبًا سواء كان الطفل إنكليزيًا، روسيًا، صينيًا، عربيًا أو من البانتو. ولكن، في الوقت الذي يبلغ فيه هؤلاء الأطفال عمر السنتين، يتكلم البعض منهم اليابانية والبعض الآخر التاغالونغ أو العربية وهكذا دواليك. كيف يحدث هذا؟ ليس هناك من طفل يولد بجينات تمكّنه، عندما يكبر، من أن يتحدث لغة معيّنة، فالأطفال في العالم كله يتعلمون التحدّث بلغاتهم المختلفة من خلال مبادئ سيكولوجية راسخة للتعليم.

قبل كل شيء، يحاكي الأطفال الأصوات التي يسمعونها من حولهم، سواء كانت بالإنكليزية أو الروسية أو الصينية أو أيّ لغة أخرى. وبالإضافة إلى ذلك يعزّز الوالدان الأصوات المختلفة التي تصدر عن مواليدهم الصغار، بما يتماشى مع كون هؤلاء الأهل من الإنكليز أو الروس أو الصينيين أو العرب. فمثلًا، في الولايات المتحدة يستلقي مولود صغير في سريره مناغيًا بسعادة. وهو، عاجلًا أو آجلًا، سيقول شيئًا يبدو مثل ما – ما – ما – ما لأنه واحد من أسهل الأصوات التي يمكن لحباله الصوتية الغضّة أن تصدرها. ولكن ماذا يحدث في العادة عندما يناغي الطفل بهذه الأصوات ما – ما – ما – ما؟ إذا كانت والدته قريبة فمن المرجّح أنها سوف تقفز بسعادة وتعانق المولود الصغير وهي تقول: «لقد قال (ماما)! إنه يعرفني، مولودي الصغير يعرفني!». وأقول بكلمات أخرى، إنها من خلال اهتمامها وعاطفتها تقدّم له تعزيزًا قويًا لقيامه بهذا التركيب الخاص من أصوات المناغاة التي تعني بالنسبة لها «ماما». وتماشيًا مع مبادئ التعزيز الراسخة، يبدأ المولود الصغير قريبًا بترديد هذا التركيب الخاص من الأصوات أكثر وأكثر.

التعزيز مؤثر قوي في تشكيل سلوك المواليد الصغار والأطفال. وينبغي أن تكوني مدركة لأنواع السلوك التي تعزّزينها في طفلك. ورغم أنه بدا لك مستبعدًا عندما ذكرتُهُ أول مرة، تستطيعين الآن رؤية الصلة بين التدريب على التعزيز والحيوانات.

فلننظر الآن في تسعة دروس مهمّة قدّمها لنا العلم عبر سنوات من البحث في سيكولوجية التعزيز:

1. يجب أن يكون الحيوان في حالة مناسبة للتعلم.

مدرّبو الحيوانات لا يحاولون تدريب الحيوان عندما يكون متعبًا، مريضًا، أو راغبًا عن حالة التدريب، فالحيوان يجب أن يكون مستعدًا لسماع ما يريد المدرّب قوله.

في تجربة مدهشة، سجّل أحد علماء النفس الإشارات الصادرة عن أدمغة القطط. هذه الإشارات تدل على أن صوتًا قد نُقل على طول العصب السمعي ليصل إلى الدماغ. وفي كل مرة نُقر فيها نقرة صغيرة قرب أذن القط كان السجلّ العصبي في الدماغ يُظهر تغييرًا معيّنًا. بعد ذلك وضع العالِم إناءً زجاجيًا يحتوي على بعض الفئران الحيّة أمام القطة، ونقر مرّة أخرى. في هذه المرة لم يظهر السجلّ أيّ تغيير، فالقطة لم تسمع ما كان في السابق صوتًا مسموعًا شديد الوضوح، والصوت لم يصل إطلاقًا إلى المراكز العليا في الدماغ.

كثيرًا ما نحاول تعليم الأطفال شيئًا وهم في حالة غير مناسبة للتعلم. ومثالًا على ذلك، فكّري في المحاضرات الصغيرة التي غالبًا ما نلقيها على أسماع أطفالنا وهم يبكون عقب إساءتهم التصرّف أو بعد مشكلة عائلية. لقد ضرب جيمي الصغير أخته بأحد المكعّبات وعوقب بالضرب على فعله هذا. وبينما كان ينتحب بحرقة اختارت الأم هذه اللحظة غير المناسبة لتلقي عليه محاضرة صغيرة. «ماذا سيكون شعورك يا جيمي لو ضربتك أختك بذلك المكعّب؟ ألا تستطيع أن تتعلم مراعاة مشاعر الآخرين؟»».

لنأخذ النصح من الاختصاصيين النفسيين في آلية التعزيز. لا تحاولي تعليم طفل عندما يكون متعبًا، أو هائجًا، أو نزقًا، أو متضايقًا، أو غير راغبٍ في التعلّم. فمن الغباء أن نحاول تعليم طفل ما لم يكن في حالة مناسبة للتعلّم.

2. يجب أن يكون الحيوان قادرًا على أداء المهمة المطلوب منه تعلمها.

مدرّبو الحيوانات هم أناس واقعيون، فهم يعلمون أنهم يستطيعون تعليم دلفين القفز داخل الطوق. لكنهم يعلمون أيضًا أنهم لا يستطيعون تعليم دلفين الطباعة ولذلك لا يحاولون.

هذا أمر بديهي، كما ستقولين. ولكن فكري في كل الأشياء التي يحاول الأهل تعليمها لأطفالهم والتي يستحيل على الطفل تعلمها كاستحالة تعلم الدلفين للطباعة. من هذه الأشياء: التعلم على استخدام المرحاض في الشهر التاسع من العمر، الجلوس هادئًا في مطعم وهو في عمر السنتين، أن يكون مهذبًا وملتزمًا بالآداب العامة في عمر الأربع سنوات، الطاعة في عمر السنتين كما لو أنه في عمر الأربع سنوات... وهلم جرّا.

العديد من الأهل يتوقعون من أطفالهم تعلم أشياء تفوق كثيرًا استطاعتهم على التعلم، كما لو أننا نطلب من دلفين تعلم الطباعة. والسبب الذي يدفعنا لذلك غالبًا هو قلة الدراية، حيث يجهل غالبية الأهل طبيعة أطفالهم في الأعمار ومراحل النموّ المختلفة. نحن نميل لأن نتوقع من أطفالنا أكثر ممّا هم قادرون عليه فعليًا في مرحلة محدّدة من النموّ، ولهذا نجد أن الأهل يقومون بأداء دورهم بنحو أفضل مع الطفل الثاني أو الثالث لأنهم أصبحوا أكثر واقعية وعقلانية بعدما تعلموا مع الطفل الأول ما يمكن أن يتوقعوه من طفل في مراحل النموّ المختلفة.

3. مدرّبو الحيوان يتجنبون العقاب إلّا كملجأ أخير لتجنيب الحيوان المُدرَّب القتل أو الأذى الشديد.

يجب أن نكون واقعيين حيال هذا الأمر بالطبع، فإن كان لديك طفل في عمر السنتين يكرّر الإفلات منك والجري إلى الشارع، فسيكون الخيار الوحيد أمامك هو استعمال العقاب. وجّهي ضربة خفيفة إلى مؤخّرته وزيدي شدّتها إلى أن يتعلم التوقف عن هذا السلوك الخطر.

عليـكِ أن تفرضـي رأيـك الأكثـر نضجًـا علـى طفلـك الصغيـر إلـى أن يصبـح ناضجًـا بما فيه الكفايـة ليتعامل مع الحالـة بطريقة صحيحة. لكـن عمومًا، نسـتطيع تعليم أطفالنا معظم الأشـياء التـي نريدهم أن يتعلموها من دون أن يكون علينا اللجوء إلى العقاب.

لمـاذا نتجنّـب العقاب؟ لأنّ الأثـر الحقيقي الوحيـد للعقاب هو قمع سـلوكٍ مـا لفترة مؤقتة، لا إخمـاده إلى غير رجعة، إذ عندما يتلاشـى الأثر القمعي للعقاب، كما لا بد أن يحدث مع الوقت، يعود السـلوك المعاقَب عليه ويتكرّر مرة أخرى.

ولتأكيد هذا المبدأ، قام أحد علماء النفس بتدريب فأر على الضغط علـى رافعـة فـي قفصه ليحصـل على الطعـام، ثـم زوَّد الرافعة بسـلك بحيـث إنـه في كل مـرة يضغـط عليها الفـأر تصيبه صدمـة كهربائية خفيفـة. أصبح الفأر يتراجع مـن أثر الصدمة وتوقف عن الضغط على الرافعة. لكنه في وقت لاحق، عندما شـعر بالجوع إلى درجة معيّنة، عاد ليضغط عليها مرة ثانية. لقد قمع عالم النفس السـلوك المتمثل في الضغط على الرافعة مؤقتًا فقط، لكنه لم يتمكن من إخماده نهائيًا. لاحقًا، إذا توقّف العقاب، فسـيعود الفأر إلى الضغط على الرافعة من جديد كأن شيئًا لم يحدث.

ثمّة أسـباب إضافية للتقليل من اسـتعمال العقاب بقدر المسـتطاع، عند تعليم الطفل. سـواء كان التدريب لطفل أو لحيوان، فإننا عندما نعاقب المتدرِّب نعلّمه أن يكرهنا ويخافنا.

ونحن في الحقيقة لا نريد أن نعلّم أطفالنا كرهنا أو الخوف منا إلّا في حالة الضرورة القصوى التي تستدعي حمايتهم.

عندمـا يعاقـب المعلّـم التلميـذ، يصبـح «منبّهًـا منفِّـرًا»، تمامًا مثل الصدمـة الكهربائية. وسـيرغب التلميذ من هذه اللحظة فصاعدًا في تجنب الاتصال بالمعلم وبما يعلمه.

لقـد عالجـتُ مـرّة فيزيائيًا دخل حقـل العلوم وحصل علـى الدكتوراه في عمر متأخر نوعًا ما. والغريب في الأمر أنه كان قد تجنّب دروس العلوم خلال دراسـته في الكلية، ولم يكتشـف إلا بعد سـنوات، أثناء فتـرة علاجه على يديّ، السـبب الـذي دفعه إلى ذلك. الأمر يرجع إلى

اتصاله الأول مع العلوم عندما كان في الصف الثالث مع معلمة سندعوها الآنسة برونفيس (والعبارة تعني في الإنكليزية ذات الوجه الذي يشبه الخوخ المجفف). ما زال يملك ذكريات حيّة عن هذه الآنسة وعن التجارب الصغيرة التي أجراها خلال حصصها بالأواني والتيّار الكهربائي. وأكثر ما يتذكره عنها هو وجهها النحيل، المزموم الشفتين، والمتجهّم، بالإضافة إلى تعاملها البشع والتهكّمي مع الأطفال. لقد كانت تنتقص من قدر الأطفال وتسخر من الطلاب الذين يقصّرون في دروسهم. إن هذه المعلمة تجسّد وتمثل «العلوم» لمريضي. وحيث إنها كانت «منبّهًا منفّرًا» فقد تعلم منها تجنّب مادة العلوم لسنوات عديدة.

4. بدلًا من العقاب، عندما تريدين جعل طفلك يتوقف عن فعل شيء غير مرغوب فيه، استخدمي «تقنيات الإخماد».

عندما يرغب عالم نفس في جعل حيوان يتوقف عن فعل شيء ما فإنه، ببساطة، يتوقف عن تعزيز هذا الفعل عند الحيوان. فإن كان يكافئ فأرًا أبيض بكريات الطعام بعد ضغطه على الرافعة، وأراد أن يتوقف هذا الفأر عن ضغط الرافعة، فسيتوقف عن تقديم كريات الطعام إليه، فيتوقف الحيوان عن ضغطها. والأمور تجري بالطريقة نفسها عند الطفل.

خذي مثلًا على ذلك طفلًا في الرابعة من العمر اكتشف الأثر الصاعق الذي يتركه استعماله للكلمات البذيئة على والديه. الطفل يعود إلى البيت وقد تعلم هذه الكلمات للمرة الأولى، فهل يُعزَّز استخدامه لها؟ أراهن على أن ذلك سيحدث. في الحقيقة يبدو الأمر كأن والدته تتصرّف دائمًا وكأنها قد كُلّفت بمهمّة تعزيز استخدامه لهذه الكلمات بحيث يستمرّ طفلها ذو الأربعة أعوام باستعمالها (رغم أن هذا، بالطبع، هو آخر ما ترغب به فعلًا في هذا العالم). إنها، بغضبها عندما يستعمل ابنها ذو الأربعة أعوام هذه الكلمات البذيئة، تقوم فعليًا بتعزيز استخدامه لها. إنّ اكتراثها بالأمر يؤدّي دور المعزِّز.

إذاً كيـف تسـتطيع جعلـه يتوقف؟ فقـط توقفي عن تعزيـزه. تجاهلي هـذه الكلمـات البذيئـة وتظاهـري بالهـدوء. وعاجلًا أو آجـلًا، عندما يـرى طفلـك أنه لم يعد يسـتطيع إزعاجـك بهذه الكلمات، سـيتوقف عن استعمالها.

5. يجب أن يكون لدى المعلّم ما يعزّز به التلميذ.

بالنسـبة للحيوان، التعزيز هو الطعام. أما بالنسبة للأطفال فهو حبّك واهتمامك. ولكن هناك مشكلة في ذلك، فلكي يكون حبّك واهتمامك معزِّزيـن يجـب أن يكـون وجودك ممتعًا ومسـليًا. أنـت تحتاجين لأن تقضي مع طفلك بعض الوقت المخصّص للتسلية والمتعة فقط، وذلك لتجعلي من سعيه وراء حبّك وعاطفتك أمرًا مجزيًا. اسألي نفسك: كم مـن الوقت يجـب أن أمضيه مع طفلي بهدف التسـلية والمتعة فقط من دون أن أطلب منه شـيئًا آخر؟ إذا كان الجواب قليلًا جدًا، فأنت لا تقدمين له ما يكفي من الحوافز لجعله يرغب في حبّك واهتمامك. على سـبيل المثال، أذكر حالة فتى في السـابعة عشـرة من عمره كان يُعالـج عنـدي، وكان يتحـدّث عـن مشـاعِره تجـاه والـده. قـال: «في السـنوات الخمس عشـرة الأولى من حياتي لم أكن أرى والدي إلا في أيام العطلات. كان مشغولًا جدًا بالعمل ولم يكن لديه وقت ليقضيه معي. أما الآن وأنا أصادف هذه المتاعب فهو يحاول كسب صداقتي ويصطحبنـي إلـى بعـض الأماكـن. إنـه يريدنـي أن أتغلـب علـى هذه المتاعب وأن أتوقّف عن التسـبّب بالمشـاكل في المدرسة. ولكنّني أودّ أن أقـول لـه: «انـس الأمـر يا رجل! أيـن كنت كل هذه السـنوات الماضية؟»».

إننـا بحاجة إلـى إقامة نوع من العلاقة مع أولادنا تجعلهم يرغبون في الحصول على محبّتنا واهتمامنا.

6. عزّزي ما ترغبين في أن يقوم به طفلك ولا تعيري أهمية لأفعاله التي لا تودّين رؤيته يفعلها.

على سـبيل المثال، كان أحد مرضاي من غير الواعين لهذا المبدأ، قد ثبّط، عن غير قصد، عزيمة شقيقته على كتابة الشعر. كان يدرس بعيدًا

في إحدى الكليات عندما كانت شقيقته الصغرى لا تزال في المدرسة الثانوية. وقد أرسلت إليه يومًا قصيدة كانت قد كتبتها وسألته رأيه فيها. وبما أنه لم يكن يعلم شيئًا عن سيكولوجية التعزيز، سارع إلى نقد القصيدة بيتًا بيتًا، وكتب إليها ما أعجبه وما لم يعجبه فيها بدقة. لقد قال أشياء مثل: «هذه عبارة جيدة جدًا»، «هذا غير ملائم»، «تعجبني صياغتك في هذا الموضع»، «هذه عبارة مبتذلة، إنها سيئة جدًا»... أما نتيجة جهده المخلص لتقييم قصيدة شقيقته فكانت أنها لم تعد للكتابة مرة أخرى بعد ذلك. لماذا؟ لأنها أُحبِطت بسبب الملاحظات السلبية التي قالها عن محاولتها الأولى لكتابة الشعر.

كيف كان يجب عليه التعامل مع هذه الحالة وفقًا لتقنيّات التعزيز؟ كان يجب عليه إخبارها بكل الأشياء التي أعجبته في قصيدتها الأولى، وسيكون صادقًا تمامًا في ذلك. فهناك العديد من الجوانب الإيجابية التي أعجبته في القصيدة. كان عليه فقط أن يتجاهل ما لم يعجبه منها وأن يتجنّب التعليق على الأجزاء التي تحتاج للتحسين. لو فعل هذا، لكان فِعل «كتابة الشعر» قد تعزَّز بالاهتمام والثناء، ولاستمرّت في كتابة المزيد.

عندما تقرئين هذا، قد يخطر في بالك القول: «لا أكاد أتذكر أن معلماتي وأساتذتي في المدرسة عاملوني بهذه الطريقة قط، فهم لم يكونوا يتجنّبون الثناء على الإيجابيات وحسب، بل كانوا دائمًا يشيرون إلى أخطائي وهفواتي». ولسوء الحظ فإن كلامك هذا يصحّ على الكثيرين من المعلمين في نظامنا التعليمي.

الحقيقة المحزنة هي أن مدرّبي الحيوانات أفضل بكثير في التعليم من العديد من المدرّسين والمدرّسات في مدارسنا الوطنية. وهذا واحد من الأسباب التي تفسّر لِمَ يواجه الكثير من الأهل أوقاتًا عصيبة وهم يعلّمون أطفالهم سعيًا وراء الأهداف التي يودّون منهم تحقيقها. ذلك أننا نحن أنفسنا لم نتلقّ التعليم بواسطة الاستخدام الحكيم لأكثر الأنواع بدائية من تقنيّات التعزيز، وليس لدينا، بالتالي، نماذج لنحاكيها عندما نشرع في محاولة تعليم أطفالنا.

7. عزّزي كل حركة في اتجاه الهدف، ولا تنتظري من الطفل أن يجتاز كل الطريق إلى الهدف قبل أن تكوني قد أحطتِه بتعزيزك.

على سبيل المثال، كنت أعمل على علاج طفل في التاسعة من عمره من مشكلات سلوكية يعانيها في المدرسة، حيث كان يضرب الأطفال الآخرين، وقد حصل جرّاء ذلك على درجة سيئة جدًا في السلوك المدرسي.

عندما أتى إليّ في المرة الأولى كان معدّل ضربه للأطفال الآخرين يبلغ عشر مرّات في الشهر. وبعد ثلاثة شهور من المعالجة، صار وقوعه في المشكلات لا يتجاوز مرّتين أو ثلاث مرّات في الشهر. ورغم ذلك، عندما حان موعد صدور التقرير المدرسي التالي، حصل على التقييم السابق نفسه في سوء السلوك. وقد فسّرت المعلمة هذا الأمر لوالدته قائلة: «حسنًا، كان يجب عليّ أن أعطيه هذه الدرجة لأنه ما زال يضرب الأطفال الآخرين في صالة اللعب».

كانت هذه الطريقة الأكثر بعدًا عن الصواب في النظر إلى الأمر.

كانت المعلمة تقول له: «أستطيع مكافأتك يا جوني بدرجة جيدة في السلوك، فقط عندما تبلغ الهدف النهائي بالتوقف عن ضرب أيّ طفل آخر في ساحة اللعب». لقد تجاهلت حقيقة أنها لم تكن تفعل شيئًا لمكافأته على تطوّره البطيء باتجاه بلوغ الهدف المنشود.

وقد شعر الطفل بالغضب والإحباط بطبيعة الحال. لقد كان يحاول بصدق، بمساعدتي، الامتناع عن ضرب الأطفال الآخرين. «ما الفائدة التي سأجنيها من التحسّن يا دكتور؟ فأنا لم أضرب إلا ثلاثة أولاد هذا الشهر، ومع ذلك ما زلت أحصل على الدرجة السيئة نفسها في السلوك». لقد كان محقًا من وجهة نظر سيكولوجية، فهو لم يكن يحصل على تعزيز يتمثّل بزيادة المعلمة درجاته في السلوك، مقابل التحسّن الذي طرأ عليه في طريقه لبلوغ الهدف النهائي.

مهما كان نوع النشاط الذي يتعلمه طفلك، من القراءة، أو ركوب الدرّاجة، أو العزف على آلة موسيقية، أو حسن السلوك، أو التوقف عن ضرب أطفال آخرين، ومهما كان الهدف، يجب عليك الثناء عليه

في كل خطوة من خطوات الطريق. عزّزي كل سلوك إيجابي، مهما كان صغيرًا، بانتباهك واهتمامك.

نستطيع أن نجد دائمًا سببًا للثناء على أطفالنا إذا ما سعينا جاهدين لذلك.

في إحدى روضات الأطفال كان ثمّة صبيّ صغير سبّب عناءً كبيرًا لمعلمته وللأطفال الآخرين في صفّه. وقد حاولنا جاهدين إيجاد شيء للثناء به عليه بغية جعل سلوكه يسير في اتجاه أكثر إيجابية. لقد اهتدينا للحل أخيرًا، فخلال فترة الاستراحة في أحد الأيام، صودف أنه كان يمضي الوقت هادئًا (ربما كان منهكًا ذلك الصباح بعد الأوقات الصعبة التي تسبّب بها لوالديه في الليلة السابقة)، فانتهزت معلمته فرصة سلوكه غير المتوقع هذا وقالت له: «لاري، أنت أفضل الأولاد في فترة الاستراحة هذا اليوم». وعندما جاءت والدته لتعيده إلى البيت قال لها بفخر: «قالت لي المعلمة إنني كنت أفضل الأولاد في فترة الاستراحة اليوم». وفي اليوم التالي كان سلوكه في فترة الاستراحة مماثلًا لليوم السابق.

عندما يكون أطفالنا هادئين ومؤدّبين جيدًا فإننا غالبًا ما نمنحهم القليل من اهتمامنا. ولأنهم لا يزعجوننا فنحن نتجاهلهم، ولا نفعل شيئًا لتعزيز سلوكهم الجيد هذا. ولكن عندما يسوء سلوكه يحصل الطفل على اهتمامنا فورًا. وبكلمات أخرى، نحن نعزّز السلوك غير المرغوب فيه حال حدوثه. وعلاج هذه المشكلة يكون بتعزيز السلوك المرغوب فيه من قبل أطفالنا مهما استغرق ذلك من وقت، بدلًا من تجاهلهم عندما يكون سلوكهم جيدًا، وهو أمر مهمّ خاصة عندما يكون طفلك صعب المراس ومشاكسًا ويصعب التعامل معه.

يمكنك، مثلًا، أن تقتربي منه في وقت يلعب فيه بهدوء، فتعانقيه وتمسحي على رأسه، وتقولي له شيئًا مثل: «إنه لأمر لطيف جدًا أن نتمتع بوقت لعب هادئ في بعض الأحيان. أليس كذلك؟».

8. أعدّي المتدرّب المبتدئ ليكون ناجحًا في المراحل الأوّلية للنشاط الذي عليه أن يتعلمه.

ابدئي بالمهمّات البسيطة والحيل وشجّعيه على الأصعب. وهذا ما أفعله مع ابني ذي الأربع سنوات. مثلًا، كنت ألعب الداما منذ أيام مع ابني البالغ من العمر عشر سنوات عندما أراد ابني ذو الأربع سنوات اللعب أيضًا. وقد وعدتُه، بالطبع، بأنني سألعب معه لاحقًا. هل جرّبتِ لعب الداما مع طفل في الرابعة من عمره؟ إن اللعب والالتزام بقواعد اللعبة الصارمة سيكون أمرًا محبطًا جدًا له، لأنه سيتطلب الكثير ممّا يفوق مستوى نضجه. ولكنه كان متلهّفًا «للعب الداما مع بابا».

كيف تمكنتُ من حلّ المشكلة؟ كيف أعددتُه ليكون «ناجحًا» في لعب الداما معي؟ الأمر بسيط. لقد كيّفت قواعد اللعبة بما يتلاءم مع مستوى طفل في الرابعة من عمره، فلعبنا الداما بتحريك القطع على الرقعة بطريقة عشوائية. لقد حرّك قطعة في البداية ثم حركتُ أنا قطعة أخرى، ثم ساعدتُه على تجاوز بعض قطعي، وسرعان ما انتهت اللعبة بفوزه. لقد أعلن مزهوًا لوالدته: «لقد تغلّبت على بابا في الداما».

وبهذا أكون قد ساعدتُه على أن يكون ناجحًا في المراحل الأولى لتعلمه الاستمتاع بلعب الداما.

لو أنني أملك عصا سحرية وكان بإمكاني جعل كل الآباء والأمهات يبدأون باستخدام هذه المبادئ التسعة، لأصبحوا أقل إحباطًا بدرجة كبيرة. إن استخدام هذه المبادى التسعة للتعزيز سيكون له بالغ الأثر في تنشئة أطفال أكثر سعادةً وأكثر ثقةً بأنفسهم.

9

التأديب بواسطة الانضباط الذاتي

ناقشـنا وسـائل التعزيز المسـتخدمة في التأديب أو التدريب، التي اسـتُنبطت مـن تجـارب أجريـت علـى حيوانـات مختلفـة. سـنناقش الآن وسـائل التدريب الخاصـة بالأطفـال حصرًا، والتي لا يمكن اسـتخدامها مع الـكلاب أو الدلافين أو الببغاوات. هذه الوسـائل تتمحور حول تقوية مفهوم الطفل الذاتي عن نفسـه، هذا المفهوم الذاتي الذي يملكه الطفل بينما لا يملكه الكلب أو الدلفين.

مفهـوم الطفـل الذاتـي عـن النفس هو الصـورة العقليـة التي يكوّنها عن نفسـه. وسـيعتمد مقدار نجاحه في المدرسـة وفي مسـتقبل حياته على مدى قوة هذا المفهـوم وإيجابيّتـه. تذكّـري أن الهدف النهائي في تربية الطفل هو مسـاعدته ليكون شخصًا منضبطًا ذاتيًا، ومدى نجاحه في أن يكون هذا الشخص المنضبط ذاتيًا يعتمد على قوة مفهومه الذاتي عن نفسه.

إذاً، مـا الـذي يمكنـك فعله كوالدة (أو والد) للمسـاعدة في تقويـة هذا المفهوم الذاتـي عـن النفس عند طفلك ودفعه باتجـاه تحقيق ذلك الهدف النهائي؟ هذه بعض الوسائل التعليمية التي يمكنك الاعتماد عليها:

استخدام «التحكم البيئي» يجعل من البيئة المحيطة عاملًا مساعدًا في تقليل الحاجة إلى وسائل أخرى للتأديب.

افترضـي أنـك زرتِ روضـة أطفـال ووجدت أنهـا خالية من أيّ نوع من الوسـائل التربوية أو معدّات الألعاب. لا مكعّبات ولا شاحنات أو سيارات أو عربات، ولا طباشير ملوّنة ولا تلوين ولا أوراق أو طين. لا شـيء مما يمكن للأطفال أن يلعبوا بـه. إذا خرجـت بعـد ذلك إلـى صالـة اللعب لاحظت الأمـر نفسـه: فليس هناك

معـدّات للتسـلق، ولا زلّاقـات، ولا مكعّبـات مجوّفـة كبيـرة، لا درّاجـات ثلاثية العجـلات أو عربـات. إن محاولـة المعلمـة تعليـم الأطفـال في مثل هـذه البيئة القاحلة وغير المنبّهة سينتج عنها كمّ كبير من المشكلات التأديبية.

انظـري إلـى منزلـك الخـاص وحديقتـه الخلفيـة (إن وُجدت). هل هـو من النوع الـذي لا يوفـر إلا القليل من معدات اللعب لطفل صغير؟ هل هو ممتلئ بأشـياء الكبـار التـي يجـب علـى الطفـل أن لا يقتـرب منهـا؟ إذا كان الأمر كذلـك، فمن المرجـح أنك سـتواجهين عددًا من مشـكلات التأديب التـي لا حاجة لك بها في الأصـل. أمـا إذا وفّرتِ بيئة محفّـزة ومنبّهة في بيتك وحديقتـك فهذا يعني أنك تستخدمين التحكم البيئي للوقاية من المشكلات التأديبية.

فكـري فـي رحـلات العطلات الطويلة بالسـيارة مـع أطفال صغار. إننـي أعرف أن هذه الرحلات تشكّل كوابيس لبعض الأهل والسبب في ذلك، ببساطة، هو أنهم لا يوفّرون شيئًا لأطفالهم ليفعلوه خلال هذه الرحلات. لا يأخذون معهم ألعابًا أو موادّ فنيـة لتقديمهـا عند احتدام التنافس بين الأشـقاء، ولا يخططـون لهذه الرحلات بحيث يتوقفون بين الفينة والأخرى في متنزّه أو فضاء مفتوح ليتمكّن الأطفال من الخروج والجري لبعض الوقت. وبعد ذلك كله، نجد الأهل يتساءلون لماذا يتشاجر أطفالهم ويبكون ويجعلون الرحلة بائسـة ومزرية. إن قليلًا من التحكم البيئي في مثل هذه الرحلة الطويلة كان سيشكل خير وقاية من المشكلات التي حدثت.

هـذا «التحكـم البيئـي» هو أمر يحتاج إليه الأهل بشـدّة، وكلمـا كان تنظيمنا له أكثر كفاءة قلّت المشكلات التأديبية التي تواجهنا مع أطفالنا.

المقاربة الفردية لكل طفل على حدة تعزّز مفهومًا ذاتيًا قويًا عن النفس عند ذلك الطفل.

مـن الناحية النظرية يعلم الوالـدان أن أطفالهما متفرّدون، ولكنهما في التطبيق العملي، يميلان لاستخدام وسائل التأديب نفسها مع كل أطفالهما كما لو أن كلًّا منهم مثل الآخر. والحقيقة الواضحة هي أن أطفالنا ليسوا متماثلين، فتكوينهم يتألّف من تركيبات مختلفة من الجينات. ومن الناحية البيولوجية يكون بعض الأطفال عصبيّي المزاج، فيما يكون أطفال آخرون أكثر سماحة وليونة.

ورغم أنهم ينشأون في الأسرة نفسها، ينشأ كل واحد منهم في بيئة مختلفة عن الآخر، ويرجع هذا إلى موضع كل واحد منهم في الأسرة.

ينمو الطفل البكر في بيئةٍ للكبار الراشدين إلى أن يولد طفل آخر في العائلة، وهو (أي البكر) الذي يتعلم الوالدان بواسطته كيفيّة تربية الأطفال (وهذا ما يفسّر ربما حقيقة أن عدد الأطفال البكور الذين يُضطرون لمراجعة عيادات الاختصاصيين النفسيين والموجّهين التربويين في جميع أنحاء أميركا يفوق بكثير عدد الأطفال الغير بكور الذين يضطرون لذلك).

أما الطفل الثاني، فأمامه دائمًا طفل آخر يتطلع إليه، وهو في العادة أقوى منه، ويعلم أكثر مما يعلمه لأنه أكبر عمرًا. وفي حالة ولادة طفل ثالث يصبح الطفل الثاني في الوسط ولا تعود لديه ميزة الطفل الأكبر أو ميزة الطفل الأصغر. إنه سيّئ الحظ لأنه في الوسط. سيصبح الطفل الثالث عندئذ طفل العائلة المدلل وسيحظى بمعاملة مميّزة على مستوى المواقف والمشاعر من والديه بحكم هذا الموضع. هكذا تسير الأمور: مهما كان عدد الأطفال في الأسرة، فإن كل واحد منهم ينمو في بيئته المتفرّدة.

التركيب الوراثي الخاص، بالإضافة إلى الموضع ضمن الأسرة، يعنيان أن كل طفل في أسرتك سيكون مختلفًا عن الآخر. لذلك ينبغي عليك استخدام وسائل تعليم مختلفة مع كل واحد منهم، فتعاملك مع طفل حاد المزاج يجب أن يكون مختلفًا عن تعاملك مع طفل سمح ومرن.

لسوء الحظ، لا يفعل معظم الأهل هذا، فهم يبحثون عن وسائل تأديب شاملة ومطلقة لتطبيقها على أطفالهم. لكن الغريب في الأمر أن الوسائل الشاملة الوحيدة التي يمكن تطبيقها على كل الأطفال هي اثنتا عشرة وسيلة سلبية تعزّز مفهومًا ذاتيًا ضعيفًا للنفس.

هذه الوسائل الاثنتا عشرة تعزز مفهومًا ذاتيًا ضعيفًا عن النفس عند كل الأطفال، بغضّ النظر عن شخصياتهم.

عندما نتعامل مع وسائل إيجابية لتعزير مفهوم ذاتي قوي عن النفس، نحتاج إلى إضفاء صفة فردية مميزة على هذه الوسائل. وهذا يعني أننا نحتاج إلى

أخذ الوقت الملائم لدراسة الميزات الفردية لكل واحد من أطفالنا، سواء كانوا انطوائيين أو منفتحين، سعداء مرحين أو جديين متأمّلين.

إعطاء الطفل الحرية في استكشاف بيئته المحيطة ومباشرة عملية الانضباط الذاتي حالما يصبح قادرًا عليها في كل مرحلة من مراحل النموّ، يسهم في بناء مفهوم ذاتي إيجابي عن النفس.

عندما يمسك طفلك بملعقة لأول مرة ويشير إليك أنه يريد أن يأكل بنفسه، أتيحي له الفرصة ليقوم بذلك. لا تهتمّي بالفوضى التي سيسبّبها، فهو يتعلم الانضباط الذاتي. إذا استمررتِ في تغذيته بنفسك فستبطئين تطوّر اعتماده على نفسه وانضباطه الذاتي. والأمر ينطبق على كل الأنشطة الأخرى. فحالما يتمكن من ارتداء ثيابه بنفسه، أو فتح صنبور الماء في الحمام، أو تنظيف أسنانه، دعيه يفعل هذه الأشياء بنفسه.

إن السماح للطفل بفعل هذه الأشياء يتطلب الصبر. لا شك في أنّ من الأسرع كثيرًا بالنسبة إلينا أن نقوم بهذه الأشياء لطفل صغير بأنفسنا. ولكنّ إعطاءه الفرصة ليقوم بها بنفسه هو أكثر نفعًا له بكثير.

الأطفال والكبار ينظرون إلى عملية ارتداء الثياب بطريقة مختلف تمامًا. فنحن نفكر في سحاب الثياب باعتباره شيئًا يجب أن يُغلق عندما يرتدي الطفل ثيابه أو يخلعها. أما الطفل فله نظرته المختلفة تمامًا. فالسحّاب بالنسبة له هو شيء كاللعبة.

نحن نعتبر الاستحمام عملية نقوم بها لننظّف أنفسنا، والطفل يفكر فيه باعتباره فرصة ممتعة للعب بالماء. لذا علينا أن نتحلى بالصبر ونعطي الطفل الوقت ليفعل الأشياء بطريقته الخاصة.

وإتاحة الفرصة للطفل ليفعل الأشياء بطريقته الخاصة تتطلب رغبة حقيقية من جانبنا في نموّ طفلنا. كلما سمعتُ والدة تشير باستمرار إلى طفل لها تجاوز السنتين من العمر على أنه طفل رضيع Baby، كان جليًا بالنسبة إليّ أنها ما زالت، في لاوعيها، لا تريد لطفلها أن يكبر. فعندما نتردّد في السماح لطفل

بفعل أشياء مختلفة على طريقته الخاصة، فذلك يكون بسبب أننا في أعماقنا لا نريد أن نرى هذا الطفل يكبر وينمو.

لكن كم من الأشياء العظيمة نستطيع أن نفعلها لأطفالنا إذا احترمنا فقط دافعهم إلى الحرية وأفسحنا لهم المجال للنموّ والتطور.

التعامل مع مشاعر طفلك بطريقة تختلف عن الطريقة التي تتعاملين بها مع أفعاله يبني مفهومًا ذاتيًا إيجابيًا عن النفس عند الطفل.

(تُراجع مناقشتنا لهذا الموضوع في الفصل الرابع).

الاعتماد على القوة الكبيرة للمحاكاة غير الواعية عامل قوي في بناء مفهوم ذاتي إيجابي عن النفس عند الطفل.

الأطفال مقلّدون رائعون. لهذا السبب، فإن في متناولنا أداةً تعليمية قوية: نستطيع تقديم نماذج حيّة لخصال الشخصية الإيجابية والعادات الحسنة. وسيتعلّم أطفالنا منّا بواسطة المحاكاة غير الواعية.

فهمنا لهذه الفكرة يوفّر علينا خوض معارك قسرية غير ضرورية مع أطفالنا، فإذا مارسنا أمامهم آداب المائدة بطريقة جيدة فسيقلّدون هذا المثال الجيد الذي نقدّمه لهم عندما يكبرون، لكن ليس في عمر السنتين أو الأربع، بل في وقت لاحق. أما إذا أصررنا في محاولاتنا ولم نستسلم عند رؤيتنا المؤشرات على صعوبة ما نطلبه منهم، فإن أطفالنا سيقلدون إصرارنا. لذا، إذا أردنا أن يحترم أطفالنا حقوق الآخرين ومشاعرهم، يجب أن نبدأ باحترام حقوقهم ومشاعرهم الخاصة.

القدوة الإيجابية هي الطريقة الأقوى لتعليمهم، فعندما نلحّ على طفلنا ليحترم مشاعر الآخرين، ونظهر له في الوقت ذاته أننا لا نحترم مشاعره، فإن ما يتعلمه من أفعالنا يكون أقوى بكثير مما يتعلمه من كلماتنا.

أحد المرضى في السابعة عشرة من عمره كان قد شاهد والده ينفجر غضبًا، ويرمي بالزجاجات في أرجاء المنزل، ويضرب والدته بقسوة. وفي النهاية طلقته الأم.

ما حمل الفتى على العلاج هو أنه كان يعيد النوع نفسه من السلوك مع والدته، فعندما يغضب منها يرمي الكتب عليها، أو يلقي بزجاجة الكولا عبر النافذة جراء إحباطه. لقد شاهد الطفل ما فعله أبوه وأعاد تقليده عندما كبر.

لا يقلد الطفل بطريقة غير واعية سلوك أحد والديه فقط، بل إنه يتشرّب الجو العام السائد في المنزل سواء كان وديًا وتعاونيًا أو كان خصوميًا وعدائيًا، أو حتى إذا كان مأخوذًا بالمظاهر الاجتماعية ويتبعها بتزمّت، فجوّ المنزل هو مرحلة الإعداد لأيّ شيء نحاول تعليمه بواسطه التأديب.

لذا يجدر بنا نحن الأهل الانتباه إلى الجو العام في البيت، كما إلى النماذج التي نقدّمها إلى الأطفال، إذا كنا نريدهم أن يكبروا بالطريقة التي نرجوها لهم. إننا في كل يوم نعلمهم من خلال اللغة الصامتة لسلوكنا، ونقدّم لهم النماذج التي يقلدونها من غير وعي.

الدعم العاطفي من الوالدين يساعد الطفل في التغلب على مشاعر عدم الكفاءة وبناء مفهوم ذاتي قوي عن النفس.

كل الأطفال لديهم مشاعر من عدم الكفاءة بسبب حجمهم الصغير ونقص تجربتهم في التعامل مع العالم. والعديد من الكبار يغفلون عن هذين العاملين وعن المشاعر التي يحسّ بها الأطفال نتيجةً لهما.

الأطفال صغار وعاجزون، وأدنى بشكل هائل من والديهم والكبار الآخرين في القوة والقدرة على مواجهة العالم من حولهم. وإذا لم تصدّقي هذا، قومي بهذه التجربة.

تجوّلي على ركبتيك لبعض الوقت وانظري كيف ستشعرين وأنت تتطلعين إلى هؤلاء العمالقة في عالم الكبار. إنّ شعورك بالعجز وأنت تقومين بهذه التجربة الصغيرة هو ما يشعر به كل الأطفال. وهذا هو السبب في أن جميع الأطفال يحتاجون إلى دعم عاطفي وتشجيع من الأهل لتخفيف هذه المشاعر من عدم الكفاءة.

كما أشرتُ سابقًا فإن الطريقة الأكثر أهمّية التي نستطيع بها تقديم دعم عاطفي للطفل هي استعمال تقنية الارتجاع والإظهار للطفل أننا نفهم مشاعره

حقًا. وهو الشـيء الأكثر طمأنة الذي نسـتطيع تقديمه لطفل. والغريب حقًا هو أن شخصًا كبيرًا يظهر لطفل أنه يفهم حقًا مدى شعوره بعدم الأمان، يكون سببًا في شعور هذا الطفل بأمان أكبر.

لسـوء الحـظ، يـرى الكثيـر مـن الكبـار أن الطفولـة هـي فتـرة للمـرح والسـعادة الخاليـة مـن الهـمّ. ولهـذا نميـل إلى التقليـل من أهمّية مشـاعر الأطفـال بعدم الأمـان والخـوف. ونميل إلى التفكير أيضًا بأن الأشـياء التي تزعج أطفـالنا هــي «مشكلات صغيرة» مقارنة بـ«المشكلات الحقيقية» التي علينا أن نواجهها في حيـاة الكبـار. وقـد لخـص أحـد مرضاي البالـغ من العمر سـتة أعوام هـذا الأمر جيـدًا. كان يتحـدّث عـن شـيء أغضبه كثيرًا لكـنّ والده قال له «لـم يكن هناك شـيء يسـتحق البكاء». قال الطفل لي: «بالنسـبة إليه كان شـيئًا صغيرًا، ولكنه بالنسبة إليّ كان أمرًا كبيرًا!».

عندمـا يُواجَـه طفـل بمهمّة جديدة تجعله يشـعر بأنه غير كفء، فإننا نسـتطيع فـي البدايـة أن نبـدي لـه تفهمًـا حقيقيًا مـن جانبنا لشـعوره بعدم الكفـاءة. ثم نقدّم بعد ذلك الدعم العاطفي له عبر إظهار إيماننا بقدرته على فعل هذا الأمر، ووقوفنا إلى جانبه.

وهذا ما يمكن فعله بطرق متعدّدة؛ منها مثلًا أن نوصل للطفل الشعور بأنه ليس وحيدًا وأنه عندما يحتاج إلينا، سيكون باستطاعته طلب مساعدتنا.

هذه النوعية من «الوجود من أجل المساعدة» ليست شيئًا يمكن لأحد الوالدين أن يخـدع بـه الطفـل. فالوالـد (أو الوالدة) قد يكـون موجودًا جسـديًا في البيت ولكن الطفل لا يشـعر بأنه موجود حقًا، أي بمعنى أنه لن يكون جاهزًا ومسـتعدًا عندما يحتاج إلى دعمه وتفهّمه.

يسـتطيع الوالـدان تقديـم الدعـم العاطفـي للطفـل مـن خـلال الإظهـار البدنـي للعاطفة. والأطفال لا يسـتطيعون التخلص نهائيًا من الحاجة إلى الإظهار البدني للحـب، فالعنـاق والتقبيـل ووضـع الـذراع على الكتـف والوضع في السـرير في الليـل، هـي طـرق غير شـفهية مهمّة يقول بواسـطتها أحد الوالديـن للطفل: «أنا هنا، أنا إلى جانبك عندما تحتاج إليّ».

هناك طريقة أخرى يتم بها إيصال الدعم العاطفي للطفل وغالبًا ما يغفل عنها الوالدان، وهي قول هذه الكلمات السحرية: أنا أحبّك. تفكر بعض الأمهات أحيانًا بهذه الطريقة: «أنا أظهر لطفلي أنني أحبّه عن طريق أفعالي، فلماذا أحتاج إلى التعبير عنه بالكلمات؟ لو كنتِ ممن يفكرن بهذا الطريقة دعيني أسالك هذا السؤال: إذا كنتِ تعلمين أن زوجك يحبّك من خلال أفعاله، فهل ستكونين سعيده بتمضية ما بقي من حياتك الزوجية بدون سماعه وهو يقول لك هذه الكلمات السحرية؟ بالطبع لا. حسنًا، إن طفلك يشعر بالطريقة نفسها. إنه يحتاج إلى سماع هذه الكلمات منك.

لكنني يجب أن أحذرك بأن لا تحاولي أبدًا أن تظهري عاطفة بدنيّة لطفلك أو تقولي له «أحبّك» عندما لا تكونين تشعرين حقًا بهذه المشاعر في داخلك.

لا تحاولي أن تظهري المشاعر أو أن تكوني محبّة وعطوفة، لمجرد أنك تفكرين بأن هذا سيكون أمرًا جيدًا لطفلك، فطفلك، إن فعلتِ، سيشعر بزيف مشاعرك. سوف يعلم بأن كلماتك أو حركاتك أو عواطفك ليست متطابقة مع مشاعرك الداخلية الحقيقية. وهو أمر سيحيّره ويغضبه، لأنه سيشعر بأنه يستقبل رسالة مزدوجة منك. بكلماتك أو حركاتك تقولين له «أنا أحبّك»، وبمشاعرك الداخلية تقولين له «أنا لا أحبّك». لذا، إذا لم تشعري بحب حقيقي تجاه طفلك في وقت معيّن، فسيكون صمتك أو عدم فعلك شيئًا أفضل بكثير من الزيف والتصنّع.

ترك الطفل ليتعلم بالعواقب الطبيعية يساعده في بناء مفهوم ذاتي قوي عن النفس.

هذه واحدة من أقوى الأدوات التي يجب علينا، نحن الأبوين، أن نتيح لأطفالنا تعلم الأشياء من خلالها. لكنها، لسوء الحظ، أداة يستخدمها القليل من الأهل. لذا دعونا نرَ كيف تعمل.

أحد الأطفال لا يأكل الطعام الموجود في طبقه للفطور. إنه يماطل ويتسلى ويفعل كل شيء باستثناء الأكل. لا تغضب الأم ولا تهدّد الطفل بالعقاب. بدلًا من ذلك تزيح فقط الطعام من الطاولة في نهاية الوجبة، وتدع العواقب الطبيعية لتجري في طريقها. لن يمضي وقت طويل حتى يطالب الطفل بوجبة خفيفة.

وعندئذ تستطيع الأم أن تقول: «أنا آسفة، سوف نتناول الغداء عند الساعة الثانية عشرة. إنه لأمر سيّئ أن تُضطر للانتظار طويلًا». الجوع الذي يشعر به الطفل هو العاقبة (النتيجة) الطبيعية لعدم تناوله طعام الإفطار. وهو يدفعه إلى تغيير أفعاله بسرعة أكبر بكثير من أيّ توبيخ أو عقاب قد تقوم به الأم.

إحدى من المشكلات العديدة التي حدّثتني عنها الأمّهات خلال سنوات طويلة، كانت مشكلة مماطلة الأطفال في الاستعداد للذهاب إلى المدرسة. وقد أخبرتني الكثير من الأمّهات عن معاناتهنّ اليومية من هذا الأمر، وعن شعورهن بأنهن يكنّ قد استُنزِفن تمامًا عندما ينجحن أخيرًا في جعل الأطفال ينهضون للذهاب إلى المدرسة، ففي كل خطوة من الطريق كان الطفل يقاوم وكانت الأم تصرّ.

لقد نصحتُ هؤلاء الأمهات بفعل ثلاثة أشياء فقط: اجعلي الطفل يقرّر ماذا سيلبس من الليلة السابقة وجهّزي هذه الثياب مسبقًا. أيقظيه عندما يحين الوقت للاستيقاظ، وجهّزي له طعام الفطور في الوقت المناسب. أما ما عدا ذلك فهو أمر عائد إلى الطفل نفسه، فيمكنه أن يجهز أغراضه وينطلق إلى المدرسة.

في كل الحالات تقريبًا، عندما أقدّم خطة كهذه إلى إحدى الأمهات، تقول لي بصوت منكسر «أعلم ماذا سيحدث إذا جرّبتُ هذه الخطة».

«حسنًا – ماذا سيحدث؟».

«سوف يضيع الوقت إلى أن يفوته باص المدرسة».

«ثمّ؟».

«إذا فاته باص المدرسة، فسيكون عليّ أن أوصله بنفسي إلى المدرسة».

«ولماذا عليك أن تفعلي ذلك؟».

«إذا لم أفعل ذلك فسيتأخّر على المدرسة».

«وماذا في ذلك؟ لماذا لا يذهب إلى المدرسة مشيًا على الأقدام؟».

«إنها بعيدة جدًا وسوف يتعب كثيرًا».

«إذاً؟».

«سيكون محرجًا إذا وصل إلى المدرسة متأخرًا كثيرًا».

«إذاً؟».

وأستمرّ في سؤالها أسئلة مثل ماذا بعد؟ وماذا سيحدث عندئذ؟ راغبًا في جعلها ترى أنها إذا امتنعت عن حماية ابنها من العواقب الطبيعية لأفعاله، فإن هذا العواقب الطبيعية نفسها ستكون أفضل معلم له.

إذا كانت هذه العواقب الطبيعية لأفعال الطفل سارة له فسيستمرّ في التصرّف بالطريقة نفسها. أما إذا كانت العواقب سيئة فستدفعه إلى تغيير أفعاله، وذلك ما لم نتدخل نحن الوالدين، لحمايته منها، وهذا ما نقوم به في معظم الوقت لسوء الحظ. وعندما نتدخّل لحماية الطفل من معاناة العواقب الطبيعية السيئة لأفعاله، فإننا نحرمه فرصة الاستفادة من قيمتها التربوية. ويصبح معتمدًا على تدخلنا لحمايته من العواقب الطبيعية السيّئة لأيّ من أفعاله. وهو أمر يسيء إلى مفهومه الذاتي عن نفسه، ويمنعه من تعلم الاعتماد على نفسه.

بطبيعة الحال، يجب أن تستخدمي المنطق السليم عند تطبيقك لمفهوم العواقب الطبيعية، فلو أنك تركتِ طفلًا مشى لتوّه يجرّب العواقب الطبيعية للجري في شارع مزدحم فقد ينتهي الأمر بفقدان الطفل نهائيًا. لذا يجب عليك التقدّم ومنعه من الجري في الشارع. وبكلمات أخرى، عندما تتوقعين أن تكون العواقب الطبيعية لأفعال طفل إصابة خطرة أو قاتلة، ينبغي عليك التقدّم ومنعها، ولكن عندما تتمثّل هذه العواقب في نتائج مزعجة فقط، ينبغي عليك التنحّي جانبًا وترك هذا العواقب الطبيعية تأخذ مجراها.

إنه لأمر جيد أن نستطيع الاعتماد بنحو كامل على العواقب الطبيعية للسلوك غير المناسب كوسيلة لتأديب الطفل. ولكن لسوء الحظ، فإن هذه العواقب ليست كافية دائمًا.

في بعض الأحيان يجب علينا أن نجد عواقب مفتعلة أو تحكّمية لنواجه بها سلوك الطفل.

وفي ما يأتي ثلاث وسائل نستطيع استعمالها:

1. نستطيع حرمان الطفل من شيء مهم بالنسبة إليه.

افترضي أن طفلك ذا السنوات الخمس خربش بالأقلام الملوّنة على جدران غرفة الجلوس. إن سلوكًا كهذا يُعدّ «طبيعيًا» بالنسبة إلى

طفل في الثانية من العمر، ولكنه يُعدّ فعلًا عدائيًا إذا قام به طفل في الخامسة من العمر. ليس هناك لسوء الحظ، من الناحية التأديبية، عواقب طبيعية غير سارة يواجهها الطفل نتيجة خربشته على جدران منزلك. يجب عليك أن توجدي بعض العواقب الاصطناعية والتحكمية لوضع حدود صارمة أمام هذا الطفل، بحيث تقول له هذه العواقب فعلًا «لا مزيد من هذه التصرّفات!».

قد تبادرين لضرب ابنك، إذا شعرت بما يكفي من الغضب عند اكتشافك لما فعله.

وهذا الضرب هو نوع آخر من أنواع العواقب المصطنعة وغير السارة للطفل، أو قد تحرمينه من بعض الامتيازات وتقولين له: «داني، أنت كبير كفايةً لتعلم أنه لا يمكنك الرسم على الجدارن بالأقلام الملوّنة، ولهذا غير مسموح لك باستخدام هذه الأقلام لمدة ثلاثة أيام. وهذا سيساعدكَ في التذكر أن هذه الأقلام تُستخدم على الورق لا على الجدران».

2. نستطيع استخدام العزل الاجتماعي بإرسال الطفل بعيدًا عن مجموعته الاجتماعية أو إلى غرفته الخاصة.

افترضي أن طفلك ذا الأربع سنوات يُفسد عملية اللعب مع رفاقه في حديقة منزلك الخلفية. يمكن أن تقولي له: «تشارلز، أنا أرى أنك غير قادر على اللعب بطريقة جيدة مع الأطفال الآخرين في هذا الوقت، فأنت تضربهم وتسبّب المتاعب. يجب عليك أن تذهب إلى غرفتك وتلعب وحيدًا إلى أن تخبرني بأنك ستكون قادرًا على السيطرة على تصرّفاتك».

عندما تستعملين العزل الاجتماعي وسيلةَ تأديب، فإن من المهم أن تجعليها قضية مفتوحة النهاية بدلًا من جعلها مغلقة النهاية. فلا تكتفي بإرسال الطفل إلى غرفته كما لو أنه سيكون عليه البقاء فيها إلى الأبد، فالهدف من إرساله إلى غرفته ليس سجنه إلى أجل غير محدّد، وإنما هو إتاحة المجال لحدوث تغيّر في السلوك. لذا دعيه

يعلم دائمًا بأنه إذا غيّر سلوكه وتمكن من اللعب بطريقة ملائمة مع الأطفال الآخرين، فسيكون بإمكانه العودة واللعب معهم.

3. يمكننا ضرب الطفل.

أريد أن أوضح أن هناك نوعًا «صحيحًا» من الضرب ونوعًا آخر «خاطئًا» منه. وأعني بالخاطئ، الضرب القاسي والسادي. فهذا يملأ الطفل بالكراهية وبرغبة عميقة في الانتقام. إنه النوع الذي يُستخدم فيه الحزام والعصا وبعض الأنواع الأخرى من «أسلحة» الأهل. وقد يعني أيضًا الصفع المهين على الوجه.

أما النوع الصحيح من الضرب فلا يحتاج إلى أدوات خاصة. يكفي أن يستعمل أحد الوالدين يده لتوجيه عدة ضربات على مؤخّرة الطفل. وهذا النوع الصحيح من الضرب هو شيء إيجابي. إنه ينظف الأجواء، وأفضل بكثير من المحاضرات المتزمّتة أخلاقيًا والمحَمِّلة للذنب.

ربما سمع بعضنا القول المأثور: «لا تضرب الطفل أبدًا وأنت غاضب». إنني أعتقد أنها نصيحة ضعيفة جدًا من الناحية السيكولوجية، وأنا أقترح عكسها: «لا تضرب الطفل أبدًا إلا عندما تكون غاضبًا».

يستطيع الطفل أن يتقبّل جيّدًا ضربك له وأنت غاضبة، فهو يعلم أنك غاضبة منه ويتفهم ذلك. ولكن ما لا يستطيع الطفل فهمه هو عندما يعصي والدته الساعة العاشرة صباحًا وتقول له «حسنًا يا فتى، سيتعامل معك والدك عندما يعود إلى المنزل». وعندما يعود الأب إلى المنزل يكون من المفترض فيه ضرب الطفل بحيث يلقنه درسًا يستوعبه جيدًا. هذا هو نوع الضرب بدم بارد الذي لا يستطيع الطفل تقبّله أو مسامحته.

إن نوع الضرب الذي أدافع عنه هو الضرب الذي يحدث فقط عندما تكونين غاضبة من طفلك وتشعرين بأنك تودّين ضربه، وتفعلين ذلك حالًا. الكثير من الأمهات في هذه الأيام يشعرن بالخوف من أن يضربن أولادهن، فيتكلمن ويلححن كثيرًا، ويحاولن التفاوض مع الطفل. هذا خطأ كبير لأنه ينتقص من سلطتهن كأمهات.

ما يجب عليك فعله هو أن تخبري طفلك مرة أو مرتين بما يجب عليه فعله أو ما يجب عليه التوقف عن فعله. وإذا رفض طاعتك والاستجابة لطلبك المعقول، وإذا أصبحت غاضبة ومحبطة، فعليك بالضرب في اللحظة نفسها والمكان ذاته.

بعد الضرب قد يكون رد فعلك الفوري الإحباط والشعور بالذنب. وقد يزعجك أنك فقدت السيطرة على أعصابك.

تشجّعي أيتها الأم فهذه ليست النهاية.

يمكنك دومًا أن تقولي لطفلك، بطريقتك الخاصة: «انظر، لقد أخطأت ماما. لقد فقدتُ أعصابي وأنا آسفة على ذلك». ومن ثم عليك تجاوز الموضوع. ليس عليك أن تبقي أسيرة الشعور بالذنب والإحباط والمشاعر السيّئة الأخرى.

انتظري حتى تشعري بأن مشاعرك حيال الحادثة وتجاه طفلك قد أصبحت أفضل فعلًا. قد يحتاج الأمر إلى خمس دقائق أو خمس ساعات. لكن إذا شعرتِ بأنك فقدت السيطرة على أعصابك فمن المهم أن تعترفي بذلك لطفلك. وقبل كل شيء، لا تدّعي أمامه أن السبب الوحيد لضربك إيّاه هو مصلحته، فهذه عملة زائفة لن تجد قبولًا لديه.

إن الهدف الرئيسي للضرب، وإن لم يعترف بذلك معظم الأهل، هو تهدئة مشاعر الإحباط عند الوالدين، فكلنا يحتاج لهذا من وقت لآخر عندما نتعرّض لمضايقات أطفالنا الشديدة.

لو كنا كاملين مئة في المئة وناضجين تمامًا لما احتجنا إلى ضرب أطفالنا إلا في في الحالات الاستثنائية (كما عندما يجري الطفل في الشارع). لكن الحقيقة أننا لسنا كاملين مئة في المئة، ولسنا قادرين على إدارة عملية التأديب بهدوء وسكينة طيلة الوقت. سيكون أمرًا جيدًا لو استطعنا فعل ذلك، ولكن الحياة لا تسير على هذا النحو، فنحن نضيق ذرعًا عندما يسيء أطفالنا التصرّف ونفقد أعصابنا ونضربهم. وليس في ذلك ما يدعو للشعور بالذنب، فمشاعرنا ومشاعرهم تصبح أفضل وتصفو الأجواء بعد ذلك.

سيكون أمام كلا الوالدين والطفل معًا فرصة للبدء من جديد، فبعد التنفيس عن مشاعر الغضب يمكنك مرة أخرى الإحساس بمشاعر إيجابية تجاه طفلك، والقيام عندئذ بتولي دورك الصحيح كسلطة وكأم.

ربما تشعر بعض الأمهات بالضيق بسبب الفكرة التي قدّمتها آنفًا عن أن الهدف الرئيسي من الضرب هو تهدئة مشاعر الإحباط عند الوالدة (أو الوالد). فأنت ما زلت تتوهّمين أن هدف الضرب الوحيد هو التأثير على الطفل للمضيّ في الاتجاه الأفضل. إذا كانت الحال كذلك فإنني سأحيلك إلى واحد من الكاريكاتورات المفضّلة عندي، يُظهر أبًا يضرب ولده الصغير وهو يقول بحدّة: «هذا سوف يعلمك ضرب الناس!» (وهو محق في ذلك).

ورغم كل هذا نبقى نحن الأهل كائنات بشرية، وهو ما يجعلني أقول «اضربي طفلك إذا تطلب الأمر». ولكنني آمل أنك، باتباعك الاقتراحات البنّاءة التي قدّمتُها عن تأديب الأطفال، ستحتاجين إلى أقل قدر ممكن من الضرب. وحيث إن طفلك، وهو ينمو تدريجًا، سيصبح أكثر قدرة على الانضباط الذاتي، فإن حاجتك للضرب ستصبح أقل وأقل.

إذا كنتِ صادقة حقًا مع نفسك فسوف تجدين أن هناك حالات تفقدين فيها أعصابك، وتكون ردة فعلك عنيفة على طفلك فتصرخين فيه وتضربينه، لتكتشفي بعد ذلك أن ما فعله ما كان يستحق أن يثير هذا الانفعال العنيف من جانبك، وأنك كنت في الحقيقة غاضبة من زوجك أو إحدى جاراتك، أو ربما كان مزاجك متعكرًا لسبب مجهول ونفّستِ عن هذه المشاعر في وجه طفلك.

ماذا يمكنك أن تفعلي في مثل هذه الأحوال؟ حسنًا، يمكنك الادّعاء أنك نموذج مثالي للفضيلة وأن طفلك كان يستحق فعلًا ما أصابه من توبيخ وضرب، كما يمكن أن تكون لديك الشجاعة لتقولي لطفلك شيئًا مثل: «داني، لقد غضبت منك ماما ووبّختك، ولكنني أستطيع أن أرى الآن أنك لم تفعل شيئًا بهذا السوء. أظن أنني كنت غاضبة من شيء آخر ونفّست عن غضبي هذا بوجهك أنت. أنا آسفة».

سوف ينتاب طفلك شعور دافئ ورائع تجاهك بسبب اعترافك ببشريتك وقابليتك لارتكاب الخطأ. وسيكون هذا أمرًا عظيم الفائدة لمفهومه الذاتي عن نفسه، ولك أنت أيضًا.

لنتوقف للحظة ونرَ أين نحن الآن. لقد قلتُ إن العواقب الطبيعية لتصرّفات الطفل السيئة يجب استكمالها بالعواقب الاصطناعية. ولكن حتى إذا كانت هذه العواقب اصطناعية بدلًا من كونها طبيعية، فما زال هناك بعض المبادئ الأساسية التي تحكم استعمالها:

1. يجب أن تكون العواقب الاصطناعية متسقة.
يجب أن تستدعي التصرفات المتماثلة عواقب متماثلة. فإذا حُرم طفل من أقلامه الملوّنة يومًا بسبب خربشته بها على الجدران، وقوبل التصرّف نفسه في يوم آخر بالضحك المتسامح، فسيكون من الصعب جدًا على الطفل أن يتعلم التوقف عن الخربشة على الجدران.

2. يجب أن تكون العواقب الاصطناعية فورية.
كلما كانت العواقب أقرب حدوثًا كانت أكثر مساعدة للطفل في تعلم سلوك جديد. وعندما تحدث النتائج غير السارّة متأخرة، يصبح من الصعب على الطفل أن يرى صلتها بسلوكه الذي سبّبها. فمثلًا، إذا أساء طفلك التصرّف في منتصف النهار، دعي العواقب غير السارة لفعله تبدأ في الوقت ذاته، ولا ترجئي العقاب إلى أن يرجع الوالد إلى البيت في المساء. قولي لطفلك: «حسنًا يا جيمي، أخشى أنه لن يكون مسموحًا لك بمشاهدة التلفزيون بقيّة اليوم، ولنبدأ من الآن».

3. إذا حُرم الطفل من شيء مهم بالنسبة إليه، يجب أن تكون مدة الحرمان معقولة ومنطقية.
من المؤكد أن حرمان طفل في الخامسة من عمره من مشاهدة التلفزيون لمدة شهر أمر غير معقول. والعقاب بهذه الطريقة يصبح عديم المعنى له، لأنه خالٍ من الحوافز. أما حرمانه لعدة أيام فهو عقاب معقول ويعطيه الدافع لتحسين سلوكه.

4. لا تعاقبي طفلك أبدًا بحرمانه من شيء شديد الأهمية بالنسبة إليه.

لقد تعرّفتُ إلى أمّهات عاقبن أطفالهنّ بحرمانهم من حفلات أعياد ميلادهم، أو من رحلة خاصّة إلى مدينة الملاهي كانوا يتطلعون إليها منذ فترة طويلة جدًا. الحرمان بهذه الطريقة لا يفعل إلا القليل من أجل تغيير حقيقي في سلوك الطفل. وردّة فعل الطفل الوحيدة على هذا الحرمان ستكون العدائية العميقة والرغبة في الانتقام، ففي نظره، يمثّل حرمانه من شيء مثل حفلة عيد ميلاده عقوبة قاسية واستثنائية. وهو محق في نظرته هذه.

5. يجب أن تكون العواقب الاصطناعية غير السارة ذات صلة وثيقة، قدر الإمكان، بالتصرّف السيّئ الذي يستدعيها.

فإذا خربش طفل على الجدران بالأقلام الملوّنة، فحرمانه من استخدامها لعدة أيام يُعد في نظره أمرًا وثيق الصلة بفعل الخربشة، وسوف يقر بهذه الصلة وبعدالة العقوبة.

سيكون أمرًا جيدًا أن نستطيع الاعتماد على كل تقنيّات التعزيز الإيجابية التي ذكرتُها في الفصل الأخير وعلى كل العواقب الطبيعية لسوء التصرّف التي ذكرتُها سابقًا، في هذا الفصل. ولكن للأسف، لا تسير الأمور على هذا النحو في العادة، فمعظمنا مضطرّون، من وقت لآخر، إلى استخدام بعض هذه العواقب الاصطناعية التي ندعوها «عقابًا» عندما يسيء الطفل التصرّف.

6. قدّمي لطفلك نموذجًا إيجابيًا لما يجب عليه أن يفعله.

إذا رافقتِ أمهات مع أطفالهن خلال يوم كامل فستكتشفين أن العديد منهن يمضين وقتًا معتبرًا في إخبار أطفالهن بما يجب عليهم ألا يفعلوه. وإذا بدا لكِ هذا الأمر غريبًا ففكري في المثال التالي. أعرف فنانًا في مسرح العرائس اسمه برستون هيبارد يقدّم عرضًا للأطفال عن الزوجين بانش وجودي Punch and Judy. ولأنه يفهم نفسيّة الأطفال جيدًا فهم يتابعون عرضه بمتعة كبيرة. عند نقطة معيّنة من العرض، يمتطي بانش حصانًا ويخبر فنان العرائس الأطفال

«الآن لا تقولـوا هـوب لا للحصـان (كلمـة تقـال لحـثّ الحصـان علـى الإسراع) لأنه في كل مرة يسمع فيها هذه الكلمة يهتاج ويرمي ببانش أرضًا. تذكروا.. لا تقولوا هوب لا للحصان!».

ومـا يـكاد ينتهـي من حث الأطفال علـى عدم قول الكلمـة، حتى يصيحوا بفرح «هوب لا». الكثير من الأمهات لا يبدو أنهنّ يفهمن الآثار المترتبة علـى الطلـب من الأطفـال عدم قول «هـوب لا» ويكنّ مندهشـات وغير سعيدات عندما يصرخ الطفل بالمعادل السيكولوجي لتلك الـ«هوب لا».

ينبغـي علينـا أن نصوغ تعليماتنـا وطلباتنا للطفل بحيث نخبـره عمّا يجب أن يفعلـه، وأن نمتنـع عن إخباره عمّـا يجب أن لا يفعله. فبدلًا من أن نقول «توقف عن رمي الرمل» يمكنك أن تقولي «الرمل للعب لا للرمي» وبدلًا من أن نقول «لا تضرب لاري بالمكعّب» يمكنك أن تقولي «المكعّبات للبناء لا للضرب».

7. تعاملي مع حالات الخطر بحكمة.

أعنـي بحـالات الخطر لطفل في مرحلة ما قبل المدرسـة، أشـياء مثل عبور الشارع، النار، الماء المغليّ، السكاكين الحادّة، والسموم.

إن الاسـتعمال الحكيـم لآليّـة السـيطرة علـى البيئة المحيطة سـوف يجعل من بعض هذه المخاطر بعيد المنال بالنسبة لطفلك. إذا كانت حديقـة منزلـك الخلفيـة مسـوّرة، يجب عليـك ألا تقلقي مـن احتمال خروجـه منهـا إلى الشـارع. وإذا كانت المواد السـامة المفترضة في مـكان لا يسـتطيع الوصـول إليـه، فـلا داعـي لأن يسـاورك القلـق من إمكانية أن يسمّم نفسه.

لكـنّ السـيطرة علـى البيئـة المحيطـة لا تكفـي لإنجـاز كامـل العمل، فالعامل الأساسي في مساعدة طفلك على تعلم مواجهة حالات الخطر هـو تعليمه التقدير السـليم للخطـر، بدون التسـبّب بتطوير مخاوف زائدة عن الحدّ في نفسه.

أتيحـي لـه فرصة تجربة الحد الأدنى من العواقب السـيّئة لأفعاله في حالات تخلو من الخطر.

سيكون بعدها أكثر حذرًا وأكثر رغبة في الاستماع إليك باعتبارك موجّهًا يعتمد عليه في حالة الخطر، مقارنة بما سيكون عليه إذا بالغتِ في حمايته وقمتِ بالحيلولة بينه وبين تجربة العواقب الطبيعية لأفعاله.

بخصوص النار، على سبيل المثال، أعتقد أن من الحكمة تعليم الطفل إشعال أعواد الثقاب واحترام طبيعة النار حالما يصبح قادرًا على فعل ذلك. دعيه يتعلم استعمال أعواد الثقاب لإشعال النار في الموقد أو الفرن، فهذا أفضل من إبعاد الطفل عن هذه الأعواد كليًا، الأمر الذي قد يؤدّي إلى أن تصبح هذه الأعواد والنار بحد ذاتها منطقة محرمة (تابو) بالنسبة إليه، إذ قد يصبح راغبًا بالأعواد والنار فقط لأنها محرّمة ومحظورة.

إن استعمال هذه الوسائل الإيجابية السبع سوف يصنع العجائب في تقوية المفهوم الذاتي عن النفس عند الطفل، وفي مساعدته ليصبح شخصًا منضبطًا ذاتيًا. ولكنني أشعر بأن من المهم أيضًا بالنسبة إلى الوالِدين معرفة وسائل التعليم التي يجب تجنّبها، وهي تلك التي تضعف مفهوم الطفل الذاتي عن نفسه وتباعد بينه وبين أن يكون شخصًا منضبطًا ذاتيًا.

قبل أن أصف لك وسائل التعليم التي يجب عليك تجنّب استخدامها مع طفلك، أريد أن أوضح أن كلّ الأهل الذين أعرفهم، بمن فيهم أنا شخصيًا، استخدموا بعض أو كل هذه الوسائل غير المرغوبة في وقت من الأوقات. ومن المرجّح أننا سنستخدمها مرة ثانية قبل أن يكبر أولادنا ويسلكوا طريقهم في الحياة. سنستخدمها في بعض الأحيان نتيجة الجهل وعدم معرفة أن هذه وسيلة تعليم سيئة لاستخدامها مع طفل. وفي أحيان أخرى سنكون على دراية أكبر، ولكننا سنستخدم هذه الوسيلة على أيّ حال، بسبب مشاعرنا الخاصة والإحباط الذي نشعر به.

لكنني أريد، على كل حال، إدراج هذه الوسائل غير المرغوبة لكي لا تستخدم أيّ والدة (أو والد) تقرأ هذا الكتاب واحدة منها بسبب الجهل المحض. وهاك الآن اثنا عشر أمرًا يجب أن لا تفعليها (أنتِ أو الوالد):

◁ لا تنتقصي من شأن طفلك

قد تقولين لطفلك «هل تحسب نفسك ذكيًا عندما تفعل هذا؟؟» أو «كيف تستطيع أن تكون مغفّلًا إلى هذا الحدّ؟» أو «هل أنت عديم الفهم؟»، في كل مرة نطلق فيها واحدة من هذه العبارات المقللة من شأنهم، فإننا نشوّه المفهوم الذاتي للنفس عند أطفالنا.

◁ لا تستعملي التهديد

يُضعف التهديد مفهوم الطفل الذاتي عن نفسه. فنحن نقول له «إذا قمت بهذا الأمر مرة أخرى، فسوف تنال نصيبك (من العقاب)». أو «إذا ضربت أخاك مرة أخرى، فإن ماما ستضربك ضربًا قاسيًا تتذكره لمدة طويلة جدًا». في كل مرة نهدّد فيها الطفل، نعلّمه الشعور بالقلق والاضطراب حيال نفسه ونعلمه أن يخافنا ويكرهنا.

إن للتهديد أثرًا نفسيًا سيئًا على الطفل، ولكنّ هذا لا يعني أن وضع حدود صارمة يُعدّ أمرًا سيئًا. قد تخطئ الأمهات بعض الأحيان في تفسير هذا الأمر على أنه يجب أن لا نقول «لا» لطفل أبدًا. العكس هو الصحيح. عندما يخرج طفل عن المسار الصحيح، ويكون عليك أن تضعي حدًا لذلك، وإن يكن بالضرب، فلا تتردّدي في فعله. ولكن لا تخبري طفلك مسبّقًا بما ستفعلين إذا كان يتصرّف بطريقة سيئة. التهديد أمر يتعلق بالمستقبل، ولكنّ الطفل يعيش في الحاضر. ولهذا فإن التهديد عديم الفائدة في تحسين السلوك المستقبلي للطفل.

◁ لا تحاولي رشوة الطفل

الرشوة الأكبر التي سمعتُ بها كانت مقدّمة لفتى مريض في العاشرة من عمره، من والده، الذي وعده بسيارة بورش عندما يتخرّج من المدرسة الثانوية على أن يحافظ على المعدل الوسط B. ما هو أثر رشوة كهذه؟ إنها تزيح الدافع من الداخل إلى الخارج. وبدلًا من أن يريد الطفل التعلم من أجل إرضاء ذاته وحيازة

مفهوم ذاتي إيجابي عن نفسه يكتسبه من خلال ما يتعلمه، يصبح تعلم الطفل سعيًا وراء المكافأة الخارجية فقط.

إذا زرتِ السوق حيث تصطحب الأمهات أطفالهن الصغار للتسوّق، فسوف ترين أشكالًا مختلفة من الرشوة المقدّمة والمقبولة في كل يوم تقريبًا. يُغضب الطفل والدته بعبثه بالبضائع والعلب الموجودة على الرفوف فتعده أخيرًا، وهي في حالة يائسة، «إذا تصرفتَ بطريقة جيّدة ولم تلمس شيئًا فسأشتري لك لعبة». إذا رغبت الأم في تعليمه التلاعب مع الناس، مبتدئًا بها، فهذه الرشوة هي وسيلة جيدة لذلك. ولكنها ليست وسيلة جيدة لبناء مفهوم ذاتي جيّد عن النفس عند الطفل، ولتعليمه أن يكون شخصًا منضبطًا ذاتيًا، يحترم حقوق الآخرين.

◁ لا تنتزعي من الطفل وعودًا بسلوك أفضل

عادة ما يكون تسلسل الأحداث على النحو التالي: يقوم ويلي الصغير بفعل شيء ما كان يجب أن يفعله وتفقد الأم السيطرة على أعصابها وتقول: «ويلي، عدني بأنك لن تفعل هذا مرة أخرى أبدًا، أبدًا». إن ويلي ليس مغفّلًا، فهو يعدها وبعد نصف ساعة يعود لفعل ما فعله سابقًا. تستاء الأم وتخاطبه بلغة غاضبة واتهامية «ويلي، لقد وعدت!». إنها لا تعلم أن الوعود لا تعني شيئًا بالنسبة إلى الأطفال. فالوعد، مثله مثل شقيقه الأكبر التهديد، يتعلق بالمستقبل، والأطفال الصغار يعيشون في الحاضر فقط. إذا كان الطفل حسّاسًا، فإن انتزاع وعد منه سوف يعلمه فقط أن يشعر بالذنب عند إخلافه بهذا الوعد. أما إذا لم يكن الطفل بهذه الحساسية، فسوف يتعلم فقط أن يكون ساخرًا، وأن يستعيض بالسلوك اللفظي عن تغيير حقيقي في سلوكه العملي.

◁ لا تستعملي الرقابة الحمائية بنحو مبالغ فيه مع الطفل

الرقابة تضعف المفهوم الذاتي عن النفس، لأن الأم عندما تراقب سلوك الطفل بنحو مبالغ فيه، تعلمه التالي: لا يمكنك القيام بالكثير من الأشياء بنفسك، ويجب أن أكون بجانبك دائمًا، حتى يتمّ كل شيء على ما يُرام. معظم الأهل لديهم القليل من الثقة بقدرة الطفل على فعل الأشياء بنفسه، لذا يجب أن نحاول تبنّي الشعار التالي: لا تقومي أبدًا بفعل شيء نيابة عن الطفل عندما يكون بمستطاعه فعل هذا الشيء بنفسه.

◁ لا تتكلمي زيادةً عن الحد مع الطفل

الكلام الزائد عن الحد يوصل إلى الطفل الرسالة التالية: «أنت لست جديرًا بفهم الأمور، ومن الأفضل لك أن تنصت لما أقوله لك». والتعليقان التاليان يظهران رد فعل طفلين على الكلام الزائد عن الحد من قبل الكبار. سأل طفل في مرحلة ما قبل المدرسة والده «بابا، لماذا تعطيني دائمًا جوابًا طويلًا هكذا عندما أسالك سؤالًا قصيرًا؟». وهدّد طفل آخر في المرحلة ذاتها زميله في روضة الأطفال بهذه الطريقة: «سوف أضربك، سوف أمزّقك إربًا، سوف – سوف – سوف أشرح الأمر لك!».

◁ لا تلحّي في الحصول على طاعة عمياء وفورية من قبل طفلك

افترضي أن زوجك قال لك: «دعي كل ما تقومين به، وأعدّي لي فنجانًا من القهوة في الحال وفورًا». أنا متأكد من أنك ستشعرين برغبة في إلقاء هذا الفنجان في وجهه. حسنًا، إن طفلك الصغير يشعر بالطريقة نفسها عندما تلحين عليه بترك كل ما يفعله في الحال ليقوم بما تطلبينه منه.

أقل ما يمكن أن نفعله هو أن نُخطر أطفالنا مسبقًا بما سوف نطلبه منهم.

«جيمي، خلال عشر دقائق من الآن سيكون عليك أن تكون جاهزًا لتناول الغداء». نستطيع أيضًا أن نتيح لأطفالنا بعض الحرية في التذمّر قليلًا قبل إطاعتنا وتنفيذ ما نطلبه منهم. «ماما، هل عليّ أن أتوقف عن اللعب حالًا؟». إن الطاعة العمياء والفورية قد تناسب جيدًا المفهوم الذاتي للنفس عند دمية متحرّكة أو عند فرد يخضع لحكم دولة شمولية، ولكنها يجب ألّا تجد لها مكانًا ضمن وسائلنا التعليمية، إذا كنا راغبين في تنشئة أفراد مستقلين ومنضبطين ذاتيًا.

◁ لا تفسدي الطفل بالدلال الزائد

الدلال الزائد والبطر هو ما يقصده الكثير من الأهل عند الحديث عن إفساد الطفل بالدلال.

الدلال الزائد يعني أن يخاف الوالدان من قول كلمة لا للطفل ومن وضع حدود صارمة لتصرّفاته. وهو ما يعطي الطفل الانطباع بأن هذه الحدود مصنوعة من المطاط المرن، وأنها قابلة للتوسّع في حال الضغط الشديد عليها. هذا الأمر قد ينجح في حضن العائلة، إلا أنه يجب ألا ننسى أنّ الطفل يواجه واقعًا مختلفًا خارج البيت. إن الدلال الزائد يعني أننا نحرم الطفل في الواقع من فرصة تنمية قدراته ليكون شخصًا واسع الحيلة، مستقلًا، ومنضبطًا ذاتيًا.

◁ لا تستعملي قواعد وحدودًا غير متّسقة في تعاملك مع الطفل

تكون الأم متساهلة جدًا يوم الاثنين وتدع طفلها يتجاوز كل الحدود، لكن يوم الثلاثاء، عندما يفعل الطفل الأشياء نفسها التي فعلها في اليوم السابق فإنها تثور عليه بطريقة مخيفة. إن أثر هذه المؤشرات غير المتّسقة يشبه الارتباك الذي سيسيطر على السائق لو أنّ الإشارات المرورية تعمل على الشكل التالي: في أيام الاثنين والأربعاء والخميس تعني الإشارة الحمراء «قف» وتعني الإشارة

الخضراء «تحرّك». لكن في أيام الثلاثاء والجمعة والسبت والأحد تعني الاشارة الحمراء «تحرّك» وتعني الخضراء «قف». الطفل يحتاج إلى أن يكون لديه بعض الاتّساق والموثوقية في معرفة ما هو متوقع منه، وهذه المؤشرات غير المتّسقة لا تفي بحاجته تلك.

◁ لا تستعملي القواعد التي لا تكون متلائمة مع عمر الطفل

إذا كنت تتوقعين من طفلك ذي السنتين من العمر الطاعة التي تتوقعينها من طفل في الخامسة، فإن ما ستحصلين عليه سيكون شعور طفلك بعدم الكفاءة، وامتلاء نفسه بالضغينة تجاهك. أن تتوقعي منه نضجًا بكرًا ما زال غير مستعد له في هذا العمر، سيترك أثرًا سيئًا جدًا على مفهومه الذاتي عن نفسه.

◁ لا تستخدمي وسائل التأديب المتزمّتة والدافعة للشعور بالذنب

هذه الوسائل ستنتج مفهومًا ذاتيًا ضعيفًا عن النفس. ووسائل التأديب المحمّلة للشعور بالذنب هي تلك التي توصل إلى الطفل، بالكلمات أو الأفعال، هذه الرسالة: «لم يكن ما فعلتَه أمرًا جيدًا. أنت لست طفلًا جيدًا بسبب فعلك هذا. كيف يمكنك أن تفعل شيئًا كهذا بعد كل ما فعلته ماما من أجلك؟».

في المرة المقبلة، عندما تشعرين بالرغبة في إلقاء محاضرة أخلاقية متزمّتة على طفلك في مرحلة ما قبل المدرسة، حاولي بدلًا من ذلك التحدّث ببعض العبارات بالإسبانية أو الألمانية أو الفرنسية، لأن أثرها على الطفل لن يقلّ عن أثر محاضرة تلقينها عليه بلغتك الأصلية، ولكنك بهذه الطريقة ستتجنّبين ملء نفسه بمشاعر الذنب التي تستدعيها محاضرتك الأخلاقية.

في كل يوم يطلق الأهل مئات الآلاف من كلمات الاستهجان بحق أطفالهم المساكين. لو أخفيت مسجّلات وسجّلت هذا الوابل من كلمات الاستهجان،

ثـمّ ووجهـت الأمهات بهذه الأشـرطة فسـوف يكـنّ مصدومات لسـماع ما يقلنه لأطفالهـن كلّ يوم. هذه الأشـرطة سـتحوي كل المحاضـرات الأخلاقية الصغيرة، الصياح، التوبيخ، السخرية والشتائم...

ثمّة شيء مثير للاهتمام يحدث للطفل الذي يتعرّض لوابل من مثل هذه الألفاظ: عدم الإصغاء. فهو يطوّر آلية الدفاع الوحيدة التي يمكنه حشدها ضد هذا التدفّق للكلمـات. إنـه يتعلم التجاهـل أو عدم الاكتراث. لكنه لن يكـون تجاهلًا كليًا، فهو سيسجّل جيدًا المضامين السلبية لهذا الوابل اللفظي في مفهومه الذاتي عن نفسه.

الاسـتهجان اللفظـي لا يفعـل إلا القليـل لتغيير سـلوك الطفل، وكل مـا يفعلهُ هو ضعضعة مفهومه الذاتي عن نفسه.

◁ لا تعطي أيّ أمر للطفل إذا لم تكوني عازمة على وضعه موضع التنفيذ

هـاك الآن تسلسـلًا نموذجيًا للأحـداث. تقول الأم لطفلها الـذي هو في مرحلة ما قبل المدرسة: «لا تصعد على الكرسي». والطفل يستمرّ في الصعود. وتقول الأم: «ريتشارد، قلت لك ألا تصعد على الكرسيّ». ويستمر الطفل في الصعود، متجاهلًا والدته. وتقول الأم: «ريتشادر هل سمعتني، قلت لك توقف عن الصعود على هذا الكرسـيّ فورًا!». ويسـتمر الطفل في تجاهل ما تقوله والدته. إن هذه الأم لا تقوم بأيّ محاولة لوقف ريتشـارد عن الصعود على الكرسـي، وكلّ ما تفعله هو تعليمه أن يتجاهـل طلباتهـا وأوامرهـا. ولكـي تتجنّبي هذا النوع من التعليم السـلبي، لا تطلبي شيئًا أو تعطي أمرًا لطفلك إذا لم تكوني قادرة على وضعه موضع التنفيذ.

لقد خصّصنا حيزًا جيدًا لمناقشة موضوع التأديب. وأريد الآن أن أسترجع بعض ما حاولت قوله في الفصلين السابقين.

أنت تريدين أن يصبح طفلك شخصًا راشدًا يستطيع أن يدير أموره بنفسه كاملة، وأن يكـون، باختصـار، شـخصًا منضبطًـا ذاتيًا. لكـن اعتبارًا من سـنوات الدرج،

مـرورًا بمرحلة المراهقـة الأولى، يحتاج طفلك إلى التأديـب لتوجيهه في الطريق نحو الانضباط الذاتي.

لقـد عرّفتُ التأديب على أنه أساسًـا عمليّة تعليم مـن جانب الوالدة (أو الوالد)، وعمليّة تعلّم من جانب الطفل. وباعتبار أن التأديب هو عملية تعليم وتعلّم، فهو يخضع للمبادئ السيكولوجية الأساسية التي اكتشفنا أنها تحكم تعليم الحيوان والإنسان على السواء.

ثمّة مبادئ سيكولوجية للتعليم والتعلّم تطبَّق بالتساوي على الحيوان والإنسان.

ومـن الحكمـة أن نتعلم، نحن الأهل، هذه المبادئ وأن نسـتعملها بتعقل وذكاء. وإذا لـم نفعـل، فسـوف ينتهـي الأمر بنا إلـى أن نكون أكثر إحباطًـا في محاولتنا تعليم أطفالنا مما يكون عليه مدرّبو الحيوانات في محاولتهم تعليم بعض الحيل والخدع لدلفين.

لكـن هنـاك مبادئ سـيكولوجية أخـرى للتعلم تطبَّـق على الإنسـان خاصة. ومن الحريّ بنا، نحن الأهل، أن نكون محيطين بها أيضًا، وإلا فسنجد أنفسنا نستخدم وسـائل تنتهي حكمًا إلى الإخفاق ولا ينتج عنها سـوى الإحباط، في أنفسـنا وفي أطفالنا.

إذا اسـتطعنا اسـتعمال وسـائل تعليـم تأكـدت فعاليتهـا فـي البحـوث العلمية، فعندئـذ يمكننـا تعليـم أطفالنا، من مرحلة الـدَّرج مرورًا بالمراهقـة الأولى، على ضبط أنفسهم بدون الحاجة إلى أيّ ضبط خارجي منّا.

ماذا سـتكون النتيجة إذا تعلمنا اسـتعمال وسـائل التعليم الناجحة وتجنّبنا غير الناجحة منها؟ هل سـنتمكن عندئذ من تنشـئة «أطفال نموذجيين»؟ آمل أن لا يحدث ذلك. فأنا كعالم نفس لست شديد الإعجاب بـ«الطفل النموذجي». مثل هذا الطفل ليس طفلًا سـعيدًا ولا هو بالطفل المنضبط ذاتيًا. إنه طفل ذو مظهر زائـف، أُكـرِه على امتثال ظاهـري محدَّد، وهو يعاني اضطرابًـا عاطفيًا معتبرًا في داخله. وإذا كان لدينا في نهاية المطاف طفل في مرحلة ما قبل المدرسة يتّصف بالهـدوء واحتـرام الكبـار في كل الأوقات، ولا يتمرّد أبدًا أو يخرج عن السـيطرة، ويسرّه فعل ما يودّ الكبار منه أن يفعله بدون شكوى، وليس لديه مشاعر سلبيّة

تجاه أيّ شيء وأيّ شخص، وليس لديه اهتمام من أيّ نوع بالجنس، ولا يكذب أبدًا، ولا يضرب شقيقه أو شقيقته أو أصدقاءه أبدًا، وهو خلوق، وغير أناني، وذو مبادئ أخلاقية رفيعة، وصاحب ضمير حيّ، نظيف، ويحترم الملكية الخاصة، فنحن في الحقيقة لا نتعامل مع طفل على الإطلاق. إننا إزاء شخص أُكرِه ليكون نموذجًا مصغرًا لشخص راشد متنكّر في هيئة طفل.

ينبغي أن لا ننسى ونحن نؤدّب أطفالنا ونوجّههم نحو الهدف النهائي وهو الانضباط الذاتي، أنهم لا يزالون أطفالًا. أحد الكاريكاتورات المفضّلة لديّ يظهر أمًا تمشي في الشارع وهي تجرّ طفلها الصغير من يده وتقول له «كفى يا جيمي، أنت تتصرّف تمامًا كما لو أنك طفل!». نعم إنه طفل، ولنعطه الحق في أن يتصرّف على هذا النحو.

إن وسائل التأديب يجب أن تمكّن الطبيعة الديناميكية للطفولة من التعبير عن نفسها بطرائق مقبولة اجتماعية. ولكن هذه الوسائل يجب أن لا تلغي أبدًا الطبيعة الديناميكية الحيوية التي تجعل الأطفال يتصرّفون كأطفال.

10

طفلك والعنف

بعد الحوادث المأساوية التي شهدتها السنوات الأخيرة، تزايد قلق الآباء والأمهات على أطفالهم نتيجة لهذا العنف. لقد شهدنا اغتيالات، وأعمال شغب، وأفعالًا إجرامية في مدن مختلفة من الولايات المتحدة. وقد أبرزت رؤية هذه الحوادث على شاشات التلفزيون بوضوح وجود دوافع عنفيّة لدى الناس في بلدنا.

لا أحد منا يودّ رؤية أولاده يكبرون ليصبحوا أشخاصًا عنيفين، فكيف نستطيع الحؤول دون ذلك؟

يتحدّث الكثير من الناس في هذه الأيام عن «العنف» بطريقة عامّة ومبهمة. على سبيل المثال، يستهلك كتاب عن العنف صادر حديثًا 356 صفحة في الحديث عن الموضوع بدون أن يتطرّق مرة واحدة لوضع تعريف دقيق لما يعنيه المؤلف بالعنف. بالنسبة إليّ،العنف هو إحساس بالغضب والعداء يظهر في شكله الأكثر حدّة وتدميرًا. وأستطيع تعريفه بدقة أكبر فأقول إنه «غضب معبَّر عنه بشكل حاد، مصحوبًا بنيّة إيذاء بدني أو تدميري لشخص آخر».

يجب أن نميّز بين «الأفعال العنيفة» و«المشاعر العنيفة»، فهما شيئان مختلفان. ولنلاحظ أن تعريف العنف يشير بوضوح إلى أفعال عنيفة أو عدائية. نحن نريد لأطفالنا أن يكونوا قادرين على التحكم في أفعالهم العنيفة سواء في مرحلة الطفولة أو في مرحلة لاحقة من حياتهم.

يلعب اثنان من الأطفال معًا في إحدى رياض الأطفال، ويريد أحدهما اللعب بالشاحنة البلاستيكية فيما يرفض الآخر التنازل عنها للأول. يتناول هذا الأخير

مكعّبًا خشبيًا ويرميه بغضب على رأس زميله. هذا فعل عنيف. ونحن لا نريد لأطفالنا أن يتصرّفوا على هذا النحو.

حدث في الأسبوع الماضي في منطقة لوس أنجلس حيث أقيم، أنّ قاضيًا وزوجته تشاجرا بحدّة في منتصف الليل. وفي ذروة هذا الشجار أقدم القاضي على طعن زوجته عدة مرّات بسكين. في الأحوال العادية، لا يتوقع المرء أن يتورّط قاضٍ في عنف كهذا، ولكنه، في هذه الحالة، فعل... ونحن لا نريد لأطفالنا أن يكونوا عاجزين عن السيطرة على دوافعهم وفق هذا الأسلوب، عندما يصبحون كبارًا.

عندما نفكر في العنف، يميل معظمنا إلى التفكير بشخص ما يطعن شخصًا آخر أو يطلق النار عليه. لكن هناك نوع آخر من العنف نغفل عنه غالبًا. أقدم عمدة ضاحية قريبة من المكان الذي أعيش فيه على الانتحار في السنة الماضية. وهذا فعل عنيف لا يقلّ عنفًا عمّا قام به القاضي الذي طعن زوجته، فالعنف الموجّه ضد النفس هو أيضًا فعل عنيف.

أمّا المشاعر العنيفة فهي شيء مختلف، فنحن لا نستطيع التحكم في مشاعرنا. لقد حاولتُ في هذا الكتاب التأكيد أن المشاعر تراودنا بدون دعوة منا: مشاعر البهجة والسعادة، مشاعر الكآبة والحزن، مشاعر الحب، مشاعر الغضب والعداء. وفي السياق نفسه، لا تختلف مشاعر العنف عن أيٍّ من أنواع هذه المشاعر، فكلها لا تخضع للتحكم الواعي.

إذا كنا صادقين مع أنفسنا، فسوف نعترف بأن مشاعر عنيفة تراودنا من وقت لآخر. يشعر الأزواج والزوجات بغضب عنيف بعضهم تجاه بعض. وعندما يرتكب الطفل ما يغيظنا تراودنا مشاعر عنيفة. دلّوني على أم تقول إنها لم تراودها يومًا مشاعر عنيفة تجاه طفلها لأريكم أنها تخادع نفسها. لقد راودتني مشاعر عنيفة تجاه أطفالي من وقت لآخر، ومن الطبيعي أن توجد مثل هذه المشاعر (لكن إذا وجدتِ أن هذه المشاعر العنيفة تجاه طفلك تراودك في معظم الأوقات فمن المرجّح أنك تحتاجين إلى مساعدة متخصّصة لكي تكوني قادرة على التعامل معها ومع علاقتك بطفلك).

أطفالنا لديهم مشاعر عنيفة أيضًا، وهذا أمر طبيعي، فعندما تتناب الطفل نوبة غضب، أو يصرخ ويصيح تنفيسًا عن غضبه، فليس هناك من شك في أن لديه مشاعر عنيفة في تلك اللحظة.

إنّ من الأهمية بمكان أن نميّز بين الأفعال العنيفة والمشاعر العنيفة. عندما نفعل ذلك، سنرى بوضوح أننا لا نستطيع منع أنفسنا أو أطفالنا من الإحساس بهذه المشاعر العنيفة. كل هذا طبيعي، فالمشاعر العنيفة هي مجرّد غضب نحسّ به بعمق وحدّة. وإذا كنا غير قادرين على السيطرة على مشاعرنا أو مشاعر أطفالنا، فإن بإمكاننا تعلم السيطرة على أفعالنا والامتناع عن الانخراط في أفعال عنيفة.

من الأشياء التي نفخر بها في الولايات المتحدة الأميركية أننا ننتخب رئيسًا للبلاد مرّة كل أربع سنوات بسلام وبدون عنف، فصناديق الاقتراع، لا الرصاص، هي التي تبتّ الأمر. لا نريد أن نكون مثل بعض البلدان الأخرى حيث يتغيّر القادة من وقت لآخر بالعنف وحمامات الدماء. وهو أمر يصحّ أيضًا على العلاقات بين الأفراد والمجموعات في بلدنا، فالعنف وسيلة ضعيفة الفعالية في حل الخلافات بين الناس، سواء كانوا من الأزواج أو زملاء الدراسة والعمل أو من البيض أو السود.

العنف الذي اندلع في السنوات الأخيرة في الولايات المتحدة كان له أثر فعليّ علينا جميعًا.

نحن لا نريد لهذا العنف أن يستمرّ. نريد للناس أن يحلّوا خلافاتهم ونزاعاتهم بدون اللجوء إلى العنف أو إلى شريعة الغاب. لذا يجب علينا بذل قصارى جهدنا لمساعدة أطفالنا وأنفسنا على السيطرة على الأفعال العنيفة.

نحن لا نريد مجرّد التغلب على الجانب السلبي للأفعال العنيفة عند أطفالنا، بل نريد أيضًا تعليمهم القيم الإيجابية للحب وروح التعاون والاهتمام الحقيقي بخير الآخرين والتعاطف مع معاناتهم. نريد لهم أن يستخدموا العقل ومهارات التفاوض كوسائل لحل النزاعات بين الناس.

لكن كيف نفعل هذا؟ كيف يمكننا منع أطفالنا من اللجوء إلى أفعال عنيفة لحل مشكلاتهم مع الآخرين؟ ليس ثمّة دليل علميّ على أن الكائن البشري

عنيـف بالفطـرة. البشـر يتعلمون العنـف، وبالطبع فإن من يعلمونهـم أن يكونوا عنيفين، لا يكونون مدركين في أيّ حال من الأحوال أنهم يقومون بهذا التعليم. الحقيقة المحزنة هي أن الأطفال والراشـدين العنيفين تعلموا أن يكونوا عنيفين بسـبب أهلهـم أساسًـا. وبطبيعـة الحال ليـس هناك من والـدة (أو والـد) تتعمّد بوعي تعليم طفلها أن يكون عنيفًا. لكنّ هذا ما يحدث في الواقع.

هنـاك العديـد مـن الطـرق التي يقـوم الوالـدان من خلالهـا بتعليـم الطفل أن يصبـح عنيفًـا. إحـدى هـذه الطرق أن يكـون أحدهمـا عنيفًا، فالطفل سـيتعلّم عندئـذ أن يكـون عنيفًـا بالتماهـي معـه. الطفـل يـرى ويفعـل مـا رآه. والمثل الأوضـح علـى هـذا بالنسـبة لي شـخصيًا كان الحالـة التي سـبق أن ذكرتها في الفصـل التاسـع عـن الفتى الـذي كان يرمي الزجاجات على والدته: لأنه سـبق أن شـاهد والـده يفعـل الشـيء نفسـه، قـام بتكـرار السـلوك. فالولـد سـرّ أبيه (فـي معظـم حـالات محـاكاة العنف الوالـدي، يكون الأب لا الأم هو الشـخص العنيـف).

أخشى أن بعض الأمهات ممّن يقرأن هذا الكلام وكنّ قد غضبن وفقدن السيطرة علـى أعصابهـن أخيـرًا، قـد يفكرن علـى النحو التالـي: «أوه، يا إلهـي، ربما أكون شـخصًا عنيفًا. وربما يكون لهذا تأثير بالغ السـوء على طفلي». إذا راودتك هذه الأفكار فلا عليك، فالغضب الشديد وفقدان السيطرة على النفس من وقت لآخر لا يعنيان أنك شخص عنيف.

أذكر حادثة حصلت لصديقة لي. كان يومًا تعسًا بالنسبة إليها، فقد تعطل سخان الماء، والأطفال كانوا لا يطاقون...

كانـت تنتظـر بعـض الـزوّار تلك الليلـة، وكانـت تُعدّ وجبة من سـمك السـلمون للعشاء. وعندما حان موعد وصول زوجها إلى البيت حدث أن احترقت الوجبة. لـم يكـن ينقصهـا إلا هذا. أخرجت المقـلاة من الفرن ورمتها علـى الحائط حيث تناثـرت في كل مـكان. وعندما دخل زوجها كانت تقوم بالتنظيف وكان تعليقه عندمـا أخبرتـه بمـا حصل: «يـا عزيزتي، هل يمكـن أن يكون هذا رد فعل إنسـان عاقل على وضع محبط؟».

لقد سألتُها عن شعورها عندما قال لها ذلك فقالت: «لو كان بقي عندي شيء من وجبة السلمون لكنت رميته بها بكل سرور!».

أنا أعرف هذه المرأة جيدًا وهي ليست شخصًا عنيفًا. ولكنها في ذلك اليوم كانت غاضبة فعلًا وفقدت السيطرة على أعصابها. صحيح أنه كان من المزعج والمتعب أن تنظف المطبخ وتفرك الحائط من آثار السمك، لكن لم يتأذّ أحد ولم يحدث ضرر كبير.

لذا علينا أن لا نخلط بين حالة فقدان الأعصاب العارضة وبين شخصية عنيفة حقًا.

طريقة أخرى تعلم بها الوالدة طفلها أن يكون عنيفًا هي تغاضيها عن عنفه، وذلك عندما لا تضع حدودًا صارمة بما يكفي أمام تصرّفاته العدائية.

عندما يضرب طفل طفلًا آخر، على سبيل المثال، ربما لا تقوم الأم بوضع حدود صارمة له، فما يحدث غالبًا هو أن الأم سوف تقول للطفل «لا تفعل هذا، تيمي» لكن بدون متابعة تجعله يتوقف عن الضرب. سيعلم الطفل أن الأم لا تنوي المتابعة وسيستمرّ في ضرب الطفل الآخر. وأخيرًا عندما تقوم الأم بالمتابعة فعلًا، يتوقف عن الضرب. لكنّ الأم، من خلال ما جرى، تكون قد عززت في الواقع فعل الضرب عند الطفل.

لقد اطلعتُ على حالات سمحت فيها الأمهات لأطفالهن بضربهن، وذلك كأن يمنعن الطفل من شيء ما فيغضب ويضرب والدته أو يركلها. وعندما يفعل ذلك ربما تقول الأم: «هذا ليس أمرًا جيدًا يا بيلي!». ولكنها لا تقوم بأيّ عمل بدني لمنع الطفل من ضربها. وفي حالات كهذه تتعلل الأمهات بـ«سيكولوجية الطفل» المفترضة لتبرير خوفهن من قول لا للطفل ووضع حدود صارمة أمامه. وغالبًا ما يقلن إنهن لا يردن كبت أطفالهن أو ردعهم.

والحقيقة أن الأطفال يجب كبتهم وردعهم في بعض الحالات. يجب ردعهم مثلًا عندما يضربون أطفالًا آخرين أو يضربون والديهما أو يركلونهما. ويجب ردعهم عن أن يكونوا قساة مع الحيوانات أو أن يخرّبوا بعض الممتلكات. ويجب ردعهم عن سرقة النقود من محافظ أمهاتهم أو سرقة شيء ما من رفوف المتاجر. والأهل يرتكبون خطأً كبيرًا عندما لا يكبتون ولا يردعون أطفالهم عن

مثل هذه الأفعال. أما ما لا نريد كبته في أطفالنا فهو مشاعرهم. وهذا أمر جيد في الحسّ السليم وفي علم النفس على السواء.

إذا لم تضع الأم حدودًا صارمة للتعبيرات البدنية عن العدوانية والعنف، فلن يتمكن الطفل من تذويت (إضفاء صفة ذاتية) هذه الحدود وتطوير نظام تحكم في اندفاعاته العنيفة. احذري الوقوع في الخطأ، فالطفل يريد أن يكون قادرًا على تذويت حدود صارمة ضد العنف البدني، لأنه يخشى أن تخرج اندفاعاته العنيفة عن سيطرته ولا تعود في متناوله.

عندما أتى الطفل الذي كان يرمي الزجاجات على والدته إليّ من أجل العلاج، كان في أمسّ الحاجة لتلقي المساعدة حتى يتمكّن من السيطرة على هذه الاندفاعات العدوانية التي كانت تخيفه. لقد قال لي: «عندما أغضب وأرمي بالأشياء على والدتي يصيبني الهلع. فماذا لو كنت غاضبًا جدًا وضربتها بشيء ما وقتلتها؟ إن التفكير في هذا الأمر يرعبني». بكلمات أخرى، إنه لم يكن يستطيع السيطرة على اندفاعاته العنيفة وكان يتوسّل إلى أحد ما، خارج نفسه، لمساعدته. وحيث إن والدته، بسبب سلبيتها، لم تكن قادرة عى مساعدته في السيطرة على أفعاله العدائية، فقد كان يتوسّل إليّ لمساعدته. لو كان هناك طفل يحتاج فعلًا إلى هذه الحدود الصارمة لكان ذلك الصبي.

عندما أقول حدود صارمة فهذا لا يعني بالضرورة أن على الوالدين ضرب طفلهما، فضرب طفل عدائي غالبًا ما يبدو، بنحو مريب، وكأنه مقابلة للعنف بالعنف (تذكري الكاريكاتور عن الوالد الذي يضرب ولده ويصرخ قائلًا: «هذا سوف يعلمك ضرب الناس الآخرين»).

إن ضرب طفل عدائي بسبب إقدامه على الضرب أو الإيذاء البدني، أفضل بالتأكيد من إخفاء رأسك في الرمل وتجاهل هذا السلوك اللاإجتماعي. إلا أن هناك طرقًا أفضل من الضرب للتعامل مع هذه الحالات.

افترضي أن طفلك في مرحلة ما قبل المدرسة يقوم بالضرب أو الإيذاء البدني، فإذا كنت تستطيعين التحكم في أفعالك والمحافظة على هدوئك، اجذبي طفلك من ذراعيه وأمسكيه بقوة وامنعيه من الحركة. وخلال ذلك انظري بثبات في

عينيـه وقولـي له بصرامة شيـئًا مثـل هذا: «يجـب ألّا تفعل هـذا! لا يمكنني أن أسمح لك بضرب أخيك (أو صديقك)». تستطيعين أن تخبريه بأنك غاضبة منه، لكن يجب ألّا تضربيه.

يتمايـز الأطفـال كثيـرًا في سـهولة أو صعوبـة تعليمهم وضع حـدود صارمة أمام أفعالهم العنيفة. لكن على العموم، لا تظهر البنات ميلًا إلى العنف كما الصبيان. علـى أن هنـاك بعض الصبيـة ممن يكون تعليمهـم أكثر سـهولة مقارنة بآخرين، فيمـا قـد يحتاج البعض الآخر، من ذوي الإرادات القوية والحزم، إلى شـهور، أو حتى سنوات، ليتعلموا تذويت الحدود أمام اندفاعاتهم العنيفة والعدوانية.

يقـوم بعـض الأهـل أحيانًـا بطريقـة غير واعيـة بإقـرار أفعـال أطفالهـم العدائية واللاإجتماعيـة. يتحـدّى طفل ما والديه ويضرب طفلًا آخر أو يأخذ شـيئًا ما، ثم يهـرب متفاديًـا قيام والديه بتأديبه. لكنّ الوالدين، في سرّهما، يسـتمتعان بما يقوم به ويشجّعانه بطريقة غير واعية.

«إنـه فظيـع حقًـا، أليـس كذلـك؟» قـد يقـول أحـد الوالديـن بإعجـاب. ويجيب الآخر: «بالطبع، إنه يخرج في بعض الأحيان عن السيطرة، ولكن لديه الكثير من الشجاعة».

هـذا النـوع من السـلوك يعني عادة أن الوالـد (أو الوالـدة) أراد أن يكون متمرّدًا ولاإجتماعيًـا عندمـا كان طفلًا صغيرًا، ولكنه كان في الحقيقة شـديد التهذيب. والآن هـو يشـجّع طفلـه بطريقـة غيـر واعيـة، ليقـوم بالتصرّفـات المتمـرّدة واللاإجتماعيـة التـي كان هـو أكثـر خوفًـا مـن أن يحـاول القيام بهـا عندما كان صغيرًا. هذا التشجيع من الوالدين يعزز العدائية والعنف في أفعال الطفل.

إن العبـرة واضحـة. إذا لم تكوني تريدين لطفلـك أن يكبر ليكون عدائيًا وعنيفًا في أفعاله، ضعي حدودًا صارمة لاندفاعاته العدائية وساعديه في تذويت هذه الحدود.

وللغرابة فإن ثمة طريقًا ثالثًا يتعلم فيه الطفل أن يصبح شخصًا بالغًا عدائيًا، وذلك مـن خـلال نموذج تربوي آخر يختلـف كثيرًا عن النموذجين السـابقين. في هذا النمـوذج الثالـث يكون الوالدان صارمين جدًا في الحدود التي يضعانها للأفعال العدائية والعنيفة، وهذا أمر طيب. لكن، لسوء الحظ، يحاول الوالدان أيضًا منع

أيّ تعبير عن المشاعر العدائية والعنيفة، وهذا خطأ. لا يستطيع الأطفال منع أنفسهم من الإحساس بمشاعر عنيفة من حين لآخر. لكن الأم لا تتيح للطفل أيّ متنفَّس على الإطلاق لهذه المشاعر، فهي تفترض أنها بصرامتها وعدم سماحها للطفل بالتعبير عن المشاعر العدائية، تعلّمه أن لا يحسّ بمثل هذه المشاعر. هذا أمر مستحيل، فسيكون لدى الطفل مثل هذه المشاعر على أيّ حال، وكل ما تفعله هذه الأم هو تعليم الطفل قمع هذه المشاعر ودفعها إلى أعماق عقله اللاواعي.

ما يحدث في مثل هذه الحالات هو أن الأم تعلم الطفل أن يصبح «طفلًا نموذجيًا»، فالطفل، ظاهريًا، جذاب ولطيف ومهذب، لكنه، في داخله، يغلي بالمشاعر العنيفة والعدائية التي لم تجد لها متنفسًا. إنه كغلّاية بدون صمام أمان، تتراكم فيه المشاعر وتتراكم إلى أن تنفجر أخيرًا في فعل عنيف.

منذ سنوات أطلق طالب ثانوية كان يخطط لأن يكون كاهنًا النار على والديه فأرداهما قتيلين. كان الجيران مصدومين ومندهشين، فقد كانت سمعته بينهم أنه مراهق «مثالي»، هادئ، مطيع، ويحترم الكبار. كانت هذه هي الواجهة الخارجية التي رآها الجيران وروّاد الكنيسة. لكنّ ما لم يستطيعوا رؤيته هو كلّ المشاعر الغاضبة والعدائية التي كانت تحتدم تحت السطح.

أتيحي لطفلك متنفسًا آمنًا لمشاعره الغاضبة والعدائية. دعيه يعبّر عن هذه المشاعر ويصوغها في كلمات، أو قدّمي له بديلًا مقبولًا اجتماعيًا: «أنا أعلم أنك غاضب من أخيك وأنك تودّ صفعه. لا يمكنني أن أدعك تفعل هذا، لكن يمكنك ضرب كيس اللكم الخاص بك بدلًا من ذلك».

من خلال هذه الجولة القصيرة في ما يجب أن لا تفعليه، من المرجّح أنك ستبدئين بتكوين فكرة جيدة عن بعض الأشياء التي يجب أن تفعليها لكي تحولي دون أن يكبر طفلك ليكون شخصًا عنيفًا.

- لا تكوني أنت نفسك شخصًا عنيفًا لكي لا يقلّدك طفلك.
- ميّزي بين الأفعال العنيفة والمشاعر العنيفة.
- ضعي حدودًا صارمة لأفعال طفلك العدائية والعنيفة.
- أتيحي له متنفّسًا للتعبير عن مشاعره العدائية والعنيفة.

شجّعيه على التعبير عن هذه المشاعر بالكلمات، واستخدمي تقنيّات الارتجاع الموصوفة في الفصل الرابع، لمساعدته على التعامل مع هذه المشاعر.

والآن ينبغي علينا مناقشة موضوعين يثيران قلق الوالدين: الأسلحة الخطرة والعنف في الخيال.

أولًا، الأسلحة الخطرة. دعيني أجزم بأن وجود أسلحة خطرة في البيت ليس أمرًا جيدًا، فليست هذه الأسلحة مصدرًا محتملًا لحوادث مأساوية وحسب، بل هي تحريض محتمل على أفعال عنيفة أيضًا.

إنه لأمر محزن ومخيف أن نشاهد كيف تنزلق الولايات المتحدة في سباق تسلح داخلي، وأن نرى كيف أن العديد من مواطنينا قادرون على شراء الأسحلة.

وفقًا للإحصائيات الحديثة يزداد عدد البالغين الذين يشترون أسلحة نارية في الولايات المتحدة بمعدل مخيف. ويُفترض أنّ معظم هذه الأسلحة تُشترى بقصد الدفاع عن النفس.

أما الحجّة التي يتعلل بها من يشتريها فهي شيء قريب من هذا: «امتلاك سلاح في البيت سوف يحميني وعائلتي إذا ما حاول أحد ما إيذاءنا». وهذه حجّة سخيفة، تُبنى غالبًا على مخاوف غير منطقية. إنها نوعية التفكير ذاتها التي يستخدمها الوالد في رواية «اشهر مسدّسك يا جوني»، في المقطع التالي:

«... لقد تذكّر ذلك المساء عندما جلس إلى جانب والده القوي والحكيم ورأى المسدَّس معه أوّل مرّة. «المسدّس شيء جيّد»، قال والده ثم أردف: «قد تحتاج في وقت ما إلى حماية نفسك أو والدتك. عندما يهاجمك اثنان

أو ثلاثة من الأشقياء لن يكون أمامك أيّ مخرج. لكنّ المسدس سيجعل منك الطرف الأقوى، عندما يشاهدون المسدّس معك سيرتدعون بسرعة. عندما يكون المسدّس معك لن يستطيع أحد أن يسبّب لك المتاعب».

بدلًا من حماية قاطني البيت ممن قد يعتدي عليهم، يتحوّل وجود سلاح ناري في البيت، وخاصة إذا كان سلاحًا محشوًّا، إلى مجرّد دعوة لوقوع مأساة ولإراقة الدماء.

إن وجود سلاح قاتل هو دعوة إلى فعل عنيف عندما يتشاجر زوجان متجافيان، أو إلى حادث موت مأساوي عندما يعبث الأطفال بسلاح يُفترض أنه «غير محشوّ».

من المؤسف حقًا أن يكون شراء السلاح واقتناؤه أمرًا في غاية السهولة لأيّ شخص في الولايات المتحدة. هل يُعقل أن يقدم والد على إعطاء مجموعة من الأطفال في السنة الثانية من العمر مسدّسًا محشوًّا ليلعبوا به في حديقة المنزل الخلفية؟ بالطبع لا. إلا أن مجتمعنا المعاصر يوفر، لأشخاص لا يتمتعون بقدرة على التحكم في انفعالاتهم تفوق قدرة طفل في الثانية من العمر، إمكانية الحصول على مسدّس. وفي ظل القوانين السائدة حاليًا، يستطيع القتلة، والقنّاصون أثناء القلاقل، والمجرمون، والأحداث الجانحون، والأزواج المتخاصمون، والأشخاص المضطربون عقليًا، الحصول بسهولة على الأسلحة النارية. إن الحصول على سلاح ناري في هذه الأيام أسهل من صرف وصفة طبّية في صيدلية. إنها حالة غير صحّية إطلاقًا، بالكاد يمكن أن تتيح لنا تنشئة أطفال في بيئة غير عنيفة.

يعود حقّ امتلاك أسلحة نارية في الولايات المتحدة إلى البند الرابع من قانون الحقوق الذي ينصّ على أن «... حق الناس في تملك السلاح وحملها يجب ألا يُنتهك». في عام 1776 كانت حاجة عامة الناس إلى حق امتلاك الأسلحة النارية أمرًا جوهريًا لخير وسلامة هذه الأمة الناشئة، التي كان عدد سكانها الكلي في ذلك الوقت ثلاثة ملايين نسمة. لكن حق امتلاك الأسلحة النارية، غير المشروط، لشعب يتجاوز عدده مئتي مليون نسمة[1] في مجتمعنا الصناعي المعاصر يصبح أمرًا غير واقعي وخطرًا بكل معنى الكلمة.

---

[1] عند صدور هذا الكتاب (المحرّر).

ففي عام 1967 على سبيل المثال، لقي أكثر من 5600 أميركي حتفهم متأثرين بإصابات أعيرة نارية، في مقابل ثلاثين في بريطانيا وعشرين في فرنسا واثني عشر في بلجيكا قضوا للسبب نفسه.

تتمتع بريطانيا وفرنسا وبلجيكا، بالإضافة إلى اليابان والنرويج والسويد وكندا، في مجال تنظيم تملك الأسلحة النارية، بقوانين أكثر صرامة من تلك التي نملكها في الولايات المتحدة. ونصيحتي هي أنه ما لم يكن الأب صيّادًا ويملك بندقية صيد، فإن من الأفضل عدم وجود سلاح ناري، وخاصة إذا كان محشوًّا، في البيت.

لا شك في أن الكثير من الأمهات اليوم يشعرن بالغضب الشديد من العنف المتفجّر في مجتمعنا، ويتجلى ردّ فعل العديد منهن في منعهن لأيّ متنفَّس للعنف عن طريق الخيال عند أطفالهن، فهنّ لا يسمحن لأطفالهن بألعاب الأسلحة والجنود، أو بمشاهدة التلفزيون أو الأفلام التي تحتوي على العنف. وبعض الأمّهات قد يصلن إلى حد مضحك فيمنعن أطفالهن من مشاهدة أفلام الرسوم المتحركة التي قد يحدث عنف في بعض مجرياتها، حيث يضرب حيوان حيوانًا آخر على رأسه أو يجري إطلاق نار بين هذه الحيوانات.

في عرض لمسرح العرائس أقيم أخيرًا في إحدى رياض الأطفال، حضر ما يقارب مئتين من العائلات. وقد ذهل كادر العاملين في الروضة عندما اتصلت اثنتان من الأمهات بعد العرض للشكوى من «العنف» الذي تعرّض له الأطفال من خلال هذا العرض.

وقد جرى دعم ومفاقمة هذا الخوف من العنف الخيالي لدى هذا القسم من الأمهات بفيض من المقالات في المجلّات النسائية حول ألعاب الأسلحة والعنف في التلفزيون، بما فيه أفلام الرسوم المتحركة. ولم يكتب هذه المقالات علماء نفس أو أطباء نفسانيون يُتوقع منهم التعبير عن وجهة نظر متخصّصة في الموضوع، وإنما كتبها صحافيون يعبّرون عن وجهة نظر رجل الشارع العادي. وأعتقد أنهم قد سبّبوا قلقًا لا مبرّر له عند الأمهات. هذا الخوف الهائل من العنف الخيالي لدى هذا القسم من الأمهات لا يتناسب مع واقع الحال، وهؤلاء

الأمّهات لا يقمن بحماية أطفالهن من العنف بطريقة مناسبة، بل إنهنّ يقدّمن حماية زائدة عن الحد لكنها غير ذات جدوى.

ما الذي يسبّب هذا النوع من الحماية الزائدة من جانب الأم؟ خوفها من مشاعر غضبها الذاتية. إنها خائفة من أن تخرج مشاعرها هذه عن سيطرتها وأن تنفجر في أفعال عدائية وعنيفة. ومن المرجّح أنها لا تعي أنها تشعر على هذا النحو، فهذه المشاعر غير واعية. وكل قطعة صغيرة من الخيال تراها هذه الأم في التلفزيون أو في أحد الأفلام تثير مخاوفها: ماذا لو تفجّرت مشاعر غضبي وآذيت زوجي أو أطفالي؟ ولأن هذه المشاعر مخيفة جدًا بالنسبة إليها، تُسقطها على طفلها وتفترض أن الطفل يشعر بالطريقة نفسها. ولهذا السبب تخاف هؤلاء الأمهات من السماح لأطفالهن بمشاهدة أيّ عنف خيالي في التلفزيون أو الأفلام، أو المشاركة في عنف خيالي عن طريق اللعب بألعاب دمى الجنود البلاستيكية. وهذا خطأ، فالأطفال بحاجة إلى متنفَّسات خيالية مقبولة اجتماعيًا لمشاعر العنف والعدائية في أنفسهم. وعندما لا تتيح الأم هذه المتنفَّسات للطفل، فسوف يخلقها بنفسه في أغلب الأحوال، فإذا حظرت الأم كل ألعاب الأسلحة فسيخلق الطفل مسدّسًا من قطعة خشب أو عصا أو بواسطة إبهامه وسبابته: «بانغ، بانغ، لقد قتلتك!» لطالما أحب الأطفال اللعب بدمى الجنود البلاستيكية، وإذا مُنعوا من الحصول عليها بسبب الحماية المفرطة من والديهم فسيبتدعونها بوسائلهم الخاصة.

بمحض الصدفة، وبينما أخط هذه السطور صباح يوم سبت في غرفة الجلوس ببيتنا، أرى طفلي ذا الأربع سنوات يلعب على الأرض بمجموعة من دمى الجنود البلاستيكية كان قد اشتراها من متجر الألعاب. وقد قرّر أن الجنود الزرق هم «الأشرار» وأن الجنود الخضر هم «الطيّبون» وهو يقوم بسعادة بإدارة المعركة بين الطيّبين والأشرار.

إنه ليس طفلًا عنيفًا وهو لن يكبر ليصبح رجلًا عنيفًا، فنحن لم نفعل من الأشياء ما يجعله يتعلم أن يكون طفلًا أو رجلًا عنيفًا. إنه صبيّ صغير، مسالم، وعدواني بشكل طبيعي.

وفـي هـذا الإطار، من المهم جدًا أن نميّز بين الطفل العنيف والطفل العدواني. هاتـان الصفتـان غالبًا ما تلتبسـان على الوالديـن، فعكس العنيف هو المسـالم، وعكس العدواني هو السلبي.

نحـن لا نريـد تعليم أطفالنا ليكبروا ويصبحوا أشـخاصًا عنيفيـن. إننا نريد تعليم أطفالنـا الذكـور ليكبـروا ويصبحـوا عدوانييـن، فليـس مـن الجيّد لذكـر بالغ أن يكـون سـلبيًا، لأنّـه إذا قام والداه بتعزيز السـلبية في شـخصيته فسيُعاق دوره الذكوري. والأم التي تبالغ في حماية طفلها بطريقة هسـتيرية ضدّ أيّ شـكل من أشـكال العنـف الخيالـي، لا تقوم بمسـاعدة طفلها. والأم التي تحـرم طفلها من اللعب بدمى الجنود أو الأسـلحة والتي لا تسـمح له بمشاهدة الرسوم المتحركة «العنيفة» في التلفزيون أو الأفلام، تقوم بقولبة طفلها ليكون مثل طفلة صغيرة سـلبية. إنهـا لا تسـاعده ليكـون صبيًـا قويًـا، كفـوءًا، وعدوانيًا بحيث يسـتطيع التعامل مع الصبية الآخرين ممّن هم في مثل عمره.

لقـد رأيـتُ العديـد مـن الصبيـة السـلبيين فـي عيادتـي. وغالبًـا مـا يأتـون للمعالجـة لأن الأطفـال الذكور الآخريـن يضايقونهم وهم لا يسـتطيعون الدفاع عـن أنفسـهم. إنـه أمـر مثير للسـخرية أن يقـوم الأهـل بطريقة غيـر متعمّدة، بسـبب حمايتهـم المفرطـة لـه مـن «العنـف»، بتدريـب الصبـي الصغير على أن يكـون سـلبيًا وغيـر فعّـال في دوره الذكوري، ثـم عندما يشـاهدون النتائج البائسـة لتصرّفهـم فـي علاقـة طفلهم مـع الأطفـال الآخرين، يحضرونـه للعلاج قائليـن: «أرجـوك أيّهـا الاختصاصـي النفسـي، أبْطِلْ الآثـار التـي ترتبـت عـن تدريبـي وتوجيهي لطفلي».

أرجو أن لا تكوني قد أسأتِ فهم ما أحاول قوله. لا تشعري بأن عليك الانتقال إلى النقيض تمامًا والسـماح لطفلك بشـراء أيّ نوع من ألعاب الأسـلحة، فأنت لست مضطرّة لشراء تلك الألعاب الخطرة والبشعة.

أنا شـخصيًا لا يمكن أن أشـتري لطفل أيّ مسدّس يمكن أن ينطلق منه أيّ شيء، فرصاصة بلاسـتيكية قد تسـبب العمى لطفل آخر. ولن أشـتري لعبة مسدّس أو أيّ لعبة عنيفة أعتبرها هجومية ورخيصة لناحية الذوق.

يجب أن تستخدم الأم المنطق السديد وذوقها السليم عند اختيار ألعاب الأسلحة ودمى الجنود التي تسمح لطفلها بشرائها.

إن مجرّد السماح للصبي باللعب بدمى الجنود وألعاب الأسلحة ومشاهدة الرسوم المتحركة «العنيفة» ومناظر تبادل إطلاق النار في أفلام الوسترن، لا ينتج بحد ذاته صبيًا مرتاحًا لدوره الذكوري ومتماهيًا معه. إن احترام الوالدين لصفات الحماسة والمشاكسة والديناميكية الذكورية فيه هو ما سوف يجعله يشعر بالراحة لدوره الذكوري.

عندما تقول الأم «إنه صبي حقًا» وتكون فخورة بذلك، فإنها تضع ختم قبولها واستحسانها على صفة الديناميكية الذكورية في ابنها الصغير. وعندما يُكافأ على كونه مستقلًا، ومنطلقًا، ولا يسمح للآخرين بإساءة معاملته، فسيكون صبيًا عدوانيًا طبيعيًا، وسيكبر ليصبح شخصًا راشدًا، عدوانيًا بالمعنى الصحّي للكلمة، ولكن ليس عنيفًا.

ينبغي أن لا نخلط العدائية والعنف مع العدوانية الطبيعية الإيجابية، فنحن نريد أن يكبر صبيتنا الصغار ليصبحوا رجالًا عدوانيين وأقوياء. ولكننا نريدهم أيضًا أن يكبروا ليكونوا أشخاصًا مسالمين، يستخدمون العقل والوسائل السلمية لحلّ الخلافات، بدلًا من اللجوء إلى العنف.

كثير من الآباء يشعرون في أعماقهم بأن زوجاتهم قد ذهبن بعيدًا في منع أطفالهم الذكور من اللعب بألعاب الأسلحة والجنود، ولكنهم يحتفظون بمشاعرهم الحقيقية حيال هذا الأمر في دواخلهم. وهذا أمر مؤسف للغاية لأن المرأة تريد أن يكون زوجها قويًا وشخصًا كفوءًا تستطيع الاعتماد عليه. والحماية المفرطة للصبية الصغار ضد التعبيرات الطبيعية للعنف الخيالي لن تساعد الصبي الصغير في أن يكبر ليصبح ذلك الرجل القوي.

يُتاح للكبار تفريغ مشاعرهم العدائية والعنيفة من خلال متنفَّسات مقبولة اجتماعيًا. والخيال واحد من هذه المتنفّسات، فالكبار يشاهدون مباريات الكرة والهوكي على الجليد ويصرخون «اقتل الحكم»، ويقرأون قصص الجرائم الغامضة، ويشاهدون العنف الخيالي في الأفلام والتلفزيون.

الأطفال يحتاجون إلى هذه المتنفَّسات الخيالية تمامًا كما يحتاج إليها الكبار. لذا دعي طفلك يلعب بدمى الجنود وألعاب الأسلحة إذا رغب بذلك، فإنها لن تؤذيه. أما إذا حظرتها عليه جميعها، فسوف تخلقين بذلك منطقة محرّمة (تابو) في عقله، ما سيؤدي إلى جعل هذا النوع من اللعب فاتنًا بالنسبة إليه، ويدفعه للانخراط فيه من وراء ظهرك.

نأتي الآن إلى مشكلة العنف في وسائل الإعلام.

دعينا نفترض أنك تتبعين النصائح العامة حول تربية الأطفال الواردة في هذا الكتاب، وأنك تستجيبين لحاجات طفلك النفسية الأساسية. لذلك فإن هناك القليل من الأسباب التي تدفعه للشعور بإحباط كبير وتجعله بالتالي ممتلئًا بالعدائية والعنف في داخله. أنت توفرين له بيئة مثيرة للاهتمام ومنبّهة في داخل بيتك، وبالتالي فإن لديه فرصة كبيرة للعب داخل البيت وخارجه، وللقراءة، وللانخراط في أنشطة فنية، وللقيام بالكثير من الأشياء الممتعة والمبدعة بالإضافة إلى مشاهدة التلفزيون. أنت لا تدعينه يجلس ملتصقًا بالتلفزيون لمدة أربع أو خمس ساعات يوميًا، وتحدّدين وقت مشاهدة التلفزيون بمدة معقولة في كل يوم. أنت تكافئينه أوتشجّعينه على مشاهدة برامج الأطفال الجيّدة. ولأنك تفعلين كل هذه الأشياء فلديك القليل مما تقلقين بشأنه إذا ما شاهد طفلك بعض العروض في التلفزيون التي تحتوي بعض مشاهد العنف.

الفكرة الخاطئة التي يجب أن نتطرّق لها هنا (والتي تعبّر عنها الكثير من مقالات المجلّات عن الأطفال والعنف التلفزيوني) هي أن الأطفال يتعلمون أن يصبحوا أشخاصًا عنيفين بسبب مشاهدتهم الأفعال العنيفة على شاشات التلفزيون. ليس هناك من أدلة علمية تدعم هذه الفكرة، فالأطفال يتعلمون أن يصبحوا عنيفين عندما يعلمهم الأهل بالوسائل التي وصفتُها في هذا الفصل.

- يتعلّم الأطفال أن يصبحوا عنيفين عندما يحبط الأهل احتياجاتهم النفسية البشرية، ما يجعل نفوسهم مليئة بالغضب والعنف.
- يتعلّم الأطفال أن يصبحوا عنيفين عندما يقومون بمحاكاة الوالدين العنيفين وتقليدهما.
- يتعلّم الأطفال أن يصبحوا عنيفين عندما يعزّز الأهل أفعالهم العنيفة ولا يضعون حدودًا صارمة لأفعال مثل ضربهم أطفالًا آخرين أو تخريب بعض الممتلكات.
- يتعلّم الأطفال أن يصبحوا عنيفين عندما لا يُسمح لهم بالتنفيس عن مشاعرهم العنيفة.

إذا تجنّبتِ الطرق المذكورة أعلاه التي تعلّم أطفالك أن يكونوا عنيفين، فلن يكون لديك ما تخشينه من شاشة التلفزيون.

يتصرّف بعض الأهل أحيانًا كما لو أن العنف في التلفزيون شيء جديد تمامًا، وأن الأطفال لم يسبق لهم أن تعرّضوا من قبل عبر تاريخ البشرية للعنف الخيالي. وهذا أمر ليس صحيحًا بكل بساطة، فالكتاب المقدّس مليء بالأحداث العنيفة وكذلك أعمال شكسبير. والحال نفسه في حكايات الأطفال الخرافية التي وجدت فيها الغيلان والوحوش قبل أن تظهر في الرسوم المتحرّكة بقرون.

هناك في الغالب «فجوة كبيرة بين الأجيال»، بين الكبار الذين يخشون العنف بشكل زائد عن الحد وبين الأطفال الذي ليست لديهم مثل هذه الخشية. الأطفال غالبًا ما يسعون وراء الخيال العنيف والمخيف لأنها طريقة تساعدهم، بواسطة الخيال، على ترويض مشاعرهم الداخلية العدوانية والعنيفة. هذه الفجوة بين الأجيال تجلت أخيرًا بمناسبة نشر كتاب *Where The Wild Things Are* (حيث تكمن الوحشية)، فلقد دان العديد من أمناء مكتبات الأطفال هذا الكتاب في مراجعاتهم، قائلين بأنه كتاب مرعب ليوضع بين أيدي الأطفال، وذلك بسبب قصّته وصوره الحيّة التي تتناول خيالات صبي صغير عن الغيلان

والوحوش. ورغم ذلك أحبّ الأطفال الكتاب، فهو يتناغم مع حاجاتهم الداخلية، ويساعدهم في التعامل مع عالم العنف والعدوانية القابع في بواطنهم.

إن طفلك يعرف جيدًا الفرق بين العنف في الخيال على شاشة التلفزيون وفي الأفلام وبين العنف الفعلي عندما يضرب طفلًا آخر، أو يقسو على حيوان، أو يخرّب شيئًا ما. ينبغي أن نضع حدودًا صارمة لتصرّفات الطفل العنيفة، ولكن يجب أيضًا أن نتيح له متنفَّسات مقبولة اجتماعيًا لمشاعره العنيفة. مثلًا، غضب منّي صبيّ في الرابعة من العمر يتعالج في عيادتي يومًا ما، وقبل أن أتمكّن من منعه، ضربني، بقبضته قائلًا: «أنا أكرهك أيها الغبيّ!». قلت له بحزم: «تومي، تستطيع أن تخبرني بأنك غاضب منّي وتستطيع وصفي بالغبي وبما شئت من الألفاظ. لكنّني لن أسمح لك بضربي». بعد ذلك، وفي جلسة العلاج نفسها، لعب لعبة الحرب بدمى الجنود في صندوق الرمل، قاصفًا ومدمّرًا «العدو» بواسطة فرق جنوده. لو أنني لم أضع حدودًا صارمة أمامه عندما ضربني، لكنت شجعته على الانخراط في أفعال عنيفة، أما سماحي له باستنزاف مشاعره العنيفة في الخيال عن طريق لعبة الحرب والجنود فقد كان أمرًا جيدًا، ولم يشجّعه ذلك على أن يكون عنيفًا.

إن سماحي له بالتعبير عن مشاعره العدائية عن طريق الخيال وفّر له مجالًا لإخراجها من نفسه، الأمر الذي أتاح للمشاعر الدافئة والإيجابية الظهور بعد ذلك.

يمكنكِ استخدام المبادئ نفسها مع طفلك. ضعي حدودًا صارمة على أفعاله العنيفة، ولكن وفّري له متنفَّسات مقبولة اجتماعيًا لمشاعره العنيفة.

أنا أؤيد خفض المستوى العام للعنف والسادية في التلفزيون والأفلام. إلا أن تلك الموادّ ليست آفات التلفزيون الوحيدة، فالبرامج التلفزيونية غير خلّاقة، ومبتذلة، وتهدف لتحقيق الأرباح السريعة (هذا المتسابق المحظوظ يربح ثلاجة جديدة، أو سيارة حديثة، أو إجازة فاخرة في مدينة جميلة).

عندما يفكر المرء في الإمكانيات التربوية والثقافية الغنية للتلفزيون بالنسبة للأطفال والكبار على السواء، ثم ينظر إلى ما يُعرض في الواقع على الشاشات، يصاب بالقشعريرة. وبالنظر إلى ما يُعرض حاليًا على الشاشات، فإننا يجب أن نستخدم حسّنا السليم وحكمنا السديد عندما يشاهد أطفالنا التلفزيون.

يجب أن نقاوم إغراء إلقاء اللوم على التلفزيون باعتباره سببًا لكل هذا العنف الذي نراه في أميركا اليوم. ولنتذكر أن هناك عنفًا في أماكن من العالم لم يسبق لسكانها أن شاهدوا جهاز تلفزيون من قبل.

كثير من مقالات المجلّات النسائية أخافت الأمهات وجعلتهنّ يغالين في محاولة حماية أطفالهن من أيّ شيء يشبه العنف ولو من بعيد، على شاشات التلفزيون.

لقد أرجأتُ إلى النهاية مناقشة الوسيلة الوقائية الأكثر فعالية بين كل الوسائل، التي يمكنك استخدامها بحيث لا يكبر طفلك ليكون شخصًا عدائيًا وعنيفًا. وسوف ندعو هذه الوسيلة الوقائية: الحب.

يجب أن نتذكر دائمًا أنّ الأشخاص العنيفين والعدائيين هم أناس حُرموا من الحب الحقيقي في طفولتهم. والبالغون الذين يؤذون ويقتلون الآخرين هم أشخاص مرضى ومنحرفون، وهم ممتلئون بالكراهية والعنف لأنهم حُرموا من الحب.

إن اللقاح الأكثر فعالية الذي يمكن أن نعطيه لأطفالنا ضد فيروس العنف هو حبّنا وعاطفتنا كوالدين. وبدلًا من قضاء جزء كبير من وقتنا في محاولة منع بعض فيروسات العنف الموجودة في بيئتنا المحيطة من إصابة أطفالنا، يجب أن نمضي وقتنا في بناء علاقة قوية وصحّية ومحبّة مع أطفالنا. يجب ألا نكتفي بمجرد تجنّب تعليم السادية لأطفالنا، بل ينبغي علينا تعليمهم القيم الإيجابية للشفقة والعطف، والاهتمام الحقيقي بأن نكون نافعين وأن نحترم الناس الآخرين.

يجب أن نعزز مثاليتهم الحيّة. يجب أن نلفت انتباههم إلى مآسي الحرب وأهوالها. يجب أن نجنّد أطفالنا وشبابنا في ما يدعوه عالم النفس ويليام جيمس بـ«المعادل الأخلاقي للحرب»، أي الهجوم على المشكلات الحالية التي تواجه البشرية: الفقر، التلوّث البيئي، الكراهية العرقية، والحرب. يجب أن نعلمهم محبّة جيرانهم كما يحبّون أنفسهم.

إن التربة التي يمكن أن ينمو فيها اهتمام حقيقي ومحبّ للناس الآخرين في أفئدة أطفالنا هي اهتمامنا الحقيقي والمحبّ لهم، فإذا استخدمنا، إضافة إلى

الحـبّ، رسـالتنا كوالدين، فسـوف نكون قد فعلنا الشـيء الأكثـر أهمية لضمان نمـوّ أطفالنـا ليصبحـوا أشـخاصًا أصحّاء نفسـيًا ومسـالمين، بـدلًا مـن أن يكونوا عنيفين وعدائيين.

11

المدرسة تبدأ في البيت

الجزء الأوّل

إنّ مفهوم عبارة «معدّل الذكاء» غامض للعديد من الأهل. فهم يقرأون عن التجارب والوسائل المصمّمة لرفع معدل ذكاء الطفل ويتساءلون عن كيفية تحقيقه. لكن لو أننا تكلمنا عن «مهارات التعليم الأساسية» بدلًا من «معدل الذكاء» فسيكون الموضوع برمّته أكثر وضوحًا.

على سبيل المثال، حضرت في السنة الماضية دورة تدريبية عن التخييم وتسلق الجبال، ونتيجة لهذه الدورة التدريبية ارتفع «معدّل الذكاء» الخاص بالتخييم وتسلق الجبال ارتفاعًا ملحوظًا لديّ. قد يبدو الوصف بهذه الطريقة مبهمًا. ولكن لو قلنا إنه نتيجة لهذه الدورة التدريبية تحسّنت مهاراتي الأساسية في التخييم والتسلق فسيكون الأمر مفهومًا أكثر، وسنعلم أنني تعلمت أمورًا أساسية كقراءة خريطة طوبوغرافية واستخدام البوصلة وتسلق الصخور وبناء ملجأ كهفي في الثلج.

إن اختبارات الذكاء تنبئنا إذا كان طفل ما سيكون ناجحًا في المدرسة، وذلك لسبب بسيط هو أنها تختبر «ذخيرة» الطفل من مهارات التعلم الأساسية، وكلما ازداد حجم هذه الذخيرة ازداد معدل الذكاء وازداد احتمال النجاح لدى الأطفال. والطفل الذي يلتحق بالروضة أو بالصف الأوّل ولديه ذخيرة كبيرة من هذه المهارات سيتعلم بسرعة أكبر من طفل آخر لديه ذخيرة أصغر منها، وسيتلقى تعزيزًا إيجابيًا أكبر من معلمه. لذا، فإن الطفل الأول، بما لديه من ذخيرة أكبر من مهارات التعلم الأساسية، وبالتالي معدل ذكاء أكبر، هو أكثر قابلية للنجاج في الدراسة وفي الحياة أيضًا من الطفل الثاني.

يجب أن نتذكر أن هذه المهارات يمكن تعلمها. ولذلك فإن الهدف من هذا الفصل هو أن نشرح كيف يمكنك تعليمها لطفلك في مرحلة ما قبل المدرسة بحيث تشكل أفضل نقطة انطلاق بالنسبة إليه.

على مدى سنوات طويلة، كان الاختصاصيون العاملون مع الأطفال يعلمون أن السنوات الخمس الأولى هي الأكثر أهمية في النموّ العاطفي للطفل، حيث تتشكل خلالها البنية الأساسية لشخصية الفرد البالغ. ولم تبيّن الأبحاث إلا أخيرًا أن هذه السنوات الخمس الأولى هي الأكثر أهمّية للنموّ العقلي أيضًا.

بما أنه يمكننا إجراء تجارب على الحيوانات الدنيا بدرجة يستحيل فعل مثلها على الكائنات البشرية، فإن كمّية كبيرة من الأدلة البحثية تظهر أثر التنبيه المبكر على سلوك البالغين في حيوانات مختلفة مثل الكلاب والقطط والفئران والقردة والبط والطيور. وقد بيّنت تجارب عديدة أن الحيوانات التي تتعرّض لتنبيه مبكر في مراحل مبكرة من الطفولة، تنمو بمعدل أسرع وتصبح أكثر ذكاءً من حيوانات أخرى لا تتعرّض لمثل هذا التنبيه.

وقد أظهر بحث أجراه في جامعة كاليفورنيا ببيركلي فريق مكوَّن من عالمي نفس وعالم كيمياء حيوية وعالم تشريح، أن تأمين بيئة مبكرة غنية عند الفئران البيضاء لا يؤدّي فقط إلى تطوير قدرة أكبر على حل المشكلات لديها عندما تصبح بالغة، بل إنها تنتج في الواقع تغييرات في التشريح والخصائص الكيميائية لأدمغة هذه الفئران. ويصف عالم النفس د. ديفيد كريش واحدة من هذه التجارب التي أجراها فريق البحث:

> في سنّ الفطام، اختِير فأر من كل زوج من دزينة أزواج من الذكور التوائم لكي يوضع في بيئة تربوية فعّالة وخلّاقة، بينما وُضع توأمه في بيئة غير منبّهة قدر المستطاع. هذه الاثنا عشر فأرًا المدعومة تربويًا عاشت معًا في قفص كبير مشبَك موجود في مختبر مضاء جيدًا، يعجّ بالحركة والضجيج. وقد جُهّز القفص بسلالم وعجلات متحرّكة وألعاب (إبداعية) أخرى. وأُخرج الفئران من القفص لمدّة ثلاثين دقيقة يوميًا ليتاح لها استكشاف مكان جديد. ومع نموّ الفئران أكثر كُلّفت بمهمّات تعلم مختلفة وكوفئت عليها بقطع من السكر. واستمرّ هذا البرنامج التربوي والتدريبي المحفز لمدة ثمانية أيام.
>
> وبينما تتمتع هذه الحيوانات ببيئتها الغنية عقليًا، يعيش كل واحد من الحيوانات المفتقرة لهذه البيئة في حبسه الانفرادي، في قفص صغير

موضوع في غرفة هادئة ذات إضاءة خافتة. ونادرًا ما يُتاح له التعامل مع المشرف ولا يُدعى إطلاقًا لاكتشاف بيئة جديدة، أو لحل مشكلة، أو الانضمام لفئران أخرى في اللعب. إلى ذلك تمتعت كلتا المجموعتين من الفئران بحريّة الوصول غير المحدودة إلى نوعية الطعام نفسها خلال مدّة التجربة.

أظهرت الاختبارات التي أجريت على هذه الفئران في مرحلة لاحقة من حياتها أن تلك التي تعرّضت لتنبيه مبكر كانت أكثر ذكاءً وقدرة على حلّ المشكلات من تلك التي لم تتعرّض لهذا التنبيه. ثم دُرست أدمغة هذه الفئران. هذه التجربة التي تكرّرت عشرات المرات أشارت إلى أن دماغ الفأر الذي يحظى بفرصة الحصول على بيئة خصبة عقليًا، يتوسّع وينمو حجمًا ووزنًا أكثر من دماغ الفأر المحروم من مثل تلك البيئة. وأظهرت قشرة الدماغ المدروسة عددًا متزايدًا من أنواع محدّدة من الخلايا الدماغية، مع تفرّعات أكثر بين الخلايا مقارنة بأدمغة الفئران المفتقرة للتنبيه. كذلك حدثت تغيّرات كيميائيّة مهمّة، فقد عُثر على مقدار أكبر من أنزيمَين مهمَّين في أدمغة الفئران المعرّضة للتنبيه مقارنة بالحيوانات الأخرى. ويعلق الدكتور كريش: «لقد أثبتنا أنّ هذه التغيّرات البنيوية والكيميائية هي علامات على أدمغة «جيدة»... لقد تمكنّا من خلق حيوانات أكثر قدرة على حلّ المشكلات».

وأكدت أبحاث على المستوى البشري حقيقة أن التنبيه، أو نقصانه، في السنوات المبكرة من الحياة، له تأثير مهم على سلوك الفرد البالغ وذكائه. وقد لخص الدكتور بنيامين بلوم، أستاذ علم النفس في جامعة شيكاغو، قدرًا كبيرًا من الأبحاث التي تظهر أن الأطفال يطوّرون 50 في المئة من ذكائهم في سنّ الرابعة. وهذا ما يفسّر حقيقة أن الأطفال المحرومين المنحدرين من والِدين فقيرين يلتحقون بروضات الأطفال أو الصف الأول وهم يعانون من تأخر ملحوظ في قدراتهم العقلية، مقارنةً بأطفال ينحدورن من الطبقة الوسطى. ولا يتمكن الأطفال الفقراء من ردم هذه الفجوة أبدًا بسبب الآثار المستمرّة لنقص التنبيه في سنوات حياتهم المبكرة. ولهذا تحاول برامج متخصّصة موجهة لأطفال العائلات ذات الدخل المنخفض في الولايات المتحدة، توفير تنبيه عقلي كافٍ لهؤلاء الأطفال في سنواتهم الأولى بحيث لا يتعرّضون لعوائق تربوية خلال سنوات دراستهم اللاحقة.

ماذا تعني كل هذه الأبحاث بالنسبة لطفلك؟

إنها تعني أنك كلما وفّرت لطفلك المزيد من التنبيه العقلي في السنوات الخمس الأولى من حياته، بدون دفع أو ضغط، كان أكثر ذكاءً وألمعية وكان معدّل ذكائه أعلى عندما يصبح بالغًا.

تعليم طفلك التفكير

إن مهارة التعلم الأساسية التي يمكننا تعليمها لطفل هي كيفية التفكير.

ما هو التفكير؟ اقترح الراحل جون ديوي، عالم التربية الشهير، أن «التفكير يبدأ عند الإحساس بمشكلة». وهو يشدّد على أننا لا نفكر ما لم تكن هناك صعوبة أو مشكلة تواجهنا.

دعوني أقتبس مثلًا رائعًا عن التفكير في مستوى طفل في الرابعة من العمر:

> **كانت مجموعة من الأطفال في سنّ الرابعة يلعبون لعبة «بيت بيوت» في صندوق كبير من الكرتون. وقد صنعوا مجموعة من قطع الأثاث المنزلية انطلاقًا من مكعّباتهم، ولأن المساحة كانت محدودة في الصندوق كان من الضروري التحرّك بحذر شديد لتجنّب الاصطدام بالأشياء. وكان هذا أمرًا شبه مستحيل لجيمي الأخرق والمنفعل. وبعد نصف دزينة من الحوادث أعلن «الوالد» في العائلة بصوت فيه نبرة من حقق اكتشافًا مثيرًا: «يجب أن يكون لدينا كلب أيضًا! جيمي، فلتكن أنت الكلب! يجب أن تبقى في الخارج وتنبح عندما يقترب أحد من المنزل. انبح بصوت مرتفع!».**

يُظهر هذا المثال أن هناك ثلاث خطوات في عملية التفكير. الخطوة الأولى هي مشكلة أو صعوبة، اختلال في حياتك. وفي المثل السابق عن الأطفال، كانت المشكلة أن جيمي الأخرق استمرّ يصطدم بالأشياء في لعبة ال»بيت بيوت». الخطوة الثانية في التفكير هي فرضية أو فكرة سوف تحل المشكلة. فالأب في العائلة (في اللعبة المذكورة) سوف يأتي بفكرة: «جيمي، فلتكن أنت الكلب»

(وهذا سوف يخرجك من البيت وستتوقف عن الارتطام بالأشياء وإسقاطها).
الخطوة الثالثة هي النتيجة أو حلّ المشكلة. وهي في هذا المثال عندما يقبل جيمي بأداء دور الكلب.

ورغم أن هذا المثال يوضح طريقة تفكير الأطفال، الخطوات الأساسية الثلاث هي نفسها في كل طرائق التفكير، من الأكثر بدائية إلى الأكثر تعقيدًا.

ثمة أيضًا نوعان أساسيان من التفكير، وهو ما يدعوه الدكتور جيروم برنر أستاذ علم النفس في جامعة هارفارد بـ«تفكير اليد اليمنى» و«تفكير اليد اليسرى». وهو يعني بـ«تفكير اليد اليمنى» التفكير المنطقي والتحليلي والعقلاني، وهو تفكير نفعله بعقلنا الواعي ويتقدّم بحرص، خطوة خطوة، باتجاه نتيجة منطقية. وهو نوع التفكير الذي تهتم به المدارس والكليات وتسعى جهدها لتعليمه للأطفال. ولكن هناك نوع آخر من التفكير، غالبًا ما تهمله المدارس. إنه «تفكير اليد اليسرى» وهو تفكير بديهي وحدسي، ويتضمّن اعتماد المفكر على عقله اللاواعي بدلًا من عقله الواعي. إنه ذلك التفكير الذي يفضي إلى اكتشافات علمية عظيمة أو اختراقات إبداعية في عالم الأعمال أو السياسة. ولهذا ينبغي علينا تعليم أطفالنا كلا النوعين من التفكير.

«تفكير اليد اليمنى»

ماذا يمكننا أن نفعل لتعليم طفلنا في مرحلة ما قبل المدرسة تفكير اليد اليمنى؟ يمكننا تزويده بالمواد الأولية لاستعمالها، والأكثر جوهرية من بينها هي التجارب الحسية.

يمكن تصنيف الأمهات في ثلاث مجموعات اعتمادًا على مدى تشجيعهنّ لأطفالهن على الانخراط في تجارب حسية. هناك أولًا، الأم «لا – لا» وهي تلك التي تثبط فعليًا الاستكشاف عبر الرؤية والسمع واللمس والتذوق والشم: «ابتعد عن هذا»، «أبعد يديك عن هذا – إنه قذر»... ثانيًا، هناك الأم «المحايدة» التي تتخذ، بشكل أساسي، موقفًا سلبيًا ومحايدًا تجاه الاستشكاف

الحسّي الذي يقوم به طفلها. ثالثًا، هناك الأم التي تشجّع طفلها فعليًا على استكشاف العالم بحواسّه على أكمل وجه ممكن.

آمل أنك ستكونين من المجموعة الثالثة. شجّعي طفلك على الإحساس بالأشياء، وعلى أن يكون واعيًا للبنى المختلفة. ساعديه على الإنصات إلى كل الأصوات المختلفة في بيئته وعلى أن يكون أكثر وعيًا لها. ساعديه على أن يرى حقًا – أن يرى الجمال في الأشياء المألوفة: الدهان المتقشّر على جدار المرأب، أنماط الشقوق المعقدة في أسفلت الطريق، تشكيلات الماء عندما تغسلين السيارة... حاولي مساعدة طفلك على أن يكون واعيًا.

يعبّر عن ذلك الراحل فيكتور لونفيلد أستاذ التربية الفنية في جامعة ولاية بنسلفانيا على الشكل الآتي:

> «يمكنك تشجيعه على استعمال عينيه وأذنيه ويديه باستمرار... يمكنك حثّه على أن يكون واعيًا لجمال صفّ من الزنبق في إحدى الحدائق، والفرق بين الأوراق الطويلة المتدفقة لأشجار الصفصاف المتهدّلة الأغصان وتناسق الأخضر والفضّي في ورقة فضّية من شجرة القيقب. شجّعيه على تلمّس القشرة الغليظة والمثلمة لسنديانة معمّرة والقشرة الناعمة المرقشة لشجرة جمّيز. دعيه يتحسّس نسيج الصوف والمخمل وحرير الرايون في ثيابك وثيابه. اجعليه يتحسّس ليعي كيف يكون وبر القطة... وجملة بسيطة مثل: «جوني، هل تشمّ رائحة الأوراق المحترقة في الهواء؟» تفتح الباب إلى تجربة حسّية غنية بالنسبة إلى طفل صغير، ما كان ليشعر بها لولاك. وحتى أصوات الهواء الذي يتخلل الأشجار، وزقزقة عصفور في الصباح، وخرير غدير مياه على صخور ناعمة، كلّها أمور يمكن أن تكون نقطة انطلاق لطفل صغير إلى حساسية تتّسع رقعتها وتغني حياته بأكملها».

إن الوقت الملائم لوضع الطفل على بداية الطريق إلى الوعي هو عندما يكون في مرحلة ما قبل المدرسة. والوعي الحقيقي للعالم الحسّي هو القاعدة الأكثر جذرية في التفكير.

بالإضافة إلى توفير مجموعة واسعة من التجارب الحسّية لأطفالنا، ينبغي علينا تزويدهم بتشكيلة منوّعة من المواد التي يمكنهم استعمالها كمحفّزات على التفكير، وهي المواد التي يجب أن تتاح لطفلك في السنوات ما بين الثالثة والسادسة من عمره. يجب أن يكون لديه الكثير من الورق، أقلام التلوين، أقلام التلوين المائية، مقصّات ذات أطراف غير حادّة، مجلات قديمة، كرتون من مختلف الأحجام والأشكال، سبورة مع طباشير بيضاء وملوّنة، أنواع مختلفة من خردة الخشب، القماش، الصمغ، مكعّبات خشبية بأحجام مختلفة، مسجّل وتسجيلات متنوّعة، ليغو أو أنواع مشابهة من ألعاب التركيب والبناء، معاجين، كتب. كما يجب أن يكون لطفلك مجموعة من الأحرف الأبجدية والأرقام البلاستيكية والمغناطيسية وسبورة معدنيّة يمكن تثبيت الحروف والأرقام عليها. وبدون هذه المواد المذكورة سابقًا سيكون طفلك في مرحلة ما قبل المدرسة معوقًا في تفكيره كحالة طالب في كلية لا تتوفر لديه الكتب الدراسية.

يجب أن تجهّزي أيضًا لوحة حائط تعلّقين عليها الإنتاجات الفنية والمطبوعة لطفلك. فتهيئة مكان يعرض فيه ما قد أنجزه يعطيه إحساسًا بالفخر بعمله ويكافئه على إنجازاته.

جانب آخر مهمّ للنموّ العقلي المبكر هو إعطاء طفلك مجموعة واسعة قدر المستطاع من التجارب المباشرة.

الكثير من الأشخاص ليسوا مفكرين أقوياء لأنه كان لديهم القليل من التجربة المباشرة، فعقولهم مليئة بآراء الآخرين وأفكارهم، بدلًا من الآراء والأفكار المتولدة في أنفسهم. وإذا كنت تظنين أنني أبالغ فاسألي نفسك أو اسألي شخصًا آخر هذا السؤال: هل تمضي ولو نصف ساعة من يومك في تأمّل هادئ منصتًا إلى صوت نفسك؟ أم يعجّ يومك كله بأصوات الآخرين، سواء كانت أصوات أناس، أو برامج تلفزيونية، أو كلمات في صفحات مطبوعة.

في سيرته الذاتية اللافتة يقترح الصحافي الشهير لينكولن ستيفنس طريقة ليصبح المرء ناقدًا أصيلًا وصحافيًا في المجال الفني. إلا أن لاقتراحه هذا تشعّبات واسعة. إنه يقترح أن نقوم بزيارة لمتحف فنّي وننتقي ثلاثة أعمال

فنّيـة تنـال إعجابنا أكثر من بقية الأعمال الموجودة. على أن نعود في الأسـبوع التالـي وننتقـي مرة أخرى ثلاثة أعمال فنّية تحظى بإعجابنا. ويسـتمرّ الأمر على هذا النحو في كل أسبوع لمدة ستة شهور. في نهاية المدة من المرجّح أن المرء لـن يختـار الأعمـال الثلاثـة التي اختارهـا في البدايـة. فالذي حدث هـو أننا قد خضعنا لدورة دراسية في التقييم الفنّي من خلال التغيير والتطوّر الذوقي الذي اكتسـبناه عبـر اختيـار هذه الأعمـال الفنية الثلاثة. وقد يحـدث في نهاية هذه الشـهور السـتة أننا سـنختار الأعمـال الفنية الثلاثـة التي قد يختارهـا ناقد فني باعتبارها الأفضل. والفكرة هي أننا اخترنا هذه الأعمال الثلاثة بناءً على تجربتنا الذاتية المباشرة والحقيقية، لا لأن أحدًا آخر أخبرنا أنها أعمال فنّية عظيمة.

إنّ هذا المشروع المقترح من السيد ستيفنس هو نموذج لما نستطيع استعماله مـع أطفالنـا. فلنعطهـم الكثيـر من الفرص لتجربة الأشـياء بأنفسـهم بدلًا من أن يفعلوا ذلك من خلال عيون أو أفكار أو مشاعر الآخرين.

لا يكفـي أن تكـون تجربـة أطفالنـا مباشـرة فقط، بـل يجب أن تكـون واسـعة قدر الإمـكان، فالتفكيـر يتأسّـس علـى مـدى تجربـة الطفـل، ولـن يتجاوز مـدى هذه التجربـة. ولهـذا ينبغـي عليـك الحـرص على أن تكـون تجربة طفلك واسـعة قدر المستطاع.

إحـدى أفضل الطرق لتوسـعة تجربة طفلك المباشـرة تكون بأخـذه إلى ما تدعوه المـدارس بالرحـلات الميدانية المجتمعيـة. فكل مجتمع، سـواء أكان في بلدة صغيـرة أو فـي مدينـة كبيـرة، فيـه عـدد من الأماكـن الجذابـة التي يمكـن فيها توسعة تجربة الطفل في مرحلة ما قبل المدرسة.

كان أطفالـي فـي مرحلـة ما قبل المدرسـة يتحمّسـون لرحلات إلـى أماكن مثل: محطة الإطفاء، مركز الشـرطة، معمل الألبان، مسبك المعادن، المكتبة، المطار، مقرّ الجريـدة، محـلّ تصليـح الأحذية، المخبـز، محـل اللِحام، المصـرف، كاراج تصليح السيارات، مصنع الفطائر...

وكان أكثـر هـذه الأماكـن إثـارة لحماسـة أطفالـي مسـبك المعادن، حيـث كانوا يشـاهدون هذه المواد الملتهبة وهي تتشـكل وتبرد، ومن ثم تتكوّن لديهم فكرة

أفضل عن كيفية صناعة بعض الأشياء من المعادن، وهذا بدوره يؤدّي إلى إثارة فضولهم عن كيفية صناعة أشياء أخرى.

من المحتمل أنك ستكتشفين أن مثل هذه الرحلات الميدانية مع طفل صغير هي تسلية كبيرة بالنسبة إلى شخص بالغ، فنحن الكبار لا نجد في العادة فرصة للقيام بأشياء من هذا النوع، ونشعر بالخجل من الذهاب إلى محطة الإطفاء والطلب من رجل الإطفاء «هل لي أن ألقي نظرة على سيارة الإطفاء؟». إن طفلك هو تذكرة مرورك إلى كل هذه الأنواع من المغامرات التي يمكن أن تجديها على بعد نصف ساعة من منزلك. لقد وجدتُ أنه حتى أكثر الرجال خشونة يحبّون أن يجولوا بطفل صغير في مصانعهم أو أماكن عملهم.

ثمّة الكثير من الطرق لتوسعة تجربة طفلك بعد القيام برحلة ميدانية. يمكنك أن تقرئي له أحد إصدارات سلسلة من الكتب تتضمّن عناوين مثل «فلنذهب إلى مكتب البريد، فلنذهب إلى حديقة الحيوان، فلنذهب إلى المصرف». وعندما تعودان من رحلة، يمكنك تشجيع طفلك على رسم صور وتأليف قصص عن هذه الرحلة. يمكنه حتى أن «يؤلّف كتابًا» عن هذه الرحلة.

عندما تختارين الوسائل لإغناء معرفة طفلك لا تغفلي عما هو واضح وجليّ. المتاحف هي وسيلة عظيمة لتوسعة تجربته، ولكن عليك أن تعرضي طفلك لهذه التجربة بجرعات صغيرة (وتذكّري قدرته المحدودة على الانتباه والتركيز الطويلين). السفر بطبيعة الحال يمكن أن يوسّع تجربة طفلك كثيرًا، وخاصة إذا كان لديك ما يجعلك قادرة على السفر إلى بلد أجنبي. والكتب والتسجيلات والأفلام والبرامج التلفزيونية هي وسائل ذات قيمة عالية تساعد في توسعة آفاق طفلك. تذكّري كلمات عالم النفس بياجيه: «كلما استمع طفلك وشاهد أكثر، رغب في المزيد».

من المهم أن تجعلي التفكير التجريدي عند طفلك ينشأ من تجارب محسوسة، فالأطفال الصغار غير قادرين على ممارسة كثير من التفكير التجريدي غير المرتبط بموادّ محسوسة، ولكنهم قادرون على ممارسة الكثير من هذا التفكير عندما ينشأ من مواد محسوسة يستطيعون رؤيتها ولمسها والتلاعب بها.

هذا الوعي لأهمية «التعليم عن طريق اللمس» كان جزءًا من عبقرية ماريا مونتيسوري وهو أحد أسباب الرواج الذي لاقته الحركة المونتيسورية في الولايات المتحدة في وقت من الأوقات.

قالت مونتيسوري إنها قدّمت للأطفال «أفكارًا تجريدية مجسّدة»، وعنت بذلك أنها قدمت للأطفال أفكارًا مجرّدة في أشكال محسوسة، يستطيع الطفل التعامل معها من خلال نشاط معيّن. لقد صمّمت سلسلة متكاملة من تجهيزات الألعاب التربوية التي يستطيع الطفل التعامل معها والتلاعب بها لكي يتعلم الرياضيات، الفيزياء، القراءة، الكتابة، ومهارات أخرى.

سار على خطى مونتيسوري اختصاصيون آخرون في تربية الأطفال. وهناك ألعاب تربوية جيدة التصميم في الأسواق يمكنها أن توجّه طفلك إلى التفكير التجريدي من خلال استعمال موادّ محسوسة يستطيع التعامل معها والتلاعب بها.

كان البلجيكي جورج كوسينير واحدًا من أولئك الذين اتبعوا خطوات مونتيسوري، فاخترع مجموعة من المواد التي يستطيع الأطفال من خلالها تعلم الحساب والرياضيات – قضبان كوسينير، وهي سلسلة من القضبان الخشبية ذات الأطوال والألوان المختلفة. تُعدّ أفضل الطرق المبتكرة حتى الآن لتعليم الطفل الحساب والرياضيات. يستطيع الطفل تعلّم الجمع والطرح والضرب والقسمة، كما يستطيع تعلم التحقّق من صحة عمله. وباستخدام هذه القضبان يستطيع الدخول إلى عالم الجبر بطريقة سهلة.

هذه الأنواع من الألعاب التربوية تقوم على مبدأ السماح للطفل باكتشاف الأشياء بنفسه، فالأشياء التي يكتشفها بنفسه هي أكثر رسوخًا في عقله من الأشياء التي تشرحينها له.

خذي مثالًا بسيطًا على ذلك. عندما تتيحين لطفلك تجربة الرسوم بألوان مختلفة، فقد تخبرينه بأنه يستطيع مزج اللون الأصفر مع الأزرق للحصول على اللون الأخضر. ولكنك عندما تفعلين ذلك فإنك تحرمينه من لذة الاكتشاف بنفسه، فلماذا لا تفعلين الأمر بطريقة مختلفة؟ قدّمي له اللونين الأصفر والأزرق

ثم قولي: «لماذا لا تمزجهما وتشاهد ماذا سيحدث؟» عندئذ سيجرّب وسيشرق وجهه قائلًا: «أوه، إننا نحصل على اللون الأخضر».

من الصعب علينا نحن الأهل استعمال «الاكتشاف الذاتي» كوسيلة تعليمية لأطفالنا لأننا متعوّدون جدًا على إخبارهم بالمعلومات. وأنا أتذكّر أن واحدًا من أطفالي سألني عندما كان في الثالثة من عمره: «بابا، إذا زرعت عصا في الأرض فهل تنمو لتصبح شجرة؟» لقد كان ردّ فعلي المباشر هو أن أجيبه «لا، هذا لن يحدث» ولكنني بدلًا من ذلك استخدمت وسيلة «الاكتشاف الذاتي». قلت له «دعنا نقم بالتجربة ولنزرع عصا في الأرض ولنر إذا كانت ستنمو». فعلنا ذلك وبعد بضعة أيام علّق قائلًا «أعتقد أنها لن تنمو». ثم زرعنا بعض البذور وتعلّم بالاكتشاف المباشر ما هو قابل للنموّ وما هو غير قابل لذلك.

ساعدي طفلك على تطوير المفاهيم الأساسية التي تساعده على تنظيم عالمه وفهمه.

يتعرّض الأطفال لوابل من المعلومات من بيئتهم المحيطة. وهم يحاولون باستمرار ربط وتجربة جزء من هذه المعلومات مع جزء آخر لكي يفهموا عالمهم. إنهم يحاولون اكتشاف علاقات «السبب والنتيجة»، وتصنيف وتنظيم المعلومات التي يحصلون عليها من خلال ما يرونه ويسمعونه ويشعرون به في بيئتهم المحيطة، بهدف تطوير مفاهيمهم الأساسية.

Fostering Intellectual Development in Young Children (تعزيز النموّ العقلي عند الأطفال الصغار) كتاب من تأليف إليزابيث ليدل، ميريام دورن، وكينيث وان. سوف يقدّم لكم قدرًا جيّدًا من المعلومات الأساسيّة بما يمكّنك من مساعدة طفلك على تطوير مفاهيمه الأساسيّة. وما أعنيه بـ«المفهوم الأساسي» هو الفكرة التي تساعد الطفل على دمج عدد من الظواهر المختلفة وفهمها، انطلاقًا من بيئته المحيطة. ومن بين الأمثلة على المفاهيم الأساسية التي يمكن لطفل في مرحلة ما قبل المدرسة فهمها يمكن أن نذكر:

«الجاذبية هي قوة غير مرئية تجذب الأشياء إلى الأسفل باتجاه الأرض».

«كل الحيوانات تتمتّع بنوع معيّن من الحماية ضد أعدائها».

«يحدث الاحتكاك عندما يُفرك شيئان معًا، والاحتكاك يجعل الأجسام حارة».

عندما يستوعب الطفل حقًا واحدًا من هذه المفاهيم الأساسية، فإنه يستطيع فهم مجموعة كاملة من الظواهر الموجودة في بيئته.

يمكنك شرح المفاهيم الأساسية لطفلٍ من خلال قراءة كتاب معه يقدّمها بمستوى يستطيع الطفل فهمه. يمكنك أيضًا شرح هذه المفاهيم لطفلك عن طريق أمثلة بسيطة من الحياة اليومية، فالجاذبية يمكن الدلالة عليها بجعله يرى أنك عندما تفلتين شيئًا ما فإنه يسقط على الأرض بدلًا من أن يرتفع في الهواء. يمكنك أن تشرحي له أنه ليس في الفضاء الخارجي جاذبية، ولذلك سيعوم الناس في هذا الفضاء، مّا لم يكونوا موجودين في كوكب تشدّهم فيه الجاذبية إلى أرض هذا الكوكب.

تعلّمي لعب ألعاب تربوية مع طفلك، فكل الأطفال يحبّون الألعاب. ولكن مع طفل في مرحلة ما قبل المدرسة ليس عليك شراء هذه الألعاب بل يمكنك صنعها بنفسك.

هناك الكثير من الألعاب التربوية البسيطة التي يمكنك أن تلعبيها مع طفلك، فبالنسبة إلى طفل في الرابعة من العمر تُعدّ «الكلمات المقفّاة» خيارًا جيدًا. وهذه تكون بأن تفكري بكلمة ويفكر هو بكلمة أخرى تشاركها القافية نفسها. ثم يفكر هو بكلمة وتفكرين أنت بكلمة آخرى بالقافية نفسها (يمكنك التوسّع في تعريف «الكلمة المقفّاة»). فهذه لعبة بسيطة ولكنها ستجعل طفلك يستمتع باللعب.

لعبة أخرى جيدة هي «أليس من الممتع أن...؟». قولي لطفلك: «عندي لعبة جديدة. إنها تسمّى (أليس من الممتع أن...؟) وسأعلمك كيف تلعبها. أنا سأبدأ. أليس من الممتع أن يستطيع الناس المشي على أيديهم بدلًا من أقدامهم؟ دورك الآن». ويمكنك استخدام كل المفاهيم المثيرة للاهتمام: أليس من الممتع أن تسير السيارات بواسطة الماء بدلًا من البنزين؟ أليس أمرًا ممتعًا أن يعطي الأطفال إبرًا للأطباء؟... إنك بهذا النوع من الألعاب تساعدين طفلك الصغير على تعلم التفكير بطريقة روائية. أنت تشجّعينه على إبداع أفكار جديدة وعلى تطوير خياله.

يمكنك أيضًا إدخال بعض التعديل على اللعبة السابقة لتصبح «ماذا سيحدث لو...؟». ماذا سيحدث لو أن السيارات سارت بالماء بدلًا من البنزين؟ ستوفر العائلة مالًا أكثر لأن الماء أرخص من البنزين. سيكون هناك دخان أقل. سيكون علينا التوقف عند محطة الماء بدلًا من محطة البنزين...

هناك مبدأ مهم عليك أن تراعيه عندما تلعبين هذه الألعاب مع طفلك الصغير وهو قبول كل ما يأتي به من أفكار مهما كانت. لا تكوني منتقدة لأفكاره وتقولي أشياء مثل: «كلا، هذا لن يحدث» أو «هذا ليس صحيحًا»، فأقوالك هذه سوف تثبطه عن الإتيان بأفكار جديدة وتسلب منه متعة اللعب. وعندما يكبر أكثر ستكون لديه الفرصة ليتعلم أن يكون أكثر دقة وصوابًا في أفكاره، فلا تقلقي. كل ما عليك أن تفعليه في هذه المرحلة هو تشجيعه على إنتاج المزيد من الأفكار بصرف النظر عن دقتها وصوابها من الناحية العلمية.

لعبة أخرى مفيدة هي «لعبة التصريح». وتكون بقول أيّ عبارة تصرّح عن شيء ما. يمكنك البدء بتصريح مثل: «هذه السيارة لونها أبيض» ثم تطرحين أسئلة حول هذا التصريح.

«هل هذه السيارة خضراء اللون؟».
«لا».
«هل هذه السيارة حمراء اللون؟».
«لا».
«هل هذه السيارة بيضاء اللون؟».
«نعم».
وإليك الآن واحدًا أكثر تعقيدًا بقليل:
«كل الكلاب لديها أربع قوائم. القرود لها اثنتان. هل القرد هو الكلب؟».
«لا».
«كيف تعرف؟».
«لأنه ليس لديه أربع قوائم».

فالهدف هنا هو أن تظهري للطفل أنك تستطيعين، انطلاقًا من تصريح معيّن، خلق عدد غير متناهٍ من الأسئلة التي يمكن الإجابة عنها بنعم أو لا. وهذه اللعبة

عندما تُلعب على مستوى طفل في مرحلة ما قبل المدرسة، تشكّل قاعدة قوية للتفكير المنطقي.

استعملي خيالك لصنع ألعابك الخاصة مع طفلك في مرحلة ما قبل المدرسة. جرّبي وسترين أن قائمة النشاطات التي يمكن تحويلها إلى «ألعاب» بالنسبة لطفل صغير لا نهاية لها فعلًا. انظري بنفسك كم «لعبة» يمكنك اختراعها انطلاقًا من رحلة إلى السوق تقومين بها مع طفلك.

«تفكير اليد اليسرى»

والآن إلى تفكير اليد اليسرى. هنا، نحاول مساعدة طفلك على تطوير القسم الحدسي، الخيالي واللاواعي من عقله كما فعلنا مع القسم العقلاني، المنطقي والواعي، فكيف تستطيعين مساعدته؟

أولًا، يمكنك تشجيع قدرته الإبداعية.

من سوء الحظ أن كلمة «الإبداع» أصبحت مبتذلة في هذه الأيام، فكل صانع ألعاب يطلق وصف «إبداعي وخلّاق» على ما يصنع من ألعاب كيفما كانت. لذا ينبغي علينا أن نعود إلى المعنى الأصيل للكلمة.

عندما يقوم طفلك بإبداع شيء ما فهذا يعني أنه، انطلاقًا من موادّ غير منظمة، يقوم بتشكيل أو تكوين بنية ما تتولّد من عقله. على سبيل المثال، قارني بين استخدام كتاب للتلوين واستخدام أقلام تلوين وورق فارغ. عندما يلوّن طفلك في كتاب التلوين تكون البنية جاهزة في الكتاب، وطفلك لا يقوم بأيّ إبداع. فالقيمة الوحيدة لما يفعله هي أنه يتعلم أن يبقى ضمن الحدود المرسومة. وليس هناك على الإطلاق أيّ نوع من الإبداع في ما يفعله.

ولكن عندما يرسم طفلك بأقلام التلوين على صفحة بيضاء، فإنه يبدع بنية خاصة به، تتولّد من عقله، انطلاقًا من مواد غير منظمة وهي أقلام التلوين والورق.

ولهذا من المهم جدًا لطفلك أن تتوفّر له هذه المواد غير المنظمة، التي قد تكون أقلام التلوين، الدهان، الطين، المعجون، الورق، الكولاج (الملصقة)، المكعّبات، الرمل، الوحل وما أشبه ذلك. فليس هناك في هذه المواد ما يمتلك بنية محددة، بل إن عقل طفلك هو الذي سيبدع هذه البنية.

يجب التنبّه هنا إلى أن الأهل يسيئون في بعض الأحيان فهم هذا التشديد على دعم الحسّ الإبداعي لدى الطفل، فيفكرون: «حسنًا، هذا ليس أمرًا مهمًّا إلى درجة كبيرة، لأنني أشك في أن طفلي سيكبر ليكون فنانًا». لقد فاتتهم الفكرة، فليس المطلوب من خلال استعمال هذه المواد غير المنظمة أن تحاولي تعليم طفلك أن يكون فنانًا، وإنما المطلوب هو محاولة تعليمه أن يكون مبدعًا. أنت تتيحين له فرصة تعزيز ثقته الذاتية بنفسه بجعله يرى أنه يستطيع إضافة النظام والبنية إلى هذه المواد غير المنظمة. أنت تزيدين حساسيته، ووعيه، وأصالته، وقدراته على التكيّف والإبداع، وهذه الخصال الإبداعية سوف يكون محتاجًا إليها مهما كان نوع المجال الذي سيختاره في حياته المستقبلية.

لقد أشرتُ سابقًا إلى مدى أهمية إتاحة الفرصة للطفل للتعبير عن مشاعره في صحّته النفسية. إن ذلك شديد الأهمية أيضًا للتطوير الأقصى لذكائه. يمكنك مساعدة طفلك في الوصول إلى عقله اللاواعي من خلال تشجيعه على التعبير عن مشاعره. ينبغي عليك تعليمه أنه ليس هناك شيء صحيح أو خاطئ، جيّد أو سيّئ، عندما يتعلق الأمر بمشاعره أو أفكاره، فالصح والخطأ، الجيد والسيّئ، هي صفات تقتصر على الأفعال، على السلوك الخارجي، لا على الأفكار والمشاعر. وأحد الأشياء الرئيسية التي تمنع الأفكار والطرائق غير التقليدية من الظهور في عقل الفرد البالغ هو أنه قد تعلّم وهو طفل أن هناك أفكارًا أو مشاعر معيّنة تكون سيئة أو خاطئة. ولكن، كلما كان ظهور الأفكار غير التقليدية والجديدة والإبداعية أسهل في عقل الشخص البالغ، كان ناجحًا في عمله المختار.

وكما يشير دايفيد أوغيفلي وهو واحد من أكثر رجال صناعة الإعلان إبداعًا ونجاحًا الذين أنجبهم بلدنا:

> **تتطلب العملية الإبداعية أكثر من العقل، فمعظم الأفكار الأصيلة ليست شفهية حتى. إنها تتطلب تجريبًا للأفكار، محكومًا بالحدس ومُلهمًا**

باللاواعي. إن غالبية رجال الأعمال غير قادرين على التفكير الأصيل لأنهم غير قادرين على التخلص من طغيان العقل. إنّ خيالهم مسدود.
لقد طوّرتُ تقنيّات تعمل لإبقاء الخط الهاتفي إلى عقلي اللاواعي مفتوحًا إذا كان لدى هذا المخزن المضطرب شيء ما ليخبرني إياه. أنا أستمع إلى الموسيقى... وأستمتع بالحمامات الساخنة. أهتمّ بالحديقة... وأذهب بنزهات طويلة على الأقدام إلى الريف... وآخذ عطلات متكرّرة بحيث يخلد دماغي إلى الراحة، فلا غولف ولا حفلات كوكتيل ولا تركيز، فقط درّاجة هوائيّة. وبينما يرتاح دماغي من أيّ عبء، أتلقى سيلًا مستمرًا من البرقيّات من عقلي اللاواعي، التي ستصبح لاحقًا المواد الخام لإعلاناتي.

إن الطريقة التي تساعدين بها طفلك ليصبح ذلك النوع من الشخص البالغ المبدع، هي تشجيعه على التعبير عن مشاعره، فذلك هو مدخله إلى عقله اللاواعي. ومن اللاوعي تأتي الأفكار والحدوس الإبداعية ذات الأهمية البالغة بالنسبة إلينا، فالشخص الجاف والمتحذلق والثقيل ليس لديه مدخل إطلاقًا إلى عقله اللاواعي لأنه قد أغلق الأبواب دون حياته الشعورية.

نحن نريد أن نفتح أبواب الحياة الشعورية بينما لا يزال أطفالنا صغارًا ونريد أن نبقيها مفتوحة.

ينبغي عليك تغذية حياة طفلك الخيالية، فعصرنا الحالي يميل إلى المبالغة في الانحياز إلى جانب الواقع نقيضًا للخيال. ومع أن هناك العديد من كتب الأطفال الجيدة عن مواضيع واقعية، هناك ندرة في الكتب الخيالية الجيدة حقًا. ينبغي علينا تشجيع الخيال لا إزاحته، فالطفل الذي ينشأ من دون أن يكون لديه والدان يقرآن عليه من كتب مثل «أليس في بلاد العجائب» وما شابهها أو من كتب الكلاسيكيات الحديثة هو طفل فاته قسم غني جدًا من خيال الطفولة.

لا يمكنك تغذية خيال طفلك عن طريق الكتب الخيالية وحدها، بل أيضًا عن طريق النشاطات غير اللفظية كالموسيقى والرقص والفن أيضًا. فهذه النشاطات غير اللفظية تعطي الطفل الفرصة للتعبير عن مشاعره ولتطوير ملكته وحياته الخياليتين.

يمكنك مساعدة الطفل على تطوير ملكته الخياليّة برواية القصص له وبتشجيعه على روايتها بنفسه، فهناك فرق بين أن تقرئي قصة للطفل وبين أن ترويها له. عندما تروين قصّة له بنفسك فإنك تساعدينه على الاعتقاد بأن بإمكانه هو أيضًا أن يتعلم تأليف القصص.

يتمتع الأطفال خاصةً بالقصص التي ترويها لهم عن تجاربك الخاصة كطفل، وخاصة عندما كنت في مثل أعمارهم أو قريبة منها. لا تتردّدي في زيادة الإضافات إلى روايتك بما يجعلها أكثر إثارة لاهتمام طفلك (لقد اعتدتُ رواية قصص عن طفلة صغيرة تسمّى Summer Woomer Bow Bow صنعت كعكة شوكولا ضخمة كبرت إلى درجة أنها ارتطمت بسقف منزلها).

عندما تروين قصّة لطفلك لتكن نبرتك متراوحة. تكلمي بسرعة في أجزاء معيّنة من القصة وببطء وإثارة في أجزاء أخرى. غيّري مستوى صوتك فاجعليه عاليًا في بعض الأجزاء ومنخفضًا وهامسًا في أخرى. وعندما يكون ممكنًا استخدمي الأصوات والمؤثرات الصوتية لأن الأطفال في مرحلة ما قبل المدرسة يحبّونها: «ذهبت النحلة زززززز» أو «انطلق القطار القديم الكبير تشك تشك تشك تشك».

إحدى أفضل الطرق لتشجيع طفلك على تعلم رواية القصص بنفسه هي استعمال الصورة كنقطة انطلاق للقصة. أحضري صورة مثيرة للاهتمام من إحدى المجلّات وأريه إيّاها مع تأليفك قصّة موجزة عنها، ثم أريه صورة مختلفة ودعيه يحاول بنفسه.

طريقة أخرى تساعد طفلك على تطوير خياله هي أن تروي له القسم الأول من قصة ما وتدعيه يكملها إلى النهاية. وفي حال وجود عدة أطفال في العائلة يمكن لأفراد الأسرة جميعًا أن يصنعوا قصة مشتركة، فيبدأ أحدهم برواية جملة منها ثم يقوم آخر بالمساهمة بجملة أخرى وهكذا دواليك.

لكنك قد تفكرين: «أنا لا أستطيع فعل أشياء مثل هذه. أنا لست راوية قصص!». إذا كان هذا ما تشعرين به فلديّ أخبار مشجّعة لك. يمكنك أن تكوني أسوأ راوية قصص في العالم ولكن طفلك في مرحلة ما قبل المدرسة سيظل يعتبر أنك

الأفضل! لا يمكنك الحلم بجمهور أكثر تقديرًا. لذا عليك الاطمئنان والمحاولة. وتأكدي من أنك ستنالين النجاح أمام جمهورك الصغير.

إذا أردت الرجوع الى كتاب مفيد لمساعدتك في رواية القصص لطفلك، اقرئي *The Way of the Storyteller* (أسلوب الراوي) من تأليف روث سوير.

شيء أخير يساعد الطفل على تطوير خيال حيّ هو قدرة والديه على اتخاذ موقف مرح من الحياة. يختلف الأهل بالطبع كثيرًا في هذه القدرة، فبعضهم يكونون أكثر رزانة ووقارًا وبعضهم أكثر مرحًا وإضحاكًا. كوني على سجيتك ولا تحاولي أن تكوني غير ما أنت عليه. ولكن كلما زادت قدرتك على أن تكوني أكثر مرحًا مع طفل في مرحلة ما قبل المدرسة زادت مساعدتك له على انطلاق خياله بدون حدود. لقد اعتاد صديق لي تقطيع كعكة أعياد ميلاد أطفاله بغير الطريقة التلقليدية المعروفة بل على أشكال دوائر ومربّعات ومثلثات ومعيّنات. وكان يقول «هذه الطريقة تجعل الأمر أكثر إثارة لاهتمامهم».

ينبغي عليك مساعدة طفلك على تطوير صور إيجايبة. وأعني بذلك الصور العقلية اللاواعية. في النسخة القديمة من اختبار ويشسلر للذكاء عند البالغين كان يقدَّم الاختبار الثانوي للحساب بهذه الكلمات: «دعنا نرَ الآن درجة مهارتك في الحساب». خلال تجربتي في إجراء هذا الاختبار الثانوي وجدت أنه في كل مرة أقول فيها التقديم السابق لامرأة كانت غالبًا ما تقول شيئًا مثل: «أوه، أنا أعلم أن أدائي سيكون سيئًا – لقد كنت سيئة دائمًا في الحساب». بكلمات أخرى، كانت صورتها العقلية اللاواعية عن الحساب سلبية، وذلك يرجع إلى تجربتها السلبية السابقة في الطفولة مع هذه المادة.

أنتِ تريدين مساعدة طفلك على أن يكون لديه صورة إيجابية عن مختلف المواد في كل حقول التعليم. فكيف السبيل إلى ذلك؟ هيّئي له أن تجري مواجهته الأولى مع هذه المادة في وضع مسلٍّ وممتع.

خذي الكيمياء على سبيل المثال التي تصلح بشكل رائع «لتجارب» ما قبل المدرسة، فمزج الملح مع الماء أو السكر مع الماء يمكن أن يكون «تجربة كيميائية». وخبز بعض الحلويات البسيطة يمكن أن يصبح «تجربة كيميائية».

استخدمي كلمة الكيمياء مع طفلك في مرحلة ما قبل المدرسة واقترحي عليه تجارب مختلفة بإمكانه القيام بها. أما المختبر الذي يجري فيه طفلك تجاربه فيمكن أن يكون مغسلة المطبخ أو ما يشبهها. عندما سيواجه طفلك مادة الكيمياء لأول مرة في المدرسة الابتدائية أو الثانوية سيكون لديه عندئذ صورة إيجابية جدًا عنها. ويمكنك فعل الشيء نفسه مع الفيزياء واللغات الأجنبية والرياضيات أو أيّ مادة أخرى تقدّمينها لطفلك في مرحلة ما قبل المدرسة في وضعية من التسلية واللعب.

12

المدرسة تبدأ في البيت

الجزء الثاني

كيف تحفّزين النموّ اللغوي عند طفلك

هناك مظهران للنمو اللغوي عند طفلك: لغته الشفوية ولغته المكتوبة. وهناك العديد من الأشياء التي يمكنك فعلها لتحفيز نموّ كلتيهما.

الشيء الأول الذي يمكنك فعله لتحفيز النمو اللغوي عند طفلك هو أن تقرئي له.

يمكنك البدء باصطحابه إلى المكتبة العامة ومساعدته في انتقاء الكتب عندما يقارب الثالثة من عمره. قدّميه إلى مشرفة المكتبة وساعديه ليصبح صديقًا لها. ستكونين مندهشة عندما تعلمين كمَ من الأمهات لا يعرفن المشرفة المسؤولة عن قسم الأطفال في المكتبة (إذا كانت مكتبتكم العامة صغيرة فمن المرجح أن يكون فيها مشرفة واحدة ولكنها ستكون على علم بكتب الأطفال أيضًا).

مشرفة المكتبة ستقدّم مساعدة كبيرة في اقتراح الكتب وفي تعليم الطفل الاستفادة من خدمات المكتبة وفي مساعدته على الشعور بأن المكتبة هي بيت آخر له. اطلبي منها اصطحاب طفلك في جولة اطلاعية على مرافق المكتبة وتعريفه على البرامج الخاصة كالساعة المخصّصة لقراءة القصص لأطفال في مرحلة ما قبل المدرسة. سوف يُفتَن بهذه الجولة وستكونين مندهشة من بعض الخدمات التي أصبحت متاحة.

تعوّدي القيام بزيارات منتظمة للمكتبة لاستعارة الكتب (الأطفال في مرحلة ما قبل المدرسة يجدون صعوبة بعض الأحيان في إدراك أن هذه الكتب يجب

إعادتها إلى المكتبة فتنبّهي إلى ذلك). كوني صبورة مع فهم طفلك المحدود للفرق بين شراء الكتب واستعارتها لمدة أسبوعين.

يجب أن لا تقتصري على جعل طفلك يقرأ في كتب المكتبة العامة فقط. ابدئي بشراء كتب خاصة به. وإذا كانت ميزانيتك محدودة فاشتري الكتب ذات الأغلفة الورقية، وخاصة أن الكثير من كتب الأطفال الجيدة تصدر في أغلفة ورقية. إن أفضل ما يمكن أن تفعليه هو الذهاب إلى محالّ بيع الكتب والاطلاع على كتب الأطفال لتكوين فكرة عما هو متوفّر منها.

الكثير من الأمهات يعتقدن بأن نوعية الكتب التي يقدّمنها لطفل في مرحلة ما قبل المدرسة ليست ذات أهمية كبيرة، وينتقين عشوائيًا مجموعة من الكتب الرخيصة الموجودة في الأسواق الكبرى. وأنا أعتقد أن هذا خطأ، فنوعيّة الكتب التي تقرئينها لطفلك أو تشترينها من أجله أمر مهم.

هناك تقنيّات خاصة من أجل القراءة لطفل صغير جدًا. قبل كل شيء، ضعي الطفل في حضنك أو اجلسي قريبة منه. وهذا ما يجعل من القراءة أكثر من مجرد قضيّة فكرية، فتصبح علاقة دافئة وحميمة بينكما. قبل البدء بالقراءة لطفلك أخبريه عن المؤلف وعنوان الكتاب والناشر وسنة النشر. وإذا كان الكتاب مصوّرًا، واسم الفنان موجودًا أخبريه عنه أيضًا. أنت بذلك تعززين في طفلك فكرة أنّ الإنسان ينبغي أن يهتمّ بمن كتب الكتاب وبمن رسمه وبمن نشره وبتاريخ حدوث ذلك. وهذه العادة ستكون مفيدة لاحقًا في المدرسة عندما سيحتاج إلى تعلم الانتباه إلى التفاصيل المهمة.

أمسكي الكتاب بحيث يستطيع طفلك رؤية الصور بينما تقرئين له. الفتي انتباهه إلى التفاصيل في الصور. «هل ترى الفأر هناك في الزاوية؟ ماذا تظن أنه يفعل؟». شجّعيه على الانتباه إلى التفاصيل في الصورة. بذلك تجعلين قوة الملاحظة عنده أكثر حدّة، وقراءة الكتاب تجربة ذات مغزى أكبر كثيرًا من مجرد الاستماع السلبي إلى الكلمات.

لا تقرئي كتابًا للطفل بنبرة صوت رتيبة ومضجرة. ليكن صوتك دراميًا. دعيه يرتفع وينخفض في أجزاء القصة المختلفة من أجل الإبراز والتأكيد.

اقرئي لكل طفل على حدة. فمحاولة القراءة لعدة أطفال من أعمار مختلفة في الوقت نفسه أمر صعب جدًا وأنا لا أوصي به.

كم يجب أن تقرئي لطفلك؟ بقدر ما تحبين. جرّبي، على كل حال، أن تقرئي له في الحد الأدنى قصّة واحدة أو كتابًا صغيرًا جدًا كل مساء.

هناك العديد من الكتب المخصّصة للأطفال المبتدئين في القراءة. بإمكانك في البداية أن تقرئي له منها بصوت مرتفع عندما يكون في مرحلة ما قبل المدرسة. وبعد ذلك، عندما يصبح في روضة الأطفال أو الصف الأول، سوف يتمكن من قراءتها بنفسه. هذه الكتب ستساعده على تعلم القراءة، فقد استمع إلى محتواها مرات عديدة ومن المرجّح أنه صار يحفظ كثيرًا منها عن ظهر قلب. ستكون هذه الكتب بالنسبة إليه كالأصدقاء القدامى المألوفين، ومن الأسهل عليه أن يتعلم القراءة منها بدلًا من الكتب الجديدة تمامًا والغريبة عنه.

بالإضافة إلى شراء كتب مختارة لطفلك، سيكون من المفيد أن تشتركي في مجلّات الأطفال. يصل إلى الأطفال الصغار القليل جدًا من البريد، ولكن من المثير جدًا بالنسبة لهم أن يتلقّوا رسالة أو طردًا. هناك بعض المجلات للأطفال تحت سنّ السادسة. وهي تحتوي قصصًا يمكنك قراءتها لطفلك، وأحجيات ليحلها، وطُرفًا ورسومًا ومجموعة من المواد المتنوّعة المكتوبة بأسلوب يثير اهتمام الطفل الصغير . أنت ترغبين في أن يعتاد طفلك قراءة المجلّات حتى يمارس تلك العادة وهو كبير ، وإحدى أفضل الطرق لضمان أنه سيستمتع بقراءة المجلّات، إضافة إلى الكتب، هي جعله يبدأ في سنوات ما قبل المدرسة.

بالنسبة إلى الانضمام إلى نوادي القراءة الخاصة بالأطفال فأنا لا أوصي به عادة. إن هذا قد يفاجئك، ولكنني أعتقد أنه يمكنك شخصيًا القيام بعمل أفضل في انتقاء الكتب من المكتبات، أكثر مما تستطيعه نوادي الكتب.

هل تتذكرين ما قلته سابقًا عن استخدام الوالدين للفطرة والمنطق السليمين ذوي القيمة العالية؟ لماذا لا نستخدمها هنا أيضًا؟ إنه، في النهاية، طفلك الذي تعرفين ميوله وأذواقه الفريدة. ويجب أن تكوني قادرة على اختيار الكتب التي تناسب ذوقه الفريد واحتياجاته الخاصة.

الشـيء الثانـي الذي يمكنـك فعله من أجـل تحفيز النموّ اللغـوي عند طفلك هو تعليمه الكتابة.

ابدئي بذلك عندما يكون في السنة الثالثة والنصف من عمره. أحضري له كتابًا للأبجديـة يحوي الأحـرف الأبجدية بشـكليها الكبير والصغيـر (الحديث هنا عن الأبجديـة الانكليزية). واسـتخدمي قلم فوتر (قلم التمريك) لأنه أسـهل عليه من أقلام الرصاص أو الحبر أو التلوين. ابدئي بالحروف الكبيرة أولًا لأن من الأسـهل علـى طفلـك أن يتعلم الكتابة بالحروف الكبيـرة مقارنة بالأحرف الصغيرة. عاجلًا أو آجلًا سيكون على الطفل أن يتعلم كلا النوعين من الأحرف، لكن يمكنك البدء بالأسهل بينما لا يزال طفلك في طور اكتساب الثقة بقدرته على الكتابة.

بعض الناس (كمعلمات روضات الأطفال أو الصف الأول) قد يخبرونك بأن هناك «طريقـة صحيحـة» لتعليـم الأطفال كتابـة الحروف. لا تصدّقيهـم. فليس هناك من طريقة صحيحة موحّدة. أيّ طريقة يتمكن بها طفلك من كتابة الحروف هي طريقـة صحيحـة بالنسـبة إليه. في النهايـة، ليس من المحتّم أن يسـتمرّ بكتابة الحروف بهذه الطريقة طيلة ما بقي من حياته.

ليـس عليـك أن تبدئـي تعليمه الحروف اللاتينية انطلاقًا مـن حرف الـ A وانتهاء بالـ Z. ابدئي بالأحرف الأسهل في الكتابة، ثمّ استمرّي مع الأكثر صعوبة. وإليك الآن ترتيبًـا ممكنًـا قد تريدين اسـتعماله فـي تعليمه الحروف الكبيـرة: ,I, L, X
T, H, F, E, A, M, V, N, P, U, C, W, O, Q, D, Y, Z, B, K, J, R, S, G
ليس هناك من شيء مقدّس في هذا الترتيب، إنه مجرّد واحد يبدأ من الأحرف الأكثـر سـهولة ويمضـي إلى تلك الأصعـب. تذكّـري أن هذا الترتيـب هو لعموم الأطفـال وأن طفلـك ليـس «عموم الأطفـال». لذا، مـن المحتمـل أن يكون لديه ترتيب مختلف يتدرّج من الأسهل إلى الأصعب كما يراها هو (الأمر نفسه تقريبًا فـي الأحـرف العربية التي يتعلّمها منفصلةً أولًا ثم متصلة ثم حسـب موقعها في الكلمة).

سـوف يسـتغرق الأمر بعض الوقت ليتمكن الطفل من تعلم كتابة هذه الحروف وسوف يجد بعضها أكثر سهولة من الأخرى. وكما قلتُ سابقًا فالأطفال يختلفون فـي استسـهال الأحـرف. عليك أن تكوني صبـورة، أري طفلك كيـف يجري القلم

ليصنع الحرف وأتيحي له وقتًا طويلًا للتعلم. قد يستغرق الأمر سنة كاملة لتعليم طفلك كتابة الأحرف الكبيرة إذا بدأتِ وهو في الثالثة والنصف من عمره. إن الأمر يعتمد على الطفل، وليس هناك من داعٍ للعجلة، فأمام طفلك الحياة بأكملها، لذا، لا تستعجليه.

عندما يكون طفلك قد أتقن كتابة الحروف التي تشكل اسمه (ربما تودّين تغيير الترتيب المقترح سابقًا بحيث يمكنك تعليمه الأحرف التي تشكل اسمه أولًا) أريه كيفية ترتيبها لكتابة اسمه. هذا حدث مثير في حياة طفل في مرحلة ما قبل المدرسة – أن يتعلم كتابة اسمه. ربما يودّ طفلك أيضًا أن يكتب أسماء أناس آخرين. ماما، بابا أو أسماء أصدقاء مقرّبين. قد يريد منك أن تريه كيف يكتب اسمه أولًا وقد يلحّ عليك أن تعلميه الأحرف التي تشكل اسمه قبل غيرها من الحروف. فإذا كان هذا هو ما يثير اهتمامه فافعليه. ثمّة قاعدة أساسية في التعليم تقول: حالما يبدي الطفل اهتمامًا بتعلم شيء ما، تناسي كل شي آخر كنت تخططين له. علميه ما هو مهتم بتعلمه في التوّ واللحظة.

الأحرف اللاتينية الصغيرة هي، مع بعض الاستثناءات، أكثر صعوبة في التعلم. لا تحاولي تعليمها لطفلك إلى أن يكون قد تعلم كل الأحرف الكبيرة، وذلك ما لم يرد هو (لا أنتِ) أن يتعلم بعض الأحرف الصغيرة. عندما تصلين إلى هذه الأحرف الصغيرة، ابدئي بالتوضيح له أنه يعرف بالفعل تسعة منها. وهذه التسعة تماثل تمامًا نظائرها من الحروف الكبيرة ولكنها أصغر حجمًا فقط: c, i, o, s, u, v, w, x, z (ما عدا الـ i التي توجد نقطة فوقها).

ربما يستغرق الأمر سنة أخرى ليتعلم طفلك كتابة الحروف الصغيرة. وهو أمر طبيعي تمامًا، فلديك الكثير من الوقت ولا حاجة للاستعجال. وحتى بهذه السرعة المتمهّلة سوف يلتحق طفلك بروضة الأطفال أو الصف الأول وهو يعرف كتابة الأحرف الكبيرة والصغيرة على السواء.

ثمّة بعض الوسائل التربوية المساعدة التي يمكنك استعمالها لمساعدة طفلك على تعلم الحروف الكبيرة والصغيرة، فالألعاب الإبداعية تحوي مجموعة من الحروف الكبيرة والصغيرة المصنوعة من الخشب. وهناك حروف كبيرة وصغيرة بلاستيكية ممغنطة متوفّرة في معظم متاجر الألعاب، يمكن تثبيتها على لوح

معدني يناسب المجموعة أو على أيّ سطح معدني. باب البراد، مثلًا، يمكن أن يصبح مكانًا مسليًا تتركين عليه بعض الكلمات الصغيرة لطفلك حالما تصبح أشكال الحروف مألوفة لديه. يمكنك أيضًا صناعة حروف من الورق المرمّل (ورق الصقل). اقطعي الأحرف من ورقة مرملة وألصقيها على قطعة مستطيلة من الورق المقوّى، ثم اطلبي من طفلك أن يتتبّع شكل كل حرف من الحروف بأصابعه.

بهذه الحروف الخشبية أو البلاستيكية أو الورقية ذوات الأبعاد الثلاثة يمكنك القيام بلعبة مع طفلك، حيث تقدّمين له حرفًا ليتحسّسه وعيناه مغمضتان، ثم يكون عليه أن يعرف الحرف. عندما تلعبين هذه اللعبة ابدئي بالأحرف الكبيرة ثم انتقلي إلى الأحرف الصغيرة ولا تخلطي بين المجموعتين لأن ذلك قد يربك الطفل.

الشيء الثالث الذي يمكنك فعله لتحفيز النموّ اللغوي عند طفلك هو تعليمه صناعة كتبه الخاصة وتأليفها.

صناعة الكتب وتأليفها هي من أكثر الأشياء إثارة التي يمكنك تعليمها لطفلك. اختاري الوقت الذي تكونان فيه، أنت وهو، في مزاج رائق وأخبريه: «سوف نصنع كتابًا. ماما سوف تريك كيف نقوم بذلك. وسوف يكون كتابك الخاص». سوف تحتاجين إلى موادّ أوّلية: مجلّات قديمة وخاصة تلك التي تحوي الكثير من الصور، مقصّ، ورق، مشابك ورق، خيوط (من أجل ضمّ صفحات الكتاب بعضها إلى بعض)، ورق مقوّى من أجل الغلاف، قلم فوتر وأقلام تلوين.

هناك نوعان من الكتب يمكنكما صناعتهما: النوع الذي يمليه هو عليك لتكتبيه بينما هو يتعلم الكتابة، والنوع الذي يكتبه هو بنفسه. ابدئي طبعًا بالنوع الذي يملي فيه عليك. وكما في معظم هذه الألعاب التعليمية، فالوقت الملائم للبدء هو عندما يكون في عمر الثلاث سنوات – وهو عادة عمر للتوازن ويكون الطفل فيه أكثر تعاونًا من مرحلة المراهقة الأولى التي تمتد من السنة الثانية إلى الثالثة.

عن أي شيء سيكون كتابه؟ الأمر يعود إليه ويعتمد على ما يثير اهتمامه. ربما يريد الكتابة عن الكلاب أو الشاحنات أو الدمى أو الديناصورات أو زيارة لبيت

جدتـه أو سـلحفاته المدللة... أو أيّ شـيء آخـر. وهذا هو الممتـع في الأمر، لن يكون عليك أن تقلقي حيال اختيار موضوع الكتاب لأنه سـيكون كتابه الخاص. أخبريه أن «الكتاب هو كلام مكتوب. ونحن سوف نؤلف كتابًا».

علـى سـبيل المثـال، هـاك بداية كتـاب حقيقي كما أمـلاه طفل فـي الثالثة من العمر على والدته التي سألته عن الأمر الذي يريد أن يكتب عنه:

«باتمان».
«حسنًا، ما الذي تريد قوله عن باتمان».
«إنه رجل طيب».
«حسنًا. هذه ستكون الصفحة الأولى من الكتاب».

كتبـت الأم ببـطء وعنايـة، بحـروف كبيرة، علـى الصفحة الأولـى: «باتمان رجل طيـب». وحيـث إنه لم يكن في متناولها أيّ صـورة لباتمان في تلك اللحظة فقد تركت فراغًا في الصفحة ليرسم الولد في ما بعد أو يلصق صورة باتمان عليها. ثم سألته: «ماذا تريد أن تقول أيضًا عن باتمان؟».

«باتمان يسوق الأشخاص الأشرار إلى الشرطة».

كتبـت الأم ذلـك في الصفحة التاليـة. كل صفحة احتوت جملـة واحدة. كانت تكتب كل ما كان يقوله. لم تكن تهتمّ بأن يختار موضوعًا أكثر لطفًا للكتابة عنه، أو أن يقول الأشياء بطريقة أفضل. كانت تسجّل كل ما كان يقوله مهما كان، لأن ذلك كان كتابه الخاص لا كتابها.

«ماذا تريد أن تقول أيضًا عن باتمان؟» سألت الأم.
«أفضل أصدقائه هو روبين».

كتبت ذلك في الصفحة التالية. وهكذا دواليك. كان الطفل يملي والأم تكتب.

هـذا هـو كل مـا عليك أن تفعليـه، فما دام مهتمًا بـأن يملي، اسـتمرّي بالكتابة. عندمـا يفتر اهتمامه سـتعلمين أنك قـد وصلت إلى نهاية الكتاب. جدي طريقة مناسبة لإنهائه والتوقف. اطبعي الأحرف بالشكل الذي قد تبدو عليه في كتاب حقيقي، حتى لو كان غير قادر على قراءتها بعد.

بعد أن تنتهي اقرئي له ما كتبت بصوت مرتفع. ومن المرجّح أنه سيطلب منك أن تقرئيه له مرّتين أو ثلاث مرات أخرى. سوف يكون لهذا الكتاب معنى كبير بالنسبة إليه لأنه هو الذي أنتجه. إنه حقًا كتابه الخاص.

يجب أن يحتوي عنوان الكتاب على اسم طفلك، مثلًا «كتاب داني». واكتبيه على الغلاف الذي يمكن أن تصنعيه من الورق المقوّى. التقطي صورة له وألصقيها على الغلاف. من الأفضل أن تكون الصورة فورية، متزامنة مع كتابة الكتاب. إن وضع صورته على الغلاف سوف يعطي هذا الكتاب الأول الفرادة التي يستحقها. أما الكتب التي ستصنعانها بعد ذلك فيمكن أن تكون عناوينها مشتقة من موضوعاتها، كأن تكون: «سلحفاتي المدللة» أو «زيارة لبيت جدّتي» أو «الديناصورات». لكنّ الكتاب الأول يجب أن يكون معنونًا باسمه. وكل كتاب يجب أن يحمل بعد العنوان، هذه الكلمات:

«تأليف: داني جونز» بما أن طفلك هو المؤلف.

ليس هناك على الأرجح من نشاط مفرد يمكنك ممارسته مع طفلك ويسهم في بناء ثقته الذاتية بقدراته اللغوية الشفوية والمكتوبة أكثر من هذه الوسيلة: أن يكتب كتبه الخاصة.

في البداية سيملي كتبه عليك ولاحقًا عندما سيتعلم الكتابة بشكل كاف، سيكتب بنفسه مع بعض المساعدة منك لتهجئة الكلمات. وعندما يصبح في المرحلة التي يستطيع فيها كتابة الكلمات بنفسه، يكون من المهم أن لا توجّهي أيّ انتقاد يخص أشكال الحروف المتغيّرة أو الطريقة التي يقسم بها الكلمة عندما يصل إلى نهاية السطر وينهي الكلمة في السطر التالي. فالإشارة إلى أيّ نوع من الخطأ ستؤدّي فقط إلى تثبيطه عند هذه النقطة من رحلة تعلمه الكتابة. إن دورك في هذه المرحلة هو مجرّد القبول والإشادة بما هو قادر على إنجازه.

من المهم أن يكون الموضوع وبنية الجملة عائدين إليه، لا إليك، كاملين. مثلًا، عندما كان ابني البكر في الرابعة من عمره وقد تعلم كتابة كل حروف الأبجدية، أراد كتابة جملته الأولى. فماذا تظنين أنها كانت؟ لقد كانت جملته الأولى عن شقيقته الكبرى: «روبين هي بنت سيئة!».

عندما يأتي الموضوع وتركيب الجملة من داخل الطفل فعليًا، سيكون لديه دافع قوي جدًا للكتابة عن ذلك الموضوع. تأكّدي من أنه شيء يثير اهتمامه ويسرّه. وعندما يتعلم أنه يستطيع في البداية أن يملي عليك كتابًا ثم يكتبه بنفسه لاحقًا، يصبح مدفوعًا أكثر للاستمرار في تطوير لغته الشفوية والمكتوبة على السواء، لأنه يريد أن يكتب المزيد والمزيد من الكتب.

إذا وجدت آلة ناسخة قريبًا منك، يمكنك إضافة شيء فريد إلى عملية صناعة الكتاب، إذ سيكون طفلك مفتتنًا عندما يجد أن بإمكانه الحصول على نسخ من صفحات كتابه الخاص. وسيرغب في الحصول على نسخ إضافية ليعطيها لصديقه أو ليرسلها إلى جدّيه، أو ليأخذها معه إلى روضة الأطفال. والثناء الذي من المرجّح أنه سيحصل عليه من الأشخاص الذين سيرسل إليهم كتابه سيحثّه على الاستمرار في الكتابة أكثر في هذه المرحلة، مرحلة ما قبل المدرسة، فليس هناك ما هو أحب إلى قلب المؤلف، سواء أكان في الثالثة أم في الثالثة والأربعين من العمر، من الثناء الذي يحصل عليه من جمهوره.

الشيء الرابع الذي يمكنك فعله لتحفيز النموّ اللغوي عند طفلك هو إثارة فضوله حيال الكلمات ومعانيها.

يجب أن يكون هذا جزءًا من حياتك اليومية معه. في جولات التسوّق يمكنك أن تشيري إلى الكلمات على رزم الحبوب أو الحلويات أو الآيس كريم. وعندما تشاهدين لافتة أو إشارة يمكنك لفت انتباهه إلى ما عليها من كلمات مثل: قف، ممنوع الوقوف، ممنوع الانعطاف إلى اليسار، للبيع، مخزن ألعاب، آيس كريم، مطعم... إلخ. عندما تشاهدين التلفزيون معه، الفتي انتباهه إلى الكلمات التي تلمع على الشاشة (هذا ما سيجعلنا نتحمّل أكثر بعض الإعلانات التجارية). إذا لفتّ انتباهه إلى الكلمات بشكل طبيعي وواقعي في حياته اليومية، فلن يمضي وقت طويل حتى يبادر إلى سؤالك عما تشير إليه كلمة ما، وعندها ستعلمين أنك كنت ناجحة في إثارة فضوله حيال الكلمات. وسيصبح هذا جزءًا من دافعه للرغبة في تعلم القراءة.

علّمي طفلك القراءة

الشيء الخامس هو أن تتيحي لطفلك الفرصة الممكنة لتعلم القراءة.

إن المهارة الأكثر أهمية التي سيحتاج إليها طفلك طيلة حياته المدرسية هي القراءة، فمهما كانت المادة التي يدرسها، فعليه أن يكون قادرًا على القراءة لفهمها. ومدى إتقانه للقراءة ومحبّته لها سيكون عاملًا مهمًا في درجة نجاحه في كل المواد.

قد تكونين على علم بأنه كان هناك كثير من الجدل حول موضوع تعليم القراءة. أحد مظاهر هذا الجدل يتمحور حول ما إذا كان يجب الانتظار إلى أن يبلغ الأطفال السنة السادسة من أعمارهم ويصبحوا في الصف الأول للبدء بتعليمهم القراءة، أم يجب تعليمهم القراءة في وقت أبكر من ذلك. والمظهر الآخر لهذا الجدل يتمحور حول ما إذا كان يجب على الوالدة (أو الوالد) محاولة تعليم الطفل القراءة قبل أن يلتحق بالمدرسة أو أن معلمة المدرسة فقط هي المؤهّلة لتعليمه القراءة. تلقي الأبحاث التي أجرتها الدكتورة دولوريس دوركين بعض الضوء على الإجابة عن تلك الأسئلة.

درست الدكتورة دولوريس الأطفال الذين تعلموا القراءة قبل التحاقهم بالمدرسة. وأرادت معرفة كيف تعلم هؤلاء الأطفال قبل تلقّيهم أيّ إرشادات منهجية حول القراءة في المدارس. قامت بالدراسة على 5103 من أطفال الصف الأول في مدارس أوكلاند الرسمية بكاليفورنيا. ومن كل هذه المجموعة كان تسعة وأربعون طفلًا قد تعلموا القراءة فعلًا في بيوتهم قبل الالتحاق بالصف الأول.

لقد تابعتْ هؤلاء الأطفال خلال سنوات خمس، مختبرة إنجازاتهم في القراءة في كل سنة من هذه السنوات. وقد بقيت مجموعة القارئين المبكرين متقدّمة على الأطفال الآخرين طوال السنوات الدراسية الخمس (هذه النتائج يبدو أنها تدحض ما في قصص العجائز القديمة عن أن تعليم القراءة المبكر للأطفال لن ينفعهم في شيء بما أن الأطفال الذين يتعلمون القراءة لاحقًا سيلحقون بهم على أيّ حال). يقدّم بحث الدكتورة دولوريس الدليل على أن الأطفال الذين

يتعلمـون القراءة في وقت لاحق لا يسـتطيعون اللحـاق بالقارئين المبكرين حتى الصف الخامس في الحد الأدنى، وهو الحد الزمني الذي انتهت عنده اختباراتها على هؤلاء الأطفال.

كيـف أمكـن لهـؤلاء القارئيـن المبكريـن أن يكونـوا هكـذا؟ وجـدت الدكتـورة دولوريـس دوركيـن أنهم لـم يكونوا بالضرورة مختلفين عـن الأطفال الآخرين في ذكائهم أو شخصياتهم. لم يكن الاختلاف في الأطفال بل كان في أهلهم وخاصة فـي أمهاتهـم. فقد وفرت الأمهـات بيئة منزليـة أكثر تحفيـزًا لأطفالهن، وهكذا تعلموا القراءة مبكرًا. ولكي نقدّم مثلًا أكثر تحديدًا نقول إن كل واحدة من هذه الأمهات التسـع والأربعين كانت قد وفرت لطفلها في المنزل سـبورة، بدأ يرسم ويكتب عليها قبل أن يلتحق بالمدرسة.

فـي دراسـة ثانيـة فـي مدينة نيويـورك قسـمت الدكتـورة دوركين الأطفـال إلى مجموعـة تجريبية ومجموعـة ضابطة. تكوّنت المجموعـة التجريبية من ثلاثين طفـلًا كانـوا قد تعلموا القـراءة قبل الالتحاق بالصـف الأول. وقارنتهم بمجموعة ضابطـة مكوّنـة من ثلاثين طفلًا لم يكونوا قارئين مبكرين ولم يكونوا يسـتطيعون القـراءة عندما التحقـوا بالصف الأول. كانت المجموعتان متطابقتين من ناحية الذكاء الفردي، الذي جرى قياسه وفق اختبار Stanford-Binet للذكاء. وحيث إن المجموعتيـن كانتا متسـاويتين في الذكاء فقد اسـتُبعدت إمكانية أن تكون إحـدى المجموعتيـن قـد تعلمت القـراءة مبكرًا لأن أطفالها كانـوا أكثر ذكاءً من أطفال المجموعة الثانية.

ومـرة أخرى قارنـت الدكتورة دوركين إنجـازات القراءة عنـد القارئين المبكرين بقرنائهـم فـي الـذكاء مـن مجموعـة القارئيـن غيـر المبكريـن، وكانـت إنجازات القـراءة فـي مجموعة القارئين المبكرين أفضل بشـكل ملحوظ. علاوة على ذلك، حافظ هؤلاء على تقدّمهم في إنجازات القراءة خلال السنوات الثلاث الأولى من المدرسة، وهي المدّة المحدّدة للتجربة.

لقـد كنـا إزاء مجموعتيـن من الأطفـال، أفرادهما يتسـاوون في الذكاء، وسـألت الدكتورة دوركين نفسها هذا السؤال: لماذا تعلمت إحدى المجموعتين القراءة قبل الصف الأول ولم تفعل الأخرى كذلك؟

هل هي شخصيات الأطفال؟ كلا. حصلت الدكتورة دوركين على تقييمات معلمي الأطفال لشخصياتهم ووجدت أن الأطفال في كلتا المجموعتين يتمتعون بالخصائص ذاتها على مستوى شخصياتهم. في الحقيقة لم تستطع الدكتورة دوركين العثور على أيّ وجه اختلاف أساسي بين أطفال المجموعة الأولى وأطفال المجموعة الثانية. ماذا كان الفرق بين المجموعتين إذًا؟ لماذا تعلمت إحدى مجموعتي الأطفال القراءة مبكرًا ولم تفعل المجموعة الأخرى كذلك؟ هنا يأتي دور النتائج المهمّة التي وصلت إليها الدكتورة دوركين:

لم يكن الفرق في الأطفال على الإطلاق، كان الفرق في أمهات الأطفال. فأمهات القارئين المبكرين وفّرن بيئة منزلية أكثر تحفيزًا لأطفالهن مقارنة بأمهات القارئين غير المبكرين.

ماذا فعلت أمّهات القارئين المبكرين لأطفالهن في بيوتهنّ أكثر مما فعلته الأمهات الأخريات؟

لقد قرأن لأطفالهن قبل أن يلتحق هؤلاء الأطفال بمدارسهم.

لقد وفّرن في منازلهن من المواد ما أثار في أطفالهن الاهتمام بالقراءة. وفّرن الورق والأقلام ليقوم الطفل بالخربشة والرسم والكتابة. كان لديهن الكتب المشتراة والمستعارة من المكتبة العامة. وكان هناك سبورة في المنزل أيضًا.

لقد أثرن فضول أطفالهن حيال معاني الكلمات وفعلن ذلك في جولات التسوّق وخلال مشاهدة التلفزيون وفي مجالات أخرى من الحياة اليومية.

لقد شرحن معاني الكلمات لأطفالهن.

لقد ساعدن أطفالهن في تعلم الكتابة.

هؤلاء الأمهات لم يكنّ مختلفات عن الأمّهات الأخريات في ما فعلنه مع أطفالهن فقط، بل في أفكارهن واعتقاداتهن أيضًا.

فقد اعتقدن أن الأهل يجب أن يقدّموا المساعدة في مهارات كالقراءة إلى أطفالهم في مرحلة ما قبل المدرسة، وتحدَّين الاعتقاد الراسخ بأن المعلم المؤهّل فقط هو من يعلم الطفل القراءة.

وبكلمات أخرى: اعتقدت أمّهات الأطفال الذين لم يتعلموا القراءة مبكرًا أن معلمي المدرسة فقط هم من يجب أن يعلموا القراءة. أمّا أمّهات القارئين المبكرين فقد اعتقدن أنه أمر جيد للأم أن تعلّم طفلها الصغير القراءة في البيت قبل أن يلتحق بالمدرسة.

كل هذه النتائج التي ذكرتُها آنفًا تم قياسها والتعبير عنها في شكل نسب مئوية مختلفة بين مجموعتين من الأمهات. وهذه الاختلافات وُجد أنها ذات دلالة كبيرة من الناحية الإحصائية. وبالرغم من ذلك، كانت هناك نتائج مهمة أخرى للدكتورة دوركين لم يكن من الممكن قياسها بسهولة، إلا أنها وجدتْ أنها تمثّل فرقًا حقيقيًا بين مجموعتي الأمهات.

أمّهات الأطفال الذين لم يتعلموا القراءة مبكرًا وصفن أنفسن بأنهنّ «مشغولات». وهذه الكلمة برزت مرّة أخرى بعد في الطريقة التي تحدثن بها عن أنفسهنّ وعن حياتهنّ. قلن إنهن مشغولات جدًا ليقمن بأشياء خاصة لأطفالهن، فيما لم تتحدّث أمّهات القارئين المبكرين عن أنفسهن بهذه الطريقة. ولكن عندما قارنت الدكتورة دوركين مجموعتي الأمهات وجدت أن أمّهات الأطفال الذين لم يقرأوا مبكرًا لم يقمن في الحقيقة بأمور أكثر ولم يكن لديهنّ مسؤوليات أكبر مما لدى أمّهات القارئين المبكرين.

بدا أيضًا أن أمهات القارئين المبكرين تمتعن كثيرًا بالأشياء التي قمن بها مع أطفالهن. وقد عبّرت إحدى الأمّهات عن ذلك بالقول: «لقد استمتعت بذلك الطفل!». على سبيل المثال، الأم التي تصطحب طفلًا لم يقرأ مبكرًا إلى التسوّق وتركّز تركيزًا كاملًا على شراء حاجاتها العائلية ستعتبر طفلها مصدرًا للإزعاج والمضايقة بينما تحاول إنجاز عملية التسوّق بسرعة وفعالية. أما والدة القارئ المبكر فقد يكون لديها المسؤوليات نفسها تمامًا – شراء حاجات العائلة – ولكنها تجعل التسوّق نوعًا من المغامرة بالنسبة إلى طفلها في مرحلة ما قبل المدرسة. فقد تقول له أشياء مثل: «دعنا نرَ ماذا تقول هذه الكلمات على علب

الحبوب المختلفة. هذه تقول Captain Crunch وتلك تقول Lucky Charms والثالثة تقول Cocoa Puffs».

إذًا، أظهر بحث الدكتورة دوركين أن الأطفال يمكن تعليمهم القراءة مبكرًا في البيت. وبيّنت هذه الطبيبة أن القارئين المبكرين يتقدّمون على الأطفال الآخرين في دروسهم ويحافظون على تقدّمهم في إنجازات القراءة حسب اختباراتها لهم في المدرسة الابتدائية (الصف الخامس). وأثبتت أن القارئين المبكرين ليسوا نوعًا خاصًا من الأطفال، ففي الشخصية والذكاء وأيّ شيء آخر لا يمكن التمييز بين القارئين المبكرين والقارئين غير المبكرين. لكن في الواقع، القارئون المبكرون لديهم نوع خاص من الأمهات.

إن نتائج أبحاث الدكتورة دوركين مدهشة في آثارها بالنسبة إلى أمهات الأطفال في مرحلة ما قبل المدرسة، فهذه النتائج تعني أنكِ إذا أردت لطفلك أن يكون ناجحًا في المدرسة يمكنك فعل ذلك. وهي تعني إنك إذا هيّأتِ له بيئة محفزة في سنوات ما قبل المدرسة، فمن المرجّح أنه سيكون ناجحًا في المدرسة. أنا متأكد من أنه لم يفتك أن تلاحظي أن الأشياء التي قامت بها أمهات القارئين المبكرين من أجل أطفالهن هي الأشياء نفسها تمامًا التي اقترحتُ عليك، في هذا الفصل، القيام بها من أجل طفلك في سنوات ما قبل المدرسة.

القراءة والطفل في مرحلة ما قبل المدرسة

نزع مجتمعنا بنحو قاس إلى حصر تعلم الأطفال للقراءة بمن هم في سنّ السادسة أو في الصف الأول، لكن هناك أدلة بحثية واضحة على أن بعض الأطفال يكونون ناضجين بما فيه الكفاية لتعلم القراءة وهم في سنّ الرابعة، وبعضهم في السادسة، والبعض الآخر ليس قبل السابعة أو الثامنة.

وبالنظر إلى حقيقة أن من الممكن تعليم الأطفال القراءة قبل الصف الأول، فإن السؤال التالي سيكون: هل يجب عليكِ ذلك؟

منـذ عـام 1967 قدّمنا إرشـادات القـراءة إلى صـف روضة الأطفـال الخاصة بنا فـي La Primera مسـتعملين مجموعـة فريـدة مـن المـواد المطـوّرة مـن قبـل الدكتـور و. أ. سـوليفان فـي بالـو ألتـو. إن فلسـفتنا التربويـة فـي La Primera هـي أن الأطفـال يجب أن لا يتعرّضـوا للدفع أو للضغط. نحن نعتقد بما يمكن أن نسمّيه «نظرية الكافتيريا» للتربية. وكما في الكافتيريا، الطفل حر في اختيار أو رفض أيّ «أطباق» تربوية تروقه، فإرشادات علم الصوت، مهارات النموّ اللغوي، والقراءة، ليست إلا واحدة من تشكيلة من الأطباق التربوية المتاحة.

مـن بيـن ثلاثة عشـر طفلًا التحقـوا بروضة أطفـال La Primera فـي 1967 تعلم جميعهـم مـا عدا اثنين القراءة عند نهاية العـام. لم يكن تعلم الطفل للقراءة في روضتنا إلزاميًا، فقد قدّمنا إرشادات للقراءة فقط.

ومن بين خمسة عشر طفلًا التحقوا بروضتنا في 1968 تعلم جميعهم، إلا اثنين، القراءة عند نهاية العام. وأعني بـتعلم القراءة أنهم استطاعوا، في الحد الأدنى، القراءة كما يستطيعها تلميذ في مستوى الصف الأول، وبعضهم استطاع القراءة كما يستطيعها تلميذ في مستوى الصف الثالث.

في السنة الماضية، قدّمنا صفًا تجريبيًا في القراءة للأطفال في سنّ الرابعة. وقد وضّحنا لكل الأهل أن الصف كان «تجريبيًا» بنحو قاطع. ضمّ الصف أربعة عشر طفـلًا. اثنـان منهـم تعلما القراءة. واحد أتمّ مسـتوى الصـف الأول، والآخر، وهو طفـل موهوب جـدًا، وصل بمهارته في القراءة إلى مسـتوى الصف الخامس. أما الأطفال الاثنا عشـر الآخرون فقد اكتسـبوا في أقل تقدير بعض مهارات التعرّف إلى الكلمات ومعلومات عامة في علم الصوت.

في هذه السنة سيكون ولدي الأصغر، رستي، في الصف التجريبي. نحن بصراحة لا نعلم إن كان سيتعلم القراءة عند نهاية السنة أم لا، ولكننا نعلم فعلًا أنه يحب الصف ويكره التغيّب عن المدرسـة عندما يكون مريضًا. وأعلم أنه قال لي قبل أيام ونحن نتناول الغداء في مطعم عائلي «بابا، Smorgasburger تبدأ بـS».

أنـا أعتقـد أن هنـاك فوائـد مؤكـدة، عقليـة وعاطفية، فـي تقديم إرشـادات في القراءة للأطفال في سن الرابعة والخامسة.

أولًا، عندما يتعلم الطفل أن يقرأ في هذا العمر، فهذا يعطيه زيادة كبيرة في استقلاليته واعتماده على نفسه وانضباطه الذاتي. إنه يستطيع عندئذ قراءة كل أنواع الإشارات والتعليمات والرسائل الموجّهة من ثقافتنا. وهذا ما تجلى بشكل مدهش في حالة طفلي راندي عندما تعلم القراءة في روضة الأطفال قبل ست سنوات. كنا نتسوّق واحتاج فجأة إلى قضاء حاجته. وقد أعلن بفخر، مشيرًا إلى لافتة فوق الباب «إنها تقول دورة مياه للرجال. أستطيع الذهاب بمفردي».

ثانيًا، تعلم القراءة يفتح العديد من الآفاق الفكرية أمام الطفل، إذ تصبح لديه عندئذ إمكانية الوصول المستقل إلى قدر كبير من المعلومات وتنفتح أمامه أبواب المتعة التي كانت مغلقة قبل أن يتعلم القراءة.

ثالثًا، إذا قدّمتِ إرشادات القراءة للطفل في سنّ الرابعة ومرة أخرى في سنّ الخامسة قبل أن يلتحق بالصف الأول في سنّ السادسة، فإنك، في الواقع، قد تخففين الضغط عنه. كيف؟ حسنًا، لا أحد يطلب من طفل في الرابعة من عمره أن يتعلم القراءة ولا أحد يطلب من طفل في الخامسة أن يتعلم القراءة. ولكن، في ثقافتنا، عندما يبلغ طفلٌ ما السنة السحرية السادسة، فإن مجتمعنا يلحّ عليه فعلًا في أن يتعلم القراءة خلال سنة واحدة. وإذا لم يفعل فإنه يشعر بالفشل. أليس هذا ضغطًا؟ وإذا كان الضغط على طفل في الرابعة أو الخامسة من العمر أمرًا سيئًا، فهل يصبح الضغط عليه في سنّ السادسة أمرا مقبولًا فجأةً؟

رابعًا، الأطفال في سنّ الرابعة والخامسة يجدون تمارين الصوت ممتعة. فهم يحبون التكرار ويحبون اللهو بوقع الأصوات في اللغة. هل تتذكرين ما قلتُه في الفصل السادس عن افتتان الطفل في عمر أربع سنوات باللغة والكلمات والأصوات؟ الأطفال في سنّ الرابعة والخامسة يمكنهم الاستمتاع بالتدريب الصوتي والتكرار. لكن المواد الصوتية نفسها التي رحّبوا بها بحماسة في عمر الأربع سنوات قد تصبح محض عمل شاق عندما يصبحون في السادسة.

إن مفهوم «الاستعداد للقراءة» الذي كان مفهومًا كبير النفع قبل خمسة وعشرين عامًا قد أخذ منحى مطلقًا ومبالغًا فيه. وهو غالبًا ما يقف عائقًا بوجه التفكير الواضح في زمننا الراهن. الاقتباس التالي من الدكتور جايمس هيمس وهو مرجعية رائدة في حقل تعليم الطفولة المبكرة يوضح ما أعنيه. لقد كتب

الدكتـور هيمـس عـددًا من الكتـب والمقالات القيّمـة عن التعليم فـي الطفولة المبكرة. وقد اسـتمعت إليه وهو يتحدث، وهو شـخص عظيم. وبالرغم من ذلك أجدني مضطرًا للاختلاف معه عندما يقول:

«في داخل كل واحد منا جدول زمني. هو معدّل نموّنا الشخصي... لا يمكنك منع طفل من الحبو... ليس عندما يكون عمره شهرًا واحدًا ولكن عندما يكبر بما فيه الكفاية ليحبو. لا يمكنك منعه من صعود الدرج... ليس عندما يكون عمره ستة أشهر ولكن عندما يكبر كفاية ليستطيع التسلق. لا يمكنك منعه من الكلام، ليس عندما يكون عمره عشرة أشهر ولكن عندما يكبر كفاية ليتمكن من الثرثرة. والكلام نفسه يصح على القراءة».

هذا الاقتباس، الذي يُعدّ نموذجًا لموقف العديدين في حقل التعليم في الطفولة المبكـرة، يتحدث كما لو أن الاسـتعداد للحبو والمشـي والـكلام أو القراءة يرجع إلـى نوع من الاسـتعداد الباطني الغامض داخل الطفـل. وهو يتجاهل كليًا تأثير البيئة على نموّ قدرة الطفل على تعلم هذه المهارات المتنوّعة.

الحقيقـة العلميـة الواضحـة هـي أنـه يمكننـا تأخيـر حبـو الطفل. هـل تتذكرين أبحـاث الدكتـور دينيس على الأطفال الأيتام في طهران التي اقتبسـت عنها في الفصل الثاني المتعلق بالطفولة المبكرة؟ لقد تسببت البيئة الكئيبة والمحبطة التي أُحيطوا بها بتأخر حبو أولئك الأطفال الصغار ومشـيهم. إذا لم نقدّم للطفل الفرصـة ليتعلـم بعـض المهارات الجديـدة كتلويـن الأصابع، أو ركـوب الدراجة الثلاثيّـة العجـلات، أو القـراءة، فإننـا سـوف نؤخر، علـى أقل تقديـر، تعلمه تلك المهارة الجديدة. وليس علينا أن نقول إن السـبب في عدم تعلمه هذه المهارة هو أنه لم يكتسـب بعد «الاسـتعداد» لها. دعونا نعترف بأنه ربما لم يتمكن من تعلمها لأننا لم نحاول تعليمه إياها.

الكثيرون في حقل تعليم الطفولة المبكرة يقولون: «لمَ العجلة؟ لماذا نعلم طفلًا في الرابعة أو الخامسة القراءة بينما هو لا يملك «الاستعداد» لها؟ لمـاذا نسلب منه طفولته؟». أريد أن ألفـت النظر إلى أن هذه الحـجة هي سلاح ذو حدين. افترضي أن شـخصًا ما قـال (ولكن لم يجرؤ أحد على قول ذلك): «لمَ العجلة في تعليم القراءة لطفل في سنّ السادسة؟ فربما لا يكون لديه الاستعداد لذلك بعد.

لذا سوف نستمر في تركه يفعل أشياء أخرى في الصف الأول ولكننا لن نحاول تعليمه القراءة». هل تقبلين هذا؟ أنا لا أقبل. ولا أظن أن الكثير من الناس سيقبلون ذلك أيضًا. لكنّ الحجة ذات الحدين عن «الاستعداد» هي الحجة ذاتها بالضبط بالنسبة إلى طفل في السادسة أو السابعة. «لمَ العجلة؟».

استنتجتُ من عدة حقائق علمية أن هناك فوائد عقلية لتعليم القراءة لطفل في الرابعة أو الخامسة من العمر، بل إن هناك فوائد عاطفية أيضًا، فتعليم القراءة يدعم كثيرًا مفهوم الطفل الذاتي عن نفسه. وهو يزيد مشاعر الكفاءة والثقة الذاتية عنده. إن هذه المهارة الجديدة تمكّنه من قراءة الكتب، وقراءة اللافتات والإشارات، وفهم التعليمات، وفهم وإدراك عالمه بطريقة لم يكن قادرًا عليها من قبل.

لهذا أقول لأصحاب مدرسة «لمَ العجلة؟»: راجعوا مسلَّماتكم. إننا نشاهد المجموعة نفسها من الحقائق ولكننا نصل إلى نتائج مختلفة. ثمّة جماعة تخلص إلى أنه ليس من الحكمة تعليم طفل في مرحلة ما قبل المدرسة القراءة حتى لو كان هناك دليل علمي على إمكانية ذلك، بينما تخلص المجموعة التي أعد نفسي مؤيدًا لها إلى أن تعليم القراءة لطفل في مرحلة ما قبل المدرسة أمر مفيد لأسباب عقلية وعاطفية على حد سواء. تصل المجموعتان إلى نتائج مختلفة اعتمادًا على جملة الحقائق نفسها، وذلك لأن المجموعتين تنطلقان من مسلمات مختلفة.

أنا أجد نفسي مرتاحًا تمامًا للقول إنني أعتقد بأن تقديم إرشادات القراءة للأطفال في مرحلة ما قبل المدرسة في روضات الأطفال هو أمر جيد. ولكنني يجب أن أعترف بأن لديّ بعض التحفظات عندما يتعلق الأمر بمسألة تعليم الوالدين القراءة لأطفالهما.

الضغط على الطفل لفعل أيّ شيء حتى لو كان تلوين الأصابع هو أمر سيّئ. وأنا أعلم جيدًا أنّ هناك الكثير من الأهل اليوم يضغطون على أطفالهم من أجل التحصيل الدراسي المبكر. وهم يبدأون هذا الضغط حتى في سنوات ما قبل المدرسة. أنا أعلم ذلك جيدًا لأنني عملت على علاج بعض الأطفال الذين تعرّضوا لضغط والديهم من أجل التحصيل الدراسي. ونتيجة لذلك أصبح هؤلاء

الأطفال مقصّرين دراسيًا في مدارسهم، في محاولة غير واعية منهم لمعاقبة آبائهم أو أمّهاتهم على الضغط المبكر. إن هذا النوع من الضغط قد ينعكس سلبيًا بالفعل مع نتائج محزنة بالنسبة إلى الطفل.

قبل بضع سنوات، وفيما كنت أبحث في قسم الأطفال في أحد محالّ بيع الكتب المحلية، جاءت امرأة شابة وسألت الموظفة عن «ذلك الكتاب عن كيفية تعليم الأطفال الصغار القراءة» ولكن الموظفة لم تكن تعلم شيئًا عن الكتاب وقد سمعتُ تلك الأم وهي تقول: «لقد سمعتُ أنه يمكن البدء بتعليم القراءة للطفل وهو في الشهر العاشر من العمر، وابنتي الصغيرة قد أكملت عامها الأول!».

كانت عندي تخيّلات مخيفة عن تلك الأم التي تتلهّف للحصول على الكتاب لكي تستطيع البدء بحشر الكلمات في حنجرة طفلتها، ما ملأ نفسي رعبًا، فمن السخف أن نحاول تعليم القراءة لطفل في هذه السن المبكرة. ورغم أنني أعرف الكتاب الذي كانت تبحث عنه لم أتطوّع بإعطاء معلومات عنه لتلك الأم الشابة.

الأم التي تحاول الضغط على طفلها ليتعلم القراءة أو أيّ شكل آخر من أشكال النشاط العقلي ستنتهي إلى أن تؤذيه أكثر مما تنفعه. هذه الظاهرة صُوِّرت بشكل طريف في مقالة قصيرة عنوانها «قصّة حياتي» لشيلا غرينوولد:

«من يوم ولادتي نظر والداي إليّ على أنني سأكون من الناجحين.
عندما بلغت السنتين من العمر اصطُحبتُ إلى نيو هافن حيث علّموني الكتابة. الأطفال في الثانية من العمر يستطيعون تعلم أشياء كهذه وإذا لم يفعلوا فإنهم يضيّعون وقتهم. عندما يقابل الأطفال الذين يبلغون العامين ولا يستطيعون الكتابة أولئك الأطفال الذين يبلغون العامين ويستطيعون الكتابة يشعرون بأنهم مقصّرون ومتخلفون، ومن هذه اللحظة، خاسرون على جميع المستويات.
عندما بلغتُ عامين العام ونصف أُرسلت إلى المدرسة حيث أستطيع اللعب بمعدّات التعليم. كنت ممتازة في بشر الجزر. ولم يكن وقت لعبي عبثًا أو ضائعًا. تعلمت عن البُنى والألوان والعلاقات.

في سنّ الثالثة علمتني أمي القراءة. الأطفال في الثالثة يستطيعون تعلم القراءة وإذا لم يفعلوا يضيعون وقتهم. يتأخرون في المدرسة من البداية ويكونون من الخاسرين.
لم يهمل والداي قط الجانب الاجتماعي من نموّي. فقد اجتمعت إلى أطفال آخرين باستمرار. وبعد المدرسة كنت ألتحق بمجموعات اللعب. العلاقات مع الأقران في السن لها دور حيوي في نموّ الطفل. فإذا لم يبدأ التعرّض لهذه العلاقات مع الأقران في السنّ مبكرًا، فلن يستطيع الطفل التلاؤم معهم عندما يلتحق بالمدرسة الابتدائية. سيتخلف ويكون من الخاسرين.
بدأتُ حضور دروس الإيقاع في سنّ الثالثة والنصف. أضرب على الطبول وأجري مثل مهر صغير. قد لا تبدو هذه أمورًا مهمّة، لكنها تغرس شيئًا في نفسي وسوف أكون من الناجحين.
والآن وقد بلغتُ الرابعة أشعر بالثقة. في الخريف،عندما سألتحق بروضة الأطفال التي اخترتها، شاعرة بهدفي وجاهزة للتلاؤم مع كل الأوضاع، سأسير في طريق النجاح.
عندما أكبر، أودّ أن أصبح جامع قمامة».

الفكاهة الممتعة في هذه القطعة التهكّمية ليست مضحكة تمامًا إذا فكرنا في أولئك الأطفال في الولايات المتحدة الذين يُخضعهم أهلهم القلقون للضغوط من أجل التعليم المبكّر لكي يصبحوا نوعًا من «الطفل المعجزة». آمل أن تقاومي إغراء الضغط على طفلك عندما تزوّدينه بالتحفيز العقلي. قد ننجح في الضغط على طفل ليتعلم القراءة في سنّ مبكرة ولكننا سندفع ثمن ذلك مشكلات عاطفية سوف تجرّه إلى عيادات الاختصاصيين النفسيين في مرحلة لاحقة.

التحفيز الرياضي لطفلك

بالإضافة إلى اللغة، تشكل الرياضيات منطقة حيوية يحتاج طفلك فيها إلى التحفيز في سنوات ما قبل المدرسة.

لسوء الحظ، عندما نصل إلى هذه المادة غالبًا ما نواجه والِدين قلقين، فمعظم الأهل يشعرون براحة تامة في تعليم أطفالهم في مرحلة ما قبل المدرسة الكتابة أو نطق الحروف الأبجدية وهكذا دواليك. إنهم على دراية كافية لفعل مثل هذه الأشياء.

لكن عندما يتعلق الأمر بالرياضيات فكثير منهم، ما لم يكونوا من المهندسين أو العلماء، يشعرون بقلق واضح، وخاصة منذ ظهرت الرياضيات الحديثة في المدارس.

لقد أصبحوا يسمعون عبارات جديدة عليهم تمامًا. وصار أطفالهم، حتى في المدرسة الإبتدائية، يتعلمون الحساب بوسائل مختلفة تمامًا عن تلك الوسائل التي تعلموا بها عندما كانوا هم أطفالًا صغارًا. والأثر البيِّن لهذا هو ذلك الشعور بالقلق الواضح الذي أصبح ينتاب الأهل تجاه موضوع الرياضيات برمّته.

لكن كوني مطمئنّة، فالطريقة التي سأقترحها عليك لتعليم الرياضيات لطفلك في مرحلة ما قبل المدرسة سوف تفترض أنك لا تعلمين شيئًا على الإطلاق عن هذا الموضوع. سوف أقترح عليك أن تعلمي الرياضيات لطفلك باستخدام أدوات مصمّمة خصّيصًا لهذا الغرض. إنها تُدعى Cuisenaire Rods Parents KIT. ويمكنك البدء باستعمال هذه الأدوات عندما يكون طفلك في سنّ الثالثة. سوف تجدين أنها شيء فتّان وممتع للاستعمال. ومن المرجّح أنك ستتمنّين لو أنك تعلمت الرياضيات والحساب عندما كنت طفلة باللعب بهذه القضبان الملوّنة المختلفة على طريقة Cuisenaire.

كيف تعلّمين طفلك العدّ

بالإضافة إلى استعمال قضبان كويزنير، يمكنك تعليم طفلك العدّ. ولكنّ هذا ليس أمرًا بسيطًا على الإطلاق كما قد يبدو.

الكثير من الأهل يكونون تحت وهم أنهم قد علموا العد لأطفالهم في مرحلة ما قبل المدرسة. إنهم يقولون: «دع العم جيمي ير كيف يمكنك العدّ إلى

العشرين يا ريتشارد». سوف يسارع ريتشارد إلى سرد الأرقام من واحد إلى عشرين وسوف يكون العم جيمي معجبًا كما ينبغي عليه أن يكون. ولكن لو أن العم جيمي وضع عشرين زرًا أمام ريتشارد وقال «ريتشارد، دعنا نرَ إن كان يمكنك عدّ هذه الأزرار من واحد إلى عشرين» فسيتحقق الوالدان بسرعة من الفرق الشاسع بين تعليم العد الحقيقي للطفل وبين مجرّد تعليمه أن ينطق بألفاظ الأرقام من واحد إلى عشرين. إن تعليم الطفل محاكاة كلمات مثل واحد، اثنان، ثلاثة، من غير أن يفهم فعلًا ما يقوله، ليس مثل تعليمه العد.

العدّ عملية رئيسية في الحساب والرياضيات، وهي مهارة تستحق كل الوقت والعناء المبذولين من أجل تعليمها لطفلك الصغير. وكما في تعليمه الكتابة، يمكنك البدء عندما يكون في حوالى الثالثة من العمر. الأفكار الرئيسية المتعلقة بهذه المادة التي سأشرحها لك مستمدة من كتاب متميّز لسيغفريد وتيريز إنغلمان – عنوانه *Give Your Child a Superior Mind* (امنحي طفلك عقلًا متفوّقًا). وأودّ الاعتراف بجميلهما وكرمهما في السماح لي بالاستفادة من مادّته.

سوف تحتاجين إلى بعض الأشياء مثل الأزرار، والمكعّبات. ولنفترض أننا سنستعمل الأزرار على سبيل المثال.

وزّعي ثلاثة أزرار (فقط) أمام طفلك، متباعدة، بحيث يمكنه رؤيتها بسهولة وعدم الخلط بينها. اشرحي لطفلك قواعد اللعبة الجيدة التي ستطلقين عليها «لعبة العدّ» (تذكري أنني قلت سابقًا إن من الحكمة تقديم أيّ حالة تعليمية إلى الطفل على أنها شكل من أشكال اللعب). أخبري طفلك: «يجب أن تلمس كل زر بإصبعك، ولكن يمكنك لمسه مرة واحدة فقط. وعندما تلمس إصبعك أحد الأزرار يجب عليك أن تعطيه رقمًا».

«حسنًا، فلنبدأ. نريد أن نعرف كم زرًا لدينا هنا. أضع إصبعي على الزر الأول وأقول «واحد» ثم أحرّك إصبعي إلى الزرّ التالي وأقول «اثنان»، ثمّ إلى الزرّ الذي يليه وأقول «ثلاثة». إذًا لدينا ثلاثة أزرار. نرى ثلاثة ونلمس ثلاثة».

«الآن سوف نكرّر اللعبة مرّة أخرى. ولكننا سنحرّك أولًا الأزرار ونخلطها. والسبب في أنني سأحرّك الأزرار هو أن لا تظنّ أن «واحد» أو «ثلاثة» هو دائمًا دلالة على هذا الزر الأحمر أو ذلك الزر الأخضر. فـ«واحد» هو دائمًا دلالة على الزر الأوّل الذي نلمسه، بغضّ النظر عن لونه أو حجمه. و«اثنان» هو دائمًا دلالة على الزر الثاني الذي نلمسه، بغضّ النظر عن لونه أو حجمه».

تأكدي دائمًا أن تعدّي الأزرار من اليسار إلى اليمين لأن هذه هي الطريقة التي نقرأ ونعد بها في اللغة الانكليزية، من يسار الصفحة إلى يمينها (ويكون الأمر عكس ذلك في اللغة العربية).

استمرّي في لعب لعبة العدّ هذه عدّة مرات. ثمّ دعي طفلك يلعبها بنفسه، مع قليل من مساعدتك. خذي إصبعه وضعيه على الزر وعدّي «واحد» واجعليه يلفظ «واحد» بصوت مرتفع. وبعد أن تفعلا ذلك معًا لبعض الوقت دعيه يجرّب ذلك وحده. إذا لم ينجح، ساعديه مرة أخرى، إلى أن يتمكن من إتقان عملية العد. أشيدي به، ولكن لا تجبريه أو تضغطي عليه. العبي اللعبة لمدة خمس دقائق أو قريبًا من ذلك وليس أكثر، حتى لو كان يتعلم بسرعة كبيرة.

حاولي أن تلعبي اللعبة معه مرة كل يوم. وبعد أن يتقنها جيدًا بثلاثة أزرار، أضيفي أزرارًا أخرى بالتدريج إلى أن يتمكّن من العد إلى عشرة.

حالما تسنح الفرصة للعب لعبة العد بأشياء أخرى، افعليها. اغتنمي أيّ فرصة عفوية قد تتاح لعد الأشياء. ولكن كوني متأكدة من أن الأشياء التي تعدّينها، كالمفاتيح أو التفاح أو البرتقال، موجودة كلها في الوقت نفسه. وإلا فإن لعبة العد ستكون صعبة جدًا على طفلك. فمثلًا، إنّ عد إشارات المرور الضوئية أو الشاحنات التي تمرّين بها على الطريق بينما تقودين سيارتك، أمر صعب جدًا. فهذه الأشياء المعدودة ليست حاضرة كلها في الوقت نفسه. لذا ينبغي عليك الالتزام بعدّ أشياء كالبرتقالات أو التفاحات أو علب الحبوب التي تشترينها في السوق.

بعد أن تستمرّي في لعبة العد لمدة ثلاثة أو أربعة شهور أضيفي قاعدة جديدة إلى اللعبة.

اجعلي طفلك يلتقط كل واحد من الأزرار، بالتزامن مع قيامه بالعد، ويضعه في كومة. إذا فعل ذلك بطريقة صحيحة فإن كل الأزرار ستكون قد انتقلت من موضعها الأصلي إلى الكومة الجديدة. علّميه كيف يقوم بذلك في البداية ثم دعيه يجرّب بنفسه.

بعد أن يتقن هذا الشكل الجديد من لعبة العدّ، أدخلي تعديلًا جديدًا على اللعبة. ضعي عشرة أزرار على الأرض. واطلبي منه أن يتوقف عن العد عند الرقم خمسة. أريه كيف يفعل ذلك. عدّي: واحد، اثنان، ثلاثة، أربعة، خمسة أزرار، وارفعي صوتك عند عدّ كل واحد من هذه الأزرار.

قولي عندئذ: «حسنًا، إنه دورك الآن، عد إلى خمسة وتوقف بعد أن تقول واحد، اثنان، ثلاثة، أربعة، خمسة». إذا نجح في ذلك أثني عليه. وإذا لم ينجح أريه مرة أخرى ثمّ اجعليه يجرّب من جديد. قد يواجه طفلك مشكلة مع هذا المظهر الجديد للعبة العد، فكوني لطيفة وصبورة معه وسوف يستوعب الأمر بالتدريج.

العد من ستة إلى عشرة أكثر صعوبة لطفل في الثالثة من عمره، من المراحل الأولى للعبة العد التي لعبتها معه. لكن لا تقلقي، فمع الممارسة من جانبه والصبر من جانبك، سينجح الأمر. وباستخدام أجسام محدّدة، يستطيع تناولها والتلاعب بها أثناء تعلم العد، سيكون طفلك قادرًا على تعلم المبادئ الرئيسية للعد. وإذا بدأتِ تعليمه وهو في الثالثة من عمره، فمن المرجّح أنه سيكون متقنًا للمبادئ الرئيسية للعد عندما يبلغ الرابعة.

لاحظي أنّ الألعاب التي كنت تلعبينها مع طفلك في مرحلة ما قبل المدرسة (قضبان كويزنير ولعبة العد) قد بُنيت اعتمادًا على أجسام ملموسة محدّدة يمكن للطفل التعامل معها والتلاعب بها، فالطفل في مرحلة ما قبل المدرسة يستطيع تعلم قدر كبير من الرياضيات عندما تقدَّم إليه على أساس التعامل مع أجسام وموادّ ملموسة ومحددة، ولكنّ قدرته في هذا العمر على تعلم الرياضيات في شكلها التجريدي محدودة تمامًا. وأحد الأسباب التي تجعل الكثيرين من الأطفال والبالغين يواجهون مشكلات مع الحساب والرياضيات هو أنهم كان يُتوقع منهم أن يتعلموهما بالتعامل مع أرقام ورموز مجرّدة على

قطعة من الورق. والحقيقة أنه كان ينبغي أن تتوفّر لديهم تجربة سنوات سابقة من التعامل مع أجسام وموادّ ملموسة ومحدّدة.

لاحظي الفرق بين أطفال يتعلّمون اللغة وأطفال يتعلّمون الرياضيات. عامة الأطفال لديهم مشكلات أقل مع اللغة مقارنة بالرياضيات. وثمة سببان لذلك:

الأوّل، أن اللغة تنطوي على التفكير بالكلمات، بينما تنطوي الرياضيات على التفكير بالأرقام والأشكال. وأحد أسباب كون اللغة أكثر سهولة للأطفال هو أنه يتاح لهم قدر أكبر من ممارسة التفكير بالكلمات مقارنة بما يتاح لهم من ممارسة التفكير بالأرقام والأشكال. وإذا أتحنا لأطفالنا الوقت والفرصة للتفكير بالأرقام والأشكال كما نتيحهما لهم في التفكير بالكلمات، فإن أطفالنا جميعًا سيكونون أكثر مهارة في الرياضيات مما هم عليه الآن. يخضع أطفالنا لـ«قصف لفظي» من الكلمات في ثقافتنا عبر التلفزيون والراديو والصحف والمجلّات والكتب. أما قصف الأرقام والأشكال فهو أقل كثيرًا من قصف الكلمات.

السبب الثاني هو أننا نتوقع من أطفالنا أن يتعلموا الحساب والرياضيات بدون أن نزوّدهم بتجربة مناسبة في التعامل مع أجسام وموادّ ملموسة محدّدة، يستطيعون من خلالها تعلم المبادئ التجريدية للحساب والرياضيات. إن الأطفال الذين لعبوا بقضبان كويزنير وبِعدّ الأزرار لبضع سنوات وهم في مرحلة ما قبل المدرسة يكون استعدادهم لتعلم الحساب والرياضيات أفضل من الأطفال الذين لم يكن لديهم هذا النوع من التجربة المحسوسة مع أجسام وموادّ رياضية.

تعلّم رموز الأرقام

يمكنك الآن إطلاع طفلك على كيفية كتابة رموز الأرقام التي يعدّها. وأنا أقترح أن تقومي بذلك عندما يكون طفلك في حوالى الرابعة من عمره أو قبل ذلك ببضعة شهور.

اكتبي رموز الأرقام من واحد إلى عشرة على قطعة كبيرة من الورق المقوّى وعلّقيها في غرفة طفلك. يمكنك أيضًا أن تكتبي رموز الأرقام على سبورته، أو بالأقلام الملوّنة على قطعة كبيرة من الورق. ساعديه على أن يتعلم التعرّف إلى الرموز ثمّ أن يكتبها بنفسه.

إذا كنت تستطيعين توفير تسجيلات لبرنامج «شارع سمسم» حتى يشاهدها طفلك، يمكنك مزامنة تعليمك الأرقام له مع عرض تعليم الأرقام في البرنامج. إنهم يقومون بعمل رائع في تعليم الأرقام من واحد إلى عشرة في ذلك البرنامج.

(بالمناسبة، ينبغي عليك كوالدة أن تدركي أن هناك فرقًا بين الرقم والعدد. سوف يتعلم طفلك هذا الفرق عندما يدرس الرياضيات الحديثة في المدرسة الابتدائية. لم أعالج هذا الموضوع في هذا المكان لأنه ليس هناك من حاجة حقيقية لتشرح الوالدة (أو الوالد) هذا الفرق لطفل في مرحلة ما قبل المدرسة. إنه أمر من الصعب على الطفل أن يفهمه ولكنه سيفهمه بسهولة في المدرسة الابتدائية. وحتى لو كنت تعلمين أننا ينبغي بالفعل أن نتحدّث عن «العدد 3» أو «العدد 6» بدلًا من «الرقم 3» أو «الرقم 6»، فلا تحاولي شرح ذلك لطفلك في مرحلة ما قبل المدرسة. دعيه يتعرّف إلى هذا المفهوم التجريدي عندما يكبر ويصبح في المدرسة الابتدائية).

أعطي كل رمز اسمه. قولي مثلًا: «اسم هذا الرمز هو: (واحد)».

إن من المفيد خاصةً لطفل يتعلم رموز الأرقام أن يكون لديه موادّ محسوسة محدّدة ليعمل عليها. الألعاب الإبداعية تقدّم مجموعة من الأرقام الخشبية يمكن لطفلك أن يستعملها، فيمكنه أن يرسم حول رموز الأرقام بقلمه الرصاص ويتحسّس أشكالها بأصابعه. يمكنك أيضًا أن تصنعي رموز أرقام من الورق المرمَل (ورق الصقل) كما سبق أن صنعت حروفًا من المادة نفسها. اقتطعي رمز الرقم من الورق المرمل وألصقيه على قطعة من الورق المقوّى واجعلي طفلك يتتبّع شكل الرموز بإصبعه.

ساعدي طفلك على أن يتعلّم كتابة رموز الأرقام على الورق مستعملًا أقلام الفوتر (التمريك) أو أقلام التلوين، أو الطباشير على السبورة. وفي حالة الأرقام

العربيـة (وهـي الرموز ذاتها التي تُسـتخدم في اللغة الإنكليزيـة)، الفتي انتباهه إلى الخصائص المميّزة لكل رمز:

0 يبدو كحرف O.
1 يبدو مثل حرف l الصغير.
2 منحنٍ من الأعلى وقاعدته منبسطة.
3 يتألف من حرفَي C معكوسي الاتجاه أحدهما فوق الآخر.
4 مثل حرف L وله ذراع على جانبه.
5 منبسط في الأعلى ومنحنٍ من الأسفل.
6 منحنى كبير مع O في الأسفل.
7 منبسط في الأعلى مع شرطة مائلة تحت القمة.
8 مثل O من الأعلى مع O أخرى تحتها.
9 مثل O في الأعلى مع منحنى كبير تحتها.
10 هو واحد وصفر متجاورَين.

كتابة العديد من رموز الأرقام هذه ستكون أكثر صعوبة على الطفل من الكثير مـن حـروف الأبجديـة. فتكويـن رمـوز الأرقـام أكثـر تعقيـدًا من معظـم حروف الأبجديـة. لـذا كوني صبورة معه في كفاحه من أجل إتقان هذه الرموز الجديدة وخاصـة عندما يرتكب الأخطاء الشـائعة التـي يرتكبها الأطفال في مرحلة ما قبل المدرسة، كالخلط بين 6 و9.

وبينمـا يتعلـم الطفـل كتابة هذه الرمـوز يمكنك أن تقومي معـه ببعض الألعاب التي يتعرّف فيها إلى هذه الرموز وتحديدها. اسـتخدمي الورق المقوّى مع كل هـذه الرموز مكتوبة عليه. أشـيري إلى بعضها وقولي: «مـا هو هذا الرمز؟» فإذا أجـاب إجابـة صحيحـة فقولي: «هذا جيـد». وإذا أخطأ قولي: «هذا سـبعة» ثم انتقلي إلى رمز آخر.

غيّـري قليـلًا فـي اللعبـة بـأن تطلبي منـه تحديـد مواضع الرمـوز: «حـدّد مكان (أربعة). جيد. الآن حدّد مكان (ثمانية)».

الخطوة الأخيرة في تعلم رموز الأرقام تتضمّن إخراج الرمز من سياقه المعتاد، فبدلًا من استعمال الرموز العشرة كلها مكتوبة في صف واحد، استعملي فقط سبورة مع طباشير، أو أقلام تلوين مع ورق. قولي: «سأكتب رقمًا ولنرَ إذا كان يمكنك أن تقول لي ما هو». فإذا استطاع أن يعرف قولي «أحسنت»، وإذا أخطأ قولي: «كلا، هذا كان (أربعة). فلنجرّب واحدًا آخر».

من المهم جدًا أن يفهم طفلك حقيقة أن «الصفر» هو رقم من الأرقام. فالكثير من الأهل يلتبس عليهم الأمر ويعتقدون أن «الصفر» أو «لا شيء» يعني الشيء نفسه. وهذا ليس بصحيح. وهذا ما يمكن رؤيته بوضوح تام إذا فكرتِ في الفرق بين الرقم 43 والرقم 403. في الرقم 43 يوجد «لا شيء» بين الأربعة والثلاثة. وبناءً على ذلك فإن رمز الرقم يمثل أربع «عشرات» وثلاثة «واحد». أما في 403 فهناك صفر بين الأربعة والثلاثة. ولذا فإن رمز الرقم يمثل أربع «مئات» وثلاثة «واحد». ويا له من فرق!

إن استخدام بعض المقطوعات المقفّاة سوف يساعدك في أن توضحي لطفلك مفهوم أن الصفر هو رقم.

يمكنك أيضًا أن تسألي طفلك أسئلة طريفة تساعده في استيعاب مفهوم الصفر كرقم. اسأليه، مثلًا: «بيلي كم نمرًا لديك في جيبك؟» أو «كم تمساحًا في غرفة الجلوس؟».

يمكن استخدام مكعّب النرد لتعليم الطفل مفهوم الرقم لطفلك. فالألعاب التي تشتمل على استعمال مكعب النرد والعدّ من أجل تحريك اللاعبين على لوحة اللعب مفيدة أيضًا.

تستطيعين صناعة بعض هذه الألعاب في بيتك. اشتري زوجًا من مكعبات النرد وقطعة كبيرة من الورق المقوّى أو الورق اللاصق ولتكن بحجم قدمين في ثلاثة. تشاوري مع طفلك في نوع اللعبة التي ستلعبانها. ولنفترض، مثلًا، أنه يحب سباق السيارات. استخدمي قلم فوتر وارسمي على لوح الكرتون مضمارًا للسيارات واقسميه إلى أجزاء، سمّي أحد هذه الأجزاء «خط البداية» وسمّي واحدًا آخر «خط النهاية». واكتبي على بعض الأجزاء تعليمات مثل: «ارجع ثلاثة مربّعات إلى الخلف» أو «تقدّم ثلاث مسافات إلى الأمام» أو «اذهب

إلى خط النهاية». اشتري بعض السيارات المعدنية من متجر الألعاب وها قد أصبحتِ جاهزة للبدء. سيحب طفلك اللعبة لأنكما صنعتماها بنفسيكما، وسوف يتعلم الكثير من الحساب أثناء لعبه بها.

إذا لعبتِ بقضبان كويزنير ولعبة العدّ وما شابهها من الألعاب مع طفلك في الفترة بين السنتين الثالثة والسادسة من عمره فسوف يدخل الصف الأول متسلحًا بقدر جيد من المعلومات التجريبية في الحساب والرياضيات. وهذه الخلفية الغنية ستنفعه كثيرًا في دراسته لمادّة الرياضيات في المدرسة الابتدائية.

حاولتُ في هذا الفصل من الكتاب اقتراح عدد من الأشياء التي يمكنك فعلها لطفلك في سنوات ما قبل المدرسة من أجل تحقيق الحد الأقصى من نموّه العقلي، ولتعريضه لبيئة عقلية محفّزة، من دون دفعه إلى الشعور بأنه مضغوط عليه. ولنلقِ نظرة الآن على مشكلات تقنية التعليم التي قد تواجه الوالدين.

تقنيّات تعليم من أجل الوالدين

كيف يمكنك، كوالدة، أن تعلمي إن كنتِ في الحقيقة تمارسين ضغوطًا على طفلك؟

يمكن الركون إلى قاعدة جيدة: عندما يظهر الطفل نقصًا في الاهتمام بأيّ لعبة أو نشاط، توقفي فورًا، فالاستمرار في هذه اللعبة أو النشاط إلى أكثر من هذا الحد يسبّب ضغطًا على الطفل.

الأطفال في مرحلة ما قبل المدرسة يتمتعون بمدى انتباه قصير. ولهذا السبب يجب أن لا تزيد مدة اللعب في كثير من الألعاب العقلية التي اقترحتُها على خمس دقائق للمرة الواحدة. إن مفهومك عن الوقت ومفهوم طفلك عنه شيئان مختلفان كليًا. لذا اجعلي وقت اللعب قصيرًا وسيستمرّ طفلك في الاستمتاع به. لكن بطبيعة الحال، إذا كان واضحًا أنه يستمتع تمامًا بلعب لعبة معينة، واعترض بصوت مرتفع على التوقف عنها، فلا بأس من تجاوز مدة الدقائق الخمس والاستمرار في اللعب. يمكنك الاعتماد على الحسّ السليم في تحديد

أوان التوقف في مثل تلك الحالات. الفكرة الرئيسة التي أحاول تأكيدها هي: إن خيار جعل وقت اللعب قصيرًا جدًا أفضل من مدّه لفترة طويلة جدًا، عندما يتعلق الأمر بطفل غير راغب تتلاشى قدرته على الانتباه.

العقاب لا مكان له إطلاقًا عند تعليم الطفل شيئًا ما، فلا توبّخي طفلك ولا تعاقبيه أبدًا بسبب ارتكابه لأخطاء أو عدم فهمه شيئًا تحاولين شرحه له.

إذا كنت تكلفين طفلك بمهمة أو توضحين له مفهومًا وبدا لك أنه لا يفهمه فلا تقلقي. واعلمي أن هذا يعود لواحد من أمرين: فإما إنه ما زال صغيرًا جدًا ليستوعب هذا المفهوم أو ليقوم بالمهمة، أو إنك لم تقدّميهما له بشكل يستطيع فهمه. لا تلحّي عليه بذلك المفهوم أو تلك المهمة، وانتقلي إلى شيء آخر.

تذكري قبل كل شيء أن التعلم يجب أن يكون شيئًا ممتعًا، فلا تعطي طفلك الإحساس بأن كل شيء تفعلانه معًا يجب أن يكون «تعليميًا» أو هادفًا لتحسين قدراته العقلية. وإذا تبيّن لك أن أيًا من الأمور التي اقترحتُها في هذا الفصل لم تكن مسلية لك عند ممارستها مع طفلك في مرحلة ما قبل المدرسة، فانصرفي عنها. إن ضغطك على نفسك والاستمرار بهذا النشاط بينما تفكرين في نفسك: «أنا أكره فعل هذا، ولكن يجب عليّ أن أفعله، لأنه يساعد في زيادة معدل ذكاء طفلي» لن يقدّما نفعًا لك أو لطفلك. الأشياء التي تفعلانها معًا يجب أن تكون ممتعة لكليكما. وكما يقول الشاعر جون مايسفيلد: «الأيام التي تجعلنا سعداء، تجعلنا أيضًا حكماء».

13

كيفية اختيار الألعاب والكتب والتسجيلات لطفلك

يشعر الأهل بالقلق حيال ما يتعلّمه أطفالهم، فالمنهاج المدرسي محلّ جدل حادّ لديهم، لكنّ المدهش في الأمر أن هؤلاء الأهل الشديدي القلق، يبدون غير مكترثين بـ«المنهاج» المطبَّق في منازلهم.

وهذا النقص في الاهتمام يتجلى نوعًا ما في الطريقة العشوائية التي يختارون بها الألعاب والكتب والتسجيلات الموسيقية لأطفالهم. وإذا فكرتِ في الأمر لتبيّن لك أن المنهاج المنزلي لا يقلّ أهمية عن المنهاج المدرسي، فالمنهاج المنزلي هو الوحيد الذي يعرفه الطفل قبل أن يلتحق بروضة الأطفال أو الصف الأول.

من الاكتشافات البحثيّة الأساسية لعلماء النفس والمربّين أن الطفل يتعلم شيئًا ما طيلة الوقت، لا فقط في الوقت الذي يقضيه في ما يسمّى التعليم الرسمي في المدرسة. والاكتشاف البحثي الأساسي الثاني هو أن الطريقة الرئيسية التي يتعلم بها طفل في مرحلة ما قبل المدرسة أيّ شيء تكون من خلال اللعب. ولهذا من المهم أن نختار بحرص الألعاب والكتب والتسجيلات التي نقدّمها لطفلنا ليلهو بها، فالألعاب والكتب والتسجيلات هي بمثابة الكتب المدرسية في سنوات ما قبل المدرسة.

وبما أن طفلك يتعلم طيلة الوقت، فإن ما سوف يتعلمه في لعبه المنزلي سيعتمد على نوع تجهيزات الألعاب التي توفرينها له، ومقدار معرفتك للكيفية التي تلعبين بها معه، ومقدار معرفتك لكيفية تعليمه اللعب بنفسه. وهذه النقطة الأخيرة سوف تسبّب صدمة للعديد من الأهل: فكرة أن الأهل والأطفال على السواء يحتاجون إلى تعلم اللعب. معظم الأهل يسلّمون بفكرة أن أطفالهم يعرفون كيف يلعبون. لكنّ علماء النفس لا يعتبرون هذا أمرًا مسلَّمًا به، ويقولون

إن الأطفال يحتاجون لتعلّم كيفية اللعب، فطفل في الثالثة من العمر لا يملك القدرة الفطرية على بناء بنى وتراكيب معقدة بلعبة مكعّباته، أو على أن يبني بلدات ومدنًا بالتعاون مع طفل آخر في لعبة المكعّبات. إنه شيء عليه أن يتعلم كيف يقوم به.

لا ريب في أنّ من الأسهل كثيرًا أن يتعلم طفل صغير اللعب بنفسه أو مع أطفال آخرين، من أن يتعلم الوالدان اللعب مع الطفل الصغير نفسه، فالوالدان يحتاجان إلى أن ينزلا من برج البالغين الكبار العاجي إلى مستوى الطفل في اللعب. وهذا أمر ليس بالسهل. نحن نحتاج إلى تعلم اللعب مع الطفل الصغير وتأليف ألعاب عفوية ورواية القصص وقراءة الكتب من أجله. وهناك فنّ خاص لكل هذه الأنشطة، فهي مهارات يمكن تعلمها.

لكن هناك بعض الأنشطة التي هي أكثر متعة من تعلم فن اللعب. في معظم الأحيان سيكون طريقًا ذا اتجاهين، فعندما نلعب مع طفل صغير، نتعلم منه ويتعلم منا. وبالنسبة إلى كثير من الأهل، يمنح اللعب مع طفل صغير فرصة رائعة لاستعادة أشياء افتقدوها في طفولتهم.

أحد أوّل الأشياء التي ينبغي على الوالدة تعلمها هو اختيار الألعاب التي ستشتريها لطفلها. فالآباء والأمهات في الولايات المتحدة ينفقون أكثر من بليوني دولار سنويًا على الألعاب. وللأسف فإن كثيرًا من هذ الأموال يذهب هباءً. لكن لماذا؟

أوّلًا، الكثير من الألعاب سيّئة التصميم، وينتجها أناس يعلمون القليل عن الأطفال، علم النفس، أو التربية.

ثانيًا، تجري إعاقة مصمّمي الألعاب المبدعين حقًا بسبب الضغوط التجارية والتسويقية التي تمارسها كبريات الشركات. يقول أحد أصدقائي وهو مصمّم ألعاب، إنه يعاني كل عام عندما يذهب إلى شيكاغو من أجل عرض تشكيلة ألعاب شركته بسبب أحد كبار التجار الذي يقول له: «هذه اللعبة مرتفعة الثمن كثيرًا، عليك أن تخفض السعر بدولارين». إذا خفض السعر فسيُضطرّ إلى الاستغناء عن الكثير من الميزات الإبداعية للعبة، لكنّ التاجر الكبير لن يبالي بذلك كثيرًا.

ثالثًا، مـن الصعب على صانع ألعاب جيد وصغير الحجم أن ينافس عمالقة هذه الصناعة وتقنيّات دعايتهم الضخمة.

رابعًـا، ربمـا تكـون اللعبـة جيدة ولكـن الوالـدة (أو الوالـد) ليس لديهـا المعرفة الكافيـة عـن نمـوّ الطفل بحيث تقدّم اللعبة المناسـبة إلى الطفل المناسـب في العمر المناسب. مثلًا، قدّم أحد الآباء إلى ابنه البالغ ثلاث سنوات لعبة ميكانو (للبنـاء والتركيـب)، وهـي لعبة جيدة لكنها يجب أن تُعطـى للطفل عندما يكون فـي الثامنـة أو التاسـعة. فطفـل فـي الثالثة من عمـره لا يملك مهـارة العضلات الصغيرة للتكيّف مع هذه اللعبة. وبعدما جرّب الطفل عدة مرّات أن يضم أجزاء هـذه اللعبة بعضهـا إلى بعض أصيب بالإحباط وتخلى عنهـا. وفي أعياد الميلاد للسـنة التالية عندما قدّم الأب لابنه لعبة بناء وتركيب خشـبيّة مناسـبة تمامًا لطفل في سنّ الرابعة، لم يكن للطفل أيّ اهتمام بها. لقد تذكر إحباطه مع اللعبة الأولى في السـنة الماضية، ولم يكن ليلمس أيّ لعبة بناء وتركيب تشـبه ولو من بعيد تلك اللعبة.

ما هي «اللعبة الجيدة»؟

قبـل أيّ شـيء، اللعبـة الجيـدة يجب أن تكون آمنـة. يجب ألّا يكـون لها حواف حـادة أو طـلاء سـام. ويجـب أن تكـون مصنوعـة من مـادّة لا تتحطم أو تتشـقّق بسهولة، كما يجب ألّا تكون فيها قطع صغيرة يمكن أن يختنق بها الطفل.

ثانيًا، اللعبة الجيدة يجب أن تدوم طويلًا. ودوام أيّ لعبة يعتمد على عمر الطفل الذي يلعب بها وشخصيته. لكن على العموم، تكون ألعاب البلاستيك والصفيح هـي الأقـل قابلية للبقـاء، فيما تكون الألعاب الخشـبية والمعدنيـة المتينة هي الأكثر قابلية للدوام. وبالرغم من ذلك، يجب عليك أن تميّزي بين أنواع الخشب المختلفة. فأنا أفكر في بعض الألعاب الخشـبية المسـتوردة الغالية الثمن التي سوف تتشقق وتتكسّر بعد جولتين أو ثلاث من اللعب الخشن بين يدي طفل في مرحلـة ما قبل المدرسـة. الخشـب الصلب يكون بالطبع أكثـر قابليةً للدوام من الخشب اللين. وزيارة روضة أطفال جيدة قد تكون مفيدة جدًا لوالدة ترغب في الاسـتعلام عن قابلية الألعاب للدوام، لأن الألعاب في روضات الأطفال تتعرّض

للكثير من اللعب العنيف والتعامل الخشن ويجب أن تتمتع بالقابلية للبقاء لسنوات من اللعب المستمر.

ثالثًا، إذا كان الطفل يمارس نسبة تسعين في المئة من اللعب بينما تقدّم اللعبة عشرة في المئة فقط، فهي لعبة جيدة. أما إذا كانت اللعبة توفّر تسعين في المئة من العمل ولا يسهم الطفل سوى بعشرة في المئة فإنها لعبة سيئة.

قارني بين لعبة تعمل بالضغط على الزر وبالبطارية ومجموعة مكعّبات خشبية. عندما نقدّم لطفل صغير لعبة على شكل كلب يعمل بالبطارية ويمشي في أنحاء الغرفة، ويهز ذيله عندما يُضغط على زر، فنحن أمام حالة يكون اللعب فيها بنسبة تسعين في المئة من اللعبة نفسها، وكل ما يفعله الصبي الصغير هو الضغط على الزر (ما عدا تفكيك اللعبة وتكسيرها وهو الخطوة التالية غالبًا في اللعب بمثل هذه الألعاب). أما في مجموعة المكعّبات الخشبية فالوضع مختلف تمامًا، إذ إن تسعين في المئة من اللعب يقوم به الطفل. فالمكعّبات ليست بنى شديدة الجمود بحيث إن الطفل لا يستطيع أن يفعل بها أكثر من شيء واحد، بل إن هناك عددًا لا نهاية له تقريبًا من الاحتمالات لما يمكن أن يقوم به الطفل بهذه المكعّبات.

هذا المعيار الثالث للعبة الجيدة يشير إلى أسلوب تعامل جديد تمامًا مع الألعاب يحتاج الآباء والأمهات إلى إدراكه، فكلما زادت نسبة ما يفعله الطفل وقلّت نسبة ما تؤدّيه اللعبة بدلًا من الطفل، استطاع الطفل تطوير ثقته الذاتية بنفسه وقدرته الإبداعية وزاد ما يتعلمه من خلال لعبه بهذه اللعبة. وكلما قلت نسبة ما يفعله الطفل وزادت نسبة ما تؤدّيه اللعبة بدلًا منه، نقصت قدرة الطفل على تطوير قدرته الإبداعية وثقته الذاتية بنفسه وقلّ ما يتعلمه من خلال لعبه بهذه اللعبة.

عندما تستوعبين هذا المبدأ، سيمكنك أن تري لماذا يكون صندوق كبير من الورق المقوّى يتسع لطفل ليحبو بداخله، لعبة مثالية. هذا الصندوق مجرّد أكثر مما هو محدّد، وبالتالي يمكن أن يكون له معانٍ عديدة، كأن يكون سفينة، حصنًا، كوخًا ثلجيًا، طائرة، غوّاصة، أو إنسانًا آليًا (روبوت). إنه يحفّز ويغني القدرات الإبداعية والابتكارية عند الطفل، إذ يستطيع استعماله في هيئته

الأصلية ويستطيع فتح ثقوب وفجوات في أماكن مناسبة منه، كما يستطيع أن يلوّنه بأقلام التلوين أو أن يرسم ويدهن عليه.

ثمة القليل من الألعاب التي يمكنك أن تشتريها من محالّ الألعاب ويتوفر فيها ما في صندوق الكرتون من إمكانات اللعب، ولكن كم هو عدد الآباء والأمهات الذين يقومون بزيارات منتظمة لمحالّ الأثاث ليعودوا إلى بيوتهم، بدون تكلفة، بمثل هذه الصناديق الكرتونية الكبيرة؟

رابعًا، اللعبة الجيدة يجب أن تكون مسلية، فقد تكون هناك لعبة تعليمية ولكنها إن لم تكن مسلية، فلن تكون لعبة جيدة. يجب أن نميّز بين التسلية العاجلة والتسلية على المدى الطويل.

لا ريب في أن اللعبة التي تعمل بالضغط على الزر وتشتغل على البطارية هي مصدر للتسلية العاجلة لطفل في مرحلة ما قبل المدرسة، فهو سوف يضغط الزر ويشاهد مسرورًا السيارة أو الحيوان يجريان في أنحاء الغرفة، أو غير ذلك من الأشياء التي تحدث بمجرد ضغط الزر.

لكن خلال ساعات قليلة ستنتهي التسلية ويتلاشى إغراء هذه اللعبة. أما مجموعة المكعّبات الخشبية فيمكن أن يستمرّ اللعب والتسلية بها يومًا بعد يوم، فهي تسلية على المدى البعيد.

خامسًا، يجب أن تكون اللعبة مناسبة لعمر الطفل ولمرحلة النموّ التي يمرّ بها. وهنا تحتاج الأم لمعرفة أنواع الألعاب التي تناسب الأطفال عمومًا، وفي سنّ معيّنة ومرحلة نموّ محدّدة بشكل خاص. هذا النوع من المعلومات يمكن الحصول عليه في كتاب *Infant and Child in the Culture of Today* للدكتور غيسيل وكتاب *The Complete Book of Chidren's play* (الكتاب الكامل عن لعب الأطفال) لهارتلي.

لكن الأم تحتاج إلى معرفة تتجاوز مجرّد أنواع الألعاب التي يحبّها عموم الأطفال في أعمار محدّدة. إنها تحتاج أيضًا إلى أن تعرف طفلها الخاص، وما يحبّه وما يكرهه، فطفلها في عمر الأربع سنوات ليس مثل عامة الأطفال في عمر الأربع سنوات. إنه ليس مثل أيّ طفل آخر في هذا العمر على هذا الكوكب. ويجب أن

تسأل كل أم نفسها هذا السؤال: «هل تناسب هذه اللعبة عمره ومرحلة نموّه؟ هل هي مناسبة لجنسه، كصبي أو بنت؟ هل تناسب ميوله الفردية الخاصة في اللعب؟ هل هي مناسبة لحجمه البدني؟ هل يستطيع أن يتعامل معها بنفسه أم هي لعبة سيحتاج فيها إلى المساعدة؟».

عندما تختارين ألعابًا لطفل في مرحلة ما قبل المدرسة تذكري أنه كلما كان الطفل أصغر سنًا، يجب أن تكون اللعبة أكبر لتناسب مرحلة نموّه غير الناضجة. فالأطفال في مرحلة ما قبل المدرسة، مقارنة بالأطفال الأكبر سنًا، يحتاجون إلى مكعّبات أكبر، أقلامًا أكبر، فراشي دهان أكبر، براغيّ وعزقات أكبر للحل والفك في ألعاب البناء والتركيب.

عند شراء الألعاب لأطفالهن، تتجنّب الكثيرات من الأمهات بعض الألعاب الجيدة لأنهن يشعرن بأن اللعبة مرتفعة الثمن جدًا. ينبغي أن نفكر بوضوح في ما نعنيه بالضبط بلعبة «مرتفعة الثمن». فإذا اشتريتِ شاحنة بلاستيكية لطفلك بتسعة وثمانين سنتًا فقد تبدو للوهلة الأولى أنها رخيصة الثمن. ولكن إذا انتهى مصير هذا الشاحنة إلى الكسر بعد عشرين دقيقة من إعطائها لطفلك بحيث لم يعد ممكنًا اللعب بها، فستكونين قد اشتريتِ له لعبة مرتفعة الثمن.

ولو أن والدة جمعت تكلفة كل الألعاب البلاستيكية الرخيصة والقابلة للكسر بسهولة التي اشترتها من الأسواق فستفاجأ بقيمتها. بهذه القيمة نفسها كان يمكنها شراء عدد من الألعاب الإبداعية المرتفعة الثمن ولكن الطويلة العمر والمبنيّة جيدًا، فست ألعاب بلاستيكية بسعر تسعة وثمانين سنتًا للواحدة وتدوم أسبوعًا واحدًا، تكلف المبلغ نفسه الذي تكلفه لعبة خشبيّة أو معدنيّة طويلة البقاء ويمكن أن تدوم لسنوات وتُشتَرى بخمسة دولارات وخمسة وتسعين سنتًا.

لا تنسي أن «اللعبة» الأكثر أهمية في حياة طفلك هي «اللعبة» التي يحب أن يلعب معها أكثر من أيّ شيء آخر، والتي سوف تؤثر فيه بقوة أكثر من أيّ شيء آخر، هي تلك اللعبة من لحم ودم التي هي - أنتِ! فلعبه معك أكثر أهمّيةً بألف مرة من لعبه بأيّ لعبة. ومئات الألعاب الجميلة والبرّاقة ليست بديلًا من أوقات اللعب العاطفية التي تقضيانها معًا.

وكما أشرتُ في الفصل الخامس، فإن ثانية أكثر «الألعاب» أهمية في حياة طفلك توجد في غرفة الجلوس. وهي تدعى «جهاز التلفزيون».

ذكرتُ سابقًا أنني أدرك سخافة الكثير من البرامج التلفزيونية وابتذالها، وأنني أودّ لو تكون مشاهد العنف على الشاشة في الحد الأدنى. لكن بالرغم من ذلك، ومع كل الجدل الصاخب حول ما هو خطأ في برامج التلفزيون، من المهمّ ألّا نتغاضى عن القيم الإيجابية التي يمكن للطفل أن يكسبها من مشاهدة التلفزيون، فالتلفزيون، على سبيل المثال، جيد من أجل زيادة مستوى مفرداته اللغوية، ويحفّز نموّه اللغوي. وقد أظهرت الدراسات البحثية أن مفردات اللغة الشفوية للأطفال الملتحقين بروضات الأطفال والصف الأول قد ازدادت بنسبة كبيرة منذ أن دخل التلفزيون إلى البيوت الأميركية.هذه اعتبارات إيجابية يجب أن لا يغفل عنها الآباء والأمهات. وإذا كانت الجودة المنخفضة للبرامج التلفزيونية تغني المفردات اللغوية لطفل في مرحلة ما قبل المدرسة وتحفّز نموّه اللغوي، فما بالك إذًا بما يمكن إنجازه من خلال برامج تلفزيونية متميّزة لأطفال في مرحلة ما قبل المدرسة؟

مع كل أوجه القصور فيه، يبقى التلفزيون «لعبة» تربوية رائعة لطفلك، ومن الخطأ اتخاذ موقف سلبي بالكامل تجاهه كما يفعل العديد من الأهل. خصّصي بعض الوقت لمشاهدة بعض البرامج التلفزيونية مع طفلك وتحرّي عن الأفضل من بينها. ابحثي عن وسائل دعم نفسي تعزّز مشاهدة طفلك للبرامج التلفزيونية الجيدة. إن وجودك معه لمشاهدة البرنامج معًا هو نوع من المكافأة أو التعزيز. وهذه الأساليب الذكيّة المتنوّعة التي تتبعينها، تعلّم طفلك أن يكون انتقائيًا في مشاهدته.

لا تذهبي إلى الحد الأقصى في مثل هذه الأمور وتعطي لطفلك الانطباع بأنك تعتقدين أن مشاهدته واحدًا من هذه البرامج التي تعتبرينها تافهة، جريمة خطيرة، فبقليل من التعزيز الحصيف يمكنك توجيه مشاهدته في اتجاهات معيّنة. إن التلفزيون يحتوي على إمكانية كبيرة ليكون «لعبة» تربوية قيّمة، ولتكون سياستك تجاهه قائمة على أساس مبدأ «دعه يعمل». عندما تجدين برامج جيدة اكتبي رسالة إعجاب موجزة إلى البرنامج أو راعيه. وستساعد

أصواتكم، التي ستأتي على شكل رسائل المعجبين، في الإبقاء على برامج الأطفال الجيدة على شاشة التلفزيون.

اختيار الكتب للأطفال

فلنتحدّث الآن عن كيفية اختيار الكتب للأطفال. قد يتساءل بعضكم: «لماذا تجعل من هذا الأمر قضية كبيرة؟ فقط أحضر لطفلك بعض الكتب وسوف يستمتع بقراءتها، هذا كل ما في الأمر. ما هو الفرق الذي سيصنعه نوع الكتب التي تختارها له؟».

في دراسة قام بها الدكتور جورج غالوب يظهر لك هذا الفرق، فقد درس الدكتور غالوب عادات قراءة وشراء الكتب عند البالغين في الولايات المتحدة، وخلص إلى أن البالغين الأميركيين لا يحبّون قراءة الكتب أو شراءها.

لقد درس عيّنة تمثّل ثلاث مجموعات من الناس: الأولى، خرّيجو المدارس الثانوية، والثانية، الذين التحقوا بالكليات ولم يتخرّجوا، والثالثة، خرّيجو الكليات. ووجد أن 50 في المئة من مجموعة خرّيجي المدارس الثانوية لم يقرأوا كتابًا خلال السنة السابقة، و46 في المئة من أولئك الذين التحقوا بالكليّات ولم يتخرّجوا منها لم يقرأوا كتابًا خلال السنة السابقة، وثلث المتخرّجين من الكليات تقريبًا لم يكملوا قراءة كتاب واحد خلال السنة السابقة. ويعلق الدكتور غالوب: «هذه الأرقام غير مطمئنة أبدًا بالنسبة لأولئك الذين يدافعون عن نظام التعليم الحالي في أميركا». وعلاوة على ذلك، عندما تقارن عادات قراءة الكتب في الولايات المتحدة بتلك الموجودة في بريطانيا، ألمانيا، هولندا، سويسرا، فرنسا، والبلاد الإسكندنافية، فستكون الولايات المتحدة في أسفل القائمة.

في دراسة أخرى على عيّنة من البالغين في الولايات المتحدة، وجد الدكتور غالوب أن ثلثي هؤلاء البالغين أفادوا بأنهم لم يكملوا حتى قراءة كتاب واحد خلال السنة الماضية (باستثناء الكتاب المقدّس والكتب الدراسية). ومن

جهة أخرى، استطاع بالغ واحد فقط من بين ستة أن يذكر كتابًا واحدًا نُشر أخيرًا يحب أن يقرأه.

إن عادات شراء الكتب عند عامة الأميركيين مؤشّر على مدى تعلم الأميركيين لحب القراءة والكتب. للوهلة الأولى قد يبدو أن أميركا هي بلد للقارئين النهمين إذا أخذنا في الاعتبار الأرقام المثيرة للإعجاب عن الكتب ذات الأغلفة الورقيّة وذات الأغلفة الفنيّة المبيعة في الولايات المتحدة. لكن إذا تفحّصنا هذه الأرقام عن كثب لوجدنا في الواقع أن خُمس عدد البالغين هم من «يستهلكون» أكثر من ثمانين في المئة من كل الكتب المبيعة والمقروءة في الولايات المتحدة. ما تظهره هذه الأرقام هو أن نسبة صغيرة من البالغين في الولايات المتحدة تحب الكتب والقراءة. وإذا أُريد لهذه الحالة أن تتغيّر، «يجب تنمية الاهتمام بالكتب عند معظم الأشخاص» كما يقول الدكتور غالوب.

إن الدعامة الأساسية لحب الكتب والقراءة يمكن وضعها في السنوات الخمس الأولى من الحياة، لأن هذا هو الوقت الملائم للبدء بالتكوين الواعي لعادة قراءة الكتب وشرائها.

إن عادة القراءة والاستمتاع بالكتب هي من بين الأشياء التي يُفترض بالمدارس الأميركية أن تعلمها للأطفال. لكن من الواضح، حسب أرقام الدكتور غالوب، أن النظام المدرسي الأميركي يخفق إخفاقًا تامًا في تحقيق هذا الأمر عند نسبة كبيرة من أطفال المدارس.

لذا، لا يمكنك الاعتماد على المدارس التي يلتحق بها طفلك للقيام بهذه المهمّة، وإذا كان لطفلك أن يكتسب عادة قراءة الكتب وأن يستمرّ في هذه العادة عندما يصبح بالغًا، فعليك أنت الوالدة (أو الوالد) البدء بتلقينه هذه العادة والعمل على استمراره بها.

والوقت الملائم للبدء بذلك هو هذه السنوات الخمس الفائقة الأهمية، أي حتى قبل أن يضع قدمه في المدرسة الابتدائية.

تعليم طفلك على حب الكتب يتبع المبادئ الرئيسية نفسها للتعليم التي تكلمنا عنها في فصول سابقة. سوف يتعلم طفلك حبّ الكتب والاستمتاع بقراءتها وشرائها إذا قمت بمكافأته وتعزيزه للقيام بهذه الأشياء.

ومن هنا يأتي مبدأ مهم جدًا: «لا يساورنّك القلق عمّا يقرأه طفلك ما دام يقرأ»، فأيّ قطعة مطبوعة يريد طفلك قراءتها ويستمتع بقراءتها، سواء كانت كتابًا أو مجلة أو صحيفة أو قصة جيدة، تُعدّ قراءتها مفيدة له. وهذا يصحّ خاصة على الأطفال بعد سنّ السادسة. في العادة، تقول الأمهات «أوه، إنه يقرأ هذا الهراء – قصصًا هزلية وروايات تافهة – أنا أريده أن يقرأ أدبًا رفيعًا». لا تقلقي حيال هذا الأمر، فالهراء والتفاهة التي يقرأها لا بد أنها ترضي بعض الاحتياجات النفسية عنده في هذا الوقت، وهذا أمر لا بأس به. ومع استمراره بالقراءة، ستتحسّن ذائقته بالتدريج. طبعًا لا تنشأ ما تُدعى بمشكلة القراءة التافهة في سنوات ما قبل المدرسة، لأن ما يقرأه الطفل فيها سيكون ما تختارينه أنت لتقرئيه له (أو، إذا تعلم القراءة قبل سنّ السادسة، ما تختارينه له ليقرأه بنفسه). وما ستختارينه لتقرئيه له في سنوات ما قبل المدرسة هذه سيكون له علاقة كبيرة بمدى حبّه للكتب في مستقبل حياته.

كيف يجب أن تختاري الكتب لطفلك؟ حاولي الموازنة بين ما هو واقعي وما هو خيالي في قراءاتك له. فهو يحتاج إلى قوت متوازن من الكتب كما يحتاج إلى قوت متوازن من الغذاء. إن قراءة ما هو واقعي فقط تجعل خياله الإبداعي ناقص النموّ، وقراءة ما هو خيالي فقط تهمل استخدام القراءة باعتبارها سبيلًا لفهم العالم الواقعي الذي يعيش فيه.

إنه يحتاج إلى تحقيق توازن بين استعارة كتب من المكتبة العامة وشراء كتب خاصة به يضمّها إلى مكتبته المنزلية المتنامية. كثير من الأمهات يرتكبن خطأ حصر ما يقرأه أطفالهن من كتب بتلك التي يحصلن عليها من المكتبة العامة لأنها توفّر عليهنّ بعض المال، بينما لا تتردّد هؤلاء الأمّهات أنفسهنّ اللاتي يوفّرن المال بعدم شراء الكتب لأطفالهن، في شراء الألعاب لهم في أعياد الميلاد. وعندما تفعل الأم ذلك، سواء أكانت مدركة أم لم تكن، فإنها تعلم طفلها أن «الألعاب أكثر أهمية من الكتب، لأننا نشتري لك الألعاب لتحتفظ بها، ولكننا لا نشتري لك أبدًا الكتب لتحتفظ بها». والطفل، وخاصة طفل في مرحلة ما قبل المدرسة، يحتاج إلى كتب ليحتفظ بها – ليشعر بأنها خاصة به وحده.

من الصعب أن يكبر الطفل وهو يقدّر الكتب حقًا إن لم يكن لديه كتبه الخاصة، وإن لم يستمتع بإنشاء مكتبته الشخصية وهو يضم إليها الكتاب بعد الآخر على

مـدى السـنين. وكمـا أن للطفل ألعابه الخاصة التي يحـب أن يلعب بها مرة بعد أخـرى، يجـب أن تتاح لـه فرصة امتلاك كتبه الخاصة التي يقرأهـا مرارًا وتكرارًا. عندما يمرض الطفل ويكون عليه أن يبقى في البيت بعيدًا عن المدرسة، يروقه عندئـذ أن يلعب بألعابـه القديمة المألوفة. في مثل هذه الظروف عليه أيضًا أن يكـون قادرًا على قراءة كتبه القديمـة، المألوفة والمفضّلة. ومهما كانت ظروفك الاقتصاديـة، فـإن جـزءًا مـن المال الـذي تنفقينه علـى طفلك يجـب أن يخصَّص لشراء كتب له.

إذا علّمـت طفلـك اكتشـاف كلّ المتعة التي يمكن أن يحصـل عليها من القراءة، فسـوف يفتح كتبه مرارًا وتكرارًا. وحتى عندما لا تسـتطيعين تحمّل شـراء أكثر من خمسـة كتب ذات غلاف ورقي في السـنة، لا تتردّدي في شـرائها له وجعلها جـزءًا مـن مكتبتـه الصغيـرة المتنامية. فإذا اشـتريتِ له خمسـة كتب فقط في السـنة الواحدة، واسـتمررتِ في هذه العادة حتى يتخرّج في المدرسة الثانوية، فسيكون لديه عندئذ خمسة وثمانون كتابًا في مكتبته الشخصية. وسيكون عدد الكتب الموجودة في مكتبته أكثر بخمسـة وثمانين كتابًا من عدد الكتب التي يملكهـا الكثيـر من الطلاب الأميركييـن في مكتباتهم الخاصـة عندما يتخرّجون في المدارس الثانوية!

وبالنظر إلى الثورة الإلكترونية التي أشعلها التلفزيون، أصبح اكتساب عادة حب الكتـب وقراءتهـا عند أطفـال اليوم أكثر صعوبـة. عندما كنت صبيًـا صغيرًا لم يكن هناك شيء كالتلفزيون، فكنت أحب قراءة الكتب. ولكن لو توفّر لي الخيار بين الذهاب إلى السينما أو قراءة كتاب فلن يكون هناك مجال للمقارنة، وسوف تكسـب السـينما بسـهولة. أما الآن فقد أصبحت السينما في المنزل، جاهزة في الحـال، وندعوهـا بالتلفزيـون. ولهذا ينبغـي على الأهل قضاء وقـت أطول وبذل جهـد أكبـر مما كانـوا يفعلون في الأيام الخالية قبل ظهور التلفزيون، في سـبيل تربية أطفالهم على حبّ قراءة الكتب.

التأكيـد علـى أن المكتبـة العامة ومحالّ بيـع الكتب المحلي هـي أماكن يقرنها طفلـك بالمتعة والأشياء الجيـدة، واحدة من أفضل الطـرق لتضمني حب طفلك فـي مرحلـة مـا قبل المدرسـة للكتب وكل شـيء يتعلـق بها. يجـب أن ينظر إلى

المشرف على المكتبة أو مالك محلّ بيع الكتب على أنهما من الأصدقاء. فاللمسة الشخصية مهمّة لأطفال في مرحلة ما قبل المدرسة. ويجدر بك كأم أن تعملي على أن يكون للمشرف على المكتبة ومالك محل بيع الكتب اهتمام شخصيّ بطفلك، فأنتِ تريدين أن تقرني زيارة المكتبة العامة أو محل بيع الكتب بمعانٍ إيجابية وجيدة في عقل طفلك.

الكثير من الأمهات في هذه الأيام يحترن ويرتبكن أمام المجموعة الواسعة من كتب الأطفال التي يُتوقع منهنّ أن يخترن منها. قبل أن تشتري أيّ كتاب لطفلك، وحتى قبل أن تستعيري له واحدًا من المكتبة العامة، عليك أن تتفحّصيه بنفسك أولًا.

من المرجّح أن يكون المعيار الأكثر أهمية لاختيار الكتب التي ستُقرَأ لطفل في مرحلة ما قبل المدرسة هو أن تنال إعجاب الوالدة نفسها. لأنه إذا راقك الكتاب فسوف يروق طفلك. وإذا لم تستمتعي أنتِ به فمن الأرجح أنه لن يستمتع بقراءتك له. وبهذا المعنى لن تكون هناك قائمة مؤكدة النجاح من الكتب الموصى بها للأطفال، ليس فقط لأن كل طفل فريد في ذوقه، بل لأن كل أم فريدة في ذوقها أيضًا.

في بعض الأحيان، تصاب الأمهات بالذعر عندما يجدن أن كتب أطفالهن ذات الأغلفة المتينة مرتفعة الأسعار ويقلن: «هذا مبلغ كبير من المال من أجل كتاب صغير قد يقرأه طفلي مرة واحدة فقط». هنا، تكون الأم مخطئة، فقد يأخذ الطفل الصغير كتابه المفضّل هذا إلى سريره وينظر إلى صوره ويطلب منك أن تقرئيه له لعدة شهور. إن الأطفال يستفيدون كثيرًا من الكتب التي يحبّونها ويتعلقون بها.

هذا يقودني إلى موضوع آخر متعلق بالكتب وتكلفتها. ربما يكون الأمر عائدًا إلى تكلفة كتب الأطفال، أو إلى نوع من المهابة للكلمة المطبوعة، ولكن في كثير من المرات نميل نحن الأهل إلى أن نتوقع من الطفل أن يكون عاقلًا جدًا في عنايته بالكتب التي نشتريها له. فنحن نتوقّع منه أن لا يخربش على الكتاب، وأن لا يوسّخه أو يمزقه. لماذا؟ عندما نشتري لعبة لطفل في مرحلة ما قبل المدرسة نتوقع تمامًا أنه سيتعامل معها بطريقة عنيفة. في الحقيقة،

كلما كانت اللعبة محبوبة أكثر، زاد تعرّضها للبلى والتلف. فلماذا لا نستطيع أن نتعلم الشعور بهذه الطريقة حيال الكتب أيضًا؟ الكتب التي سيحبّها طفلنا في مرحلة ما قبل المدرسة أكثر من غيرها، هي الكتب التي سيصيبها القدر الأكبر من التلف والبلى. هكذا يجب أن تكون الأمور. أما إذا بقينا نلاحق طفلنا باستمرار ليحافظ على كتبه سليمة لا عيب فيها، فإننا سوف نثبطه عن الشعور بالألفة والراحة مع كتبه.

للكتب تأثير كبير على طفل في مرحلة ما قبل المدرسة، فعندما تقرئين له كتابًا، لا يخرج ما يدخل في إحدى الأذنين من الأذن الأخرى. إنه يبقى راسخًا في ذاكرته. وقد وجدت دراسة بحثية للدكتور جورج غالوب أن الأطفال الذين قرأت لهم أمهاتهم بانتظام في عمر مبكر يكون أداؤهم في المدرسة أفضل من أولئك الأطفال الذين لم يُقرأ لهم في عمر مبكر. لقد أجرى الدكتور غالوب دراسته على 1045 أمًا ووجد أن تسعة وسبعين في المئة من طلاب الصف الأول ذوي التحصيل العالي كان يُقرأ لهم بانتظام في سنواتهم المبكرة، مقارنة بتسعة وأربعين في المئة من ضعيفي التحصيل.

إن سنوات الطفولة محدودة. فلا يمكنك أن تقرئي قصّة الأرنب بيتر *The Tale of Peter Rabbit* لطفل في العاشرة من عمره، فقد تجاوزها الآن، ولن يكون لقراءته لها أيّ مغزى طيلة حياته ما لم تكوني قد قرأتها له في سنواته المبكرة. ولهذا فإن اختيارك الحكيم لكتبه في سنوات ما قبل المدرسة مهم جدًا في تعليمه ونموّه.

اختيار التسجيلات للطفل

سنتطرّق في ما يلي إلى موضوع لا تشعر فيه الأمّهات بثقة كبيرة بأنفسهن: اختيار تسجيلات للأطفال. تشتري الأمّهات تسجيلات لأطفالهن أقل بكثير مما يشترين ألعابًا وكتبًا، وذلك لأن الأم العادية تشعر بأنها عندما تختار تسجيلات لطفلها تقف على أرض أقل ثباتًا مقارنة بما تشعر به عندما تختار الألعاب أو الكتب.

الحقيقة المحزنة، أن معظم تسجيلات الأطفال التي تشتريها الأمهات مصمّمة لاجتذاب الأمهات لا الأطفال، حيث إن صانعي هذه التسجيلات يعلمون جيدًا أن الأمهات هنّ اللواتي يشترينها. لكنّ هذه الأنواع من التسجيلات «الجذابة» لا تعني شيئًا كبيرًا للأطفال، فهي عادة ما تكون سريعة جدًا، مبتذلة، مع فرقة موسيقية وكورس (جوقة) كبيرين.

ما هو المعيار الذي يجب أن تعتمديه في شراء التسجيلات الموسيقية للأطفال؟ أولًا، يجب أن تكون الموسيقى بسيطة لا معقدة أو منمّقة. ثانيًا، يجب أن لا تكون مشوّشة كثيرًا بالأوركسترا أو بجوقة كبيرة. ثالثًا، يجب أن يكون اللحن والإيقاع جذابين للأطفال.

ما هي بعض الفئات المختلفة لتسجيلات الأطفال في مرحلة ما قبل المدرسة؟

أولًا، الأغاني الشعبية، فالأغنية الشعبية الجيدة للأطفال تنطبق عيلها كل المعايير المذكورة سابقًا.

ثانيًا، موسيقى الثقافات الأخرى، فسنوات ما قبل المدرسة هي الوقت المثالي لتعريض طفلك لموسيقى من ثقافات أخرى قبل أن تتصلب شرايينه الموسيقية ويفهم ويستمتع فقط بموسيقى ثقافته المحلية. دعيه يسمع الطبول البولينيزية، الطبول الأفريقية، صنوج جزيرة بالي، الكوتو الياباني، البوزوكي اليونانية، المارياكي المكسيكية، الماريمبا الغواتيمالية، وما شابه ذلك. من المحتمل أن يُعجب طفلك في مرحلة ما قبل المدرسة بأيّ نوع من موسيقى ثقافة أخرى تتمتع بإيقاع قوي.

ثالثًا، تسجيلات موسيقية متنوّعة. وأعني بها تلك التسجيلات التي لا يمكن تصنيفها بسهولة تحت الفئات الثلاث المذكورة آنفًا. مثلًا، «إنه عالم صغير» لوالت ديزني الذي يكشف للطفل جغرافيا العالم بالموسيقى.

رابعًا، تسجيلات الأنشطة الحركية. وهي تلك التي تتضمّن بعض النشاط العضلي المحدّد أو الخيال التمثيلي اللذين ينخرط فيهما الطفل بالتزامن مع اشتغال التسجيل.

خامسًا، تسجيلات التنبيه العقلي، وهي المعادل للكتب الواقعية. وتتضمّن هذه الفئة التسجيلات المتعلقة بالطبيعة والعلوم، التاريخ، الحساب والرياضيات... إلخ.

سادسًا، مزيج الكتب القصصية والتسجيلات الموسيقية. وهي الكتب القصصية مرويّة بأمانة وبساطة على شكل تسجيل موسيقي. ويمكن استعمالها في جذب انتباه الطفل إلى الكتاب الذي يُبنى عليه هذا التسجيل الموسيقي. ويمكن استعمالها أيضًا بعد أن يُقرأ الكتاب للطفل، فيستطيع التعرّف إلى معنى هذا الكتاب ومغزاه بطريقة مختلفة.

حسنًا، فلنقل إنك اشتريت عددًا من التسجيلات الجيدة للأطفال. ما الذي يجب عليك أن تفعليه بها الآن؟ هنا تقع الكثير من الأمهات في الخطأ، فهنّ يشغّلن التسجيل للطفل بكل بساطة، ويقلن: «هاك تسجيلًا لطيفًا اشترته ماما من أجلك، دعنا نستمع إليه».

يستمع الطفل ولا يبدو عليه الاهتمام. وبعد بضع تجارب من هذا النوع تخلص الأم (خطأً) إلى أن طفلها الصغير لا يبالي بتسجيلات الأطفال، ومن ثم فليس هناك من معنى لشراء المزيد منها. إن هذه الأم لا تعلم أن الأطفال في مرحلة ما قبل المدرسة يحتاجون إلى إعداد وتهيئة ليستطيعوا فهم التسجيلات والاستمتاع بها.

هناك ثلاث خطوات تتضمّنها عملية تشغيل تسجيل للطفل: 1) جهّزي طفلك للاستماع إلى التسجيل. 2) استمعي إلى التسجيل معه. 3) تحدّثي معه عن التسجيل بعد أن يستمع إليه. عندما تستعملين التسجيل بهذه الطريقة مع الطفل فإنك تغيّرين عملية الاستماع للتسجيل من تجربة سلبيّة إلى تجربة حيّة وفعّالة بالنسبة إليه. لقد أثرتِ فضوله قبل تشغيل التسجيل بحيث أصبح متلهّفًا للاستماع إليه. وبتوجيهك إليه أسئلة عن التسجيل قبل تشغيله، قمتِ بحثّه على الاستماع إليه بفعالية لكي يستطيع الإجابة عن أسئلتك. كل هذا يجعل الاستماع إلى التسجيلات تجربة تعلم ممتعة جدًا بالنسبة إلى الطفل، وهذا أمر مختلف تمامًا عن مجرد تشغيل الشريط ليستمع إليه.

ليست التسجيلات أدوات تعليمية فعالة للأطفال الصغار فحسب، بل يمكن استخدامها للحؤول دون وقوع مشكلات التأديب والانضباط. إن تشغيل تسجيل لطفلك يمكن أن يصبح جزءًا من التحكم البيئي من أجل التأديب والانضباط الفعّال الذي تحدثتُ عنه في الفصل التاسع.

على سبيل المثال، عندما يكون طفلك جائعًا والعشاء ليس جاهزًا بعد، يمكنك أن تتوقعي بسهولة أنه سيزعجك ويضايقك من أجل أن تعطيه شيئًا ليأكله خلال نصف الساعة الباقي على تحضيرك للعشاء. فما العمل؟ شغّلي له تسجيلًا.

تذكّري أن تقدّمي له تمهيدًا موجزًا عن التسجيل: «هل تتذكر التسجيل الذي استمعنا إليه الأسبوع الماضي عن الوحش الذي يحب الاستماع إلى القيثارة؟ دعنا نستمع إليه الآن، وعندما ينتهي يمكنك رسم صورة للوحش». بجعلك الطفل ينخرط في الاستماع إلى التسجيل أنت «تشترين الوقت» لنفسك ريثما تنتهين من تحضير العشاء، وتحولين دون وقوع مشكلة تأديب محتملة.

الاستماع إلى تسجيل يمكن أن يهدّئ طفلًا مثارًا. قد يكون منهمكًا في اللعب مع بعض الأطفال الآخرين، وتلاحظين أن اللعب أصبح يخرج عن السيطرة، وأن الطفل أصبح أكثر جموحًا وانفعالًا. استخدمي عند ذلك تسجيلًا قصصيًا بدلًا من تسجيل موسيقي بقصد تهدئة الطفل. قدّمي له تمهيدًا موجزًا لتحفيزه على الاستماع للتسجيل ثمّ شغّليه له. يمكنك استخدام التسجيل القصصي ليحلّ مكانك عندما تكونين من الانشغال بحيث لا تستطيعين أن تقرئي له بنفسك. وإذا توفر له الكتاب الذي يواكب التسجيل القصصي، فقد يودّ مشاهدة الصور في الكتاب بينما هو يستمع إلى التسجيل. ولهذا فإنها فكرة جيدة الاحتفاظ بالكتب التي تتواكب مع التسجيلات القصصية قريبة من المسجّل بحيث تكون جاهزة عند الحاجة إليها.

بكلمات أخرى، ليست التسجيلات موادّ تعليمية ذات قيمة عالية للأطفال فقط، ولكن يمكن أن تستخدمها أيضًا والدة حصيفة كمنقذ في حالات صعبة محتملة، كحالة طفل قبل موعد العشاء أو قبل وقت النوم، أو عندما تضطرّين لإبقاء الطفل في المنزل بسبب طقس سيّئ أو بسبب المرض. في مثل هذه الأوقات، يمكن أن تكون التسجيلات ذات نفع كبير.

يمكنك صنع تسجيلاتك الخاصة من كتب طفلك المفضّلة. هيئي شريطًا فارغًا وسجّلي الكتاب عليه بقراءتك له بصوت مرتفع. وإذا كان لديك طفل أكبر سنًا في العائلة فربما يرغب هو أيضًا في تسجيل الكتاب.

لقد أتحنا لولدنا البالغ من العمر عشر سنوات تسجيل بعض الكتب البسيطة بهذه الطريقة. وقد استمتع بفعل ذلك وبالاستماع إلى التسجيل في وقت لاحق، وقد أسهم هذا الأمر في زيادة مهارته في القراءة الشفوية، وأحب شقيقه الأصغر البالغ أربع سنوات الاستماع إلى «الكتب الخاصّة» المسجّلة بواسطة شقيقه الأكبر.

دعونا الآن نلخص هذا الفصل. يتأثر طفلك كثيرًا بالمنهج المتبع في مدرسته. ولكن قبل أن يلتحق بالمدرسة يكون متأثرًا أيضًا، بنسبة أكبر، بـ«المنهج» المتبع في بيتك، فالألعاب والكتب والتسجيلات تشكل المنهج في منزلك. لذا ينبغي عليك تخصيص الوقت الكافي وبذل الجهد المطلوب لاختيارها بطريقة حكيمة.

14

تذكير بالمبادئ الأساسية وكلمة أخيرة

منذ أن بدأنا نقاشنا حول طفلك في طفولته المبكرة، غطينا مجموعة واسعة من المواضيع، وتكلمنا عن كل شيء، من نوبات الغضب إلى تعلم القراءة إلى وصفات اللعب بالمعجون.

لو جلسنا أنا وأنتِ نتناول القهوة معًا ونناقش هذه المواضيع، لكان هذا حوارًا حقيقيًا ذا اتجاهين. كنا سنتبادل تجاربنا. ستخبرينني عن طفلك وسوف أسألك المزيد من الأسئلة. كنت سأتكلم عن «مهنة» الأهل وأنت ستقاطعينني من وقت إلى آخر. قد تقولين: «أنا لا أفهم لماذا قلتَ ذلك» أو «أنا لا أوافقك في هذا» أو «ما قلتَه منذ لحظات أزعجني نوعًا ما» أو «عندما كنا نتكلم عن مرحلة الدَرْج لم تذكر قط شيئًا كهذا. كيف تتعامل مع ذلك؟».

الكتاب، لسوء الحظ، هو مسألة ذات اتجاه واحد. لقد حاولتُ أن أضع نفسي مكانك وأن أتخيّل الأسئلة التي قد تطرحينها حول نقاط مختلفة، ثم حاولت الإجابة عنها. ولكن من الممكن أنني لم أجب عن بعض الأسئلة التي لديك حول تربية طفلك. وسأحاول الإجابة عن أسئلة إضافية في كتابي المقبل.

لقد غطينا الكثير من المواضيع المختلفة في ثلاثة عشر فصلًا من هذه المحادثة الواسعة حول السنوات الخمس الأولى من حياة طفلك. ولذلك ربما لا تكونين قادرة الآن على رؤية الصورة الكلية وسط هذه التفاصيل الكثيرة، لذلك ولتوضيح الرؤية، دعيني أوجز لك الأفكار الرئيسية في هذا الكتاب، والأشياء الأكثر أهمية التي يجب أن تتذكريها حول تربية طفلك، في ثلاثة عشر بندًا.

1. تربية الطفل هي علاقة إنسانية، والعلاقات الإنسانية لا يمكن أن تُختزَل في مجموعة من القواعد. لذا لا تتبعي أيّ قواعد اتباعًا صارمًا بما فيها هذه القواعد. القواعد هي أدلة توجيهية فقط. وأنت وطفلك شخصان فريدان. أنت وهو لديكما علاقة خاصة تختلف عن العلاقة بين أيّ شخصين آخرين في هذا الكوكب، فلا تقعي في خطأ تكييف هذه العلاقة مع أيّ مبادئ أو قوانين عامة.

2. السنوات قبل بلوغ السادسة هي الأكثر أهمية في تكوين المواقف وأنماط العادات التي ستدوم طيلة الحياة. والعلاقة التي تتأسّس بينك وبين طفلك في سنوات ما قبل المدرسة سوف تحدّد علاقتك معه خلال ما بقي من حياته، فمثلًا، للحيلولة دون تحوّل فتًى مراهق إلى حدث جانح متهوّر، عليك أن تستثمري الوقت في تأسيس علاقة متينة معه قائمة على العطف والمحبّة والاحترام المتبادل إبان طفولته في مرحلة ما قبل المدرسة.

3. يمكنك تعلم الكثير من الحقائق العلمية عن الأطفال. لكن إن لم يكن لديك الإحساس بالطفولة فلن تقومي بتوجيه طفلك بحكمة. سيكون الأمر كما لو أنك تعرفين كلمات أغنية ما لا لحنها. ولكي تكتسبي الإحساس بالطفولة عليك أن تعيدي تأسيس الاتصال مع الطفل الذي بداخلك، فهذا هو مرشدك الأفضل إلى تربية أطفالك.

4. كل واحد من أطفالك هو مزيج فريد من الجينات التي لم توجد قط على هذا الكوكب ولن توجد أبدًا. إنه ينمو أيضًا في بيئة سيكولوجية فريدة بسبب موقعه في الأسرة. هذا المزيج من الجينات الفريدة إضافة إلى البيئة الفريدة، يعني، بالمعنى الحرفي للكلمة، أن كل طفل في عائلتك فريد كفرادة بصمات أصابعه. وهو يستحق أن يعامل بهذه الطريقة، وينبغي أن تحترمي فرادته. لا تحاولي تكييفه وفق بعض القوالب المسبقة الموجودة في ذهنك عما يجب أن يكون عليه. الشيء الأكثر أهمية الذي يمكن أن تقومي به من أجل طفلك هو أن تتراجعي وتتيحي له تحقيق ذاته الفريدة والكامنة التي تتفتّح وتنمو في داخله.

5. لكي يتمكّن من تحقيق ذاته، يحتاج طفلك إلى أن ينمو في أسرة مستقرّة يقودها أشخاص بالغون. يحتاج طفلك إلى قائد قوي يدير حكومة أسرته، يحتاج إلى والدين قويّين محبين يوجّهانه، ولا يجبرانه أو يضطهدانه.

6. فـي توجيهـك لطفلـك من المهـمّ أن تميّزي بين المشـاعر الداخليـة والأفعال الخارجيـة. مـن المنطقـي أن نتوقـع مـن الطفـل أن يتعلم السـيطرة علـى أفعاله الخارجيـة، حسـب عمـره ومرحلـة نمـوّه. لكن مـن غيـر المنطقـي أن نتوقع من الطفـل أن يسـيطر على مشـاعره، لأن الأفكار والمشـاعر تأتي إلـى العقل والنفس من غير دعوة.

7. ضعـي حـدودًا وقواعـد معقولة للسـيطرة على أفعـال طفلك، ثـم افرضي هذه الحدود والقواعد باسـتمرار. ليسـت هناك مجموعة سحرية واحدة من القواعد التـي تصلح لـكل العائـلات أو لـكل الأطفـال، فذلـك يعتمد علـى القواعـد التي تشعرين بأهمّيتها، والقواعد التي تشعرين بالراحة لفرضها.

8. علـى الرغـم من أنك، كأم، تتولين المسـؤولية عن تعليم طفلك السـيطرة على أفعاله، على الدرجة نفسها من الأهمية أن تتيحي له حرية التعبير عن مشاعره، فإعطـاء طفلـك هـذا الحق لن يقلل فـي أيّ حال من الأحوال مـن احترامه لك، بل على العكس، إنه سـيزيده، حيث سـيدرك أنك تشـعرين بالثقة الكافية بموقعك كأم لتسمحي له بهذا الحق الديموقراطي في التعبير عن مشاعره باعتباره عضوًا أصغـر في الأسـرة. إن سـماحك لطفلك بالتعبير عن مشـاعره يعطيـه، داخل إطار أسـرتك، النوع نفسـه من الحقوق الديموقراطية التي تتمتعين بها كمواطنة حرّة في بلدك.

9. أفضـل طريقـة للمحافظة على علاقة قوية وبنّـاءة مع طفلك هي أن تظهري له أنك تتفهّمين حقًا كيف يشعر تجاه الأشياء المختلفة. ويمكنك فعل ذلك بأقصى حـد مـن الإقنـاع لا بالقـول مـن غير تكلـف: «أنا أفهـم كيف تشـعر»، بل بوضع مشـاعره فـي كلماتك الخاصـة وإعادتها إليـه. بفعلك هذا أنـت تحاولين بطريقة فعّالة أن تضعي نفسك في مكانه وتري العالم من خلال عينيه.

10. فـي توجيـه طفلـك نحـو الانضبـاط الذاتـي، عـزّزي حركتـه الإيجابيـة باتجاه الأهـداف ذات الشـأن. وتجاهلـي الأفعـال التـي لا تسـير فـي اتجـاه الأهـداف القيّمة، فالسلوك الذي يُعزَّز يميل إلى التكرار. عزّزي طفلك عندما يكون سلوكه استقلاليًا، مؤكـدًا لذاته، خلّاقًا، ومحبًا. ولا تعزّزيه عندمـا يكون هيّابًا، متذمّرًا،

غير متعاون، عنيفًا، أو مخرّبًا. وبهذا يصبح دورك عظيم الأثر في مساعدة طفلك ليصبح شخصًا ناضجًا ومنضبطًا ذاتيًا.

11. المدرسة تبدأ في البيت. و«المنهج» السائد في بيتك له أهمية كبرى كأهمية منهج المدرسة التي سيلتحق بها طفلك. إنه يحتاج إلى منهج مختار بعناية ويشتمل على الألعاب والكتب والتسجيلات، وهي المعادل الموضوعي للكتب المدرسية في مدرسة المنزل.

12. يحتاج طفلك إلى تحفيز لنموّه العقلي، فالتحفيز العقلي الذي تقدّمينه له، وخاصة في السنوات الخمس الأولى من حياته، ذو أهمية حاسمة في النموّ الأمثل لذكائه. تحفيز نموّه اللغوي، وتعليمه ليصبح مهتمًا بالكلمات ومحبًا للكتب، وتعليمه الكتابة، وممارسة الألعاب التي تعلمه التفكير المنطقي وتنمّي فهمه للرياضيات. كل هذه الأمور تشكل جزءًا من الإرث العقلي الغني الذي يمكن أن تمنحيه لطفلك في الوقت الذي يكون فيه قد بلغ السادسة من عمره.

13. الأهل لهم حقوقهم أيضًا. إن تربية الطفل ليست مهمة سهلة، فهي تتطلب نضجًا أكبر مما يملكه بعض الأهل أحيانًا. وكلنا، من آن لآخر، نعجز عن بلوغ المثل الأعلى الذي وضعناه لأنفسنا. وإذا كنا أعطينا لأطفالنا الحق في أن يكونوا أطفالًا غير كاملين، ينبغي أن نعطي الحق لأنفسنا أيضًا في أن نكون أبوين غير كاملين! وإذا كنا أتحنا لأطفالنا الحق في أن يعبّروا عن مشاعرهم، ينبغي علينا بالتأكيد أن نقرّ بالحق ذاته لأنفسنا. إن الأم التي تشعر بأنها تضحّي بنفسها من أجل طفلها لا تسدي أيّ نفع لذلك الطفل. لذا، من أجل أن نكون أهلًا جيدين ينبغي علينا قبل كل شيء أن نسعى لتحقيق ذواتنا وأن نكون بشرًا حقيقيين.

إحدى أفضل الطرق لنتعلم أن نكون أشخاصًا محققين لذواتهم، هي أن نفهم الطفل الموجود بداخلنا، فمشاعرنا كأطفال لا يتم تجاوزها بمجرّد أن نبلغ الحادية والعشرين من أعمارنا. إن مشاعر الطفولة ما زالت موجودة هناك متوارية خلف واجهة البلوغ والرشد. كلنا نحمل في دواخلنا ذلك الطفل الذي كنّاه مرّةً، في كل مرحلة من مراحل نموّنا. ولو لم نكن نحمل في داخلنا ذلك الطفل الذي كنّاه مرّة في مراحل أبكر من نموّنا، لما كنا قادرين على فهم أطفالنا أو التواصل معهم

علـى الإطـلاق، ولكنّا محتجزين تمامًا في عالـم البالغين الخاص بنا، غير قادرين على وضع أنفسنا في مكان أطفالنا ورؤية العالم من خلال أعينهم.

بعض الأهل عاجزون بالكامل تقريبًا عن فهم أطفالهم لأنهم ليسوا على اتصال مع الطفـل الموجود في داخلهـم. ذكريات طفولتهم ومراهقتهـم مكبوتة إلى درجة كبيرة كما لو أنهم لم يعيشـوا تجربة الطفولة والمراهقة قط. إنهم يبدون كأنهم وُلِـدوا وهـم في الحادية والعشـرين مـن أعمارهم. وهذا أمر مأسـاوي، فالاتصال بالطفل الذي في داخلنا هو وحده ما يجعلنا قادرين حقًا على اكتساب الإحساس بالطفولة.

عبّـر راي برادبيري عن هذا الإحسـاس بالطفولة في مقطع من كتابه *Dandlion Wine* حيـن يحـاول دوغلاس سـبولدينغ البالغ من العمر اثني عشـر عامًا إقناع السـيد ساندرسـون مالك محل ساندرسـون للأحذية، بأن يبيعه زوجًا من أحذية التنس بسـعر يقل دولارًا واحدًا عن سـعره المحدّد. ومقابل هذا الخفض يقترح دوغلاس أن يعمل لدى السيد ساندرسون من دون أجر، مرتديًا حذاءه الرياضي، ثمّ يرجو دوغلاس السيد ساندرسون أن يضع حذاء التنس ويجرّبه. يوافق السيد ساندرسون على مضض ويضع حذاء التنس، الذي يبدو منعزلًا وغريبًا إلى جانب الثنايا القاتمة لبدلة عمله الرسمية. يتكلم دوغلاس الآن:

> «من فضلك يا سيد ساندرسون، هل لك أن تتحرّك قليلًا إلى الأمام والخلف، وأن تقفز في مكانك، فيما أروي لك القصة؟ الأمر على هذا النحو: أنا أعطيك نقودي، وأنت تعطيني الحذاء، وأنا مدين لك بدولار واحد. لكن هل تعلم يا سيد ساندرسون ماذا سيحدث حالما أضع هذا الحذاء؟ سوف أسلّم وأتسلم رزَم بضاعتك، وأحضر لك القهوة، وأحرق القمامة، وأجري إلى مكتب البريد، ومكتب البرقيات، والمكتبة العامة! سوف ترى اثنتي عشرة نسخة منّي يدخلون ويخرجون في كل دقيقة. المس هذا الحذاء يا سيد ساندرسون، هل تشعر بالسرعة التي سيحملني بها؟ هل تشعر بالنوابض داخله؟ هل تشعر كيف يمسك بك ولا يتركك وحيدًا، وكيف لا يعجبه أن تكتفي بالوقوف هناك؟ هل تشعر بالسرعة التي سأفعل بها الأشياء التي ما كنتَ لتزعج نفسك بالقيام بها؟ ابق أنت في متجرك البارد اللطيف بينما أقفز أنا من مكان إلى آخر في

أنحاء البلدة. لن أكون أنا في الحقيقة من يفعل ذلك، إنه الحذاء. إنه يجري بسرعة مختصرًا المسافات ثم يعود!

وقف السيد ساندرسون مندهشًا أمام تدافع الكلمات. وعندما استمرّت الكلمات دفعه التيّار.

بدأ يغوص عميقًا في الحذاء، وأخذ يثني أصابعه، ويتفحّص كاحليه. تحرّك قليلًا وخلسة، إلى الخلف والأمام. انغرز حذاء التنس بصمت في السجادة، غاص كما لو كان في غابة عشب... قفز السيد ساندرسون قفزة خفيفة على كعبيه على الأرضية الطيّعة المرحّبة. تسارعت المشاعر على وجهه كما لو أن أضواءً كثيرة تشتعل وتنطفئ. كان فمه متدليًا ومفتوحًا قليلًا. تمايل ببطء وتوقف، أخذ صوت الصبي يتلاشى، ووقفا هناك ينظر كلٌ منهما إلى الآخر في صمتٍ هائل وحقيقي».

كان السيد ساندرسون قد فقد الإحساس بالطفولة. لم يكن بمستطاعه أن يرى حذاء التنس إلا من خلال منظور الشخص البالغ فقط. لقد فقد الإحساس بما يعنيه الحذاء الرياضي لصبيّ في الثانية عشرة من عمره.

ساعد دوغلاس السيد ساندرسون على استرداد مشاعر طفولته مرة أخرى. وهذا هو ما يستطيع طفلك أن يفعله من أجلك. كل الحقائق العلمية التي نتعلمها عن الطفولة لن تُجدينا كثيرًا إن لم يكن لدينا الإحساس بالطفولة. لكن إذا استطعنا، بالخيال، أن نضع أنفسنا في مكان أطفالنا ونرى كيف يبدو العالم بالنسبة إليهم، ونحسّ كيف يشعرون بالعالم... عند ذلك سيصبح الكثير مما يحيّرنا حول الأطفال وكيفية تربيتهم مفهومًا بطريقة سهلة وطبيعية.

أحد الأشياء التي قد تساعد في اكتساب الإحساس بالطفولة هو التعامل مع بعض المواد التي يستخدمها طفلك. تظاهري لوقت قصير بأنك في الثالثة أو الرابعة من العمر. يمكنك أن تفعلي ذلك وحدك في بعض الأحيان ومع طفلك في أحيان أخرى. جرّبي الرسم بيدك على لوح الرسم، ليس لصنع صورة محدّدة لشيء ما ولكن لمجرد تجربة الألوان بالطريقة التي يجرّبها طفل في الثالثة من عمره. جرّبي التلوين بأقلام التلوين، أقلام الباستيل منها خاصة. لا تحاولي رسم شيء معيّن. فقط خربشي وتلاعبي بالألون والخطوط. استعملي

الطين والمعجون وانظري كيف تشعرين بهما. استمعي إلى تسجيل من ثقافة أخرى وتفاعلي وعبّري عن مشاعرك. اخرجي إلى صندوق الرمل واقضي وقتًا في تحسّس الرمل، اتركيه لينساب بين أصابعك وتمتعي بملمسه. حاولي أن تستعيدي إحساسك بالرمل قبل سنين عديدة عندما كنت تستمتعين باللعب به. ابني بعض التشكيلات الرملية بنفسك: قلاع وبيوت، طرقات وجسور.

أمضيتُ مع عائلتي إحدى عطلاتنا الصيفية في أوريغون، كانن بيتش. وكانت إحدى أجمل ذكرياتنا عن تلك العطلة، المسابقة السنوية لبناء القلاع الرملية التي تنظم سنويًا في هذه المنطقة والتي شاركنا فيها كعائلة. لقد قضينا وقتًا رائعًا في بناء قلعتنا الرملية، وأسهم كل فرد من العائلة في بناء الجزء الخاص به من التصميم الكلي.

من وقت لآخر ننظم في روضتنا نشاطًا خاصًا بالوالِدين نطلق عليه «الأبواب المفتوحة». في هذه المناسبة نزوّد الأهل بكل المواد التي يستعملها أطفالهم في روضة الأطفال: الورق، الدهان، الأقلام الملوّنة، الخشب، الصمغ، الطين، الأدوات الموسيقية والإيقاعية، ثم نتركهم ليفعلوا ما يحلو لهم. لأمسية واحدة يعود هؤلاء الآباء والأمهات إلى مرحلة ما قبل المدرسة مرّة أخرى. إن هذا النشاط يروقهم، وينهمكون فعليًا في التعامل مع تلك المواد، حتى لو أنهم لم يفعلوا شيئًا مشابهًا من قبل في حياتهم كبالغين. يعبّر واحد من الآباء عن ذلك بالقول: «أعتقد أنني أفهم الآن معنى ودور روضة الأطفال، فقد أتيحت لي الفرصة للقيام ببعض الأشياء التي كان ولدي الصغير يقوم بها». ومن المرجّح أنك ستشاركين ذلك الأب في شعوره، إذا أعطيتِ نفسك الفرصة في تجربة الأشياء التي يقوم بها طفلك خلال سنوات ما قبل المدرسة.

الإحساس بالطفولة

هذا هو الأساس العاطفي الذي يجب أن تستند إليه كل المعرفة العلمية عن نموّ طفلك وتطوّره، فبدون هذا الإحساس سيسيء البالغون الكبار

استعمال الحقائق العلمية ويشوّهونها، وسوف نرى، نحن الكبار، أطفالنا من خلال عيوننا كأشخاص بالغين. عندما نكتسب الإحساس بالطفولة فكل الأمور تصبح مفهومة، لأن إحساسك العاطفي بطفولتك الخاصة هو، بالمعنى الأصدق والأبسط للكلمة، مفتاحك الحقيقي إلى مغامرة «مهنة» الأهل. حظًا سعيدًا!

كلمة أخيرة

هذا الكتاب غنيّ بالمادة العلمية في موضوع الأمومة (والأبوة). وأنا آمل أن يكون غنيًا أيضًا بالمعرفة المكتسبة من الحسّ والفطرة السليمين. فالكلام عن الأمومة (والأبوة) بوصفها علمًا فقط أمر ينتقص من ذكاء الأم. أما الكلام عنها بوصفها حسًا سليمًا فقط، فهو مغالاة في تقدير معرفة الأم.

أريد لكلمتي الأخيرة أن تذهب في ما وراء العلم والحس السليم. كلمتي الأخيرة هي كلمة عن المشاعر... كلمة عن الحب.

حب الأم لطفلها أكثر أهمّية من كل المعارف العلميّة التي يمكن أن تكتسبها حول تربية الطفل. وحب الأم لطفلها أكثر أهمّية من الحس السليم الذي يمكن أن تمتلكه حول تربية ذلك الطفل.

وكما يعبّر جورج سانتايانا في واحدة من قصائده المفضّلة لديّ:

الحكمة ليست أن تكون حكيمًا
وأن تُغفِل في داخلك
بل هي أن تصدّق قلبك.

إذاً أيتها الأم، صدّقي قلبك في نهاية المطاف. قد تكونين غير واثقة من كيفية التعامل مع طفلك في بعض الحالات، وقد يخبرك العلم شيئًا ويخبرك قلبك شيئًا آخر. صدّقي قلبك! قد يخبرك الحسّ السليم شيئًا ويخبرك قلبك شيئًا آخر. صدّقي قلبك!

الناس فوق سنّ الثلاثين يسمّونه «القلب»، وأولئك الذين تحت الثلاثين يدعونه «الروح». لكن مهما كان الاسم الذي تستعملينه فإنه الشيء نفسه. ربما يجب علينا أن نردم الفجوة بين الأجيال وندعوه «القلب والروح» ولكن «القلب والروح» كما يعلم أيّ واحد فينا، هي كلمة رمزية عن «الحب»، فلماذا لا ندعوه بتلك الكلمة البسيطة والعالمية: الحب؟

للعلم دوره المهم في تربية طفلك. وللحس السليم دوره المهم أيضًا. لكن الأكثر أهمّية من الجميع هو الحب.

العلم، الحس السليم، والحب... إنها ثلاثة.
لكنّ الأعظم بينها هو الحب.

الملحق أ

الألعاب ومعدّات اللعب للأطفال في أعمار ومراحل مختلفة

أولًا – مرحلة الطفولة المبكرة (من الولادة حتى بداية الحبو والمشي، عند نهاية السنة الأولى تقريبًا)

هذا وقت الألعاب الحسّية. السنة الأولى من الحياة هي سنة للتعلم، والطفل الصغير يقوم بعمل بحث أساسي على الصفات الحسّية لعالمه، فيمضي كل وقت استيقاظه مشاهدًا ومستمعًا ومتذوّقًا وشامًّا ولامسًا لكل شيء يستطيع الوصول إليه. وقبل أن يمتلك القدرة اللغوية على تسمية الأشياء بسنوات، يكون مشغولًا بخلق نماذج داخلية في عقله لكل هذه الأشياء. إنه يتعامل مع قساوة هذه الأجسام ونعومتها وشكلها، ويقارنها عقليًا مع الأجسام الأخرى، فيقيسها، ويطابقها، ويضعها في فمه، أو يشمّها. إنه يتعامل مع بيئته المحيطة بلا حدود، فما هي الألعاب التي يحتاج إليها لمساعدته في هذا الاستكشاف الحسّي الفائق الأهمية لبيئته المحيطة الأولى؟

1. الألعاب التي تعلّق على السرير، الجاهزة أو المصنوعة في البيت.
2. منصة ألعاب رياضية Cradle gym.
3. خشخاشات.
4. ألعاب مطاطية للضغط عليها.
5. أيّ شيء يمكنك تخيّله ويمكن تعليقه بطريقة آمنة على سريره، أو فوق قفص اللعب، على أن يكون ملوّنًا مثيرًا للانتباه ولا يشكل خطرًا محتملًا على الرضيع.

6. دمى الحيوانات الناعمة.
7. حوض سمك داخلي بلاستيكي يمكن تعليقه ويحتوي سمكًا حيًّا.
8. ألعاب التسنين والعضّ.
9. كرة صغيرة من نسيج ناعم وطري.
10. لوح نسيجي (يحتوي أنسجة مختلفة من الثياب مخيطة على قطعة من المطاط بحجم قدمين).
11. أدوات منزلية متنوّعة.
12. الماء.
13. ألعاب بلاستيكية ومطاطية للاستعمال أثناء الاستحمام.
14. إسفنجات للعب أثناء الاستحمام.
15. علب موسيقية.
16. سلّة للبريد المهمل.

ثانيًا – مرحلة الدَّرج (وهي تمتدّ تقريبًا من بداية المشي إلى عيد الميلاد الثاني للطفل)

مهمّة النموّ الأساسية عند الطفل في هذه المرحلة هي الاستكشاف الحركي الفعّال لبيئته المحيطة. يستطيع الطفل الآن التجول على قدميه والوصول إلى كل الأشياء. إنه يكتسب ثقة ذاتية بنفسه وإصرارًا بينما يحاول استكشاف بيئته، أو يكتسب ارتيابًا ذاتيًا بنفسه ويتعلم الخوف من فضوله المتلهّف. ما هي الألعاب ومعدّات الألعاب التي ستساعده على اكتساب الثقة الذاتية بنفسه؟

أ. معدّات اللعب من أجل تطوير العضلات الكبيرة (معظمها معدّات للعب في الهواء الطلق):

1. قبّة التسلق.
2. الزلّاقة.
3. مشّاية للأطفال أو حصان للركوب.
4. مكعّبات مجوّفة من الورق المقوّى.
5. مكعّبات مجوّفة خشبية.
6. ألواح صغيرة ومتينة.

7. حوض رملي وأدوات للعب بالرمل: أكواب، ملاعق، غربال أو منخل.
8. سيارات وشاحنات معدنية صغيرة من أجل اللعب بالرمل.
9. حيوانات وشخوص من البلاستيك القاسي من أجل اللعب بالرمل.
10. التراب.
11. ألعاب مائية من أجل اللعب بالماء في الخارج: قوارب بلاستيكية، علب قهوة، ملاعق للقياس، إلخ...
12. إبريق قهوة قديم.
13. مجرفة صغيرة ومتينة من أجل الحفر في التراب واللعب بالرمل.
14. شاحنات وسيارات كبيرة من المعدن أو الخشب من أجل اللعب خارج المنزل.
15. ألعاب من أنواع مختلفة للجرّ والسحب.
16. بيت صغير للأطفال للعب في الخارج outside playhouse، يمكن شراؤه، ومن المفضّل أن يكون مصنوعًا في البيت.
17. صناديق كرتونية كبيرة بما فيه الكفاية لاستيعاب الطفل بداخلها.
18. حيوانات أليفة.

ب. معدّات لعب لداخل البيت:

1. الرفوف المفتوحة (بدلًا من صناديق الألعاب) لحفظ الألعاب والكتب.
2. حصان على نوابض للركوب.
3. منصّة ألعاب رياضية.
4. علب من الورق المقوّى بأحجام مختلفة.
5. ألعاب التكديس والتجميع من مختلف الأنواع.
6. ألعاب الطرق والدق.
7. خرزات كبيرة للخياطة.
8. دمى حيوانات ناعمة.
9. بالونات.
10. بازل بسيطة جدًا.
11. حيوانات مطاطية، أليفة وبرّية.

12. كرة مطاطية للشاطئ.
13. كرة مطاطية صغيرة.
14. سيارات وشاحنات معدنية صغيرة.
15. سيارات وشاحنات خشبية ومعدنية من الحجم الكبير.
16. دمى.
17. أطقم شاي.
18. ملابس تنكرية.
19. ماء وألعاب مائية: رقائق الصابون، أجسام طافية متنوّعة.
20. مكعّبات مصنوعة من الألواح الليفية المضغوطة المضلعة.
21. مكعّبات خشبية كبيرة مجوّفة.
22. مكعّبات مطاطية وإسفنجية.

ج. الكتب:

1. كتب من الورق الكرتوني المقوّى أو القماش (من المرجّح أن يستكشفها في البداية بوضعها في فمه!).
2. كتب على شكل مكعبات.
3. كتب تحوي صورًا كبيرة للأجسام والأشخاص، وكلمات للدلالة على هذه الأجسام والأشخاص لمساعدته على وصف بيئته وتحفيز نموّه اللغوي.
4. قصص مصوّرة بسيطة جدًّا.

ثالثًا – مرحلة المراهقة الأولى

مهمّة النموّ الأساسية عند الطفل في هذه المرحلة هي: الهوية الذاتية بمواجهة الامتثال الاجتماعي. في سلّم النضج المتعلق باللعب بلغ طفلك الآن مرحلة اللعب الموازي. والألعاب ومعدّات اللعب التي زوّدته بها في مراحل نموّ سابقة سوف يبقى طفلك يستعملها بتلهّف ومتعة. لكنه أصبح الآن جاهزًا لأنواع جديدة من معدات اللعب، فمثلًا، أنت لم تزوّديه بأقلام التلوين والطباشير والدهان في مرحلة الدرج لأنه كان من الممكن أن يأكلها. أما الآن فقد بلغ مستوى آخر من النموّ وأصبح بإمكانه التعامل مع هذه الأشياء. إنه جاهز أيضًا لمجموعة جيّدة

مـن الألعـاب الإبداعيـة غير المنظمـة التي لم يكن يسـتطيع التعامـل معها في مرحلة النموّ السابقة.

أ. معدّات لعب من أجل نموّ العضلات الكبيرة:

سيسـتمرّ طفلك خلال هذه المرحلة باسـتعمال الألعاب نفسـها ومعدّات اللعب التي كان يستعملها من أجل تنمية عضلاته الكبيرة.

ب. معدّات اللعب داخل المنزل:

1. السـبّورة، بحجـم أربعة أقدام بأربعة، وطباشـير بيضـاء وملوّنة (وهي أداة اللعـب المفـردة الأكثـر أهميـة التـي يمكن لطفلـك اقتناؤها في هذه المرحلة من النموّ. وسـوف يسـتمرّ في اسـتعمال هذه السـبّورة السـوداء خلال سـنوات مرحلة ما قبل المدرسـة وحتى في المدرسـة الابتدائية).
2. طاولـة أو مكتـب مـن الحجـم الصغير ليرسـم ويلـوّن عليهما (سـوف يُستخدمان أيضًا لعدة سنوات مقبلة).
3. كرسيّ متين وصغير الحجم.
4. لوح يثبّت عليه خربشاته ورسومه.
5. حامل للوحة الرسم.

ج. مواد اللعب الإبداعي غير المنظمة:

1. الورق، بأحجام وأشكال مختلفة.
2. أقلام التلوين.
3. أقلام التلوين المائي.
4. الدهان، سائلًا وجافًا.
5. دهان الأصابع.
6. معجون، جاهز أو مصنوع في المنزل.
7. الطين.
8. معجون Plasticene.
9. حامل للوحة الرسم يمكن استعماله خارج المنزل.

10. مكعّبات من الخشب الصلب أو اللين (احصلي على مجموعة صغيرة، إذ إن طفلك في هذه المرحلة لن يفعل أكثر من تكديسها والتعوّد عليها. في مرحلة النموّ التالية يمكنك إضافة مجموعات أكبر من المكعّبات، حيث إن طفلك سيكون عندئذ قادرًا على القيام بعمليات بناء وتركيب أكثر تعقيدًا بالمكعّبات).
11. مجموعة متنوّعة من ألعاب التركيب والتجميع.

د. الألعاب المرتبطة بالأصوات والموسيقى:

1. الأدوات الإيقاعية: الطبول، المقالي، الصنوج، آلة المثلث، إلخ...
2. أصوات خاصة: لعبة اكسيليفون، أكورديون، إلخ...
3. آلة تسجيل رخيصة الثمن يمكنه تشغيلها بنفسه.
4. بعض التسجيلات الجيدة.

هـ. ألعاب ومعدّات لعب متنوّعة من أجل هذه المرحلة:

1. مرآة فولاذية بحجم ستة إنشات ذات إطار خشبي غير قابلة للكسر (تساعد على تنمية وتطوير صورة الطفل عن ذاته وهويته الذاتية).
2. أنواع مختلفة من الشاحنات، والباصات والقطارات بأحجام كبيرة للركوب.
3. محدلة بخارية كبيرة.
4. سيارة إطفاء ومقطورة سلم حريق.
5. سيارة كبيرة.
6. قطار ديزل كبير.
7. باص كبير.
8. قطار كبير.
9. عدسات مكبّرة من الحجم الكبير (تعرّف طفلك على ظاهرة التكبير في مجال البصريات).
10. ألعاب الطرق والدق.
11. بازل.

12. حيوانات بلاستيكية صلبة: حيوانات أليفة وحيوانات مزرعة، ديناصورات.
13. شخوص بلاستيكية صلبة: روّاد فضاء، رعاة بقر، جنود.

رابعًا – مرحلة ما قبل المدرسة (بين السنة الثالثة والخامسة)

في هذه السنوات من حياة طفلك يحصل نموّ كبير من الناحية العاطفية والعقلية على حدّ سواء. لقد بلغ مرحلة اللعب التعاوني الحقيقي مع الأطفال الآخرين، وهو يستجيب للتحفيز العقلي خاصةً. وكلما زاد ما يحويه بيتك من أنواع الألعاب الداخلية والخارجية التي توجد في روضات الأطفال، زاد غنى البيئة العقلية والعاطفية التي ستتوفر لطفلك ما قبل المدرسة. إذا كانت هناك روضة أطفال قريبة من منزلك فزوريها وراقبي ما لديهم من معدّات اللعب الداخلية والخارجية، وانظري إن كان يمكنك توفيرها في منزلك. بقليل من الإبداع والبراعة يمكنك صنع الكثير من هذه المعدّات في بيتك.

أ. معدّات لعب لتنمية العضلات الكبيرة:

1. درّاجة ثلاثية العجلات.
2. عربات.
3. سلم من الحبال.
4. مكعّبات مجوّفة كبيرة.
5. ألواح.
6. ألواح توازن.
7. لوح توازن أو مشي ذو دعائم خشبية تتيح استخدامه سواء في الوضع المستوي أو على الحافة، من أجل المشي أو للتوازن.
8. نفق التسلية Tunnel of Fun وهو نفق يحبو الطفل داخله.

ب. معدّات لعب لتنمية العضلات الصغيرة:

1. أقلام تلوين، أقلام رصاص، أقلام فوتر، ورق.
2. مقص.
3. صمغ.

4. لوحة أوتاد pegboard toy (وهي لوحة صغيرة ذات ثقوب تُغرس فيها مجموعة من الأوتاد).
5. أدوات ثقيلة: مطرقة، مسامير، منشار، إلخ... على أن يستخدمها الطفل تحت إشراف شخص بالغ.
6. ألعاب الطرق والدق.

ج. ألعاب البناء والتركيب:

1. عدد كبير من المكعّبات الخشبية التي يمكن أن يستخدمها طفل بمفرده، أو عدة أطفال في لعب تعاوني.
2. سيارات وشاحنات خشبية للاستعمال في مدن المكعّبات التي يبدعها الأطفال.
3. شخوص وحيوانات من البلاستيك المتين لاستعمالها بألعاب ذات صلة بالمكعّبات أو الرمل.
4. سيارات وشاحنات معدنية، جرّافات، رافعات، إلخ...
5. سيارات وشاحنات معدنية صغيرة جدًا.
6. قطارات خشبية ومسارات متشابكة.
7. ألعاب نقل كبيرة.
8. حيوانات خشبية.
9. مجموعة دمى تمثّل أفراد الأسرة، وتكون قابلة للثني.
10. حيوانات مطاطية.
11. مجموعة رافعات، بكرات، إلخ...
12. ألعاب تركيب وتجميع.

د. ألعاب تقمّص الأدوار ونموّ الخيال الخلّاق (خاصة بالأطفال في سنّ الرابعة والخامسة):

1. مسرح العرائس، الجاهز أو المصنوع يدويًا.
2. عرائس اليد.
3. عرائس الإصبع.
4. دمى تمثّل أفراد الأسرة، قابلة للثني.

5. ملابس تنكرية.
6. أدوات وعدة الطبيب، أدوات وعدة المستشفى.
7. لوح من القماش وقطع الفلانيل.
8. مخزن الألعاب Play store (شراؤه مكلف، يمكنك صنع واحد بسيط بنفسك).

هـ. ركن التدبير المنزلي واللعب بالدمى للبنات:

1. موقد، مغسلة، براد، جاهزة أو منزلية الصنع.
2. مقالٍ وقدور، طقم شاي، آنية فضّية، بأحجام مناسبة للأطفال.
3. الدمى وبيت الدمى (تجنّبي الإلكترونية منها، اصنعي دمى خاصة بك فمن المرجّح أن تكون أفضل من تلك التي تشترينها).

و. الفنون الإبداعية والحرفية:

1. المعجون.
2. الطين.
3. أقلام التلوين الكبيرة.
4. الدهان.
5. فراشي الدهان الكبيرة (تجنّبي الصغيرة منها في هذا العمر).
6. ورق ناعم ملوّن.
7. صمغ وكولاج (لا ترمي أيّ شيء، كل الأشياء ستفيدك في الكولاج).
8. مجموعة مكعّبات للطباعة الخشبية والمواد المتعلقة بهذا النوع من الطباعة.
9. صور مطبوعة رخيصة الثمن لوضعها في غرفة طفلك بهدف تعريفه إلى الفن الجيد.

ز. ألعاب ومعدّات التحفيز المعرفي:

1. القراءة والنموّ اللغوي.
   أ. أرقام وحروف الأبجدية من الخشب.
   ب. أرقام وحروف ممغنطة.

ج. حروف وأرقام من الورق المرمَّل.
د. أختام مطاطية تصنعينها من الحروف والأرقام.
هـ. إشارات من الورق المقوّى تكتبين عليها كلمات مألوفة.
ز. مـواد ليصنـع بها طفلك كتاب التصوير الخـاص به وذلك بلصق صور من المجلّات (هو يملي عليك وأنت تكتبين ما يقوله).
ح. بازل من مختلف الأنواع.
ط. دومينو.
ي. ألعاب المطابقة.

2. الرياضيات والأرقام
أ. قضبان كويزينير Cuisenaire Rods Parents Kit.
ب. أشكال فسيفساء هندسية.
ت. ساعات خشـبية أو سـاعة مصمّمـة بالمكعّبات مـن أجل تعلم قراءة الوقت.

3. العلوم
أ. أشكال ممغنطة.
ب. مزرعة النمل.
ج. تسجيلات صوتية علمية.
د. كتب علمية لتقرئيها لطفلك ما قبل المدرسة.

4. اللغات الأجنبية.
أ. تسجيلات صوتية متنوّعة لتعليم اللغات الأجنبية لطفلك الصغير.
ب. كتب برليتز Berlitz.
ج. ألعاب الموسيقى والرقص:
- أدوات إيقاعية.
- تسجيلات توجّه لأنشطة تفاعلية وتشاركية.
د. رحلات اطلاعية إلى أماكن محلية مثيرة للاهتمام:
- محطة الإطفاء.
- قسم الشرطة.

- مقر الصحيفة.
- مصنع الألبان.
- المصرف.
- المخبز.
- معمل الحدادة.

هـ. ألعاب سرية تحملينها داخل عقلك:

- قصص تؤلفينها.
- قصص يؤلفها طفلك.
- أليس أمرًا جميلًا أن....
- ماذا سيحدث لو...
- صلب، سائل، أو غاز.
- شخص، مكان، أو شيء.
- عشرون سؤالًا: حيوان، نبات، أو معدن.

الملحق ب

بعض الألعاب المجّانية والرخيصة الثمن للأطفال

يجري إغراق أطفالنا كل أسبوع بالإعلانات التلفزيونية المغرية لدفعهم إلى شراء المزيد والمزيد من الألعاب. هذه الحملات التلفزيونية، كما تعلم ذلك جيدًا كل الأمهات اللاتي عانين من آثارها، تبلغ ذروتها القصوى قبل فترة الأعياد.

لكن الأمّهات لا يستطعن في الغالب إدراك حقيقة أن الألعاب التي يحصل الأطفال منها على أكبر الفائدة يمكن صناعتها من موادّ مجّانية أو، على الأقل، رخيصة الثمن.

هذه الألعاب المجّانية أو الرخيصة الثمن ذات نفع في تنمية القدرة الإبداعية والخيال، أكثر من الأدوات المرتفعة الأثمان التي تعمل بضغط الأزرار.

لنقم الآن بجولة تطلعنا على بعض هذه الألعاب والمواد الرخيصة:

1. **المواد الفنية.** عادة ما يكون تفكيرنا محدودًا بخصوص ما يمكن لأطفالنا استعماله من المواد الفنية. ونميل للتفكير فقط في الدهان وأقلام التلوين والورق، وقد نغفل عن أشياء مثل علب البيض الكرتونية القديمة، الأكياس الورقية، الأزرار المهملة، الأشرطة المطاطية الممزقة، علب الصفيح، أعواد الثقاب المستعملة، أعواد الأسنان، والكثير الكثير من مثل هذه المواد. يمكن للأطفال استخدام هذه الأشياء في الكولاج، وفي التركيب والبناء، والورق.

2. المكعّبات. طبعًا يمكنك شراؤها من مخزن لبيع الألعاب إذا رغبت بذلك، ولكن لماذا لا تحاولين صناعتها بنفسك؟ الأبنية التي تقام في منطقة مجاورة لمنزلك، وعلب الخردة، في فناء منشرة أو محل للخزائن، سوف توفّر لك المواد اللازمة لصناعة مكعّبات من جميع الأحجام. اصقلي هذه المواد جيدًا وسوف يكون لدى طفلك كمّ كبير من أفضل موادّ اللعب التي يمكن الحصول عليها.

3. الكولاج. هو فن لصق مواد مختلفة على الورق، الورق المقوّى، القماش، الخشب المضغوط. أيّ شيء تقريبًا يمكن استعماله بطريقة لافتة في الكولاج: قطع ملونة من قماش قديم، أوراق وأغصان النباتات، الأزرار، قطع قديمة من أوراق ملوّنة وبطاقات الأعياد القديمة. احمي سطح العمل بطبقات من الورق أو البلاستيك، ثمّ صبّي بعض الصمغ في مقلاة قديمة وأعطي طفلك فرشاة رخيصة الثمن ليدهن الصمغ، وأفسحي المجال له ليتابع اللعب.

4. الدمى. من الذي قرّر أنّ كل الدمى يجب أن تكون إلكترونية وغالية الثمن وقادرة على الكلام والصفير أو الرقص عندما يُضغط على الزر المناسب؟ أعطي ابنتك الصغيرة الفرصة لصنع دميتها الخاصة، من الخشب، أو من القطع المهملة من القماش، أو الورق المقوّى، مع بعض المساعدة منك. زيّنيها ببعض اللمسات الأنيقة بأقلام التلوين. مع هذه الدمى، سيكون الطفل هو من يلعب لا الدمية.

5. العلب أو الصناديق الفارغة. السوق المحلي في منطقة سكنك هو منجم غير مستغل من هذه العلب. احصلي على الصغيرة منها واستعمليها لبناء بيوت، أو اصنعي منها حيوانات وشخوصًا. أما الكبيرة منها (مثل تلك التي توضع فيها البرادات) فاصنعي منها بيت لعب لعدد من الأطفال، أو قلعة لسفينة القراصنة، والعديد من الأشياء الأخرى... أو قدّمي الصندوق الفارغ لطفلك الصغير بدون أيّ اقتراحات منك، وسوف يجد له استعمالات لم تخطر على بالك.

6. أقلام الفوتر أو أقلام التلوين المائي. هذه الأقلام الملوّنة من أهم اختراعات القرن لتشجيع الأطفال الصغار على الرسم وتعلم الكتابة، فالأطفال يحبّونها لأنها تنزلق بسهولة على سطح الورق ويمكن التعامل معها بسهولة.

تأكـدي مـن الحصـول على أقـلام الفوتـر الخاصة بالتلويـن المائي، بـدلًا من قلم التأشير الذي لا يمكن محوه.

7. الألعاب. بقطعة من الورق المقوّى المتين، يمكنك صنع أيّ نوع من ألعاب التحريـك التـي تريدينهـا. حدّدي الطريق الذي ستسـير خلاله اللعبـة بمربّعات مختلفة، وبين الفينة والأخرى اكتبي على المربّع أشـياء مثل «ارجع إلى الخلف ثلاث مسـافات» أو «تقدّم إلى البيت القديم». وكل ما تحتاجين إليه بعد ذلك هـو زوج مـن حجـر النرد (زهـر) وبعض العلامـات لتمييز اللاعبيـن وها أنت قد حصلـت علـى لعبـة. يمكنـك أن تضفي على اللعبـة طابعًا عائليًا شـخصيًا بجعلها تتمحور حول مجموعة الاهتمامات والنشاطات الخاصة بعائلتك.

الألعاب المصنوعة في البيت لها سحر خاص على الأطفال الصغار، ولا سيما إذا كان لهم دور في تصميم اللعبة وبنائها.

8. المكعّبات المجوّفة. وهـذه لا بـد مـن أن تكـون موجـودة فـي كل روضـات الأطفـال الجيـدة، ولكـن كـم مـن البيـوت تحويهـا؟ أحـد الأسـباب التـي تجعل بعض الأمّهات يحجمن عن شـرائها هو أسـعارها المرتفعة. إذًا لماذا لا تصنعينها بنفسـك؟ ليـس من الضـروري أن تكوني نجّـارة ماهرة لتضمّي سـتة ألواح بعضها إلـى بعـض! إذا تركت فراغًا مفتوحًا بين اللوحيـن على جانب واحد من المكعب فسيسـاعد هـذا طفلك على الإمسـاك بهذا المكعّب المجـوّف. اصقلي المكعّب جيـدًا لإزالة التشـققات. يمكنك طـلاء المكعّبات وتزيينهـا إذا رغبت في ذلك، ولكن هذا ليس ضروريًا. سوف تدهشك الفائدة التي سيجنيها طفلك من اللعب بمجموعة من المكعّبات وبعض الألواح الصغيرة في حديقة المنزل.

9. الخيال. هـذه «المـادة» مجّانيـة تمامًـا ويمكن أن توجد في عقـل الأم التي سـيكون عليهـا عنـاء تطويرهـا. عندما تتمتـع الأم بهـذه الموهبة التـي لا تقدّر بثمـن، تسـتطيع إيجـاد مـوادّ لعب للطفـل الصغيـر انطلاقًا من كل الأشـياء التي يحويهـا بيتهـا تقريبًا، فباب البرّاد يمكن أن يصبح لوحة لتعليم الطفل الأبجدية، باستخدام الحروف الممغنطة. وإبريق القهوة القديم يصبح لعبة يدوية ساحرة، ومكنسـة قديمة تصبح «حصانًا سـحريًا» للامتطاء، وهلمّ جرّا. امزجي محتويات

منزلك مع الخيال، وسوف يكون لديك الكثير والكثير من الألعاب ومواد اللعب غير المتوقعة لطفلك ما قبل المدرسة.

10. المهملات. بعض الأشياء التي نجدها، نحن الكبار، قليلة القيمة قد تكون شديدة الجاذبية لطفل صغير. البريد غير المرغوب فيه، على سبيل المثال، نحن نلقي به ولكن طفلنا يمكن أن يكون سعيدًا جدًا ليلعب به، ويفتح المظاريف ويعيد إغلاقها. ضعي صندوق بريد قديمًا في حديقة منزلك وسيكون لديك مكان رائع للعب التمثيلي باستخدام البريد غير المرغوب.

11. القطط الصغيرة. إنها بالطبع تحتاج إلى تناول الطعام، ولهذا فإنها ليست مجّانية تمامًا. الحيوانات الأليفة وسائل جيدة لإظهار ما لدى الطفل الصغير من حنان وعفوية.

12. الخشب. الخشب مرتفع الثمن إذا رغبت في شرائه جديدًا، ولكن بقاياه ومخلفاته لا تكلف شيئًا. قائمة الألعاب التي يمكن صناعتها من هذه المخلفات لا نهاية لها، فالألعاب الخشبية ليس من الضروري أن تكون معقدة ومتقنة الصنع. السفن، البيوت، السيارات، والشاحنات يمكن صنعها من مخلفات الخشب. زيّنيها بالألوان أو اتركيها على حالها إذا رغبت في ذلك. الحيوانات المكتنزة، الشخوص، وحتى الروبوتات يمكن صنعها من الخشب. الألعاب الخشبية الرخيصة التي يمكنك صنعها من هذا النوع، من المرجّح أن تعمر أكثر من تلك الألعاب الباهظة الأثمان التي قد تشترينها من الأسواق.

13. الثياب القديمة. لا ترمي ثيابك القديمة. استعمليها كألبسة تنكرية لطفلك ما قبل المدرسة.

14. الدمى. يمكن صنع الدمى اليدوية من مواد كثيرة. ليست هناك من حاجة لأن تكون متقنة الصنع. يمكنك صنعها من الثياب، مع بعض الأشكال المطرّزة، كما يمكنك قصّها من الورق المقوّى، أو نشرها من الخشب. وبإمكانك صنعها حتى من ملاعق الآيس كريم الخشبية الصغيرة. ارسمي وجهًا على الملعقة بأقلام التلوين وسيصبح عندك دمية.

مسرح عرائس بسيط يمكن صنعه من عدة قطع من الخشب وذلك بتثبيتها معًا بالمسامير. افتحي الباب لعالم جديد من مسرح الدمى المتحركة أمام طفلك.

15. ألعاب المسابقات. يحب الأطفال هذه الألعاب في التلفزيون، فلماذا لا تصمّمين بعض ألعاب المسابقات المنزلية الخاصة بك؟ يمكنك لعبها في أيّ مكان: في البيت، في السيارة، في القارب، وفي النزهات. اجعليها سهلة في البداية «أراهن أنك لن تستطيع أن تخمّن ما أفكر فيه. إنه أحمر وأنت تحب أن تأكله». ثم يمكنك زيادة تعقيدها وصعوبتها بالتوازي مع نموّ طفلك.

16. الأختام المطاطية. أيّ قطعة قديمة من المطاط يمكن الاستفادة منها: الإطار الداخلي في العجلة... أو أيّ شي آخر. اقطعي أشكالًا أو حروفًا من المطاط بسكين حادة، ثم ألصقيها على قطعة من الخشب كبيرة بما فيه الكفاية ليستطيع طفلك فهمها بسهولة. لقد أصبح لديه الآن ختم من المطاط يمكنه استخدامه لصنع بعض التصاميم على الورق.

يمكنك أن تستخدمي أيضًا ممحاة مطاطية كبيرة وتصنعي بها بعض التصاميم، كما يمكنك استخدام مِحبرة أو صنع محبرتك الخاصة من المطاط الاسفنجي المنقوع في دهان سائل.

17. المصادفة السعيدة. إنها العثور غير المتوقّع على شيء ما لم نكن نبحث عنه.

إليك وصفة لما يمكن أن يكون مصادفة سعيدة في العائلة. اكتبي بعض الأشياء المثيرة التي قد تودّين فعلها وضعيها في علبة. وفي أحد أيام العطلات الأسبوعية عندما لا تستطيعين التفكير في شيء تفعلينه اختاري واحدًا من هذه الأشياء الموجودة في العلبة وافعليه مهما يكن.

18. أعواد الأسنان. يمكنك استخدامها في الكولاج على الورق، أو الورق المقوّى أو الخشب. كما يمكنك استخدامها في تعليم الطفل الحروف اللاتينية الكبيرة بوضعها معًا في الرمل أو لصقها على خلفية معيّنة. يمكنك لصقها بعضها مع بعض لصنع بيوت أو قلاع. هناك الكثير من الأشياء التي يمكنك صنعها من أعواد الأسنان التافهة.

19. الأشياء العديمة الفائدة. أعتقد أن الرسالة قد وصلتك. ليس هناك من شيء يمكن اعتباره «عديم الفائدة» بالنسبة إلى طفل ما قبل المدرسة. إذا امتلكتِ الخيال، فسيكون بإمكانك أنت أو طفلك إيجاد منفعة لهذا الشيء «العديم الفائدة» واستخدامه. وإذا لم يمكنك عمل أيّ شيء به، استخدميه في الكولاج.

20. الزيارات. إلى المصرف، مقر الصحيفة، محطة الوقود، المَرأب، مصنع تعليب الأسماك، المخبز، محطة الإطفاء، قسم الشرطة... والقائمة لا نهاية لها. إن طفلك ما قبل المدرسة لم يرَ هذه الأماكن، وزيارته لها سوف توسّع آفاقه العقلية إلى حدّ كبير.

21. اللعب بالماء. يمكن لطفلك اللعب بالماء خارج البيت في أيام الصيف، وداخله في الحوض على مدى العام. اللعب بالماء في حوض الاستحمام بالتزامن مع الاغتسال أمر ممتع للطفل دائمًا. دعيه يستخدم أحجامًا مختلفة من العلب أو الزجاجات البلاستيكية، الاسفنجات، أو القوارب البلاستيكية، والأجسام الطافية. وفي بعض الأحيان تضيف الخضار الملوّنة نكهة خاصة على الاستمتاع باللعب بالماء.

22. السيلوفون. اشتري واحدًا رخيص الثمن من السوق، أو اصنعيه في منزلك. المبدأ الرئيسي هو، بكل بساطة، نغمات مختلفة ناتجة عن أحجام وأطوال مختلفة من المعدن أو الخشب. يمكنك استخدام أنابيب نحاسية قديمة أو أنابيب فولاذ ذات أطوال مختلفة، أو يمكنك استعمال خشب بأطوال وسماكات متنوّعة. ضعي القطع المعدنية أو الخشبية على قطعة كبيرة من المطاط الاسفنجي أو علقيها بخيط (صنّارة) متين مثل مجموعة من الأجراس.

23. الخيوط. يمكن لطفلك استعمالها مع «بطاقات الخياطة»، التي يمكنك صنعها عن طريق ثقب الورق المقوّى. تستطيعين جعل هذه الثقوب على شكل تصميم معيّن أو على شكل الأحرف الأبجدية، ثم يخيط طفلك الخيط على البطاقة. يمكن استخدام الخيوط في الكولاج أيضًا.

24. حديقة الحيوانات. يحب الأطفال اللعب مع ألعاب الحيوانات، وطفلك سوف يحبّها ولا سيما إذا صنعتِ أنت له هذه الحيوانات. يمكنك قصّها من

الـورق المقـوّى، كما يمكنك قصّها من الخشـب إذا كان لديك منشـار مناسـب. ولكن سواء كان صنعك لها من الخشب أو من الورق المقوّى، كوني متأكدة من لصقها أو تثبيتها على قطعة مسطحة من الخشـب كقاعدة، بحيث تكون واقفة بشـكل عمـودي. لوّنيهـا بأقلام التلوين أو الدهان. ليس مـن الضروري أن تكوني فنّانة لإنجاز هذه المشـروع، فشـكل الحيوان يمكن أن يكون بسـيطًا، ولن يمانع طفلك. وكيفما كان شـكل الحيوانات، فإن طفلك سـيحبّها. إنها حديقة الحيوان الخاصة به، صنعتها والدته خصيصًا من أجله.

مراجع

- Arnold Gesell and Frances Ilg, *Infant and Child in the Culture of Today* (Harper and Row, 1943).
- Eda J. LeShan, *How to Survive Parenthood* (Random House, 1965).
- Arnold Arnold, *Your Child's Play* (Essandess Specials, Division of Simon & Schuster, Inc., 1968). (Original Title: *How to Play With Your Child*, 1955).
- *Ibid.*
- Edith Efron, «*Television as a Teacher,*» *TV Guide,* October 25, 1969.
- *Ibid.*
- *Ibid.*
- Glenn Doman, *How to Teach Your Baby to Read* (Random House, 1963).
- Joseph Stone and Joseph Church, *Childhood and Adolescence* (Random House, 1968). Copyright © 1968 by Random House, Inc.
- C. Anderson Aldrich and Mary M. Aldrich, *Babies Are Human Beings* (Collier-Macmillan Books, 1962). Reprinted with permission of The Macmillan Company. Copyright © 1954 by The Macmillan Company.
- Theodore Lidz, *The Person, His Development Throughout the Life Cycle* (Basic, 1968).
- Gesell and Ilg, *Infant and Child.*
- *Ibid.*
- Selma Fraiberg, *The Magic Years* (Scribners, 1959).
- Ruth Hartley and Robert Goldenson, *The Complete Book of Children's Play* (Thomas Crowell Co., 1957).
- Stanley Yolles, «How Different Are They?» *New York Times Magazine,* February 5, 1969, p. 64. Copyright © by The New York Times Company. Reprinted by permission.
- Lidz, *The Person.*
- Leland Glover, *How to Give Your Child a Good Start in Life* (Collier-Macmillan Books, 1962). Reprinted with permission of The Macmillan Company, Copyright © 1954 by Leland E. Glover.
- Lidz, *The Person.*
- Glover, *Give Your Child a Good Start.*
- Dorothy Baruch, *New Ways in Sex Education* (McGraw-Hill,1959). Copyright © 1959 by Dorothy W. Baruch. Used with permission of McGraw-Hill Book Company.
- Stone and Church, *Childhood and Adolescence.*
- John Ball, *Johnny Get Your Gun* (Little, Brown and Co., 1969).
- «Precision Hobby Kits» Advertisement, *Toys and Novelties*, February 1959.

- David Krech, «The Chemistry of Learning», *Saturday Review*, January 20, 1968, p. 50. Copyright © 1968 by Saturday Review, Inc.
- *Ibid.*
- Florence Goodenough, *Developmental Psychology* (Appleton-Century-Crofts, Educational Division, Meredith Corporation, 1945).
- Viktor Lowenfeld, *A Source Book for Creative Thinking* (Charles Scribners and Sons, 1962).
- David Ogilvy, *Confessions of an Advertising Man*, Copyright © 1963 by David Ogilvy Trustee, Reprinted by permission of Atheneum Publishers.
- James Hymes, *The Child Under Six*, Copyright © 1963, 1961 by James L. Hymes, Jr. (Prentice-Hall).
- Sheila Greenwald, «My Life Story», Copyright © 1966, by Harper's Magazine, Inc. Reprinted from the July 1966 issue of *Harper's* Magazine by permission of the author.
- George Gallup, *The Miracle Ahead* (Harper and Row, 1964). Copyright ©1964 by George Gallup.
- *Ibid.*
- *Ibid.*
- George Gallup, *Report on Education Research* (Capitol Publications, Inc.) November 26, 1969, p. 5.
- Ray Bradbury, *Dandelion Wine* (Doubleday Publications, 1957).

فهرس

ليس ثمّة فهرس لهذا الكتاب، ولن يكون هناك واحد أبدًا. لكنني أدين للقارئة (أو القارئ)، إنصافًا لها (أو له)، بتبريرٍ عن خياري هذا.

لو أنّ لهذا الكتاب فهرسًا لكانت بعض الأمهات انطلقن منه لقراءة الكتاب بطريقة انتقائية. فإذا كانت الأم قلقة حيال نوبات الغضب التي تنتاب طفلها، فستبحث عن نوبات الغضب وتتّبع النصائح الموجودة في ذلك الموضع من الكتاب. وإذا كان الطفل يتبوَّل في فراشه، فستبحث عن التبوّل في الفراش وتقرأ ذلك القسم المحدّد من الكتاب.

إذا قرأت الأم كتابًا عن تربية الأطفال بهذه الطريقة، فذلك يعني أنّها تعتبر كلّ مشكلة حدثًا معزولًا. إلّا أنّ من المستحيل تربية طفلٍ بتلك الطريقة المجزّأة، لأنّ ذلك الكائن هو شخصية متكاملة، فكل طفل قد اجتاز مراحل محددة من النموّ في الماضي، وهو في مرحلة خاصة من النموّ الآن. ولكي تفهمي طفلك، ينبغي عليك أن تنظري إليه في الإطار الشامل لنمط نموّه.

لا يمكنك أن تفهمي فيلمًا إذا تابعتِ العرض من منتصفه. وكذلك لا يمكنك فهم تبوّل الطفل في فراشه أو تنافسه مع أشقّائه أو أيّ مشكلة أخرى، ما لم تفهمي عملية نموّه بشكل شامل.

وُضِع هذا الكتاب ليُقرأ بوصفه كلًّا موحدًا، فهو يشتمل على مقاربة سيكولوجية متكاملة لفهم الأطفال وتربيتهم. لا يمكنك أن تفهمي طفلًا ما لم تفهمي ما حدث له خلال نموّ مفهومه الذاتي عن نفسه، ابتداءً من تاريخ مولده.

إنّ هدفي هو تفادي أيّ عوائق قد تواجه أمًّا تقرأ هذا الكتاب باعتباره كلًّا موحَّدًا متماسكًا. والفهرس قد يشكّل بالتحديد هذا العائق بالنسبة إلى بعض الأمهات.

اقرئي هذا الكتاب في مجمله. اهضمي فلسفته التربوية، ولا تحاولي تقسيمه إلىٰ قطع صغيرة معزولة لأنه ليس ككتاب الطبخ يقدّم إجابات عن مسائل محدّدة.

فيتزهيو دودسون

في السلسلة ذاتها

كايت براين
الدليل الكامل لخصوبة المرأة
هاشيت أنطوان

الدكتور بيار دوكان
نظام حمية دوكان
الحمية رقم 1 في العالم
الحل الطبي الفرنسي لخسارة الوزن الزائد بشكل دائم
هاشيت أنطوان

البروفسور دافيد خيّاط
النظام الغذائي الصحيح للوقايـــة من السرطان
هاشيت أنطوان

الدكتورة هيام كوزما
كيف أقول لا للآخرين ونعم لذاتي
السبيل إلى حياة هنيئة
لا
نعم
هاشيت أنطوان

جين كاربر
100 وسيلةٍ بسيطة لمنع الألزهايمر والخرَف
نقله من الإنكليزيّة غسّان غصن
هاشيت أنطوان